suhrkamp taschenbuch
wissenschaft 556

Ernst Bloch
Werkausgabe Band 7

Ernst Bloch
Das Materialismusproblem, seine Geschichte und Substanz

Suhrkamp

Dieser Band ist text- und seitenidentisch mit
Ernst Bloch Gesamtausgabe Band 7
Das Materialismusproblem, seine Geschichte und Substanz
© Suhrkamp Verlag Frankfurt am Main 1972

CIP-Kurztitelaufnahme der Deutschen Bibliothek
Bloch, Ernst:
Werkausgabe / Ernst Bloch. – Frankfurt am Main:
Suhrkamp
ISBN 3-518-09949-3
NE: Bloch, Ernst: [Sammlung]
Bd. 7. Das Materialismusproblem, seine
Geschichte und Substanz. – 1. Aufl. – 1985.
(Suhrkamp-Taschenbuch Wissenschaft; 556)
ISBN 3-518-28156-9
NE: GT

suhrkamp taschenbuch wissenschaft 556
Erste Auflage 1985
© Suhrkamp Verlag Frankfurt am Main 1972
Suhrkamp Taschenbuch Verlag
Alle Rechte vorbehalten, insbesondere das
des öffentlichen Vortrags, der Übertragung
durch Rundfunk und Fernsehen
sowie der Übersetzung, auch einzelner Teile.
Druck: Nomos Verlagsgesellschaft, Baden-Baden
Printed in Germany
Umschlag nach Entwürfen von
Willy Fleckhaus und Rolf Staudt

1 2 3 4 5 6 – 90 89 88 87 86 85

DEM JUGENDFREUND GEORG LUKÁCS

Geschrieben 1936–37
Durchgesehen und erweitert 1969–71
Zu danken ist Herrn Burghart Schmidt für seine Mitarbeit
bei der Durchsicht und Erweiterung

INHALT

Vorwort 15

DER RUF INS WIRRE

1. Das Spüren 21
2. Früher Schutz 21
3. Bann durch Namen 22

ZEICHEN DES FLIESSENDEN UND DES STEHENDEN

4. Das Finden 24
5. Feuer, Kugel, Zahl
   (*Thales, Heraklit, Parmenides, Pythagoras*) . . . 24
6. Bezug der Bewegung zum ruhenden Stoff
   (*Empedokles, Demokrit, Anaxagoras*) 29

ERSTER KURSUS / DIE LEHREN VOM EINZELNEN – ALLGEMEINEN, DEN STOFF ANGEHEND

7. Sehen und Denken 32
8. Vorsokratische Brechungen 33
9. Grundlagen des Universalienproblems
   (*Sokrates, Platon, Aristoteles*) 35
10. Ausführungen des Universalienproblems
    (*Stoa, Plotin, scholastischer Nominalismus und Realismus*) 38

11. Reine allgemeine Verstandesform, ihre spezifische wie
    inhaltliche Grenze
    (*Bacon, Hobbes, Descartes, Spinoza, Leibniz, Hume,
    Kant*) 45
12. Bunte und mehr ganzheitliche Vernunftformen, Reich-
    tum und Grenze ihrer Differenzierung
    (*Maimon, Fichte, Schelling, Schopenhauer, Hegel*) . 66
13. Spätergekommene Erkenntnistheorie, Vielheit der
    Kategorien
    (*Rickert, Lask, Cohen, Husserl*) 84
14. Spätergekommene Metaphysik, Zweiseitenlehre der
    Kategorien
    (*Bahnsen, E. v. Hartmann*) 92
15. Ergänzung: Gesuchte praktische Anwendungen von
    Allgemeinem in Rechts- und Moralkasuistik . . . 99
16. Eine Präzision der alten Crux marxistisch 110
17. Exzerpt, montiert aus »Viele Kammern im Welthaus«
    (Erbschaft dieser Zeit, 1935, GA Bd. 6, 1962,
    S. 392 ff.) 121
18. Übergang / Warum und zu welchem Ende die meisten
    großen Philosophen nicht, noch nicht Materialisten
    waren 126

ZWEITER KURSUS / DIE LEHREN VON DER
MATERIE, DIE BAHNUNGEN IHRER
FINALITÄT UND OFFENHEIT

19. Denken des Leibs 132
20. Vorsokratisches Stoffleben 133
21. Materialismus und »große Philosophie« 134
22. Materie als Unbestimmtheit und gärende Bestimm-
    barkeit
    (*Platon, Aristoteles*) 140
23. Materie als natürliche Wertbestimmtheit; untere und
    intelligible Materie
    (*Epikur, Stoa, Plotin*) 145

24. Materie als Schoß der Formen, als Prinzip der Individuation und Quantität, als Fundament
(*Avicebron, Avicenna – Averroës, Thomas, Duns Scotus*) 152
25. Materie als Größe und Ausdehnung; ganz anders: als organische Weltgöttin
(*Galilei, Hobbes, Descartes; Bruno*) 164
26. Materie, gesehen in Gott; als Ausdehnungs-Attribut Gottes
(*Malebranche; Spinoza*) 172
27. Materie als nur mechanisches Gebilde
(*La Mettrie, Holbach*) 179
28. Materie als vitales und als dynamisches Gebilde; Ding an sich
(*Robinet, Leibniz, Kant*) 186
29. Nochmals Kant: Materie und Ding an sich 206
30. Materie als Nicht-Ich und im Aufstieg Schwere-Licht-Leben
(*Fichte, Schelling*) 211
31. Materie im dialektischen Weltgeist (*Hegel*) . . . 230
Das Ding an sich 230 – Subjekt und Substanz 231 – Äther des Anfangs 236 – Übergang in die Natur 239 – Umschlag Quantität – Qualität 246 – Nochmals Subjekt – Substanz und Qualifizierung 251 – Hochzeit Dialektik – Materie 255
32. Materie als Keim des Menschen; als Brandmauer gegen Dämonen und als zukünftiger Kristall
(*Oken, Baader*) 258
33. Materie als Vordergrund und Schlaf
(*Schopenhauer, Bergson, E. v. Hartmann*) 270
34. Sinnlichkeit als das einzig Wahre; der materielle Mensch
(*Czolbe, Feuerbach*) 288
35. Bürgerliche Auflösungen der mechanischen Materie
(*Mach, F. A. Lange*) 296
36. Übergang / Marxistisch eingeleitete Präzision der eigentlich materialistischen Crux: Aporie Sein – Bewußtsein, Antinomie Quantität – Qualität
(*Marx, Engels, Lenin*) 304

ZUM KÄLTESTROM – WÄRMESTROM
IN NATURBILDERN

37. Offene Krise 316
38. »Verschwundene«, formalisierte, aber auch ernerge-
    tisch gefaßte Materie in der gegenwärtigen Physik;
    Formalismus und Dialektik 316

    Sieg der Elektrodynamik 317 – Quantentheorie und Atom-
    modelle 322 – Mikro- und Makrowelt in zerbrochener Fassung
    ihrer 331 – Fazit 1: Bürgerliche Krise und physikalische Erfah-
    rung 338 – Fazit 2: Relativismus, Formalismus und das Etwas,
    das schwingt 342 – Fazit 3: Relativismus und dialektische Mate-
    rie 352 – Fazit 4: Materie der Physik und philosophische 356

39. Exkurs über Engels' Versuch »Dialektik der Natur« 359
40. Kältestrom und Wärmestrom, doch beide zugleich . 372

ZUM VERHÄLTNIS SEIN – BEWUSSTSEIN,
ZWECK UND NOVUM
IM SPEKULATIVEN MATERIALISMUS

41. In seiner Haut 377
42. Vorgeburtlich Gestelltes 377
43. Ideelles als das im Menschenkopf umgesetzte Mate-
    rielle oder Probleme eines ideologischen Überbaus
    (Kulturerbe) 381

    Fron mit Putz 381 – Marxistische Schärfung und Erweiterung
    des Ökonomisch-Materiellen 382 – Übergänge zwischen Wirt-
    schaft und Ideologie; Problem der Kulturerzeugung 389 – Genie
    und ideologischer Überschuß 401 – Ideologiefreier Überschuß
    im Überbau und wahrgemachtes Kulturerbe 409 – Drei Stadien,
    auch Arten im ideologiefreien Überschuß (Erbbarkeit an Auf-
    stiegs-, Blüte-, Niedergangszeiten: Archetypen) 417 – Coda / Pro-
    blem eines partiell noch unabgegoltenen Erbes an früheren, noch
    mythologisch durchsetzten Naturbildern 425

44. Positivismus, Idealismus, Materialismus 438
45. Ergänzung / Was Metaphysik einmal war, als er-
    strebte Grundwissenschaft vom wahrhaft, wirklich
    Seienden 450

46. Nochmals Crux, Aporie, Antinomie; Bewußtsein,
    Qualität, Novum als Ausformung des materiellen
    Inhalts 456

Künstlich und echt verwickelt 456 – Crux des Einzelnen und die
Fülle 457 – Die Aporie in der materiellen Selbstreflexion zum
Bewußtsein, die Antinomie in der materiellen Selbstmanifestation
zu Qualitäten 461 – Schwere Geburt und materielle Selbstantizipation im Novum 466

47. Die spekulative Weite; Logikum in der Materie; nicht
    nur Bewegung, erst recht Materie als unvollendete
    Entelechie 470

48. Anhang / Avicenna und die Aristotelische Linke . . 479

Nie das Gleiche 479 – Merk- und Gedenkpunkt 479 – Handelsstädte und hellenistischer Boden 481 – Verschiedenes Verhältnis
des Wissens zum Glauben 484 – Der Lebende, Sohn des Wachenden, Gott als Himmelskörper 489 – Aristoteles – Avicenna und
die Essenzen des Diesseits 492 – Einfluß Avicennas bei Thomas
und Gegenteil 502 – Einfluß der Aristotelischen Linken auf die
Anti-Kirche 507 – Die auf Moral gebrachte Religion 512 – Aristoteles und die nicht-mechanische Materie 516 – Verwandlung
des Aristoteles durch seine Linke, Verwandlung dieser Linken
selber 517 – Kunst, die Stoff-Form entbindend 521 – Textstellen
und Erläuterungen 525

Übergang aus dem Reich der Notwendigkeit in das der Freiheit hat nur an unabgeschlossener Prozeßmaterie Land. Genau die bisher entferntest gehaltenen Extreme: Zukunft und Natur, Antizipation und Materie – schlagen in der fälligen Gründlichkeit des historisch-dialektischen Materialismus zusammen. Ohne Materie ist kein Boden der (realen) Antizipation, ohne (reale) Antizipation kein Horizont der Materie erfaßbar.

Das Prinzip Hoffnung, Kap. 18

VORWORT

Es gibt Worte, die man kaum mehr hören kann, so fad sind sie geworden. Dieser Verschleiß vermehrt das Verblasene, das sie ohnehin schon an sich hatten. So bei dem Wort Mensch, vor allem wenn man es mit O Mensch aussprach, ansprach. Wo Wörter nicht derart phrasenhaft verdampften, war es beliebt und von Nutzen, sie vulgär zu machen. Dazu gehört auch ein vordem so üblich gewesener Gegenpol zu Mensch, nämlich ein auf den Hund gekommener Begriff Materie, Materialismus, der deshalb als »Weltanschauung« in feineren Kreisen gar nicht mehr gebraucht wird. Ein anders beschaffener, nämlich dialektischer Materialismus wurde vom Bürgertum gar nicht erst zur Kenntnis genommen, schon deshalb nicht, weil er den Ludergeruch der Revolution bewahrt hat. Er wurde vom Bildungsbürger bis heute außer Kurs gehalten oder mit der abgeschobenen, lange nicht mehr modischen mechanistischen Stoffhuberei verwechselt. Wobei sich so dem Ludergeruch der Revolution auch der Altkleidergeruch der abgestandenen L. Büchner-, dann Haeckel-Lektüre abschreckend hinzufügen ließ. Auch bei einer sich mehr und mehr verbürgerlichenden Sozialdemokratie fehlte der Auftrag, Materialismus neu zu bedenken, vielmehr lautete ihr Auftrag, ihn wachsend zu vergessen, ihn mindestens mit Angeflicktem, teils neukantianischer, teils empiriokritizistischer Art subjektivistisch unkenntlich zu machen. Dabei wurde ja, wie rechtens, nicht nur die mechanistische Kraft- und Stoffhuberei getroffen, sondern indem Bernstein die dialektische Methode ein Hirngespinst nannte, wurde auch der dialektische Materialismus als Ballast über Bord geworfen (andere Ballastabwürfe, so die etwa des sogenannten revolutionären Wauwauspielens, sind ja seitdem gefolgt). Ein erneutes Durchdenken des Begriffs Materie, gerade auch im dialektischen Materialismus, wurde trotz Lenin kaum versucht. Denn allmählich hat auch die kommunistische Internationale die problemkundige Neudurchdenkung des Materieprinzips bis jetzt

nicht sonderlich weitergefördert, sie hat es gewiß nicht über
Bord geworfen, doch sie hat ihm weithin das Undialektischste
angedeihen lassen, nämlich die Erstarrung. So wurde hier der
Weltbegriff Materialismus allzu oft ein bloßer gestempelter
Allerweltsbegriff, eine selbstverständlich gewordene Banalität,
ein begrifflos geratenes Klischee. Dabei hielten gerade Marx
und Engels im Materialismus als solchem die dauernde Frische
und den Luftzug des schöpferischen Problems, wie sich von
selbst versteht. Keineswegs im Sinn einer nur entfernt grund-
sätzlichen Bezweiflung, wohl aber im Sinn einer immer neuen
Durchdringung und versuchten Lösung letzthinnig auftretender Aporien im bisherig erschienenen Materialismus, genau aus
Achtung vor seiner Totalität und dem Unschematischen, wozu
diese verpflichtet. Hierzu gehört, nicht nur beim jungen Marx
in der »Heiligen Familie«, auch nachdem er die allererste Bezeichnung seiner Lehre als »realen Humanismus« mit Glück
aufgegeben hatte, neben der kritischen Schätzung des französischen Materialismus die Erinnerung an Materie »als Trieb, Lebensgeist, Spannkraft« bei – Jakob Böhme. Und bei Bacon
trage der Materialismus noch »die Keime einer allseitigen Entwicklung in sich«, ja die Materie lache hier »in poetisch-sinnlichem Glanze den ganzen Menschen an«, zum Unterschied ihrer
bei Hobbes. Ganz umgekehrt freilich steht es bei Marx und ausgeführter bei Engels betreffs Schätzung des epigonal, dazu vulgär gewordenen Materialismus in der zweiten Hälfte des neunzehnten Jahrhunderts; Engels nennt sogar die Schriften der damaligen L. Büchner und Moleschott »Philosophie im Zustand
ihrer tiefsten Erniedrigung«. Materialismus als solcher ist ihm
also kein Freibrief und kein Schutzschild für banale Unzulänglichkeit und auch weiterhin kein Alibi, das von Problemen dieser Sache hurramechanistisch entbindet. Desto weniger als Engels sich zum Materialismus überhaupt und prinzipiell zu dessen »Erklärung der Welt aus sich selbst« ausnahmslos bekennt;
das ohne alle Mechanistik, vielmehr in jener lebendigsten Aufhebung ihrer, die historisch-dialektischer Materialismus heißt.
Offen und offen gehalten sind darin die Probleme, Aporien der
Eigenschaftsveränderung, des »Übergangs« Leib-Seele, Unterbau-Überbau, Sein-Bewußtsein, Quantität-Qualität, des quali-

tativen Sprungs überhaupt und vorzüglich des materiellen Substrats von all dem; alle diese Umschlagsprobleme wurden durch die bloße Reduktion auf Klotzmaterie auch noch künstlich erschwert. Sicher, auch noch die banalst gewordene Mechanistik konnte transzendente Schuppen von den Augen fallen lassen, also an einer allgemeinen Erklärung der Welt aus sich selbst teilhaben, doch der Preis der Banalität, die hanebüchene Verengerung des Gesichtskreises waren durchaus von Übel, die mechanische Welt war hier so groß, daß nicht einmal ein menschlicher Kopf darin Platz fand. Wobei es nicht weiterhalf, wenn hinter Marx und die »Keime einer allseitigen Entwicklung« zurückfallend, wie so oft, Historisches, Dialektisches, Zukünftiges an eine gebliebene Mechanistik, ihre Flachheit nur als Schmuckworte ohne Hintergrund angefügt worden sind. Die Auslassung der uralten Tiefe im Materiebegriff selber hat sich auf die Dauer auch aufklärend nicht bewährt, allein schon zu bedenken könnte geben, daß das Wort Materie von mater herstammt, also von fruchtbarem Weltschoß und seinen durchaus experimentierten Formen, Figuren, Daseinsgestalten, Auszugsgestalten voll unabgeschlossener Tendenz, unerfüllter Latenz. Gerade die Immanenz nicht nur der Vorhandenheit, sondern vor allem der objektiv-realen Möglichkeit in der Welt ist jetzt materialistisch neu zu erlernen. In diesem Punkt ist nicht nur Hegel auf die Füße zu stellen, sondern in Ansehung der objektiv-realen Möglichkeit und Materie als ihrem Substrat noch immer Unbegriffenes an Aristoteles und der Aristotelischen Linken, wie sie von Avicenna bis zu jedem Philosophieren mit Latenz reicht.

Auch hier muß neu angesetzt werden, dazu aber auch allerhand frühere Stimmen einladend. Kurz eingeleitet wird mit: »Der Ruf ins Wirre«; darin tönt gegen das Ängstigende der mehr ordnende, schützende, bannende Griff der Namen an. Dem folgt als zweiter kurzer Auftakt: »Zeichen des Fließenden und des Stehenden«; darin scheiden sich die fortlaufend dauernde, doch unruhige Zeit des Werdens bei Heraklit, der ewig sich rundende, gefüllte, erfüllte Raum bei den Eleaten, der Kampf der Widersprüche hier, der Frieden aufgrund der unmöglichen Widersprüche dort, und Zeus als all-eines Wesen ist die Ruhe der Kugel. Nach wie vor verführend beides, die Bewegung und die Ruhe; diese Alternative erstreckt sich auf alles nachfolgende Denken weiter, bleibt logisch wie metaphysisch auch in der Frage erhalten, ob mehr das Einzelne und Besondere oder aber das dachhafte, überwölbende Allgemeine real gültig sei. So folgt dem der *erste Kursus:* »Die Lehren vom Einzelnen-Allgemeinen, den Stoff angehend«, ein Umfassendes nicht nur als hohen Geist, sondern als Überall der Materie mitbetreffend. Fragt doch sogar Engels, gegen das allzu Allgemeine empfindlich, vielleicht gebe es ebensowenig Materie wie es Obst gibt, ohne dabei wieder zu bestreiten, daß man vor lauter einzelnen Bäumen oft den allgemeinen Materiewald nicht gesehen habe. Also führt dieser Kursus von vorsokratischen Brechungen zu Grundlagen der Universalienfrage bei Sokrates, Platon, Aristoteles, zu den mannigfachen Wendungen dieses Streits in der Scholastik. Weiter zu den reinen Verstandesformen und ihrer so spezifischen wie inhaltlichen Grenze bei Descartes, Hobbes, Kant; weiter zu den mehr ganzheitlichen Vernunftformen und dem Detailproblem bei Fichte, Schelling, Schopenhauer, Hegel. Ferner zur sogenannten »Wesensschau« bei Husserl, zur nicht nur logisch allgemeinen Zweiseitenlehre der Kategorien bei E. v. Hartmann. Schließlich zur Präzision der alten Crux des Einzelnen-Allgemeinen marxistisch und dem Übergang: Warum die meisten großen Philosophen noch nicht Materialisten waren, und was man bei Idealisten über Materie lernen könne. Indem sie bei ihnen eine Verlegenheit ist, also ein Problem und nicht eine Selbstverständlichkeit, mithin kein an sich schon völlig klarer Erklärungsgrund selber, gar ungestört mechanistischer Art, auf den sich alles reimt. Darauf folgt nun der eigentliche, der *zweite Kursus* des Buchs: »Die Lehren von der Materie, die Bahnungen ihrer Finalität und Offenheit«. In diesem Teil ist das Grundthema Materie über sein logisch-Umfassendes hinaus erreicht und nicht etwa als Geschichte des Materialismus, sondern ebenso in seiner idealistisch reichen Verlegenheit darzustellen versucht. Darin geht der Weg von vorsokratischem Stoffleben zur Materie als Unbestimmtheit bei Platon, als gärender Bestimmbarkeit bei Aristoteles, dann zu Materie als natürlicher Wertbestimmtheit bei Epikur, auch der Stoa, zu unterer, aber auch intelligibler Materie bei Plotin. Weiter zu den lehrreichen Begriffen einer kreativen Materie bei Avicenna, Averroës und den thomistisch, dann nominalistisch durchformulierten Stoff-Form-Beziehungen in christlicher Scholastik. Weiter zur Materie als Größe und Ausdehnung bei Galilei, Hobbes, Descartes, ganz anders: als organischer Weltgöttin bei Bruno; weiter zu Materie gesehen in Gott bei Malebranche, als Ausdehnungs-Attribut Gottes bei Spinoza; wieder herab zu Materie als rein mechanischem Gebilde bei La Mettrie, Holbach, wieder mit Plus als dynamischem Gebilde bei Leibniz, Kant. Weiter zur Materie als Nicht-Ich bei Fichte und im Aufstieg Schwere-Licht-Leben bei Schelling, zur Materie in Hegels dialektischem Weltgeist. Zu phantastischer Materie als Brandmauer gegen Dämonen und als zukünftiger Kristall bei Baader; zu bloß phänomenaler Materie bei Schopenhauer und E. v. Hartmann, zu Materie als entspanntem Leben bei Bergson. Aber dann zu Materie als dem sinnlich einzig Wahren im materiellen Menschen, gerade alles Geistige, alles an den Himmel Verschleuderte zurückholend bei Feuerbach. Folgen die spätbürgerlich versuchten Auflösungen von Materie überhaupt bei Mach; – und nun aber das Gedenken der alten qualitativen Dialektik im nicht nur physischen, sondern historischen Materialismus bei Marx und Engels, mit eingeleiteter Präzision der eigentlich *materialistischen* Crux, nämlich in den Aporien des Fortgangs Sein-Bewußtsein. Überall blickt hier diese Aporie schon durch, als eine, die mit dem durch Aminosäure vermittelten Umschlag vom Anorganischen zum Organischen oder dem durch Arbeit vermittelten Umschlag vom Affen zum Menschen nicht erschöpft ist. Jedenfalls kann die wirklich materialistische Erklärung der Welt aus sich selbst nur dialektisch-sprunghaft, voll vermittelter Unterbrechungen, mit Platz für Neues gedacht werden; materielle Karrieren wie die Materie selber sind ab ovo usque ad finem offen prozessual, mithin realutopisch beschaffen. Dahin also weist dieser zweite Kursus, produktiv aufarbeitende Erinnerungen an Materie auch im Idealismus enthaltend, ihren Begriff jedenfalls mit Implikationen bereichernd, die ihr genau als dialektischem Substrat zukommen und endlich zugute zu kommen haben. Zum Schluß nun folgen von hierab, sachgemäß weiter ausführend, im Buch die zwei letzten Teile: Der erste, überschrieben: »Zum Kälte-strom-Wärmestrom in Naturbildern«, behandelt das doch nicht nur formalistische, sondern energetische Etwas im Stoff der modernen Physik, dazu aber, im Zusammenhang mit dem »Kälte- und Wärmestrom« im Marxismus, das ganz eigentliche Qualitätsproblem der Materie mit Engels' Dialektik der Natur. Der andere Schlußteil, überschrieben: »Zum Verhältnis Sein-Bewußtsein, Zweck und Novum im spekulativen Materialismus«, behandelt, mit voller Betonung der Sein-Bewußtseins-Aporie und ihrer Lichtung, das überall materialistische und nirgends sprunglos bleibende Verhältnis Unterbau-Überbau, plus Problem eines partiell noch un-abgegoltenen Erbes an früheren noch mythologisch durchsetzten Naturbildern. Relativ abschließend werden die Aporie-probleme alle konzentriert um den Übergang Sein-Bewußtsein, Quantität-Qualität; beide Probleme sind von materialistischer Art und Höhe, fruchtbar in einem neuen Horizontbegriff von Materie, in einem Neuen von Mensch und Materie als einer nach vorwärts. Keine der im Stoff sich zweckrealisierenden Formen, Figuren hat also seine Entelechie bereits erreicht. Und nicht die Bewegung aller Dinge und vorab Menschen, sondern die Materie selber und insgesamt stellt sich als noch unvollende-te Entelechie dar. Das kennzeichnet die noch offene Materie nach vorwärts und die ihr einzig adäquate Abbildung in einem nicht mehr nur empirischen, sondern nun auch spekulativen Materialismus. Er betrifft jenen wahren Grundzug der Mate-rie, der voll Finalität treibt und seine mögliche Frucht erst in einem latenten Noch-Nicht innehat.

DER RUF INS WIRRE

DAS SPÜREN

Mit fast nichts fangen wir an. Das treibt uns, will mehr spüren. Sieht sich danach um, tastet und greift. Doch das Empfinden schwebt noch zwischen innen und außen, das Empfundene ist nicht dicht. Bleibt vag und lose, zieht hin wie geträumt. Das alles kommt nur erst ineinander vor.

FRÜHER SCHUTZ

Desto mehr gibt es hier zu merken. Lauter einzelne Eindrücke fliegen vorüber, vergehen in sich selbst, bilden sich neu. Das Kind blickt ihnen nach, blickt um sich, einiges ist ihm gut, das meiste nicht geheuer. So schneidet es sich aus dem traumartigen Dunst ein Bleibendes aus, damit macht es sich vertraut. Der erste gezeichnete Umriß eines Menschen oder eines Tiers gehört hierher. Fast immer fehlt der Leib, doch das dem Kind Wichtige ist in den Kopffüßlern erkennbar zusammengefaßt. Auch die ersten allgemeinen Worte schließen an diese Umrisse an; das Wort Mann gibt nicht mehr von einem eigenen Zustand Laut, ist auch kein Zuruf, sondern bezeichnet einen Umriß. Aus diesem wird alles dem Kind Gleichgültige weggelassen, doch das ihm Wichtige oft unmäßig vergrößert. Die Bezeichnung bringt auch hier die wesentlichen Merkmale an den Tag: am Mann wird etwa die Pfeife unmäßig vergrößert (sie ist der Mann), an einem Schiff der Rauch oder die Fahne (sie erst sind das Schiff). Doch noch kein Eindruck wird dem anderen untergeordnet, alle bestehen vielmehr nebeneinander und sind gereiht. Das Wirre legt sich und wird eben, das dem Kind Wichtige tritt an seine Stelle. Als stilles Zeichen, als Umriß, woran alles klar ist und wenig mehr zu fürchten bleibt.

Das kindliche Denken erleichtert, ins Urtümliche zu sehen. Erst recht ist bei den heutigen »Wilden« noch ein Rest der Denkart erhalten, mittels derer sich die Steinzeit ihrer verworrenen Umwelt erwehrte. Fischer und Jäger brauchten andere Haltpunkte als Bauern und Viehzüchter; die Begriffe, womit der Jäger sich seine Fährten in der Welt zurechtlegt, sind noch gereiht, die Begriffe des seßhaften Ackerbauers letzthin allesamt der Erde untergeordnet. Begriffe überhaupt sind hier nichts Gedachtes, sondern ein sozusagen geglaubt Gesehenes: die Wesen, die sie durch Namen bezeichnen, sitzen an bestimmten Stellen des bildhaften Geschiebes der primitiven Welt. Der Name bezeichnet nicht nur (sodaß sich Menschen durch ihn über ein sogenanntes Ding verständigen können, es wiedererkennen), er bannt zugleich, er schafft an einigen, praktisch wichtigen Punkten des unablässigen Wirrsals Ruhe. Er läßt mit den Dingen umgehen, deren »Geist« der Name nennt, auch anruft, auch verehrt; vom »Geist« in dieser einzelnen, so benannten Axt- oder Baumart bis hinauf zum Totem und den ihm zugehörigen Gliedern. Das totemistische Denken verallgemeinert nicht gattungshaft, sondern überspringend oder quer durch die verschiedensten Dinge hindurch. Das Getreide ist keine Frucht, der Hirsch kein Tier, sodaß Getreide und Obst, Hirsche und Wölfe etwa zusammengehörten. Sondern, wie Lévy-Bruhl mitteilt, liegt noch im Denken eines heutigen mexikanischen Stammes zwischen Getreide und Obst, Hirsch und Wolf ein Abgrund, nicht aber zwischen Getreide und Hirsch; denn das Getreide war einstmals ein Hirsch. Dank weiterer Teilnahme wird der Hirsch auch noch der Wolke, auch noch der Adlerfeder totemistisch zugeordnet, sodaß ein solcher Primitiver sagen kann: Der Hirsch ist eine Feder. Es ist das ein verblüffender Endbezug, einer, der – mit gänzlich veränderten Endpunkten – auch im reiferen Denken noch wiederkehrt. Man erinnere sich, was alles den vier Elementen zugeordnet wurde, wie quer die Welt unter das Trocken-Kalte, Feucht-Kalte, Trocken-Heiße, Feucht-Heiße aufgeteilt worden ist. Ebenso band die gleiche Zahl höchst Verschiedenes zusammen, träufelte die Kräfte des gleichen Wesens darüber aus. Es ist totemistisches Denken, welches solchergestalt quer durchs Einzelne verallgemeinert. Das Wirre wurde an verschiedenen Stellen gleichsam durchbohrt, die einzelnen Dinge übereinander auf einen Pfahl gesteckt. Dadurch wurde das Durcheinander geordnet, derselbe Stamm machte, was an ihm hing, verwandt. Aber traumhaftes Wallen blieb, es verlangte immer wieder, gebannt zu werden.

ZEICHEN DES FLIESSENDEN
UND DES STEHENDEN

4   DAS FINDEN

Wir fangen an uns selber vag an. Nur als suchend, meinend
beginnen wir zu sein. Das Suchen setzt mit sich ein, es hat noch
nichts anderes. Doch allem, was es findet und emp-findet, geht
sein Aufmerken voraus. Der Suchende findet sich als einer, der
immer schon ist, das Gefundene erscheint als ein auftretendes
äußeres Da. Dies Äußere verschwindet, kehrt wieder, fließt
oder steht. Das alles kommt noch durcheinander vor, hier muß
gewählt oder bezogen werden.

5   FEUER, KUGEL, ZAHL
(Thales, Heraklit, Parmenides, Pythagoras)

Zweierlei ist, woran man sich halten kann. Hier der Fluß, dort
das stille Ufer, beides bietet sich gleich sichtbar an. Auch die
bejahenden oder verneinenden Gefühle haben, je nachdem, auf
beidem Platz. Wer den Fluß bejaht, fürchtet im Ufer den Tod.
Wer das Ufer bejaht, fürchtet im Fluß die Vergänglichkeit. Je
frischer das Denken, desto wirksamer solche Wertgefühle, desto leidenschaftlicher die Wahl. Und zwar derart, daß immer
nur das eine oder das andere werthaft vorwiegt: entweder die
Bewegung oder die Ruhe. Die Sinne zeigen zwar beides, daher
nimmt das früheste Denken noch Zeichen zwischen den Polen.
Thales setzt den überall seienden, den zugrunde »liegenden«
Urstoff gleichzeitig als flüssig, Anaximenes als hauchend, at-
mend, Luft, Anaximander als unendlich gärend. Das Dauernde
und sozusagen Feste ist hier zugleich das Allfließende; den Stein
als Grundstoff setzt niemand. Erstarrenmachend, gorgonisch
springt nur der Satz des Anaximander vor, daß die Dinge »notwendig« vergehen, sie leisten »einander Buße für ihr Unrecht
nach zeitlicher Ordnung«. Das Werden, vielleicht schon das

Einzelne und Viele erscheint sündhaft, auf dem Wechsel liegt ein Schatten, es soll Ruhe sein. Mit dem Erstarken der »menschlichen« Verwandtschaft zum Wechsel oder aber zum Unveränderlichen wächst zugleich die Kritik der Sinne: was sie zeigen, soll nicht sein, also ist es »ἐν ἐτεῇ« , »wahrheitsgemäß« nicht. Zweifellos ist diese »menschliche« Verwandtschaft mitsamt der Evidenz, die sie gab, sozial bedingt; nur: es ist nicht mehr eruierbar, was nun den *vornehmen* Heraklit zum Preis des Wechsels, was den *wandernden* Rhapsoden, auch Satiriker Xenophanes zum Preis der Starre getrieben hat. Jedenfalls: von hier ab beginnt die Einsicht, daß die Welt nicht das ist, als was sie sinnlich erscheint. Die Lehre vom Trug der Sinne beginnt und vom Paradox der Wahrheit; Erkenntnis ist paradox als gegen die δόξα gerichtet, gegen die »Meinung der Sterblichen« (Parmenides). Wobei *Heraklit,* als Lehrer des Flusses (also suo modo ebenfalls des Wassers und nicht nur des Feuers), bezeichnenderweise weniger gegen den Sinnenschein wütet als die Eleaten; Heraklits sogenannte Dunkelheit erreicht den statischen Wahnsinn von Elea nicht. »Was man sehen, hören, erfahren kann«, sagt Heraklit, »dem gebe ich den Vorzug.« Parmenides dagegen: »Denken und (unbewegtes) Sein ist dasselbe, ... daher sind es nur Namen, wenn die Sterblichen das Sein Werden und Vergehen nennen, wenn sie von Änderung des Ortes und vom Wechsel der schimmernden Farbe sprechen.« Heraklit also hat die Sinne mit der »Meinung« nicht im gleichen Grad verlassen, sondern gerade in der sinnlichen Unruhe die Tiefe entdeckt; die Sinne zeigen Werden, die »Meinung« zeigt Starre. Heraklit leugnet auch, wenn er Werden lehrt, nicht etwa das Sein: das Feuer als Weltstoff wird vielmehr von Heraklit mit dem stärksten Seinspathos angesprochen und ausgesprochen, das die Antike überhaupt kennt. Das Gegenteil zum Sein ist nicht das Werden, sondern das Nichts; der Gegenspieler zu den Eleaten ist daher nicht Heraklit, sondern – auch im Hinblick des Wahnsinns – der Zeitgenosse Zenons, der Sophist Gorgias, der dreifache »Widerleger« des Seins (es kann weder sein noch erkannt noch mitgeteilt werden), der absurde Nihilist. Heraklits Werden ist Werde-Sein, und nicht einmal dieses setzt er als absolut: er bezeichnet den Schein der Ruhe als vorübergehendes Gleichgewicht der Gegensätze (so im gespannten Bogen); er läßt wenigstens einmal in denselben Fluß steigen (erst sein Schüler Kratylos überspitzt den berühmten Satz dahin, man könne auch nicht einmal in denselben Fluß steigen). Bei Heraklit ist die Welt jeden Augenblick Unruhe und Durchgangspunkt der Ruhe zugleich. Krumm und gerade, schlimm und gut, Mangel und Sättigung, Weg aufwärts und Weg abwärts, selbst Dionysos und Hades sind dasselbe: »Das Entgegengesetzte paßt zusammen, aus dem Verschiedenen ergibt sich die schönste Harmonie, und alles entsteht auf dem Wege des Streits.« Daher ruft Hegel, Heraklit erblickend, Land! – obwohl das Land Meer ist, Thalatta, ein Meer von Feuer. Aber dem ersten, der die Bewegung erfaßte und sogleich dialektisch erfaßte, war sie vertrauenerweckender als alles.

Hart arbeitet sich dagegen die Ruhe heraus, rätselhaft übertrieben. Sie erscheint nicht als Gewordensein, sondern als Wesen, das nie gelebt und keinerlei Wetter hinter sich hat. Die Eleaten wurden von der Todessehnsucht getrieben, die sich als Leben verkleidet, sogar als Glanz und dadurch noch unheimlicher wirkt. Sie statuiert sich, ganz wider die späteren Todesbilder und den *nihilistischen* Kern ihrer Anziehung oder Abstoßung als Bejahung des Vollen ($\pi\lambda\acute{\epsilon}ov$), als Verneinung des Leeren. Eleatisches Pathos ist ein Seinwollen wie voller Stein, ein Wille zur Teilhabe an dessen Unbeweglichkeit und Unvergänglichkeit; der Glaube: in der Statue und Statik des Todes gerade ewiges Leben zu haben, ist ägyptisch. Da es kein Nicht-Sein gibt, das Nicht-Sein aber dem leeren Raum gleichgesetzt wird, so gibt es im Pleon der durch und durch dichten Körperlichkeit auch keine Zwischenräume, folglich keine mögliche Bewegung, die diese Zwischenräume durchstreichen könnte. Der Granit des Vollen gibt keinen Platz für Bewegung, ebensowenig für Einzelnes und Vieles; er ist ewig, ungeworden, unvergänglich, unbeweglich, unteilbar gleich. Heraklit konnte den Schein der Ruhe durch relatives Gleichgewicht erklären, *Parmenides* dagegen kann den Schein der Bewegung überhaupt nicht erklären; denn nicht einmal als subjektives Unkraut kommt der Schein im Seinsgranit unter. Heraklit kannte zwei Wege: einen abwärts vom Feuer zu den Dingen, einen aufwärts von den Dingen zum Feuer; das Starr- und Kaltwerden bestand wenigstens im Herunterkommen, bei den Toten. Hätte Heraklit die berühmten »Beweise« Zenons für die Unmöglichkeit der Bewegung gekannt, den Versuch, das Kontinuum aus diskreten Zeit- oder Raumteilen zusammengesetzt zu denken: so wäre bei ihm ein Stück Galilei, ja ein Stück Differentialrechnung antizipierbar gewesen. Bei Zenon entsteht durch das ἓν καὶ πᾶν das methodischste Stück Starrsinn in der Philosophie; die von ihm zuerst entdeckte Kunst der Aporie (des weitertreibenden Widerspruchs) erstickt in absoluter Starre. Es entsteht Dialektik contra Dialektik, die Kunst des Widerspruchs wird gehandhabt, um zu beweisen, daß kein Widerspruch sein kann, statt der Zeiterfüllung Heraklits herrscht allerdickste Raumerfüllung: der zum Leben getaufte Tod. So hat man die fortlaufend dauernde, doch unruhige Zeit des Werdens bei Heraklit, den ewig sich rundenden, gefüllten, erfüllten Raum bei den Eleaten, den Kampf der Widersprüche hier, den Frieden aufgrund der unmöglichen Widersprüche dort, und Zeus als alleines Wesen ist die Ruhe der Kugel. Die Vollkommenheit seiner Begrenzung macht den Ruhegott der Eleaten zur Kugel – heilige Mathematik liegt nahe, doch die starre Identität verhindert sie. Das ἓν καὶ πᾶν des Parmenides kennt außer der Eins, die es ist, keine Zahl, das vollkommen erloschene Maß keine Maße und Größen: erst die weniger tote Ruhe entfaltet sich zum mathematischen Gesetz. Diese Entfaltung erst, bei *Pythagoras* (historisch bei Philolaos und seiner Schule) ist gedachte Ruhe oder Differenzierung des Kontinuums zu Zahlen. Die Eins eben ist hier nicht mehr Ein und Alles, sie ist nicht unbedingt die höchste, ihr Rang schwankt. Sie ist am Anfang, doch eben deshalb nicht ohne weiteres an der Spitze des Seins, die ihr nachfolgenden Zahlen können vielmehr, als entwickelte, vollkommener sein. So lehrt Philolaos zwar: »Eins ist der Anfang von allem. Was sich zuerst zusammenfügte, die Eins, liegt in der Mitte der Kugel und wird ἡ ἑστία (Herd) genannt.« Doch er fährt fort: »Die Siebenzahl ist gleich der mutterlosen und jungfräulichen Athene-Nike . . ., denn sie ist Führer und Herrscher über alles, einiger, ewiger, beharrlicher und unbeweglicher Gott, sich selbst gleich und von allem anderen unterschieden.« Vor allem ist die Eins das Gerad-Ungerade ineinander, erst in den folgenden Zahlen legt es sich auseinander, bis zur Zehnzahl hinauf: diese erst, sagt Philolaos, »führt alles zum *Ziel*, bewirkt alles und ist Ursprung und Leitstern des göttlichen, himmlischen und menschlichen Lebens«. Indem die Eins ihr Gerad-Ungerades auseinanderlegt, zu geraden und ungeraden Zahlen, und diese wieder in einem Verhältnis zueinander stehen, beginnt sowohl die Unruhe (das Ungerade) neben der Ruhe anerkannt als auch neu mit ihr verbunden zu werden. Diese Verbindung ist Harmonie, ihr Umfang erscheint in den Verhältniszahlen der Oktave (1:2), Quarte (3:4) und Quinte (2:3): »Das Gleichartige und Verwandte«, lehrt Philolaos, »bedürfte ja der Harmonie nicht, aber das Ungleichartige, Heterogene und Disparate bedurfte notwendig ihres Zusammenschlusses, um in der Weltordnung festgehalten zu werden.« Gattungsbegriffe fehlen noch (das Problem des Einzeln-Allgemeinen ist so fern, daß ein Pythagoras sogar das Wesen *jedes Dings* in einer Zahl ausdrücken wollte). Auch fehlen (wie noch bei Platon) jene eigentlich formalen, das heißt inhaltsärmsten Begriffe, die nachdem von Aristoteles als Kategorien im grundlegenden Sinn ausgezeichnet worden sind. Dafür erscheinen eben die Grundbegriffe des vorsokratischen Denkens in hellem Licht, in der Schärfe des gesammelten Gegensatzes, in der entfalteten »Harmonie« des Gerade-Ungeraden. Deutlich fällt zugleich die Unruhe als das Ungerade mit dem sinnlich Körperlichen, die Ruhe als das Gerade mit dem logisch Göttlichen der Welt zusammen: »Wir Menschen befinden uns in einer Art Haß und sind nur ein Teil des Eigentums der Götter.« Die Harmonie aber spannt den Bogen zwischen Bewegt und Ruhend, Links und Rechts, Ungerade und Gerade, Vielheit und Einheit, Weiblich und Männlich, Dunkel und Hell, Unbegrenzt und Begrenzt. Weniger also in der Zahl selber als in der Zahlenharmonie erscheint erstmals das Pathos der *Ordnung;* diese ist die höhere Ruhe, nämlich das Verhältnis zwischen Unruhe und Ruhe. So aber, daß bereits in der Zahlenreihe die gerade oder Ruhe-Zahl wertgemäß überwiegt: das Veränderliche kommt der Welt »unter dem Mond« zu, das Unveränderliche dem Himmel, die harmonische Verbindung erst recht dem Himmel. Der eleatisch-ägyptische

Zauber des puren Todes weicht dem babylonischen der Sphärenharmonie; am sichtbarsten im »Umschwung« der Gestirne. Denn dieser ist keiner, sondern Bewegung und ewige Rückkehr zugleich – Kreis.

BEZUG DER BEWEGUNG ZUM RUHENDEN STOFF
(Empedokles, Demokrit, Anaxagoras)

Das Zweierlei von Feuer oder steinerner Starre ist von hier ab unhaltbar. Die Bewegung greift die Ruhe an, der Stoff der Ruhe zerfällt in mehrere. Das Sein selbst bleibt bei *Empedokles* unveränderlich, doch zwischen seinen vier Elementen herrscht Liebe und Haß, diese verbinden oder trennen. Sie machen den Wechsel oder die Vielheit der Einzeldinge begreiflich, ja es taucht zum ersten Male der später so folgenreiche Gedanke auf, daß die Vielheit aus Haß stamme, aus einer Art Abfall. Im Urzustand sei der Haß zurückgedrängt, die einigende Liebe überwiege, dagegen im ausgesonderten Teil, dem χόσμος, bewege und verschiebe überwiegend der Streit. Doch entstehen nur die einfachen Dinge aus Streit, die zusammengesetzten, besonders organischen, sind aus »Aphrodite, die die Sehnsucht erregt und das Werk der Vermählung vollendet«. Auch ist ein großer Rest des All noch übriggeblieben, worin die vier Elemente ungesondert ineinander ruhen, in anaximandrischer Unbestimmtheit, eleatischer Einheit; dorthin geht am Ende jede Sonderung wieder zurück. Der Haß als Ursprung der Sonderung, ja der Welt hat sich überall dort, wo das Viele widerstrebte, als kräftigstes, auch reaktionärstes Erklärungsmittel angeboten (so zuletzt bei Schelling). Nun aber siegte bei Demokrit die Kühle, löschte Liebe wie Haß aus, löschte ebenso die Qualitäten von Feuer, Wasser, Luft und Erde. Die Bewegung wurde mechanisch, wirkte nur durch Stoß, kam den Seinsteilchen nicht hinzu, sondern war ihnen eigenschaftlich immanent. Das Ruhe-Sein selber behielt von der Ruhe nur die Trägheit, aber nicht die Dieselbigkeit und Einheit. Vor allem zersprang das eleatisch Unteilbare in unzählige Unteilbarkeiten, die Atome, mit sehr viel leerem Raum dazwischen, zerstreut durch unendlich leeren Raum. Was ist der Atomismus Leukipps, besonders Demokrits? – ein sagenfreies Bewegungsbild, Substanzbild, wie es die Welt seitdem nicht mehr verlassen hat. Das Werden selber ist dahin, Heraklits »Weg aufwärts und abwärts«, die organischen Verbindungs- und Stufenfolgen des Empedokles sind gestrichen; das Geschehen ist so qualitätslos wie die Ruhestoffe, in und an denen es wirkt. Regelnd am Wirken ist aber noch eine andere Ruhe, die der bis zur Unkenntlichkeit säkularisierten ἀνάγχη ursprünglich wohl ein auf ein Numen bezogenes Verhängniswort; die Ruhe ist damit, verblüffenderweise, in die Bewegung selber eingeführt. Synonyme der Ananke waren zwar schon bei Heraklit im Rhythmus des Geschehens: εἰμαρμένη, das Geschick, δίχη, der Brauch, die Rechtsordnung; die Pythagoreer hatten die Bewegungen der Himmelskörper als Spiel der Harmonie bestimmt. Demokrit aber fügte, wie den Atomen die Bewegung, so der Bewegung die Ananke als mechanische Notwendigkeit selbst ein: sie schwebt nun nicht mehr über der Welt. Sie beherrscht den Druck und Stoß der Atome, das Geschehen der Welt in unverbrüchlicher Folge von Ursache und Wirkung, sie ist die Ruhe des »Gesetzes«, mit dem alten Epithon des »Ehernen«, doch sie »herrscht« nicht anders denn immanent. Von hier die spätere Möglichkeit, das »Buch der Natur« pythagoreisch zu lesen (in mathematischer Naturwissenschaft); von hier aber auch die fatale Möglichkeit im mechanischen Materialismus, ewigen Stillstand im Ganzen nicht abwehren zu können, die alte Ananke als kosmischen Kreislauf. Gesetz der Bewegung aber, Gesetz des Wechsels: es ist als wären die Rollen von Werden und Ruhe vertauscht; die Bewegung hat sich über das Ruhe-Sein nicht nur erhöht, sondern hat sich seine *Krone* aufgesetzt. Demokrits Kühle war eine republikanische, sie entthronte den Ruhegott über den Dingen, aber auch, wo Zeus noch geglaubt wurde, bei *Anaxagoras*, rückte er in die Bewegung, in den νοῦς der Bewegung ein. Folgerichtig übertrug sich gerade das θεῖον der eleatischen Starre auf ihr Gegenteil, indes der Kugelgott selber zu unzähligen und unzählig verschiedenen »Dingsamen« (σπέρματα, χρήματα) überging. Auch Heraklit hatte das Feuer dem Zeus gleichgesetzt, doch ohne ihm die Ruhe der Bewegung zu geben; auch das dialektische »Gesetz« flackert. Anaxagoras macht aus der Bewegung selber den Geist der Bewegung, und zwar einen immerdar schönen, harmonieschaffenden, zweckmäßig ordnenden – den Kraftstoff des νοῦς. Dieser erlangte sehr bald Bezug zum alten Urstoff des Hauchs, der Luft, der »vernünftigen Luft« des alles belebenden πνεῦμα. Solche Bezüge wurden damals durch einen späteren Jünger des Anaximenes vermittelt, durch den Naturforscher Diogenes von Apollonia; indem der »Lebenshauch« als das *organisch* Bewegende dargestellt wurde, vermehrte sich die schöne Ordnung der Gestirne um die »zweckmäßige« der Organismen. Vor allem aber zog, zum ersten Mal, das Pneuma ins Theion ein; ein Biologe hat den Gleichklang des »pneuma«, des »spiritus« mit dem »ruach« der Bibel eingeleitet. Die Bewegung geriet so als das unsichtbar Wehende überall; in Lebensfluten, in Tatensturm konnte hernach ein Unbewegt-Bewegendes auf- und abwallen. Der Platz ist gerade für die Fülle frei, die sich im Bewegten durch sein Einzelnes, seine Seitenwege, sein Besonderes, aber auch durch sein Allgemeines, seine unstarr sammelnden Umfassungen bildet. Im folgenden Teil soll dazu ein Stück des begrifflichen Wegs nicht sowohl erinnert als mitmachend durcherfahren werden, wie er zwischen sinnlich Einzelnem, gedanklich Allgemeinem hin und her, her und hin gespannt ist. Da ist das Einzelne kein Kopf, worin schon gedacht wird, das allgemeine begriffliche Wort aber ebensowenig ein Hut, der dazu bestimmt ist, möglichst vielen Dingen aufgesetzt zu werden.

DIE LEHREN VOM EINZELNEN-
ALLGEMEINEN, DEN STOFF ANGEHEND

Vor lauter Bäumen den Wald, vor lauter Wald
die Bäume nicht sehen.

7   SEHEN UND DENKEN

Man findet das Seine in sich seiend vor, als meinend, wollend,
fühlend, das alles bleibt noch im Leib. Erst wo das Wollen aus-
stößt, merkt es ein Außersichsein und empfindet dieses. Alles
Tasten, Hören, Sehen, sagt man, ist einzeln, sein Finden nimmt
als Empfinden nur Einzelnes wahr. Das Vorstellen dagegen
blaßt die »nebensächlichen« Züge des von ihm Behaltenen bereits ab; das Denken, als Wissen um etwas, nimmt das Allgemeine, »Wesentliche« am Etwas wahr. So hart zwar sind
Empfinden und Denken keineswegs getrennt; das eine ist weder
– selber zerstreut und empfangend – den vielen Eindrücken
hingegeben, noch das andere schlechthin tätig, oder auch nur
zusammenfassend. Vor allem nimmt gerade das Empfinden
gestalthaft wahr, während das Denken umgekehrt als zer-
gliederndes ebenso gerühmt wird wie als zusammenfassendes.
Ja, die sogenannten vorüberfliegenden Eindrücke der Empfindung sind großenteils erst durch das Denken aus ihr hinausge-
sondert. Der harte Gegensatz ist mithin nicht haltbar: Akte des
Empfindens setzen sich im »scharf zusehenden«, auch im »ein-
sehenden« Denken fort; Akte des Denkens sind im einfachsten
Eindruck, damit er nur als stehend »wahrgenommen«, »abgebildet« wird, bereits wirksam. Dennoch sind die Unterschiede
zwischen beiden Akten stark; zweifellos überwiegt im einen die
Frische und Fülle des Einzelnen, im anderen die Kühle und
Ruhe des Allgemeinen. Das Empfinden meint vor allem das
Jetzt und Hier, das Denken vor allem das wieder Jetzt und wieder Hier, es bringt das Viele unter einen begrifflichen Hut. Oft
war dieser nur der Hut des denkenden Kopfes selber, wurde
schlecht und recht den Dingen aufgesetzt. Auch fielen das Ein-

zelne des Falles, das Allgemeine der Sache immer wieder auseinander. Besonders bitter und reichhaltig mühte sich der betrachtende Kopf damit ab; was einzeln gewonnen wurde, ging allgemein verloren und umgekehrt. Dieses Draußen war immer aufs neue gespannt.

VORSOKRATISCHE BRECHUNGEN

Von hier ab springt daher die Frage um. Die Griechen haben, um sich zurechtzufinden, zuerst nach dem geforscht, was wechselt oder was bleibt. Sodann kam das Problem, wie Wechsel und Ruhe sich zueinander verhalten, wie die Bewegung auf einen ruhenden Stoff sich anwende. Die jeweiligen Lösungen entsprangen, wie die Frage selbst, überwiegend naiven Wertgefühlen und dem unmittelbaren Eindruck des Daseins. Als aber durch Sokrates der Begriff entdeckt wurde, veränderte sich die alte Sorge. Es wurde ihr ein Logisches eingefügt, das aus dem Eindruck der Bewegung das bewegte Viele, aus dem Eindruck der Ruhe das sammelnd Allgemeine, das ruhend Einheitliche herausschlug. So entstand, die vorsokratischen Entscheidungen großenteils aufnehmend, das eigentliche Kategorienproblem in realistischer Hinsicht: das Verhältnisproblem des Einzelnen und Allgemeinen, der Erscheinung und des Gesetzes, der Fülle und der Gestalt, schließlich des Prozesses und der Substanz (Materie). Die Einzelheit logisiert die Probleme des Werdens, die Allgemeinheit die der Ruhe; wobei in der lernenden und erbenden Darstellung (besonders an Platon und Aristoteles) zunächst eine Verengung eintritt. Denn die eigentlichen Probleme der Substanz, die vorsokratisch noch mit denen des Werdens und der Ruhe verschlungen waren, sind im Universalienproblem die zweite Etage. Die Frage des Allgemeinen war im vorsokratischen Denken überall latent, stellenweise, so bei Pythagoras, bei Empedokles, brach sie auch, mit einem Anklang an viel spätere Entscheidungen, durch. Aus dem vielen sich Bewegenden trat vorsokratisch durchaus schon vorbereitend freilich, ob auch ohne Aufhebens, ein Denken von Einzelnem als Teilen, von Allgemeinem als Band hervor. Empedokles setzte statt des einen Wassers, der einen Luft, des einen Feuers diese als getrennte Elemente, fügte noch die Erde hinzu und ließ sie durch das ihnen gemeinsame Band von Liebe und Haß zur Mischung und Entmischung bringen. Anaxagoras teilte die vier Elemente in so viel verschiedene Kleinststoffe auf, wie es überhaupt Stoffarten in der Welt gibt, Erde, Knochen, Fleisch, Mark und so weiter, und verband diese »Homoiomerien« durch Nus als den allgemeinst tätigen Denkstoff. Demokrit löste die qualitativ verschiedenen Homoiomerien ins radikal Einzelne des nicht mehr Teilbaren, das heißt in die Atome auf, nach Gestalt, Glätte, Beweglichkeit verschieden, und das Generelle zwischen wie über diesen Einzelheiten ist die durchgängige Ananke des mechanischen Gesetzes, der Kausalität. Die vorsokratische Philosophie insgesamt wirkt nicht nur in diesem Punkt wie eine Brautzeit der Probleme; philosophierende Jugend ist daher immer in Ionien, fängt damit an, bleibt lange darin, sieht – als auf sich selbst – nach dorthin zurück. Es ist also sowohl ein Lebensreiz wie ein dauernd spannender Lehrreiz, der von hier ausgeht, vom Apeiron des Anaximander, vom Wechselfeuer des Heraklit, von Demokrits erster analytischer Erklärung der Welt aus sich selbst. Die jungen Grundfragen des Warum und Wohin haben hier ihren Ort, die Rätsel der Weltentstehung, des Weltendes, mitsamt der nüchternen Leichtigkeit, nüchternen Tiefe, womit sie beantwortet werden. Besonders materialistisches Denken, ist es nicht zum grämlich-dürren Nichts-Als halbiert und subalternisiert, blickt dauernd auf Zeiten, wo das Wasser noch lebte, vom Feuer zu schweigen, und wo Demokrit gelehrt hat: »Ein Leben ohne Feste ist wie eine lange Wanderung ohne Einkehr.« Von Heraklit aber stammt das geheimnisvolle Wort: »Wer nicht hofft, wird Unverhofftes nicht finden; denn sonst ist es unaufspürbar und unzugänglich« (Diels, fragm. 18). In einem solchen Satz ist genug Beziehung des Einzelnen zum Allgemeinen, sogar die höchste. Denn sie ist bereits die Beziehung des wachen Individuums zum metalogisch Allgemeinen seiner Hoffnung.

Das Denken aber blickte später immer genauer auf sich selbst. Einzelnes und Vieles meldete sich neu, sobald die überlieferte Zucht schwankte. Das Denken wurde bis zum sophistischen Belieben geschmeidig und frei; die Welt zerflatterte wieder in ihre jeweiligen Wahrnehmungen. *Sokrates,* der demgegenüber das vernünftig Verbindende suchte, das für alle gilt, fand es zugleich als das sachlich Verbindende. Gemeinsames Suchen und Denken ordnete auch in der Sache selber das Besondere wieder unter das Allgemeine; dieses war der *Begriff.* Er bezeichnet und ist das Gemeinsame, das alle einzelnen Meinungen und Wahrnehmungen vergleichbar enthalten. Indem die Sophisten die Erkenntnis geleugnet hatten, wurde sie zum Problem. Und sogleich nachdem sie in Frage gestellt war, in die methodische der Untersuchung, erhöhte sich der sichernde Begriff bei *Platon,* hier gerade als allgemeiner über alles sinnlich einzeln Erscheinende hinaus. Kaum möglich, in dieser gewaltigen Erhöhung des objektiv Allgemeinen die bloß logischen Gattungsbegriffe von den »Ideen« zu trennen; dennoch sind sie von letzteren verschieden. Die allgemeinsten Aussagen, welche Platon gelegentlich zusammenstellt (Anderes, Dasselbe, Ruhe, Bewegung), sind mehr begriffhaft als ideenhaft; auch Gattungsbegriffe, deren Gegenstand der Mensch erst gemacht hat (wie der Tisch an sich, der Sklave an sich), gehören kaum in das »ewige, immer gleiche Reich«. Die rein logischen Über- und Unterordnungen wie die Verhältnisse der allgemeinen Gattungsbegriffe zu ihren einzelnen Gegenständen entsprechen nicht den hierarchischen Verhältnissen zwischen den Ideen. Platon sagt zwar, es gebe soviele Ideen als gemeinschaftliche Namen, doch indem die »Idee« eines Dings allemal zugleich dessen »Zweck« ist, ist Idee zugleich mehr und Anderes als das bloß Allgemeine. Im Philebos ist zwar als Grundfrage behandelt, ob man Einheiten wie den Menschen selbst, das Rind selbst als wahrhaft seiend anzunehmen habe; sodann aber, wie sie, während sie doch stets mit sich identisch bleiben, in das Werdende und Viele sich aufteilen (»Denn das ist doch wohl das Unmöglichste, daß sie, als ein und dasselbe, zugleich in dem Einen und dem Vielen sind«). Aber so sichtbar hier die älteste Fassung des Universalienproblems vorliegt, so deutlich zugleich wird es von den eigentlichen Ideen noch abgeschoben. Begriffe können sich differenzieren, Ideen (Formen) ändern sich nicht, wenn sie aus ihrer großen Welt in die kleine, aus der urbildlichen in die bloß teilhabende und nachahmende eintreten. Bei Ideen findet keine logische Unterordnung des Besonderen unter das Allgemeine statt, sondern, wie bemerkt, eine teleologische der Mittel unter den Zweck: die höchste Idee ist nicht die weiteste, sondern die wertvollste (das Gute). Platons Ideen sind nicht rein logisch (erst bei den Neuplatonikern haben sie sich durchgehends mit der »Ordnung der allgemeinen Begriffe« verbunden); und Kategorienlehre als solche beginnt erst mit *Aristoteles*. Kategorien sind bei ihm die obersten Gattungen der über ein Einzelding möglichen Aussagen; dadurch wird bezeichnet, was dem Ding »wesenhaft« zugehört. Κατηγορία bedeutet im ursprünglichen griechischen Wortsinn nicht Aussage schlechthin, sondern die Aussage einer Anklage, die einer Person oder Sache als Anklagepunkt beigelegte Eigenschaft. Die Kategorien sind in der Topik des Aristoteles gewiß keine »Klagpunkte« mehr, immerhin klingt der juristische Charakter selbst im logischen der »obersten Aussagen« nach: trotz ihrer Allgemeinheit erstreben die Kategorien Prägnanz, das heißt, das Allgemeinste soll zugleich das Wesentlichste sein. Das Einzelding selber ist nach Aristoteles, was von nichts anderem ausgesagt werden kann (daher ist es im logischen Satz immer nur Subjekt, nie Prädikat), doch bezieht sich das Prädikat stets nur auf sein Subjekt, das heißt, die Gattung verwirklicht sich stets nur in ihrer besonderen Erscheinung. Die Kategorien (Prädikamente) nun sagen am einzelnen Subjekt die Arten seiner wesentlichen Realsubstanz (οὐσία) aus. Zehn sehr verschiedenwertige sind nebeneinander zusammengestellt (Substanz, Quantität, Qualität, Verhältnis, Ort, Zeit, Tun, Leiden, Sichbefinden und Sichhaben [habitus]); Kant nannte die aristotelischen Kategorien »empirisch aufgerafft«. Auch haben die logischen Aussageformen nur ein sehr undeutliches Verhältnis zu den realen Gattungsformen, welche in den einzelnen Erscheinungen zwecktätig sich verwirklichen und deren

»Entelechie« bilden. Hier bestätigt sich derart eine Bescheidenheit der Kategorien, ihre noch halb grammatikalische Bindung und Beschränkung; ihr entspricht auch das noch Undeutliche der Verbindung zwischen den logisch behaupteten und den kosmologisch behaupteten »Deduktionsmächten« des Geschehens. Diese Deduktionsmächte sind bei Aristoteles nicht die (halb grammatikalisch-logischen, halb »empirisch aufgerafften«) Kategorien, sondern die sachlich durchdringenden Archai oder Prinzipien; aus diesen erst ist die Welt wissenschaftlich ableitbar. Es sind ihrer vier: Stoff, selbsttätige Form, Ursache und Zweck des Geschehens; der Stoff ist das Wachs, worin die immanent gewordene platonische Idee, die Entelechie, die selbsttätige Zweckform (das innere Wesen) jedes Einzeldings sich ausprägt und verwirklicht; dieser Zweck ist zugleich die Zweckursache jeder ausprägenden Bewegung. Die selbsttätige Form ist bei Aristoteles das immanent Wirkliche in allen Dingen, demgemäß sind die Einzeldinge, sofern sie die Formen ausgeprägt erscheinen lassen, ebenso real wie die allgemeinen Formen, welche in den Erscheinungen der Einzeldinge als »Entelechien« sich verwirklichen. Das Einzelne ist sein Allgemeines, freilich nicht alles Einzelne, denn der allemal unbestimmte Stoff, woraus es mitgebildet ist, mischt sein Unbestimmtes mit ein. Dies weder gattungsgemäß ganz Bestimmbare noch formhaft ganz Ausgeprägte des stofflichen Anteils macht hier das Störende, begrifflich Zufällige, auch zu endlos vielen Dingen quantitativ Teilbare, Vervielfachende in der entelechetisch so geordneten Welt. (Dieser Aspekt auf die Materie, lediglich ihr Störendes hervorhebend, ist freilich von der anderen aristotelischen Definition der Materie als des passiv-unbegrenzt Möglichen sehr verschieden; er faßt eben nur erst das Einzeln-Zufällige, nicht das objektiv Mögliche ins Auge.) Mit der selber durchaus nicht unbestimmten oder ratlosen Bestimmung des einzelnen Unbestimmten ist das gefährliche Universalienproblem gewiß nicht gelöst, doch richtungweisend eröffnet. Und doch soll der Begriff des Einzeln-Allgemeinen seinen Abenteuern erst entgegenreiten. Aristoteles lieferte ihm auf lange Sicht die Landkarte, einschließlich der unentdeckten Gebiete im freilich begrenzten, im gattungshaften Rahmen.

AUSFÜHRUNGEN
DES UNIVERSALIENPROBLEMS
(Stoa, Plotin, scholastischer Nominalismus und Realismus)

Das Denken des Einzelnen wurde unruhig, setzte sich frei. Nicht mehr in der jungen, entlaufenden sophistischen Weise, sondern in einer sozial zerfallenen, erzwungen einsamen, unbehausten. Die *Stoiker* sind der Rückzug des Einzelnen auf sich selbst, das Einzelwesen wurde werthaft. Aber es suchte sittlich wie logisch seinen Halt in einer weltallgemeinen Vernunft. Sittlich, das heißt unter dem zu Suchenden oder zu Fliehenden gab es zwar ἀδιάφορα, Nebensächliches, Gleichgültiges, logisch gab es das jedoch nicht: jede Kategorie, von der allgemeinsten abwärts, wird durch die folgende näher bestimmt, und die Einzeldinge gerade stehen unter dem ableitenden Druck strengsten Sosein-Müssens. Die oberste Kategorie ist die des eigenschaftslosen Bleibens, dann folgen die der innewohnenden, zuletzt der beigemischten Eigenschaften. Aristoteles hatte die Dinge von unten nach oben aufsteigend entwickelt; die Stoa ließ sie statt dessen aus einem generalischen Urfeuer hervorgehen, da blieb – außer der merkwürdigen Freiheit des einzelnen Menschen – kein unableitbarer Rest. Als aber viele Jahrhunderte später, gerade im vertieften Pathos der Einzelseele, das Urfeuer neuplatonisch zum Urlicht geworden war und dieses gerade mit der Einzelseele sich verband, mußte das Emanationssystem von oben herab Gleichgültiges, mehr: Lichtfeindlichkeit auch logisch völlig einbeziehen. Hierdurch entstand zuerst Kategorienlehre im ontologisch durchgreifenden Sinn: die Neuplatoniker stellten das Ableiten des Besonderen aus dem Allgemeinen als Weltschöpfung dar. *Plotin* deduzierte derart seine Kategorien, indem er sie als »Gedanken Gottes« aus der obersten Usia – hoch im Mysten, hoch in Gott – zur Welt und ihrer Finsternis herabströmen ließ. Dadurch wurden erst die allgemeinsten Aussageformen mit den allgemeinsten Formbeziehungen der Wirklichkeit toto coelo gleichgesetzt; die logischen Kategorien wurden völlig zu ontologisch-metaphysischen. Die mehr oder minder undeutliche Trennung zwischen Begriffen und Ideen, zwischen Kategorien und Prinzipien (wie sie bei Platon und

Aristoteles noch vorlag) schwindet; auch die pythagoreische Zahlenlehre, wie sie von Platon bereits in die Ideenlehre eingearbeitet worden war, verbindet sich mit dem Emanationssystem. Von hier datiert jenes einzigartige Gemisch aus Scharfsinn, byzantinischer Hierarchie und gotterfüllter Schwärmerei, welches die Kategorienlehre in christlicher Zeit so oft begleitet hat, – die logische Ordnung alliierte sich mit der Ideenpyramide und sogar mit Jakobs Himmelsleiter. Plotin nun setzt in seiner Kategorienlehre mit dem Höchsten ein, das Licht dieses Einen scheint in die vielen Finsternisse, und diese haben es nicht begriffen. Dabei aber wurden die Kategorien zum ersten Mal nach den Sphären einer »intelligiblen«, danach einer sinnlichen Welt geschieden und innerhalb jeder streng nach den Wertgraden der abnehmenden Allgemeinheit, das heißt: je nach Entfernung vom Urlicht der Usia, geordnet. Die zehn Aristotelischen Kategorien läßt Plotin großenteils nur fürs Sinnliche gelten, nicht fürs Übersinnliche oder Intelligible. Für dieses gelten und in diesem walten lediglich die platonischen Grundideen (Sein, Beharren, Bewegung, Identität, Anderheit); in der sinnlichen oder Weltsphäre sind diese nur per analogiam vorhanden, während die sinnlichen Kategorien der göttlichen Sphäre völlig fremd sind (hier ist übrigens auch der Quell des »nicht-anthropomorphen« Gottes von Maimonides bis Spinoza, sogar der »negativen Theologie«). Immerhin walten fünf Urkategorien in der intelligiblen Welt, gleichsam die fünf Strahlenfinger der göttlichen Lichthand, wie sie analogisch auch durch die sinnliche Welt greifen. Danach folgen die Kategorien der Weltseele und einzelnen Seelen, danach der Naturkräfte und leibgestaltenden Seelenkräfte – bis herab zur Anti-Kategorie der Materie. In letzterer, als der völlig unbestimmten oder urbösen Abwesenheit jeder Bestimmtheit, kehrt das logisch Gleichgültige, sachlich Zufällige der unteren Chaotik als völlig satanisch wieder: nicht ein Bildhauer leidet, wie in der Entwicklungslehre des Aristoteles, am hemmenden Material der Ausprägung, sondern ein Heiliger haßt die Trübe des Erdenrests, wohin das Licht zuletzt übergeht und verschwindet. Der stoische Rückzug des Einzelnen auf sich selbst, diese Kultur der glaubenslosen Privatheit, hat sich so bei Plotin (und nachdem viel stärker bei

Augustin) bis zur Kategorie des Selbstbewußtseins und der bewußt sich entgegensetzenden Freiheit des Einzelwillens vertieft; eben diese Freiheit ist im Emanationssystem keine Anomalie mehr, wie im stoischen Weltmechanismus, sondern eine Ableitung aus dem – wenn auch noch selber unpersönlichen – Geistlicht. Dagegen haben die Kategorien der Naturkräfte und der leibgestaltenden Seelenkräfte Anomalie in sich, nämlich das Prinzip der Teilbarkeit. Dieses wiederum berührt sich unmittelbar mit dem unendlichen und unendlich teilbaren Raum, den die Materie darstellt und den die Sinnlichkeit ergreift. Ungeteiltheit und innere Einheitlichkeit dagegen gehören hier der höheren Seele zu; nur sie steht bei der Fülle des schlechthin Einen contra Abnahme der eigentlichen Seins- und Kategorialwerte nach unten. Viel Merkwürdiges hat derart die Kategorienlehre Plotins umrankt (und lange verdeckt), das ist die andere Seite ihres Vermittlungsversuchs von oben nach unten, ihr Merkwürdiges kulminierte ganz in der *Gnosis*. Diese setzte gar ganze Götter- und Dämonenfamilien als Kategorien, paarig (weiblich-männlich) koordiniert; die Kabbala substituierte den Ideen in Gott Engel als waltende Gebietskategorien der zehn »Sephirot« und drückte sie in »Siegeln« aus. Die Begriffspyramide wurde ein heiliges Bauwerk, die Welt der Vielheit zur »Welt der Ausgestaltung des Einen«, die Kategorien der Sinnlichkeit zu mehr oder minder sauren »Kontraktionen des Urlichts«. Die Spannung des Einzeln-Allgemeinen vermehrte sich erst recht, als das Christentum der Einzelheit (in der Einzelseele) seine neuen Akzente gab. Die menschliche Auszeichnung, welche die Stoiker moralisch, die Neuplatoniker religiös dem Individuum gegeben hatten, verschlang sich christlich mit dem Individualismus der Heilsbotschaft selbst (salva animam *meam*). Die Stoiker waren Zölibatäre, die Neuplatoniker Asketen der Innerlichkeit gewesen; das Christentum – als Flucht- und innerlich-überirdische Heilsreligion der Mühseligen und Beladenen – machte aus der Einzelseele eine Burg. Ebenso wie in diese Burg Jesus einzog, wurde der allgemeinste Weltgrund selber als Persönlichkeit gefaßt; freilich wurde dadurch die Individualkategorie Jesus, die Personen-Trinität im nicht mehr unpersönlichen Weltgrund selber zu einer allgemeinen Katego-

rie. Worin das einzelne Individuum, das Sondersein der bloßen
»Kreatur«, ganz auf altorientalische Weise wieder verschoß
oder aber nur als »Sünde«, als moralisch wie metaphysisch
Nicht-Seinsollendes, wieder herausgesetzt wurde; der Regent
dieser (gerade christlich unkategorierbaren) Sonderheit wurde
der »Widersacher«, der »Geist der Lüge«, der Teufel. Augu-
stins Freiheitslehre sowohl wie Metaphysik des Selbstbewußtseins (erstere trat das Erbe der Stoa, letztere des Neuplatonismus an) enthält diesen Gegensatz des Sonderwillens und des
göttlichen Universalwillens, der tätig-wirklichen Besonderheit
und der schauend-überirdischen Auflösung ihrer in heftigstem
Ausmaß.

Das Denken des Einzelnen beruhigte sich auch nachdem
nicht, setzte sich vielmehr gerade logisch wieder frei. Auf ganz
anderer gesellschaftlicher Grundlage als der des späten Altertums, und doch voll der ungelösten Frage, wer recht habe, das
Einzelne oder das Allgemeine. Wer real sei: das Einzelne, indem es sich gar als *Besonderes*, nämlich als das eines Allgemeinen darstellt, nicht mehr beiherspielend also, sondern als konkretes Beispiel, ja als lehrreiche Ausnahme, oder eben das Allgemeine als das Unzerstreute, und so wahrhaft Seiende. Dieser
Gegensatz hat sich im Mittelalter in den Formen, zum Teil auch
unter der Maske des *Universalienstreits* besonders scharfsinnig
entfaltet, oft mit unvergangener spekulativer Tiefe. Freilich
aus Motiven, die weniger mystisch geführt waren als die Glau-
bensmotive bei Augustin. So drückten sich starke soziale Spannungen des späteren Mittelalters in der Hitze des Kategorial-
problems aus, in der nominalistischen Betonung des diesseitig
Einzelnen zum Unterschied vom allemal erhobenen Allgemeinen.
Im elften Jahrhundert nur ein Anreiz streitlustiger Disputan-
ten (allerdings damals schon der Kirche verdächtig), im Hochmittelalter zurückgedrängt, drang der *Nominalismus* vor allem
mit dem Erwachen des Bürgertums, mit dem Zerfall der mittelalterlichen Gesellschaft vor – ein Stück kapitalistischer Urge-
schichte. Auf begrifflich höherer, ökonomisch fundierterer,
theologisch gefährlicherer Ebene wiederholte sich hier gleichsam die Spannung Sophisten-Sokrates. Zum ersten Mal seit der
sophistischen und dann hellenistischen Skepsis traten unter den

Nominalisten Männer auf, welche überhaupt nicht an ein vernünftig Allgemeines glaubten, wenigstens nicht in der wirklichen Dingwelt – um den Preis allerdings eines subjektiven Idealismus an Stelle des objektiven. Von den Nominalisten wurden viele Allgemeinbegriffe psychologisch aufgelöst, auf Gewohnheit, Zeichengebung oder methodische Fiktion zurückgeführt. Dieser wohltätige Empirismus aber hatte zur Folge, daß schließlich alle und jede Kategorie zerfiel, sich zum »flatus vocis« entwertete; mit den neuplatonisch-realistischen Gottformen im Dasein versanken zugleich die Kategorien als weltliche Daseinsformen überhaupt. Die Wirklichkeit der Nominalisten enthielt sie nicht, im Wirklichen war nur die Fülle unaussagbarer Einzeldinge (»ratio singularitatis frustra quaeritur«, Duns Scotus). Das Grundgegebene war hier zuletzt kein nachgegebenes Prius logischer Allgemeinheit, sondern der unnachdenkbare Wille eines Tatsachen setzenden, die Welt so und nicht anders schaffenden Schöpfers. In Gott (wie im Menschen) hat der faktisch setzende Wille, nicht die kontemplierende Erkenntnis den Primat; nicht deshalb wird etwas von Gott gewollt und gesetzt, weil es als Idee vernünftig und gut ist, sondern weil ein Inhalt von Gott gewollt und gesetzt ist, ist er auch vernünftig und gut. Es gibt folglich für Nominalisten keine erschöpfende Nachdenkbarkeit der Welt aufgrund allgemeiner, per se existenter Ideen in Gott, an deren Logos Gott gebunden wäre; es gibt keine »perseitas boni«, sondern lediglich ein »bonum ex institutione«. Ein Gutes, ein Vernunfthaftes, das nun einmal gesetzt ist und darum – in seiner vollen logischen Zufälligkeit oder »Kontingenz« – hingenommen werden muß. Auf so theoriefeindlichem, ja: erzmythologischem Weg trat durch die Nominalisten das Problem der sinnlichen Erfahrung und der Einzelheit nahe. Vor allem wurde so die gesetzte Einzelheit zum ersten Mal mit der Willensfunktion verbunden: Die Daßheit (»quodditas«) unterbaute die Diesheit (»haecceitas«) und trat in Spannung zum rein logischen, also irrealen Wesen (der »quidditas«); Willenswelt, Intensität, Partikularität traten gegen den Kategorialfrieden an – das ist die positive Kehrseite des nominalistischen Idealismus. Diesen Auflösungen gegenüber beharrte der scholastische *Realismus* auf dem sokratischen Erbe;

er verteidigt sogar die formalistischen Schubfächer, wozu die Kategorien vielfach verholzt waren. Das ständische Kollektivwesen des Hochmittelalters verlangte noch den Seinsvorrang des Allgemeinen vor dem Besonderen, verlangte eine alles deduzierende Logik aus Gattungs-Hierarchie. War auch die erkenntnisgemäße, selbst kosmologische Priorität der Universalien nicht mehr haltbar, so betonte der Realismus des Hochmittelalters desto kräftiger deren metaphysische Priorität. (Hier bot sich für den Realisten Thomas die frühe Entscheidung des Avicenna und des Abälard an: die Universalien seien in Deo ante rem, in mundo in re, in intellectu post rem). Die metaphysische Hierarchie der Seelenkräfte ist demgemäß genau umgekehrt wie bei den Nominalisten: die Erkenntnis, nicht der Wille hat den Primat in Gott wie im Menschen. Gott hat die Welt nicht aus absoluter Willkür geschaffen (so daß ihre Verhältnisse selber kontingente oder nicht räsonnable wären), sondern Gottes Wille ist an die ihm überlegene Weisheit Gottes gebunden (so daß die Verhältnisse der Welt metaphysisch räsonnable sind, metaphysisch präexistente »Formen« oder Ideen darstellen). Dabei arbeitet Thomas die Individuen selber in die allgemeinen »Formen« hinein; einmal durch eine erneuerte Verbindung von »Materie« und »Form«, sodann durch eine damit zusammenhängende Gliederung der »Formen« in reine (»formae separatae sive subsistentes«) und materiell innewohnende (»formae inhaerentes«). Hier unterscheidet Thomas die Individuation der bloßen quantitativen Vielheit (das heißt der vielen Einzelexemplare gleicher Gattung, welche suo modo die Substanz der Gattung in der Einzelsubstanz ausprägen) von der einmaligen Individualität der reinen Formen (das heißt der immateriellen Individuen, der Engel und abgeschiedenen Seelen). Die menschliche Seele als oberste der inhärierenden, unterste der reinen Formen liege auf dem Horizont zwischen Welt und Gott; die Engel aber seien Gattung und Individuen zugleich (die Heiligen nähern sich ihnen logisch an). Das Prinzip der Individuation liegt bei den inhärenten Formen also außerhalb ihrer, nämlich in der Fähigkeit der Materie, quantitative Differenzen anzunehmen (»materia signata vel individuata«). Aristoteles hatte schon mit der quantitativen Teilbarkeit der Dinge im Unterschied zur Unteilbarkeit der Seele das principium individuationis vorweggenommen. Thomas ordnete hernach den gesamten Stufenbau aus dem Steinreich, Pflanzenreich, Tierreich über den Menschen bis zu den »reinen Intelligenzen« entsprechend der Abnahme quantitativer Teilbarkeiten, der Annäherung ans Ideegemäße wachsend wesenhaft individuierter Formen. Der Stufenbau ist also durch die Zunahme der in sich individuierten Allgemeinheit, durch die Abnahme der bloß quantitativ individuierten bestimmt. Ersichtlich wurde so das Universalienproblem durch Thomas um ein außerordentliches Welt-Überwelt-Panorama metaphysisch vermehrt. Wie am Portal gotischer Dome Heilige und Engel der Form des Spitzbogens folgen und architektonische mit himmlischer Hierarchie sich ineinander ordnet: so ist das logische Gerüst des Universalienproblems, in der Thomistischen Summa, zum philosophischen Statuenwerk Himmels und der Erden geworden. Jenes Himmels und jener Erden freilich, die dem Ständestaat entsprachen und ihn, mit tiefer Ruhe, in sich reflektierten. Die Gleichsetzung von Kategorien mit Gattungsbegriffen (gar mit lauter mythologisch-theologisch fundierten) bezeichnet noch weiterhin die ideologische Begrenztheit dieses sich so unbegrenzt gebenden Universalienbilds. Letztere Begrenztheit hatte bereits den neuplatonischen Gedanken tingiert, noch mehr ist sie der mittelalterlichen Gesellschaftsideologie und Wissenschaft wesentlich. Erst die bürgerliche Neuzeit kennt außer den Gattungsbegriffen Kategorien rein als weltlich-dynamische Gesetzes- und Funktionsbegriffe; so in der modernen Hauptkategorie der Kausalität (die im Mittelalter lediglich eine Nebenkategorie war, lediglich auch Substanzen, nicht Bewegungen transportiert hatte). Doch der alte Streit zwischen Einzelheit und Allgemeinheit kam, wie vor allem die Nominalisten zeigen, in der Scholastik auf eine Spannung, von der die Antike noch wenig enthielt und – infolge des fehlenden frühbürgerlich-feudalen Gegensatzes – wenig enthalten konnte. Der reale Dignitätsstreit zwischen der »haecceitas« (der bestimmten Einzelheit) und der »quidditas« (der allgemeinen Wesenheit) ist auch nicht erloschen, wenn statt der haecceitas facts, statt der quidditas Gesetz gesagt wird.

Das neuere Denken kehrte sich sogleich nach außen. Das Einzelne, das die Sinne zeigten, wurde über alles wichtig. Anstatt der dunklen Worte und allgemeinen Begriffe wird mehr als je die Sprache der Sachen verlangt, der versuchend befragten. So deutlich hier die Lust zum Einzelnen war, so undeutlich blieb die Kunst, es zu finden. Auch bei *Bacon* ist die Abneigung, Altes aus Allgemeinem abzuleiten, größer als die Kunst, Neues am Einzelnen zu finden. Nur der induktive Aufstieg vom Besonderen zum Allgemeinen galt hier freilich als wissenschaftlich, ein Aufstieg zudem, dessen Ehre seine Allmählichkeit, ja sein Mißtrauen gegen das Allgemeine war. Nicht Flügel sollten dem Geist angesetzt, sondern Blei angehängt, in die Sohlen gegossen werden; eine sinnliche Bedächtigkeit, die desto berechtigter war, als das stürmende Denken Bacons das rein induktive Wissen selber nicht vermehrte. Aber auch wenn er von den »Formen« spricht, durch welche die Erscheinung »erläutert« wird, so sind dies doch nicht mehr ganz die alten, scholastisch anklingenden. Es zeigt sich bereits das Neue des Gesetzes, und zwar eines der Bewegung kleinster Teilchen, nicht mehr das allgemein gattungshafte Gesicht als das des »bleibenden Wesens«. Verändernder Eingriff regt sich, wenn auch noch weit und undeutlich ins Alte eingehüllt.

Das wurde anders, als das Denken nüchterner vorging, und zwar rechnend. Durchs rechnerische Verfahren wurde das sinnlich Einzelne selber zerlegt, in seine einfachsten Teile. Der bürgerliche Kalkül gewann derart Macht über die Erfahrung, er löste die sinnlich gegebene auf und setzte sie zu einer »verstandenen«, »rein gemachten« wieder zusammen. Das heißt, zu einer auch dem kalkulierenden Verstand des beginnenden Warenumlaufs entsprechenden; das qualitativ Einzelne verschwand darin ebenso wie die frühere ruhende, ständisch gestufte »Form«. Galileis im ersten Schritt »resolutive«, dann, nach diesem »dissecare naturam«, im zweiten Schritt »komposi-

tive« Methode (oder mathematische Theorie der Bewegung)
forschte derart die quantitativ bestimmbaren einfachsten Bewe-
gungselemente aus, um aus deren gesetzmäßigem Zusammenhang erst verstandene Erfahrung zu gewinnen, als eine mathe-
matisch-mechanisch verstandene (das ist noch die »Erfahrung«
bei Kant). Das Allgemeine der Gattung aber oder »Form« wich
dem Allgemeinen des Wirkungszusammenhangs, dem experimentell entdeckten Gesetz. Hatte das neuzeitliche Denken sogleich zweifelnd begonnen, so doch nicht zweifelnd an sich selber, sondern nur am überlieferten scholastischen Buchwissen
und Gattungsbegriff. Immerhin erhob sich ein Mißtrauen bald
auch vor dem Kalkül; bezeichnenderweise in England, der an-
gestammten nominalistischen Insel. Knapp nach Galilei hatte
Hobbes wieder Nominalismus verbreitet, wenn auch auf höchst
eigentümliche, in sich selber umschlagende Weise. Das lehrreich
Neue an Hobbes war eben Nominalismus im mathematisch-ra-
tionalistischen Kategoriensystem, soll heißen: mitten im »Universale« der Gesetze, nicht mehr in dem der Gattungsformen.
Von Hobbes stammt die Formel, die von Galilei bis Kant den
gesamten Rationalismus so begrenzt als zu sichern glaubt: nur
solche Gegenstände sind erkennbar, soweit sie von uns konstruierbar sind. Derart schreibt Hobbes sowohl den Zahlen wie den
allgemeinen Wortbegriffen denselben bloß zeichenartigen,
nicht-abbildlichen Charakter zu, den er vorher den qualitativen
Empfindungen gegeben hatte. Sind die Empfindungen, auch
Wahrnehmungen etwas ganz Subjektives (»fancy«), so ist die
Erinnerung dessen bloßes Nachtönen und die Sprache die Fixierung der undeutlich, also allgemein gewordenen Erinnerung an
Angeschautes. Alles Denken ist derart ein Rechnen mit Wort-
zeichen, alle Allgemeinbegriffe sind Rechenpfennige der Erinnerung oder Mitteilung von Angeschautem. Nur aus dieser
Willkür eben, aus der Willkür einer von uns gemachten Wort-
und Zeichensetzung kommt die – apriorische Notwendigkeit;
diese ist eine und lediglich eine aus selbstgeschaffenen Symbo-
len. Konstruktive Strenge also setzt Willkür des Konstruieren-
könnens voraus; streng ist die Geometrie (de corpore) nur,
weil ihre Objekte von uns willkürlich erzeugt werden, streng
die rationale Politik (de cive) nur, wenn auch Recht und Staat

von konstruktiver Willkür abhängig gemacht worden sind. Doch selbst die mathematische Physik (die Wissenschaft von der gesetzmäßigen Bewegung der Körper) hat trotz des Vorzugs ihrer konstruktiven Folgerichtigkeit keine Ähnlichkeit mit den wirklichen Einzelbewegungen der Körper, auf die sie sich bezieht. Bei Hobbes erneuert sich so der Nominalismus, vor allem in Gestalt der »Zeichenlehre« (des »Terminismus«) Wilhelms von Occam. Als gut erhaltener Wermutstropfen in der mathematisch-generellen Quantität selber, mitten am Anfang ihres Triumphs.

Das änderte sich freilich bei den festländischen Denkern, der Zweifel wurde übertönt. Das Allgemeine wird dem Besonderen nicht, wie noch bei Hobbes, bloß »supponiert«, das Allgemeine als eines des »Gesetzes« fühlt sich vielmehr unter den Dingen zuhause. Hier, wo die Gegend bekannter wird, kann der nützliche Überblick sich kürzer fassen, so sehr die Schärfe des Kategorienproblems zunimmt. *Descartes* begann wohl mit dem berühmtesten Dubito der Erde, doch der mathematische Gott, der nicht täuschen kann, deckte die Existenz der Außenwelt wie der allgemeinen Begriffe in ihr. Weder die Außenwelt noch vor allem die mathematische Gesetzlichkeit in ihr sind geträumt; imaginär ist lediglich die sinnliche Auffassung des *qualitativ* Einzelnen. Bereits methodisch veränderte sich, mit dem Funktions- und Gesetzescharakter des Allgemeinen, auch der des Einzelnen: es wurde aus dem »unklaren und verworrenen« Hic et Nunc der Wahrnehmung emporgehoben. Es wurde in die »Klarheit und Deutlichkeit« der mathematischen Vorstellung gebracht, da kam dann das Einzelne nur noch, nach Weise des Galilei, als Element der Bewegung vor. Sachlich geriet die Besonderheit als bloßer Modus, und zwar an großen neuen Gebietskategorien (Attributen) der Ausdehnung und des Bewußtseins. Die einzelnen Körper sind Modi der Ausdehnung und unterscheiden sich nur quantitativ voneinander, die einzelnen Geister sind Modi des Bewußtseins und unterscheiden sich durch dessen Grade. Die Vielheit der Modi selber, obwohl sie hauptsächlich quantitativ ist, wurde nicht deduziert, auch nicht der attributhafte Dualismus der Substanzen. Völlig gar aus der Vielheit, auch aus dem Dualismus wurde die Substanz bei

Spinoza herausgeführt, und es entstand, aus purer All-einheit, sogar – Akosmismus. Der Zweifel des Descartes verschwand hier völlig, es lag vielmehr ein Glauben aus Wissen vor (und zwar an das aus sich selber folgende), wie es bisher nie erhört war und alles Schwanken, ja alles Wollen ausschied. Zwei Momente gehen in diesem pur aus Allgemeinem demonstrierenden Verstandesglauben Spinozas zusammen: das mystische der inneren Versenkung ins All-eine und das kalkulatorische des more geometrico sich entwickelnden Gedankens. Nur die sinnliche Wahrnehmung kennt darin Einzelnes, aber als ein erst von ihr Zerstückeltes, die adäquate Erkenntnis dagegen kennt nur gesetzmäßige Folge von allem und jedem aus vernunfthaft bestimmtem Grund. Die jüdische Überlieferung feiert den Tag, wo das »Gesetz« überreicht worden war, als Fest; ein Stück dieser »Gesetzesfreude« ist in Spinozas Hingabe an ganz andere Gesetze. Wie aus der Definition des Dreiecks alle seine Eigenschaften ableitbar sind, so sollen aus dem Wesen Gottes mit mathematischer Notwendigkeit alle Dinge folgen; in der Erkenntnis wie im realen Prozeß: »Die Ordnung und Verbindung der Ideen ist dieselbe wie die Ordnung und Verbindung der Dinge.« So entstand ein majestätisches rationalistisches Bauwerk und eben eines, worin die Parallelität der Ideenreihe des esse in intellectu mit der Dingreihe des esse in re auch metaphysisch durchgehalten war. Die Gleichsetzung der logischen Folge mit der realkausalen (dem ewig notwendigen Hervorgang der Dinge aus Gott) könnte aber nicht statthaben, wenn bei Spinoza der Bewegungs- und Kraftbegriff nicht völlig ausfiele. Mit anderen Worten: die ideale ordo et connexio in der Ideenreihe (die Folge der Erkenntnisgründe) entspricht deshalb so vollkommen der ordo et connexio der Dingreihe (der Folge der Realgründe), weil beide Attributreihen (die ideale der cogitatio, die reale der extensio) rein geometrisch sich darstellen und entwickeln. Was also die cogitatio der extensio zumutet: sich rein nach dem Definitionsgrund, nicht nach dem Realgrund entwickeln zu lassen, das gibt die extensio der cogitatio durch den Primat des *Raums* in jeder Art von Entwicklung zurück; gemäß der Analogie der Substanz mit dem geometrischen Raum. (Der Primat des Raumdenkens überhaupt, genauer: des »Ort«-Denkens war in dieser mathematischen Epoche übrigens so groß, daß selbst in der theistischen Philosophie des Malebranche die »participation« der Seelen an Gott gemäß einer Beziehung der Körper zum allgemeinen Raum gedacht wurde; Gott ist nach Malebranche ebenso »lieu des esprits« wie der geometrische Raum »lieu des corps« ist.) Spinoza gibt zwar nebenbei (in einem Brief an Tschirnhausen) die Möglichkeit zu, daß ein anderer endlicher Verstand das Attribut der Extension an Gott nicht erfasse; auch ist die extensio ja nur eines der unendlich vielen göttlichen Attribute. Dennoch ist die Analogie des Dreiecks (aus dessen Definition alle seine Eigenschaften folgen) zum Wesen Gottes (aus dessen Definition alle Modifikationen der Welt folgen) mehr als Analogie; dasselbe gilt von der Betrachtung der Affekte, als wären sie geometrische Körper. Man verstehe recht: Raum im Sinne der extensio ist nicht die spinozistische Substanz, doch Raum als Wertkategorie einer völlig gelassen haltenden Ruhe. Oder Spinoza gemäßer gesprochen: der Charakter des Geordnetseins, der dem Raum vor allem eignet, macht das exprimere der Substanz in diesem Attribute zur deutlichen expressio der Substanz überhaupt. Mystische Raumleere ähnelt dem Nicht-Gesicht der Überfülle als des aller-Allgemeinsten; mystische Raum-Ruhe dem Ende alles Drängens, alles Ringens im Deus sive natura, dem Omne aller omnia. Freilich hätte Spinoza auch methodisch die geometrisch-deduktive Ableitung aus Axiomen und Definitionen nicht wählen können, wenn nicht eben der Bewegungs-, gar Kraftbegriff in seinem Raumbild völlig fehlte; Spinoza ging mit einer Mathematik, die nur die Elemente des Euklid beizieht, hinter die zeitgenössische mathematische Naturwissenschaft zurück, vor allem hinter Galileis analytische Theorie der Bewegung. Ebenso ist der – ganz eigentlich funktionelle – Gesetzesbegriff des Galilei, auch des Descartes durch die Elimination der Kraft wieder an den alten Gattungs- oder Umfangsbegriff herangerückt. Dilthey hat die mathematisch-physikalische Revolution um 1600 einmal so formuliert: »Abgetan sind die Allgemeinbegriffe, welche Typen der Wirklichkeit enthalten, wie etwa die von Pflanze und Tier. Das Problem liegt in den allgemeinen Begriffen, welche analytisch die in allen Erscheinungen enthaltenen gedanklichen Ele-

mente enthalten und die Konstruktion der Erscheinungen er-
möglichen.« Indem Spinoza von den keimenden Problemen der
Fluxions- und Differentialrechnung, vom Bewegungselement
des Unendlichen sich grundsätzlich entfernt hielt, indem er aus
der Mathesis nur die Ars demonstrandi des Euklid entnahm,
mußte die neue Gesetzesfreude der alten, antiken Gattungs-
oder Statikfreude ähnlich werden. Allerdings geschah das Novum, daß das Allgemeine eben dem geometrischen Raum sich
verband und das Individuelle, wenn nicht den Teilen, so den
»Modifikationen« des Raums; dadurch wurde das Individuelle
völlig wieder unter die zeitgenössische Kategorie der Quantität
gebeugt. Die Einzelheiten verschwanden daher, auch von dieser
Seite, in der Alleinheits-Mystik Spinozas weithin. Sie verschwanden aus genau demselben deduktiven Panlogismus wie
die Augustinischen Willenselemente, welche Eckarts Mystik
noch durchströmt hatten; es gibt in diesem System weder selbständige Individuen noch ihre Intensitäten. Dem widerspricht
auch der »homo liber« nicht, den das fünfte Buch der »Ethik«
ergreifend feiert; denn die menschliche Freiheit ist nur eine als
adäquate Erkenntnis der Notwendigkeit, als »amor fati«. Der
homo liber wandelt zwar, über so weite Zeiten, aus der Stoa
herüber, doch noch enger als dort ist er mit der allgemeinen
Weltordnung verschränkt, mit patriarchalischem amor fati, also
stört er die undurchbrechbare Determination nicht. Auch diejenigen Einzeldinge (res particulares), welche nicht bloße Phan-
tome der zerstückelnden Wahrnehmung sind, auch die res particulares quantitativer Auffassung sind nicht einmal so relativ
selbständig wie die Modi der Substanz. Das galt noch bei Descartes, auch gab es bei Descartes viele endliche Substanzen, und
die Attribute waren deren allgemeinste Gattungsbegriffe. Spinoza dagegen kennt nur eine einzige Substanz, und die Attribute sind Gebietskategorien unterhalb ihrer. Die Substanz selber
ist schlechthin unteilbar; ihr Verhältnis zu den Besonderungen
ist lediglich das der Modifikation, genauer: des Folgenlassens
und des Sichausdrückens. Das Sichausdrücken (exprimere) ist
dem geometrischen Folgen (sequi ex) allerdings koordiniert
(es wurde das oft übersehen, erst Dilthey wies darauf wieder
hin): Exprimere ist das Grundverhältnis der alleinen Substanz

zu ihren Attributen, der Attribute sonach zu den Einzeldingen. Spinoza gebraucht für das partikulare Modifiziertsein auch den merkwürdigen Begriff affectio: »Die Einzelobjekte sind nichts anderes als Affektionen der Attribute Gottes oder Modi, durch welche Gottes Attribute auf gewisse und bestimmte Weise ausgedrückt werden (certo et determinato modo exprimuntur)« (Ethik I, Anm. zum 15. Lehrsatz). Giordano Brunos Monadenlehre, vor allem sein Panvitalismus (von dem Spinoza vielfach beeinflußt ist): dieses glühende Universum ist derart geometrisch gekühlt oder in Gott-Immanenz verschossen. Wird auch alles Endliche nur durch Endliches bestimmt und kennt Spinoza keine unmittelbare Emanation aus Gott: so waltet in allem doch die mittelbare Notwendigkeit der Substanz; auch ist sie den res particulares ihr einziger realer Inhalt. Das ist in Spinozas Akosmismus der Pantheismus – ein Kategoriensystem des Allgemeinen, das seit je im scholastischen Realismus grassiert hat und dort nur durch künstliche Eigenbestimmungen des Sonderseins (zuhöchst: Weltseins) verhindert worden war. Ein Universalismus erscheint, ohne anima mea, ohne Person, ohne Zeitlichkeit, ganz ohne Sündenfall, ohne Erlösung, ganz in Gott. Demut, Reue, Mitleid, Christentum sind außerhalb, als wären sie nie gewesen, erst recht waltet so in Spinozas Lehre auch keine kirchliche Rücksicht; so brach der Pantheismus (die notwendige Konsequenz jedes Gattungsrealismus) totaliter vor. Verband sich mit dem (aus ganz anderem »Realismus« stammenden) Diesseitsgefühl der Renaissance und ihres Bürgertums. Hinzu kam freilich, in diesem vieltönig-unistischen Gebilde, die Emanationslehre der Kabbala, sie durchwirkte die Determinierungen der mathematischen Gesetzlichkeit. Die Verwandtschaft der göttlichen Attribute mit den kabbalistischen Gebietskategorien der »Sephirot« ist offenkundig; orientalische Mystik überhaupt – in Verbindung mit der wissenschaftsgläubigen Philosophie – gibt dem Spinozismus einen einzigartigen Klang. Die Welt ist ein Kristall, und das Licht Gottes steht darin im Zenith: doch es ist ein ebenso anachronistisches Spätlicht, wie eines unter dem Gesichtspunkt nicht vorhandener Ewigkeit ist. Eine Ewigkeit, die es im mühseligen Reichtum des Daseins nicht oder noch nicht oder so niemals gibt. Spinoza selber schließt sein Hauptwerk mit dem Satz: alles Erhabene sei so schwierig wie selten; das ist ein aristokratischer, auch resignierter Abschluß, doch eben ein wenig weltzufriedener, wenig beendeter, wenig all-einer. Amor fati, selbst Amor Dei intellectualis münden in diese Resignation: die Substanz drückt sich in ihren Modifikationen nicht leicht, sondern schwierig, nicht durchgehend, sondern selten aus, und das Viele (Nicht-Seltene) zeigt sich nicht darin erledigt, bloßer inadäquater Schein zu sein. Aber, wie Hegel mit Ergriffenheit sagt: »Wenn man anfängt zu philosophieren, so muß man zuerst Spinozist sein; die Seele muß sich baden in diesem Äther der einen Substanz.« Gemeint ist damit die spinozistische Auswendigkeit, nicht wegen ihres Unterschieds zur Vielheit der Dinge, wohl aber wegen ihres Gegensatzes zu weltloser Inwendigkeit, einem Gegensatz, der Spinoza nicht nur als Atheisten, sondern fast sogar als – Materialisten bis weit ins achtzehnte Jahrhundert verrufen sein ließ.

Das Denken des Vielen brach, bald nach diesem, desto breiter wieder vor. Zweifel am abstrakt rechnenden Begriff blieben freilich auch weiterhin noch verschwiegen oder verdeckt. Denn die Taten des bürgerlichen Verstands waren noch nicht zuende getan, vor allem nicht die aufklärenden, die oppositionellen. Die verständige Aufklärung drang am kräftigsten materialistisch vor; und zwar diesfalls gerade auf Einzelnes, auf Teile bezogen, als aller Pudel Kern. Dies allerletzt Einzelne waren die quantitativen Atome, Descartes hatte sie noch geleugnet, Gassendi aber, sein Zeitgenosse, erneuerte ihren Begriff von Epikur her; bald auch kam, neben der Ausdehnung, die Undurchdringlichkeit zum »Wesen« des Körpers hinzu. Die Atome sind unerzeugbar und unzerstörbar, sie bewegen sich, aber verändern sich nicht, nur ihre dinghaft, organisch oder physisch scheinenden Komplexe entstehen, wechseln und vergehen, diese Komplexe aber sind immer nur zusammengesetzte. So wurde das Attribut der Cogitatio völlig auf das der Extensio (und zwar einer kleingeschlagenen) zurückgeführt und die Extensio zur Substanz gemacht; körperliche Ausdehnung war hier dasselbe Wesen, welches auch dachte. Manch anderes trug noch zum späteren Materialismus (dem des achtzehnten Jahrhunderts) bei: ohne Descartes' mechanische Theorie der Tiere wäre bei La Mettrie kein »L'homme machine«, ohne Spinozas Determinismus und Pantheismus bei Holbach kein »Système de la nature« möglich gewesen. Ungeheuer war diese Befreiung; hier entlief nicht mehr, wie im Jahrhundert des Giordano Bruno, ein einzelnes frühes Genie dem Kloster, sondern eine ganze Klasse sprengte die feudal-theologische Tyrannei. Doch wenn ohne Bruno, Descartes und Spinoza der Materialismus, als mechanischer, auch schwer denkbar wäre, so steht er andererseits, seiner Entwicklungs- und Lichttendenz nach, in der Nähe von Leibniz, in der Nähe dieses nicht mehr statischen Aufklärungsphilosophen. Die Leibniz'sche Philosophie, so reich sie auch wieder mit feudaler Ideologie durchsetzt, ja gekrönt ist, bezeichnet auch in den Objekten die Aufklärung selbst, die Aufklärung gleichsam als *Weltweg* von den dunkel-verworrenen Vorstellungen zu klaren. Und im vorliegenden Zusammenhang ist dies vor allem wichtig: zum Unterschied von den meisten bisherigen Philosophien enthält die des *Leibniz* das Kategorialproblem des Einzeln-Allgemeinen, des Vielen und Einen nicht als bloßen logischen Teil, sondern als *Hauptstück der Sache selbst.* Die Monadologie ist nichts anderes als der Versuch, dies Problem kosmisch zu lösen; mittels einer Art unendlich variierter Fazettierung des Allgemein-Einen in der Besonderheit. Dazu bemerkt Hans Heinz Holz (Leibniz, 1958, S. 65): »Leibniz macht nämlich einsichtig, daß Besonderes und Allgemeines nicht zwei entgegengesetzte logische Geltungsweisen, sondern eng miteinander verflochtene Seinsweisen sind. Grundlage dieser Verflechtung von Allgemeinem und Besonderem ist die lex identitatis indiscernibilium. Wenn es keine bloß numerische Verschiedenheit gibt, sondern das der Beschaffenheit nach Gleiche nur Eines ist, aber jede Zweiheit bereits eine qualitative Andersartigkeit beinhaltet, so ist jedes Individuum nicht ein Exemplar einer Art, sondern selbst eine unterste Art, mithin ein Allgemeines. Dieses Axiom ist logisch unanfechtbar, da die numerische Vervielfältigung des Individuellen keine logisch neue Bestimmung hinzufügt; vielmehr ist die logisch relevante Besonderung eines Allgemeinen immer eine solche, die durch qualitativ unterscheidende Merkmale ausgezeichnet wird, wobei sich jederzeit denken läßt, daß dieses qualitativ Unterschiedene sich

noch einmal weiter in Unterschiedene aufgliedert. Die Abzähl-
barkeit von Individuen ist eine rein kalkulatorische, keine logisch spezifizierende Angelegenheit. In dieser Hinsicht macht
Leibniz nur ein Grundgesetz der Sprache, daß nämlich jedes
Nomen ein Gattungsbegriff ist und zugleich das Einzelne darstellt, in logischer Hinsicht fruchtbar. Leibniz besteht jedoch
zugleich auf der ontologischen Gültigkeit dieses Satzes, und die
besagt nun in der Tat nichts anderes, als daß es kein ontisch Besonderes gibt, das nicht als Allgemeines mit allen anderen Besonderen in logischem und ontologischem Rang übereinstim-
me.« Das Denken des Vielen, ja des unendlich Kleinen hat hier
seinen großen Tag und erfüllt ihn ganz. Den Ausgang dazu bot
die Infinitesimalrechnung, dergestalt, daß das Kleinste geradezu
den Startpunkt des Begriffs bildete und nicht mehr seine Verlegenheit. Indem der Verstand sich völlig als ein mathematisch erzeugender faßte, als ein vom Unendlichkleinen her genetisch-
kontinuierlich erzeugender, traf er psychologisch die »petites
perceptions«, die kleinsten Vorstellungsteile, traf er auf ganz
andere, auf kosmisch elementare Weise sogenannte *Monaden*.
Diese sind, wie bekannt, psychische Kraftpunkte, ihre Zustände
sind Vorstellungen, doch keine rein geistigen, keine der willen-
losen Schwebung, sondern energisch geladene, kleinste Einheiten von Kraft und Seele zugleich. Die Atomlehre ist zum Teil
aufgenommen: die Ausdehnung fällt weg, ist nur ein Kraftpro-
dukt, doch es bleibt das Merkmal der Unteilbarkeit, vor allem
der Undurchdringlichkeit. Diese letztere wird zur völligen
Vereinsamung der Kraftpunkte übersteigert, zur Leugnung jedes direkten Wirkungszusammenhangs zwischen ihnen; den
harten Atomen entsprechen so die fensterlosen Monaden. Doch
ist die Leibniz'sche Monade vom Atom ebenso verschieden;
nicht nur wegen des Infinitesimal-Keils, der auf den Begriff der
lebendigen Kraft führte (statt der bloßen Undurchdringlichkeit
oder Masse), sondern mehr noch wegen der Rezeption der Aristotelischen »Entelechie«. Leibniz stellt derart den materiellen
Atomen des Epikur seine »formellen« entgegen, das heißt solche, welche die »substantielle Form« des Aristoteles in sich haben und sie in sich entelechetisch zu verwirklichen streben. War
bei Aristoteles die Seele die Entelechie des Leibes, so dehnt

Leibniz diese Bestimmung auf sämtliche »Körper« der Welt aus; demgemäß nennt er die Monaden nicht nur »formelle Atome«, sondern ebenso oft, mit einem korrelativen Begriff, »materielle Seelen«. Nie aber fehlt diesen seltsamen Seelenpunkten die Kraft, als ihr anderes Attribut sozusagen: die Zustände der Monade sind Vorstellungen, das Prinzip ihrer Tätigkeit aber ist der appetitus als Tendenz, von verworrenen Vorstellungen in deutlichere überzugehen. Der appetitus, welcher den Aufklärungsgang der Monaden in Bewegung setzt, hängt bei Leibniz mit dem Leiden, mit der Hemmung, mit der Schranke der Endlichkeit zusammen (die eben die Verworrenheit des représenter bedingt): »Wie aber in einem elastischen Körper, welcher eingeengt, seine größere Dimension als Streben liegt, so in der Monade ihr künftiger Zustand« (Brief an Bayle, 1702). Der Begriff dieses appetitus ist zweifellos der beginnende Reflex eines beginnenden Aufruhrs der Produktivkräfte gegen ihre bisherige Schranke; von daher hat die Monade »perception de l'avenir et appétit«. Der künftige Zustand selber freilich ist lediglich die immer adäquatere Vorstellung und Perspektive des gegebenen Universums, die Perspektive selber ist nicht produktiv, das Gebäude, das sie abspiegelt, ohnedies bereits beendet. Doch mittels des Vorstellens kommt die Monade zugleich aus ihrer Fensterlosigkeit heraus, dem Doppelsinn des Begriffs *Repräsentation* gemäß, der ebensowohl die innere Vorstellung wie die stellvertretende Tätigkeit eines »Repräsentanten« bedeuten kann. So ist jede Monade, trotz ihrer völlig introvertierten Fensterlosigkeit, eine Art ambassade des Universums; Leibniz gebraucht für das merkwürdige Verknüpfungsphänomen dieses représenter zuweilen auch den Ausdruck exprimer, weiter den Ausdruck des virtuellen Enthaltenseins (die Eichel stellt den Eichenbaum vor) und zuletzt den weittragenden Terminus miroitement, als unendlich verschiedene Spiegelung des einen Universums. Hat also die Monade kein Fenster, so ist sie doch, kraft ihres mikrokosmischen Charakters, ein Spiegel der Welt, und zwar der ganzen, rückwärts, vorwärts wie auch seitwärts. Nur darf nicht vergessen werden, daß dies Spiegeln kein passives ist, sondern ein aktives und immanentes der eigenen Vorstellungstätigkeit der Monade; je nach dem Grad der Vorstellungsintensität ist der Spiegel daher blank oder trübe. Der Inhalt aber, der in den Monaden mit verschiedener Klarheit, auch von verschiedener Höhe der Perspektive sich zeigt, ist überall derselbe; wie denn ja auch schon Nikolaus von Cusa gelehrt hat: omnia ubique, totum relucens in omnibus. Das also ist die letzte Fassung der Repräsentation des Allgemein-Einen im Besonderen, und sie trägt zweifellos, was das Spiegelbild wie das Überall des Alles anbelangt, gewisse unheimliche Züge. Das Geheimnis des Spiegels stammt aus der orientalischen Welt, aus der frühen arabischen Philosophie, über Nikolaus von Cusa kam es zu Leibniz. Seinen sehr arabischen Schein, ja den altorientalischen Charakter der »Entsprechung« zwischen Unten und Oben hat das Spiegelgleichnis nie verloren; wie nach der Kabbala Uterus wie Gehirn die Himmelswölbung verkleinert widerspiegeln (so daß sogar »die Gestirne auf beiden eingetragen sind«), so ist auch der Renaissance immerhin die Analogie zwischen »Mikrokosmos« und »Makrokosmos« geblieben. Nikolaus von Cusa lehrt ausdrücklich, daß Gott »in allen Dingen als Entfaltung das ist, was sie sind, wie die Wahrheit in einem Spiegel; würde ein Gesicht in einem Bilde gespiegelt, indem jenes von diesem aus größerer und kleinerer Entfernung vervielfältigt wird . . ., so würde das eine Gesicht in den verschiedenen Bildern auf verschiedene und mannigfache Art erscheinen« (De docta ignorantia, II,3) – daher eben: in omnibus partibus relucet totum. Und das, obwohl, wie der Cusaner gleichfalls sagt, »die alteritas auf allen Gassen schreit«, das heißt Vielheit als störende Anderheit und Unzulänglichkeit; so hart also stoßen sich überall die zwei Themen Unum et singularitates in ihrer Durchdringung und Durchführung. Diese Unheimlichkeit zeigt das Prinzip des omnia ubique in den unendlichen Spiegelzimmern der Welt; demungeachtet schafft das omnia ubique den weitesten Bogen, der zwischen den Einzelheiten (und welche isolierten Einzelheiten) einerseits, dem Universale (dem Universum oder der höchsten »Form« des All: Gott) andererseits je geschlagen worden ist, obwohl er realiter erst in noch utopischer Zukunft geschlagen werden könnte. Jede Monade ist bei Leibniz freilich einzig, es gibt nicht zwei gleiche Dinge in der Welt, jedoch diese unendliche Verschiedenheit soll nur von daher resultieren, daß die Monaden auf unendlich endliche Weise, in unendlichen Gradstufen der Klarheit und Deutlichkeit dasselbe All repräsentieren (nur von verschiedenen Augenstufen her reflektiert). Jede Monade ist einzig, einsamst und doch nicht allein; dies Ineinander von engster Geschlossenheit und ungeheuerster Weite in ihr ermöglicht zugleich die sonderbarste Fassung des Einzelfall-Gesetz-Bezugs: die sogenannte *prästabilierte Harmonie*. Da die Monaden allemal den gleichen Inhalt repräsentieren, so schafft der gleiche Inhalt in lauter abrupt getrennten Individuen doch die gesetzmäßige Zusammenstimmung, die von Gott vorherbestimmte. Ohne das Band der Harmonie (Leibniz nennt sie auch accord) wären die Monaden allesamt wie Deserteure des Universums, außerhalb desselben; so ist Harmonie als durchgehender Inhalts-Zusammenhang der Monaden dasselbe, was innerhalb der Monaden das Durchgehende der Graduierung ihres Zustands ist: Kontinuität. Aus der Einheit des gespiegelten Inhalts in aller Mannigfaltigkeit stammt die zweckvolle Übereinstimmung alles Geschehens, stammt zugleich der durchgehends vermittelnde Zusammenhang im Leibniz'schen System, wie er trotz der Fensterlosigkeit der Monaden die radikale Individualisierung vom gemeinsamen Inhalt her eindämmen möchte. Was – als ein lebenslängliches Anliegen von Leibniz – eine Art mathematische Kategorientafel, wo nicht Deduktionstafel aller Einzelfälle suchen ließ. Eine sogenannte »Mathesis universalis« oder »Characteristica universalis«; diesesfalls gar nicht direkt vom gemeinsamen Inhalt her, sondern von den verschiedenen Formalweisen der Korrespondenz zwischen den Fakten. Auch das Konzept der prästabilierten Harmonie ist übrigens ein Reflex des Frühkapitalismus; diesesfalls jedoch nicht des revolutionären (wie der appetitus der Monaden), sondern des ökonomisch bereits kodifizierten: die nachmalige Lehre des Adam Smith von der sozialen Harmonie der kapitalistischen Privatinteressen ist real des gleichen Glaubens wie Leibnizens metaphysische Konzilianz. Mit diesem Optimismus legitimierte Smith die individuelle Wirtschaftsweise, die freie Konkurrenz, die Beseitigung der Staatseingriffe (eine ideale Ordnung zwingt den Kapitalisten, dem allgemeinen Besten zu dienen, auch wenn er nur seinem Eigennutz folgt oder zu folgen glaubt). Doch meldet sich nun letzthin bei Leibniz selber gerade der Widerspruch von weiteren Einzelheiten zu solch prästabilierter Harmonie. Und zwar in Gestalt einer wichtigen, alt-nominalistischen Unterscheidung, und das mitten im theologischsten Hochgebiet des Universalienproblems, auf Occam'sche Weise genau in den angegebenen Akkord von Einzelsein und Universalwesen einbrechend. Gott ist deren Quell, er ist der einheitliche Erklärungsgrund der monadischen Wirkungsverwandtschaft, der übergreifenden Weltgesetzlichkeit: doch Gott als Quell dieser Wahrheit ist ebenso der Quell zweier verschiedener Arten von Wahrheit. Sofern nämlich die Welt aus Gottes *Willen* stammt, aus einer choix de sagesse unter vielen logisch-möglichen Welten, ist sie zwar die beste unter den möglichen, aber ebenso eine zufällige, eine, welche logisch auch anders sein könnte. Dies Zufällige betrifft nicht nur die Setzung dieser vorliegenden Welt insgesamt, sondern auch die der endlichen Einzeldinge im Weltsein, der partikularen Erfahrungstatsachen. Diese sind bloße vérités de fait, das heißt: sie sind faktisch gegeben, doch ihr Gegenteil ist logisch denkbar, sie bedürfen zu dessen logischer Ausschließung noch eines »zureichenden Grundes«, sie haben nur hypothetische Notwendigkeit. Sofern dagegen der göttliche Wille an den göttlichen *Verstand* gebunden ist, das heißt, sofern Gott zwar frei schaffen kann, aber nur nach Maßgabe seines logischen Kardinalwesens, enthält die Welt (und der menschliche Verstand) vérités éternelles, Wahrheiten des unmöglichen Gegenteils, gemäß dem Satz vom Widerspruch. Waren die faktischen Wahrheiten, mit nur hypothetischer Notwendigkeit, die der Erfahrungswissenschaft und noch der Physik, so sind die ewigen Wahrheiten, mit apodiktischer Notwendigkeit, die der Logik und Mathematik, Nominalismus dringt hier also selbst in die Gesetze der Mechanik vor (die von Hobbes, zuguterletzt, davon ausgenommen waren), erst recht trifft er für die Einzelfakten a posteriori zu. Das ist der Sprung des Kalküls bereits bei Leibniz, endlich bei Leibniz; er war von Anfang in den abstrakten Verstandesformen fällig, jetzt wird er – unter wunderlichen scholastisch-theologischen Erinnerungen – auch methodologisch sichtbar. In einem Brief an Bayle sagte Leibniz von sich, er habe den Materialismus der Atomisten mit dem Idealismus Platons verbunden. Er hat ihn noch mit viel mehr verbunden: mit Aristoteles, mit Thomas, mit einem großartigen Entwicklungsgedanken zum Bewußtsein hinauf, mit einer wahren Anabasis zum nachmaligen Hegelschen Meer. Aber der »Idealismus« erlitt dabei immer sichtbarere Einbuße, wenigstens als Idealismus des reinen Geistes und seiner alles enthaltenden Allgemeinheiten. Kräftig verbindet sich die Einzelheit mit der Intensität, nicht mit der Geometrie, die Daseinsstufe mit dem appetitus der Tendenz, nicht mit logischen Emanationen. Eine materialistische Kategorienlehre kann an Leibniz so wenig vorübergehen wie an Hegel und, da Leibniz unbekannter, auch an sich selbst nicht so ausgearbeitet ist, noch weniger. Gar das Prinzip des omnia ubique, wie Leibniz es aus der Renaissance übernommen und graduiert hat, ist – außerhalb der idealistischen Kontinuität und Abgeschlossenheit – von einer noch unerschöpften Tiefe.

Der Tag des verständigen Zweifels war von hier ab, nach so gebrochenen Erfolgen, nicht mehr unterdrückbar. Von Locke bis Berkeley bis Hume wurden alle allgemeinen Begriffe abgesetzt, sie galten als bloße Vorstellungen (im blasseren, nicht mehr repräsentierenden Sinn). Es gibt kein Dreieck überhaupt, es gibt nur recht- oder spitzwinklige; für Locke ist der Inhalt einer Idee niemals ein anderer als der der einzelnen sinnlichen Wahrnehmungen. Bei *Hume* freilich zählt zur sinnlichen Wahrnehmung (impression) auch die des »inneren Sinns« (reflection). Eine »Gewohnheit« des inneren Sinns aber ist die Assoziation, womit er äußere Wahrnehmungen kausal und substanziell dinghaft verknüpft. Sinken also auch Kausalität und Substanz zu bloßen Ideenassoziationen herab, so birgt die Assoziation selber doch noch ein Allgemeines. Hinzu kommt »the belief«, daß den assoziativ hinzugefügten Kategorien, so theoretisch ungewiß sie sind, wenigstens praktisch zu trauen sei. Immerhin hat Hume die nominalistische Herabsetzung der ehedem so himmlischen »Idee« zur bloßen abstrakten (assoziativen) Vorstellung zuende geführt. Ebenso hat sich von da ab die ehemalige, die aristotelisch-thomistische Korrelation der Begriffe Form und Inhalt getrennt, ja, die Form ist geradezu das Inhaltlose an sich geworden. Die Form des Allgemeinen, welche bei Aristoteles-Thomas das Inhaltsprinzip selbst war, nämlich das im Stoff sich verwirklichende, konkretisierende, – dies spannkräftig überlegene Wesen ist seitdem zum leersten geworden, von derselben Art wie leerer, hohler Raum. Dieser Bedeutungswandel entspricht dem Wandel vom feudalen Ständestaat und seiner sozialen Baukunst zur bürgerlichen Gesellschaft: die Form rückt in den Kalkül, die Idee in die Vorstellung, der ehedem objektive Idealismus in einen völlig subjektiven und reflexiven. Seitdem ist – wenigstens im üblichen Denkgebrauch, der alte Begriff der Form, der spannkräftige, immerhin *objektiv*-idealistische, höchstens in kunstästhetischen Titeln und Untersuchungen noch gestreift, im »Problem der Form in der bildenden Kunst«, in »Formproblemen der Gotik« und dergleichen; dem entsprechend, daß das »Tektonische« noch etwas von dem früheren und bereits etwas von dem kommenden Inhalt sozialer Baukunst mit sich führen mag. Wie dem auch sei: mit einem Zweifel, der den des Descartes an Radikalität (wenn auch gewiß nicht an Tiefe) überbot, haben die Engländer jeden Rest des scholastischen Formenglaubens ausgetilgt. Vor allem aber haben sie – was nun überraschend ist und in diesem Zusammenhang noch wichtiger – den scholastikfeindlichen Zweifel des cartesianischen Anfangs *gegen den Kalkül selbst* gewendet, der der Neuzeit entsprungen war. Der Kalkül des bürgerlichen Verstandes weicht bei Locke und Hume psychologistisch auf; steht ihm noch etwas Rettung bevor, so doch nur diese, daß der Verstand aus den Zusammenhängen des äußeren in die des inneren Sinns, schließlich in das sogenannte Apriori vor aller Erfahrung gebracht wurde. »Nihil est in intellectu, quod non fuerit in sensibus«, hatte Locke behauptet; »nisi intellectus ipse«, hatte Leibniz in den »Nouveaux Essays« hinzugefügt. Nämlich der intellectus activus, der bereits in den Sinnesvorstellungen tätig ist; seine »ewigen Wahrheiten« (die geometrisch-logischen Formen des beziehenden Denkens) sind dann *unwillkürlich* bereits in der Sinnlichkeit am Werk, *bewußt* in der rationalen Erkenntnis. Das also war der Boden des Apriori, worin *Kant* die »reine

Vernunft« (das ist den mathematisch-mechanischen Verstand) rettete und nur dadurch eben noch retten konnte, daß er sie begrenzte und in eine Art freischwebendes Reich verlegte. Dies Reich ist nicht mehr das einer philosophisch durchdrungenen Welt, sondern das einer philosophisch durchdrungenen bürgerlichen Wissenschaft von dieser Welt. Die Kategorien einer solchen »Metaphysik des Wissens« (zum Unterschied von der eingestürzten »Metaphysik der Dinge«) haben keinen kosmischen Ort mehr inne, erst recht keinen theologischen, doch auch keinen bloßen Ort der Psychologie, sondern sie sind vor allem Wissenschaft, lediglich also in dieser beheimatet, oder »transzendental«. Derart erhob sich das Zwischengebiet »allgemeingültiger und notwendiger Formen, unter denen die Dinge erscheinen«, mit dem Apriori (eines synthetischen Bewußtseins überhaupt) als »Grund« und »Topos«; mitten im bürgerlichen Agnostizismus erhob sich so dieser schwierige und überall begrenzte Schutzraum. Die ehemals unreflektierten Kategorien des Kalküls sind nun pure Stammbegriffe des Verstands geworden, Beziehungsformen der tätigen Synthesis, wodurch – mit lediglich transzendentaler Geltung und Notwendigkeit – das zeit-räumlich Mannigfaltige der Anschauung zu Gegenständen wissenschaftlicher Erfahrung gebildet wird. Das Vielheit-Einheitproblem tritt hierbei deutlich hervor: Kategorien sind die Einheiten des Mannigfaltigen in der Zeit, Kategorien als »reine synthetische Verstandesbegriffe«, als »reine synthetische Einheit des Mannigfaltigen überhaupt« zur Bewältigung der durch die sinnliche Anschauung raum-zeitlich bereits vorgeformten Mannigfaltigkeit. Die Ableitung dieser Kategorien aus den zwölf formallogisch überlieferten Urteilsarten ist bekanntlich der schwächste Teil der Kantischen Kritik: »Vielheit«, »Realität«, »Kausalität«, »Dasein und Nichtsein«, »Notwendigkeit« und Anderes geht in formaler Koordinierung ungleichwertig, sich oft überschneidend durcheinander. Sind diese Kategorien auch nicht mehr, wie Kant von denen des Aristoteles sagt, »empirisch aufgerafft«, so sind sie rein um der Symmetrie willen konstruiert, sie sind großenteils, nach Schopenhauer, »blinde Fenster«. Desto schwieriger war es allerdings, mittels der Kategorien »Erscheinungen zu buchstabieren, um sie als Erfahrung lesen zu können«. Dies Amt der »Anwendung« übernahm die »transzendentale Deduktion der reinen Verstandesbegriffe«, wonach die Gegenstände der Erfahrungsurteile in Kombination mit den zeiträumlichen Wahrnehmungsurteilen erzeugt werden, vorab nach dem Leitfaden der Zeit. Nur entsprach dieser inneren Anwendung (von Kategorien auf Wahrnehmungsurteile, wodurch die Kategorien »die Gegenstände der Erfahrung machen«) keine ebensolche äußere, materielle »Anwendbarkeit«: die allgemeinen Kategorien der reinen Vernunft sind auf die Erfahrung beschränkt, die sie erzeugen. Das heißt, sie sind auf den gesetzmäßigen Zusammenhang der »Erscheinung« beschränkt, der die »Natur« ausmacht, auf das »Gesetz, das der Verstand der Natur vorschreibt«; außerhalb dieses Kreises gibt es nur noch Gedankendinge (noumena) ohne erfahrbaren Gegenstand. Die Noumena (worin sich für Kant das meiste ihm menschlich Wichtige versammelt, wie Freiheit, Unsterblichkeit, Gott) sind zwar denkbar, doch nicht erkennbar; Kategorien stehen hier (als »Ideen des Unbedingten«) zwar parat, doch dringen sie nicht objekthaft ein. An dieser Stelle reißt der Kalkül, auch der transzendental reflektierte und gerade dieser: die unbeherrschte Materie meldet sich als Ding-an-sich-Problem. Und nicht nur das Ding an sich (im sozusagen rein metaphysischen Sinn des völlig unbestimmbaren Grenzbegriffs), sondern ebenso Dinge an sich (im Plural der Einzelheiten) müssen nach Kant ausgeschieden werden, dazu Sein überhaupt (»aus dem Begriff kann das Sein nicht herausgeklaubt werden«), dazu Moralität und Zweckmäßigkeit in Natur und Kunst. Die Gemeinsamkeit dieser ungeheuren Reste ist, daß sie mit dem Kalkül der mathematischen Naturwissenschaft unkategorierbar sind, kurz, daß aus allen Himmelsrichtungen die Vielheit, auch Tiefe eines unkalkulierbaren Daseins andrängt. Nicht als hätte Kant dieses im Zustand des bloßen Ding-an-sich-Problems, im Zustand eines bloßen Grenzbegriffs belassen: die »Kritik der reinen Vernunft« (und die zweite Auflage realistischer als die erste) spricht von Dingen an sich, von solchen sogar, die »die Sinnlichkeit affizieren«. Erst recht ist der Gegenstand der folgenden Kritiken ausschließlich der »homo noumenon«, das heißt das Subjekt der Moralität, weiterhin das Gefühl der Schönheit, der Ge-

« ans Ziel besagt nichts anderes). Nicht zum ersten Mal
die »Bürger des intelligiblen Reichs der Freiheit« im em-
-mechanischen »Reich der Notwendigkeit« keinen Platz:
aton ist die Weltflucht (ins Land der Ideen, auch Ideale)
losophisches Lehrstück. Aber zum ersten Mal hat sich in
ler Realismus der »wahren Gemeinschaft« mit dem No-
smus der Individuen verbunden; oder sage man: – mit
toyens der Französischen Revolution.

BUNTE UND MEHR GANZHEITLICHE
NUNFTFORMEN, REICHTUM UND GRENZE
IHRER DIFFERENZIERUNG
(Maimon, Fichte, Schelling, Schopenhauer, Hegel)

enken mußte sich nun, um bunt zu sein, verändern. Am
nen war es als neuzeitliches zuerst erregt worden, entwe-
ihm leidend oder mit Sinn für seine Fülle. Das bürgerli-
nken als bloß verständiges hatte sich ausgelebt, desto mehr
nach der wachsend mit Werden geladenen Vernunft, be-
om Feuer des französischen Umsturzes. Gewiß, was auf
en Seite des Rheins die Kritik der Waffen war, wurde
r anderen die Waffe der Kritik und oft nicht einmal die-
ndern war damit zufrieden, im Kopf zu bleiben. Wobei
ngegriffene zuletzt wieder verstanden, aber nicht erst
aus den detektivisch entdeckten Angeln gehoben wurde.
icht etwa verändert und so erst vernünftig gemacht, es
vielmehr oft, am Ende, gerade ganz vernünftig in ihnen
en. Dennoch brannte das Vernünftige durchaus, ebenso
greifend, wie als fordernd. Indem es doch der erzeugende
h war, der nicht etwa das Gegebene hinnahm, sondern
nze Geschichte machte, die zu ihm geführt hat. Desto
ger für die Vernunft, hier nun zu zeigen, was sie kann,
s volle sich zu bewähren. Das Erzeugen selbst blieb, doch
mehr als mathematisches, sondern als inhaltlich gesche-
s. Von hier aus schien nun das Viele selbst erhellt zu wer-
, es schien selber dazu mitzuhelfen.

ist der Sinn dessen, daß der Mensch sich jetzt auf den

danke des Organismus und des spezifisch gegliederten Reichtums der Natur. Und nicht wiederum, als hätte Kant mit diesen
Tributen an die »Konkretion« die Abstraktheit des bürgerlichen Kalküls und, wie Hegel sagt, seiner bloßen »Reflexionska-
tegorien« hauptsächlich verlassen. Denn einmal bleibt die Welt
der reinen Vernunft (also der mechanistisch determinierten Erscheinung) völlig undurchbrochen und undurchbrechbar neben
der Welt der praktischen Vernunft (und ihrer bloßen »Postulate«), neben der Welt der Urteilskraft (und ihrer bloßen »Regu-
lative«) stehen. Sodann ist der »homo noumenon« der praktischen Moralität ein nicht minder formalistisches Wesen als das
logische »Bewußtsein überhaupt«, das Sittengesetz des kategorischen Imperativ ist ebenso allgemeingültig leer (das heißt: auf
konkrete Situationen und Inhalte unbezogen) wie das Naturgesetz des Mechanismus. Es ist freilich auch deshalb formalistisch
leer, weil in der bürgerlichen Gesellschaft, als einer antagonistischen, sehr wenig Orte vorliegen, wo die Maxime des einzelnen
Handelns zugleich die Maxime einer *allgemeinen* Gesetzgebung sein könnte; dergleichen könnte erst in einer klassenlosen
Gesellschaft als einer solidarischen möglich sein. Allerdings ist
in der Intention des kategorischen Imperativ diese, als eine
conditio sine qua non, fast selber wie ein Postulat vorweggenommen, und das Formale funktioniert hier dann gleich einer
aufreizend offengelassenen Leerstelle. Wie denn überhaupt
auch sonst Ausnahmen von einer geradezu explosiven Großar-
tigkeit bestehen, von einer Gewalt, Leuchtkraft und mitgeführten Tiefe, die auch ohne den Kontrast zur Abstraktion vulka-
nisch genannt werden können. Hierher gehört vor allem der Po-
stulatgedanke selber, bezogen auf die »Ideen des Unbedingten«
nach Seite seiner utopischen (wenn auch abstrakt utopischen)
Intuition; des näheren aber gehören die eigentlichen »Inhalte«
der »Kritik der Urteilskraft« hierher. So der Einzelinhalt des
»Genies« als des künstlerischen Subjekts, das »schafft wie die
Natur«, originell und exemplarisch zugleich; so die »Natur«
der Urteilskraft selber, die nicht mehr mathematische, sondern
ästhetische und organische. Kant läßt den Kategorien der Urteilskraft keine wissenschaftliche Erfahrung entsprechen, dennoch stehen – unter dieser zweideutigen Einschränkung – die

differenzierenden Noumena der Urteilskraft dem Problem des Dings an sich näher als die generellen Erscheinungsgesetze der reinen Vernunft. Die Natur der organischen (»teleologischen«) Urteilskraft ist einmal der Organismus, als »das Wunder in der Erfahrungswelt«, sodann der besondere Inhalt der besonderen Naturgesetze, die »Spezifikation der Natur«. Die Inhalte dieser Spezifikation sind vom Gesichtspunkt der reinen Vernunft aus zufällig, das heißt: sie können weder ihrem Einzelfall noch ihrer besonderen Gesetzlichkeit nach aus der allgemeinen (mathematisch-quantitativen) Naturgesetzmäßigkeit abgeleitet werden. Wie fern ist, bei solchem Riß, Spinozas Allmechanismus (Kant nennt ihn, in der »Dialektik der teleologischen Urteilskraft«, – phantastisch). Wie fern ist der Plan einer Universalmathematik, eines Zeichenkalküls, einer rationalen Signatur aller Dinge und Wesen, der Leibniz sein Leben lang begleitet hat. Der Zufall der Mannigfaltigkeit legt nur den anderen Leibniz nahe, den nominalistischen (minus seiner theologischen Hintergründe), den Leibniz der vérités de fait. Das ist die letzthinnige Resignation des Kalküls, eine Resignation nicht nur vor dem (noch halbwegs verwandten) Fatum, sondern vor dessen Gegenteil, dem Zufall. Ja, die Spezifikation der Natur ist nicht einmal der letzte Bruch des rationalistischen Systems, der dunkelste (sogar menschenfeindlichste) Hiatus findet sich in der »Religion innerhalb der Grenzen der bloßen Vernunft«. Es ist der Hiatus des »Radikal-Bösen« in der menschlichen Natur: die Maxime, die allem bösen Tun vorhergeht und die sittlichen Triebe den sinnlichen unterordnen läßt, dieser »natürliche Hang zum Bösen« ist unerklärlich, nicht notwendig, ist eine Tatsache als Tat der intelligiblen Freiheit des Menschen. Aus der Vernunft ist der intelligible Grund des Handelns nicht konstruierbar, weder des bösen noch auch der Umkehr zum Guten; Kant aber läßt nicht im Zweifel, daß das Wollen des sündhaft egoistischen Sonderseins dem Ursprung der »eigenen Tat«, der »intelligiblen Freiheit« besonders nahe steht. Die moralische Individuation des Bösen durchbricht so das *System* auch noch der praktischen Vernunft (als welches den sittlich-religiösen *Zusammenhang* des menschlichen Geschlechts kategoriert hatte), wie die praktische Vernunft selber den *Mechanismus*

der reinen durchbrochen hatte. Beziehungen der r Individuation zu den Spezifikationen der Natur hat lich desto weniger verfolgt, als die Wertung beid chen« gegenüber (der sinnlich-egoistischen Tat un lich-spezifizierten Mannigfaltigkeit gegenüber) ei verschiedene war. Dennoch liegt eine Verwandtscha lich im außervernünftigen Sprung der »Zufälligl »Unableitbarkeit«, in der »ursprünglichen Organ sollte denn das Radikal-Böse, wie man sehen wird, reaktionärer Epoche noch verblüffende Verbindun Freiheitswillen eingehen und mit seinem Produk Endlichkeiten; indem hier die intelligible Freihe schen wurde, entsprang eine wahrhaft verdamm des Sonderseins. Doch bleibe man bei dem Sprung chen allgemein-abstrakten *Kalküls*, bei der Zwan nach der Kritik der reinen Vernunft eine solche d Vernunft und der Urteilskraft setzen zu müsser zusammengebundenen Sonderreichen, mit Freihe Prinzipien, Organismus und Spezifikation der zeichnet die Gefahren des Kantischen Kategoria in Agnostizismus abzusinken, in bloße heuristis pothesen. Es bezeichnet die Unausgeglichenheit gegnen General-Kalküls, daß Kant den »Total der Vernunft« dualistisch, ja trialistisch auseinar daß er den Reichtum der Welt zuletzt ins Atl schiebt. Es bezeichnet freilich auch die Größe ur keit der Kantischen Problemstellung, die Bruch zelheit und Lebendigkeit, die dämmernden Inl heit« dem allgemeinen und fertigen Mechanis mus) nicht mehr untergeordnet zu haben. menschliche Hoffnung, die Verwirklichung de in der Entwicklung des Menschengeschlechts schaft der Heiligen«, das »Reich Gottes auf I derart abgetrennt von der fester als je stabilisi schen Erfahrungswirklichkeit«, derart abstrak ten sind alle diese Postulatkategorien lediglich mer als das: Fremdlinge auf Erden, die dam sind, es zu sein und zu bleiben (die lediglich »u

12

Kopf gestellt hat. Erzeugen trat aus dem Kalkül heraus, es erhob den Anspruch einer schöpferischen, einer die ganze Welt machenden Tat. Maimon hatte das Bewußtsein zuerst als alles produzierend bestimmt, es gibt nichts, was es nicht hergestellt hätte. Fichte (der von Maimon nicht weniger abhängt als von Kant) hat die Erkenntnis derart zu einer nur durch sich selbst beschränkten Tätigkeit erklärt, das Ich-denke wurde als »Tathandlung« der Vernunft so Form wie Stoff erzeugend. Das schien desto breiter zu geraten, je reicher die Vernunft, bei Schelling und Hegel, von dem Verstand und seinen kahlen Allgemeinheiten sich fortentwickelte. Zwei völlig entgegengesetzte Ereignisse wirkten in dieser Art Vernunft zusammen, fanden mindestens in ihr den Reflex: die Französische Revolution und die romantische Restauration. Die Revolution, obwohl aus dem Verstand entsprungen und ihn vollstreckend, brachte die Bewegung ins deutsche *Denken* (nur in dieses), den Willen zur grenzenlosen logischen Tat. Die Restauration dagegen brachte den Rekurs aufs organisch Blühende, historisch Gewachsene; dieser »historische Sinn« mit dem nicht mehr mathematischen, aber noch rationalen Erzeugen machte es zu einem breit ausschlagenden Prozeß. Der Boden des mathematischen Verstands ist damit sinngemäß verlassen, Hegel will nicht eine mathematisch reine, sondern eine materialgesättigte Vernunft. Die Formen dieser Vernunft erfüllen sich mit einem Jubel, mit einer Kraft des Vertrauens, die nach der Kantischen Grenzbestimmung des Verstands desto erstaunlicher wirkt und fast wieder – auf neuer Stufe – an Spinozas Wissensreligion erinnert. »Der Mensch«, so apostrophiert Hegel 1818 seine Berliner Zuhörer, »der Mensch soll sich selbst ehren und sich des Höchsten würdig achten. Von der Größe und Macht des Geistes kann er nicht hoch genug denken. Das verschlossene Universum hat keine Kraft in sich, welche dem Mute des Erkennens Widerstand leisten könnte: es muß sich vor ihm auftun und seinen Reichtum und seine Tiefen ihm vor Augen legen und zum Genusse bringen.« Noch ferner vom Agnostizismus, womit der Verstandeskalkül geschlagen war, tönt es aus Hegels Schlußworten zur Geschichte der griechischen Philosophie: »Die Philosophen sind . . . dem Herrn näher, als die sich nähren von den Brosamen des Geistes; sie lesen oder schreiben diese Kabinettsordres gleich im Original: sie sind gehalten, diese mitzuschreiben. Die Philosophen sind die μύσται, die beim Ruck im innersten Heiligtum mit und dabei gewesen; die Anderen haben ihr besonderes Interesse: diese Herrschaft, diesen Reichtum, dies Mädchen« (Werke XV, S. 96). So ist der Agnostizismus des bürgerlichen Geistes zum letzten Mal zurückgeschlagen, ja es wird zu einer Art von – Gnostizismus übergegangen, mindestens zur Hypostase eines fast bodenlosen Geistglaubens an die Geisthaftigkeit und Geistbeschaffenheit der Welt. Das Werkzeug dieses Glaubens war nicht mehr die mathematische Verknüpfung des Kalküls, sondern die dialektische der historisch gewordenen Vernunft. Deshalb eben wird hier auch das Wort Vernunft eingesetzt mit historisch-konkret gesetztem Gegensatz zum abstrakten Verstand des Kalküls. Die Welt Hegels ist nicht mehr mit einem Male da, gar als mathematischer Kristall, sondern ein Prozeß aus lauter historisch-konkret bedeuteten Syllogismen, ein Kreis aus dem Kreis von Obersätzen (Thesis), Untersätzen (Antithesis), Schlußsätzen (Synthesis). Dadurch gerade schien aus dem Allgemeinen das Besondere der Untersätze, das Konkrete der Schlußsätze dialektisch deduzierbar. »Die Vernunft«, sagt Hegel ausdrücklich, »ist jenes Allgemeine, das den Reichtum des *Besonderen,* des Individuellen, Einzelnen in sich faßt« (minus freilich »*dieser* Herrschaft, *dieses* Reichtums, *dieses* Mädchens«, minus also des »besonderen Interesses«). Ebenso ist die dialektische Selbstentzweiung der Vernunft die Entfaltung ihres Ganzen, ihrer Totalität, die Entfaltung der »Idealbestimmungen des göttlichen Geistes« im jeweils Ganzen, das heißt in den Gestalten und der Welt. Das ungenügend Totale in den Einzelgestalten bestimmt deren dialektische Bewegung, das gerade genügend vorhandene Totale in den einzelnen Gestaltgruppen der Dialektik bestimmt deren Analogie untereinander. Das heißt: das überall relativ anwesende Totale des göttlichen Geistes macht, daß die Thesis: Gott-Vater, die Antithesis: Gott-Sohn, die Synthesis: Gott-Heiliger Geist in den dialektischen Triaden (Syllogismus) der Welt tausendfach variiert wiederkehrt. So sind die jeweiligen Thesen »Tastsinn« oder »Afrika« oder »Architektur« und dergleichen mehr im »dumpfen Urlaut« der »ersten Setzungen« geeint. Die entsprechenden Antithesen: »Gehör«, »Asien«, »Musik« und dergleichen mehr zeigen verwandte Züge hinsichtlich der ihnen gemeinsamen Negation, hinsichtlich der wild ausbrechenden »Sphäre der Differenz«. Die entsprechenden Synthesen: »Gesicht«, »Europa«, »Poesie« und dergleichen mehr stimmen wiederum überein in ihrer analogen Art, der Negation der Negation, im »aufgelösten Widerspruch und Rückgang in den Grund«. Das waren drei dialektische Glieder in der Anatomie der Sinne, in der Geographie der Erdteile, im System der Kunstformen; nicht überall zwar ist die Trias der religiösen Totalität (der »Dreieinigkeit«) dermaßen erkennbar. Doch Hegels Grundplan ist überall nach dem »Ansichsein«, »Außersichsein«, »Fürsichsein« der Idee gebaut, wobei freilich auch die »sich wild ausgebärende Mitte des Außersichseins« alle Einzelheiten aufnehmen soll, die sich in dem gesamten Panlogismus des Systems nolens volens als Unbiegsamkeiten zeigen. Es ist der mensch-göttliche Geist, der ohne anderen Anstoß als den des sich Selbsterkennens seine Gestalten angeblich entwickelt und zum Multiversum (im Universum) sich differenziert. Die Logik hatte es mit dieser Selbstdifferenzierung in ihrem luftigen (pneumatischen) Ansich noch einfach (in der »farblosen kalten Einfachheit ihrer reinen Bestimmungen«). Schwieriger geriet der Gang im »Außersich der Wahrheit«, in der Natur, die gerade dem abstrakten Kalkül, als mechanische, so generell zu geraten schien. Dagegen bildete die sogenannte Philosophie des Geistes, als Wahrheit an und für sich, eine desto triumphalere Reprise der logischen Kategorienfolge, als diese Folge – in der Logik – ja ab ovo schon den Gestaltungen des »absoluten Geistes« nachkonstruiert war. Die Intensität und Individualität schien in dem antithetischen Zwischengebiet der Dialektik unterzukommen, das jeweilige »Endurteil der errungenen Gestalt« im synthetischen Frieden. Nicht aber als hätte dieser nachkonstruierte Reichtum, als hätte die (gleichsam auf Schleichwegen) materialgesättigte Vernunftdialektik Hegels das wirkliche Problem der haecceitas ihm unfühlbar gemacht. Dazu war er viel zu sehr dem Herstellungs-, auch »Erscheinungs«-Problem verhaftet, worin sich die Philosophen seit Maimon bewegten, und dem – Dunkel, worin sich die transzendentale Deduktion der Empfindungsinhalte zutrug. Unter ihrem vielen Dunkel enthält die »Phänomenologie des Geistes« dieses nicht als das geringste. Hegel rang, nachdem das Hier und Da und Jetzt der sinnlichen Gewißheit »erzeugt«, dann im Weiteren wegerzeugt war, nicht so stark mit diesen Problemen wie Maimon, Fichte, Schelling. Vor allem verdeckte das einzigartige Ineinander von rationaler und konkreter »Kosmogonie«, wie es Hegels ebenso konstruktions- wie anschauungskräftigem Denken eignet, den »hiatus irrationalis« (Fichte) zwischen Konstruktion und Anschauungsinhalt, zwischen »Projektion« und »Projektum«. Im Folgenden mögen erst die höchst eigentümlichen Schicksale der Vernunft in diesem hiatus irrationalis beobachtet werden, vor Hegel und neben ihm. Es sind Schicksale, die gerade dem totalen, dem so auch einzel-inhaltlichen Deduktionsanspruch der Vernunft wesentlich sind. Zwar einer kontemplativ-idealistisch bleibenden Vernunft, die trotzdem die sinnlich-einzelne Materie antreffen, ja, aus während render Denkerzeugung entwickeln will. Hegel selber entzog sich diesen Schwierigkeiten teilweise; einmal indem er die unbequeme Mannigfaltigkeit in ein schlechtes Außersichsein abschob und bagatellisierte, sodann (»Die großen Individuen holen dem Weltgeist die Kastanien aus dem Feuer«), indem er die ihm bequeme, das heißt: gärende, sprengende, aus der Anschauung nahm und in der dialektischen Antithese arbeiten ließ.

Das Denken, so sagten wir, veränderte sich, um bunt zu werden. Es erreichte das, indem es sich ganz unten, dort, wo sein empfindender Anfang zu sein scheint, verdunkelte. Bereits *Maimon* hatte ein bewußtloses Erzeugen vor das bewußte gesetzt; das scheinbar Vorgefundene ist lediglich bewußtlos hervorgebracht. Das so Erzeugte erscheint dem Bewußtsein dann so fremd und »gegeben« wie einem Wachen die Dinge, die er betrunken oder schlafend getan hat. Die Erzeugung setzt in diesen Lücken zwar nicht aus, sie nimmt nur gradweise ab, bis zu den scheinbar so ungemachten Dingen an sich (Maimon nennt sie deshalb bloße »Differentiale des Bewußtseins«, das heißt gemacht von unendlich kleinem Bewußtsein). Doch ist auch vom erzeugt-Gegebenen oft nur eine unvollständige Erkenntnis möglich, die vollständige beschränkt sich bei Maimon immer noch auf das mathematisch-logisch Erzeugte. Denn das Zeichen ihrer ist nicht das Hier und Da im zufälligen Zusammenhang der Wahrnehmung, sondern das allgemeine Immer. *Fichte* übernahm von Maimon das Bewußtlose als ersten Zustand der Erzeugung, wobei das Denken selber, wie bemerkt, zur vernunfthaften Tätigkeit überging. Hatte Kant die Möglichkeit der gemeinsamen Wurzel von Sinnlichkeit und Verstand bereits in der transzendentalen Synthesis apriori zu sehen geglaubt, so hatte sie sich also – bei ihrer ersten Funktion – bereits gespalten: eben in Tag und Nacht; in bewußtloses Dunkel als Grund der Empfindung und ihrer Inhalte, in die Helle des Bewußtseins, das sein Hervorbringen nachträglich reflektiert und ordnet. Wie die romantische Dichtung und Psychologie, so kannte auch die so wenig romantische Logik Fichtes eine Art Nachtseite der Vernunft (freilich stets: der Vernunft und innerhalb ihrer deduzierbar). Dies neue, bald funkelnde Dunkel erfüllte so von Maimon bis Fichte bis Schelling (cum grano salis auch bis Schopenhauer) das Kategorialverhältnis der einzelnen Gesetztheit und Wirklichkeit zum Allgemeinen. Die abstrakte Klarheit des vorigen Verstands wich; gerade das Problem der gegebenen Mannigfaltigkeit rief innerhalb einer Vernunft, die, auch darin genetisch deduzierend, »Schöpfung« sein wollte, vorrationale, bald irrationale Erzeugungen auf den Plan. Was Fichtes »Tathandlung« also angeht, so ist sie eben als die der Empfindung bewußtlos, weil sie mit sich selbst anhebt und nichts Bedingendes vor sich hat, weil sie grundlos freie Handlung ist. Die Produktion der Empfindung und ihres mannigfaltigen Nicht-Ich ist die bewußtlose Selbstbeschränkung des Ich, deren Produkt dem Bewußtsein dann scheinbar von außen oder als Gegebenheit entgegentritt. Wie bei Maimon sah sich auch hier das Ding-an-sich-Problem gänzlich aus der Erhabenheit eines alleobersten, allgemeinst-wesenhaften Grenzbegriffs gelöst: Die Dinge an sich als Nicht-Iche sind ins transzendentale Ich einbezogen, das diese Nicht-Iche erst setzt, um dadurch zum Bewußtsein seiner selbst zu gelangen. Die Dinge an sich wurden derart aus X-en einer äußeren subjektlosen Allgemeinheit zum X einer subjekthaften Besonderheit, die ihrerseits, als allgebärende Ichheit, aber nun erst die wirklich wesenhafte Allgemeinheit ist. Aus dem unbekannten »Substrat« der Erscheinungen wurden die Dinge an sich zum bloßen Grundbegriff einer immer mehr, einer bis zur untersten Gegebenheit »abnehmenden« Produktion. Indem die Dinge an sich so vorrational gefaßt werden, verschlingen sich *Vielheit* und *Stoff* der Empfindung zugleich; eine Verbindung, die dem metaphysischen Ding-an-sich-Begriff (bei Schopenhauer, in seinem alleinen Willen) völlig fehlt. Dafür aber trennt Fichte das Daß, die *Setzung* der Vielheit und des Stoffs der Empfindung durchaus von dem *Inhalt* dieses mannigfaltig Gegebenen; glaubt Fichte auch das Daß aus der bewußtlosen Selbstbeschränkung des Ich deduziert zu haben, so lehnt er trotzdem, zum Unterschied von Schelling und Hegel, die Deduzierbarkeit der besonderen Inhalte, des Empfindungsinhalts, der Außenwelt, des Nicht-Ich ab. Mit anderen Worten: Fichtes Idealismus sieht in der Funktion der Empfindung selber keine Grenze, wohl aber eine – und zwar die alte – in der Kategorie der empfundenen Einzelheit und Inhaltlichkeit. Nicht ganz freilich die alte; denn obwohl die besondere Welt des Nicht-Ich, die konstruktive Naturphilosophie also, von Fichte nie betreten, ja deren Ausführung abgelehnt wurde, ist Fichtes »Tathandlung« eine durchaus nicht-mathematische, eine auf Tatsachen, nicht nur auf die Begreifbarkeit der Tatsachen abgezielte. Demgemäß landet die Fichtesche Kategorienlehre auch in keinen allgemeinen Formen, sondern in den – Problemen der Sittlichkeit; diese ist hier (in Bezug auf Einzel-Inhalte), was für Schelling die Naturphilosophie, für Hegel die Geschichte, Ästhetik und Religionsphilosophie bedeutet. Hat die Empfindung (also die Selbstbeschränkung des Ich) keinen Grund, der sie bestimmte, so hat sie doch einen Zweck, der sie und alle ihre Inhalte rechtfertigt: nämlich die Sittlichkeit. Diese ist von Anfang an der Final-Urgrund, wonach unendliche Tathandlung sich freiwillig beschränkt und die Mannigfaltigkeit der Objekte setzt, um an ihnen sittlich tätig zu sein – »die Welt ist das versinnlichte Material der Pflicht«. Der theoretisch undeduzierbare Anstoß zur Welt ist für Fichte dadurch praktisch deduziert, ebenso auch die Vielheit der Dinge als der Angriffspunkte des sittlichen Veränderungswillens. Eine Grenze bleibt auch hier, auch in der Fichteschen »Moralphysik«, keine empirisch scheinende Grenze wie in der theoretischen Wissenschaftslehre, doch eine der Wertung. Denn nachdem das theoretische Subjekt Gegenstände statuiert hat, nimmt sie das praktische Subjekt nicht auf, um sie zu respektieren, sondern um sie zu vernichten. Um sie in ihrer »Naturhaftigkeit«, das heißt in ihrem Widerstand zur »moralischen Weltordnung« zu vernichten; der Widerstand im sittlich ungebildeten Rest – inmitten all der inkarnierten »Sündhaftigkeit« oder Gleichgültigkeit – wird dann klein, alle »Dinge« müssen dann zum Besten dienen. Die Vielheit von Ichen und Nicht-Ichen vermindert sich bereits in den Veranstaltungen des Staats, stärker der Kirche und vollkommener in der mystischen Versenkung: es gibt für den späten Fichte in dieser Tiefe kein Sein und keine Vielheit von Seiendem, keine Substanzen und auch keine Substanz, es gibt nur die sittliche Weltordnung als Sollen im Menschen.

Das setzende Handeln wird hier insgesamt vom Sein nicht mehr umgriffen, gar trunken gemacht. Der Weg nun von diesem Seinshaß zum *zweiten* großen Konstruktionsdenker, zu *Schelling*, ist nicht so weit, wie die Anfänge Schellings es vermuten lassen. Dessen junges Denken freilich hatte die Erzeugung aller seienden Dinge und noch einiger anderer, kraft seines künstlerischen Gefühls, noch nicht eingeschränkt. Da wird das Licht deduziert und ebenso die Luft; freilich bereits verneint, daß der Stoff »ursprünglich, an sich, aus Teilen bestehe« (Werke 2, S. 238). Überhaupt blieb Schellings Ausspruch, über die Natur philosophieren, heiße die Natur schaffen, nicht durchgehends so vermessen, so grenzenlos, so inhaltlich und optimistisch. Bald traten dem seinstrunkenen Blick Ängste aus ganz andersseiender Gegend entgegen, Ängste des erschreckenden Maibaumtänzers vor der Befreiung der Individuen überm Rhein. Lehrreicherweise verneinte bereits der »Erste Entwurf eines Systems der Naturphilosophie« (1799) Individuen als Zwecke, erst recht als mögliche Substanzen. Schelling denunziert sie schon damals als bloße »mißlungene Versuche« hin auf ein gattungshaftes Ideal der Natur; denn wäre das Dasein der Individuen der Zweck der Natur, so würde diese nicht der Gottheit lebendiges Kleid weben, sondern das Gewand der

Penelope. »Der Natur ist das Individuelle zuwider, sie verlangt nach dem Absoluten und ist kontinuierlich bestrebt es darzustellen« (Werke 3, S. 43). Der Affekt gegen die Einzelheit richtet sich mit wachsender romantischer Reaktion immer deutlicher gegen das Jakobinertum selber, gegen ein metaphysisches Jakobinertum zuhöchst oder zutiefst, als dem Ursprung der Einzelheit und Endlichkeit. Die bewußtlos grundlose Produktion, welche bei Fichte den Anstoß der einzelnen Empfindung als dunkel erscheinen ließ, ist bei Schelling nicht nur bewußtlos dunkel, sondern wird höllisch dunkel. Den Übergang zum Teufel bezeichnet die Schrift »Philosophie und Religion« (1804); vollendet, auch mit St. Martin, Baader, Böhme belegt, ausgeziert ist er 1809 in den »Philosophischen Untersuchungen über das Wesen der menschlichen Freiheit«, das ist, der antipathisch aufgefaßten, der mit dem – Sündenfall verbundenen. Die Freiheit ist nun, in ihrer Lossagung von der Notwendigkeit, das wahre Nichts und kann ebendeshalb auch nur Bilder ihrer eigenen Nichtigkeit, das heißt der räumlichen und wirklichen Dinge produzieren; in diesem Urbösen soll nun allein, als Blendwerk, die Vereinzelung und ihre Einzelheit wohnen. »Die Bedeutung einer Philosophie«, das hatte Schelling schon in »Philosophie und Religion« gesagt, »welche das Prinzip des Sündenfalls ... zu ihrem eigenen Prinzip macht, kann ... nicht groß genug angeschlagen werden ... Wer das gute Prinzip ohne das böse zu erkennen meint, befindet sich in dem größten aller Irrtümer; denn wie in dem Gedicht des Dante, geht auch in der Philosophie nur durch den Abgrund der Weg zum Himmel« (Werke 6, S. 43). Die Dialektik dieses immerhin noch stöhnenden Optimismus (per aspera ad astra, per singularitatem ad elysium) verdunkelt sich aber immer mehr in dieser »Freiheitslehre«; das principium individuationis kapselt sich metaphysisch ein. Der Grund der Welt ist ein *Urgrund,* der Partikularwille zur Welt (es gab keinen anderen Anlaß zum Dasein) ist ein *Urzufall,* der erhaltene Partikularwille in den Individuen der Welt ist rettungslos des Teufels, das Ende der Offenbarung ist die Ausstoßung der Individuen. Mit anderen Worten: es ist in Gott als dem Schöpfer etwas, das nicht Gott ist, dies ist der *Grund* (nämlich Ungrund) der Existenz, zum Unterschied von der

Offenbarung der Existenz in Geschichte und Endzeit; so haben die Dinge der Welt ihren Grund in dem, »was in Gott nicht er selbst ist, das heißt in dem, was Grund seiner Existenz ist ... Nach der ewigen Tat der Selbstoffenbarung ist nämlich in der Welt, wie wir sie jetzt erblicken, alles Regel, Ordnung und Form; aber immer noch liegt im Grunde das Regellose, als könnte es einmal wieder durchbrechen, und nirgends scheint es, als wären Ordnung und Form das Ursprüngliche, sondern als wäre ein anfänglich Regelloses zur Ordnung gebracht worden. Dieses ist an den Dingen die unbegreifliche Basis der Realität, der nie aufgehende Rest, das, was sich mit der größten Anstrengung nicht in Verstand auflösen läßt, sondern ewig im Grunde bleibt« (Werke 7, S. 359 f.). Alten Willensspuren nachgehend (Avicebron, Böhme) bestimmt Schelling den Akt, worauf diese Basis steht, auch als Drang oder Sehnsucht: was in Gott nicht er selbst ist, ist »die Sehnsucht, die das ewige Eine empfindet, sich selbst zu gebären« (l.c., S. 359). In der Welt aber, in den Individuen bekommt sich der Drang nie in Gewalt, obwohl er ihr Wesen ist, er bleibt als losgerissene Vergaffung in sich selbst Sünde. »Dies ist die allem Endlichen anklebende Traurigkeit ..., daher der Schleier der Schwermut, der über die ganze Natur ausgebreitet ist, die tiefe unzerstörliche Melancholie alles Lebens« (l.c., S. 399). Freilich besteht der Weg ins Elysium zuguterletzt auch hier, doch nur als einer der gänzlichen Unterwerfung des Willens unter die Obrigkeit: »Die Solliziation des Grundes oder die Reaktion gegen das Überkreatürliche erweckt nur die Lust zum Kreatürlichen oder den eigenen Willen, aber sie erweckt ihn nur, damit ein unabhängiger Grund des Guten da sei, und damit er vom Guten überwältigt und durchdrungen werde. Denn nicht die erregte Selbstheit an sich ist das Böse, sondern nur, sofern sie sich gänzlich von ihrem Gegensatz, dem Licht oder Universalwillen losgerissen hat« (l.c., S. 399 f.). So setzte Schelling die feudale Erbitterung über den Abfall der Untertanen in keineswegs mehr seinstrunkene Philosophie, doch, zweifellos, wie jedem aufhorchenden Begriff zu hören war, in streckenweise durchaus tiefsinnige, in eine, deren letztes Wort mit ihrem reaktionären Ursprung durchaus noch nicht gesprochen ist. Er verband die logisch schwierige Gestalt der

Einzelheit und Vielheit mit einer dämono-logischen, mit der Sündhaftigkeit des Engelsturzes und Apfelbisses: in der einzel-einsamen Selbstverschlossenheit lebt die Trauer des Dämons, aus der partikularen Verselbständigung der Ideen stammt das ihm Gehörige der Welt. Der Hiatus zwischen Vernunft und Existenz, zwischen transzendentaler Konstruktion und Einzel-inhalten wird nicht, wie bei Hegel, durch einen historisch-dia-lektischen Umbau dieser Vernunft zu schließen versucht, son-dern mythologisch verabsolutiert: der Hiatus ist das »Urfac-tum« par excellence. Der Inhalt der sich vereinzelnden Welt freilich und die historische Ordnung dieser Inhalte sind (zum Unterschied von Fichtes Alogizitätslehre) aus der Vernunft konstruierbar; denn wenn Gott – auf dem Umweg des Bösen – sich einmal in die Welt verwandelt und darin offenbart, dann geschieht die Entfaltungsfolge dieser seiner Offenbarung ver-nünftig. In letzterem Punkt – das Daß und Wenn der Entfal-tung vorausgesetzt – bleibt also Schelling der Vernunftdialek-tik Hegels verbunden; doch aller Vernunft eben und in aller Vernunft läßt Schelling die Unterbrechung voraufgehen, den – malgré lui – deduzierbaren »Empirismus« der faktischen Inter-mittenz. Der Deduktionsort des Faktischen in der Welt ist und bleibt (bis zum jüngsten Tag seiner Aufhebung) die philoso-phische Wolfsschlucht in Gott: das »Urböse«, der »Urzufall«, der »Ungrund« in Gott. Indem Schelling diesen finsteren »Un-grund« ebenso als »Urwillen« bestimmte, kreuzten sich die be-reits vorhandenen nominalistischen Verbindungen zwischen Willenssetzungen und haecceitas mit dem gnostischen Begriff des Weltschöpfers: des finsteren »Demiurgen«. Dermaßen phantastisch überschlug sich das Kategorialproblem der Ein-zelheit-Allgemeinheit, mitten im »System der Vernunft«. Der Duft der Geisterwelt, von dem Hegel sagt, daß er in die entle-gensten Einsamkeiten dringe: in die Einsamkeiten der Einzel-heit und Sobeschaffenheit drang er bei Schelling jedenfalls nicht. Auch das Ding-an-sich-Problem – mitten im Vernunft-Idealismus neustatuiert –, indem durch den Teufel »begriffen« werden sollte, was der Vernunft zu – niedrig war, gab doch kei-ne andere Beleuchtung als wieder die durch Schwefellicht. »Das Irrationale und Zufällige, das in der Formation der Wesen, besonders der organischen, mit dem Notwendigen sich verbunden zeigt, beweist, daß es nicht nur eine geometrische Notwendigkeit (!) war, die hier gewirkt hat, sondern daß Freiheit, Geist und Eigenwille mit im Spiel waren« (Werke 7, S. 376). Was immer der Rotte Korah nachgesagt wurde, ist hier aufs Haupt der Individuation gehäuft: Kants Theorie des Radikal-Bösen; St. Martins Analogie zwischen Revolution, Sündenfall und Antichrist; Böhmes Luzifer als »Separator«, doch ins völlig Negative gewendet; Baaders Theosophie der Selbstheit und Empörung. Unleugbar aber auch: mitten in dieser Kategorial-Kampagne gegen die Revolution wurde – eben durch Haß – der Blick für die Alogik des Einzelwillens und der allemal von Grund auf »thelischen«, dranghaften, nicht logischen »Intensität« geschärft. Das Problem der Kategorial-Differenzierung wurde derart um ein neues »Prinzip« vermehrt; E. v. Hartmann hat, wie noch zu sehen sein wird, in seiner – zwischen »Wille« und »Idee« gespannten – Kategorienlehre, in solcher »Zweiseitenlehre« der Kategorien Schellings Konzeption systematisiert. Soviel hier über diese stärkste Ausbiegung der bewußtlosen Empfindungs- und Partikularproduktion; das Problem des Einzelnen führte Schellings Vernunftkonstruktion nicht an die Grenze der vérités de fait, sondern in die schwarze Messe der vérités éternelles. Hier ist die dem individuierenden Daß-Faktor verpflichtetste Desavouierung des allgemeinen Vernunft-Idealismus und seiner historisch-panlogischen Erzeugung; desto merkwürdiger, als die Vernunft die Triumphe ihrer Inhalts-Offenbarung über dem Verlies einer Freiheitsverteufelung vollzogen hat. Einzig *Schopenhauer* hat die Verteufelung des der Vernunft Gegebenen (ihr Zustoßenden, ihr Aufgedrängten) noch weiter getrieben, dann aber nicht mehr am Einzelnen. Bei Schopenhauer, auf den der letzte Blick dieser Art geworfen werden mag, ist die Verbindung von Vielheit und Stoff des Gegebenen zwar nicht gelöst, doch innerhalb des Teuflischen nuanciert. Die Vielheit ist Blendwerk; nur die Formen der Anschauung (der »Schleier der Maja«) täuschen Vielheit vor, nur die Brillen Raum und Zeit lassen facettieren. Der Stoff der Welt dagegen, ihr Substrat, ihr Ding an sich (im gänzlich metaphysischen Sinn gefaßt) ist das bleibende Alleine des Teufels; im Wesen der Welt und ihrem allgemeinen Schiffbruch ist alles gleich. Daraus resultiert nicht nur Schopenhauers bekanntes Verdikt über die Geschichte (eadem sed aliter), auch jede Beschäftigung mit dem Besonderen wird auf den niederen Intellekt beschränkt, und zwar lehrreicherweise auf den praktischen (im Sinn, wie der Rentnerphilosoph Praxis versteht). »Für den Intellekt im Dienste des Willens, also im praktischen Gebrauch, gibt es nur einzelne Dinge; für den Intellekt, der Kunst und Wissenschaft treibt, also für sich selbst tätig ist, gibt es nur Allgemeinheiten, ganze Arten, Species, Klassen, Ideen von Dingen ... Daher hat der rohe Mensch für allgemeine Wahrheiten keinen Sinn; das Genie hingegen übersieht und versäumt das Individuelle: die erzwungene Beschäftigung mit dem Einzelnen als solchem, wie sie den Stoff des praktischen Lebens ausmacht, ist ihm ein lästiger Frondienst« (Werke, Reclam, V, S. 10). Das Neue und Erstaunliche freilich ist, daß, während in den einzelnen Dingen ausschließlich die Objekte des Wollens liegen, gerade der Wille und nicht etwa der Geist das Alleine und Allgemeine darstellt. Dadurch löst sich – soweit auch Schopenhauers Willensbegriff von dem der Nominalisten entfernt ist – der Voluntarismus zum ersten Mal in der Philosophiegeschichte von den Kategorien der Vielheit los, die stets die seinen schienen. Schopenhauers Philosophie ist negativer Pantheismus: doch bislang hatten nur die Philosophen des Denkallgemeinen und Geistesprimats zum Pantheismus oder der Alleinheitslehre hingedrängt. Während gerade die voluntaristischen Philosophien die Nominalismen des Willensprimats, die Selbständigkeit der Einzeldinge involviert hatten, die Vielgestalt und Intermittenz des Seins. Bei Schopenhauer aber brachte es der am meisten alogische von allen bisherigen Willensbegriffen dahin, die allgemeinste Substanz zu sein, so allgemein wie die spinozistische. Wobei freilich die einzelnen, die gerade in ihrem Sosein unzerstörbaren »Objektivationen des Willens« recht kräftig Vielheit vertreten, als »ewige Stufen des Willens«, das heißt die »unveränderlichen Gattungen« Stein, Metall, Pflanze, Tier, Mensch; ebenso die »Stadien der Erlösung«, womit Schopenhauer ein reiches Weltgemälde gemacht – trotz der Finsternis des alleinen Willens. Als diese Finsternis aber endet die bewußtlose Produktion, obwohl sie bei Maimon, Fichte, Schelling gerade dazu bestimmt worden war, die Ausbreitung der Vernunft zu deduzieren. Und die Vielheit – bei Schopenhauer vom Empfindungs-Substrat wieder getrennt – rückt so radikal wie bei Spinoza in die »Vorstellung« (die bei Spinoza phantasma hieß), in die Idealität, ins Reich der Scheingöttin Maja. Die Vielheit hat hier jedenfalls nicht mitgeholfen, sich – als dunkelfärbendes Element der Vernunft – selbst zu erhellen und vernunfthaft begreifen zu lassen; so wenig wie der Willensfaktor. Letzterer hat die Vernunft sogar überrannt und statt des Pluralismus der Einzelheiten, zu deren Erklärung der Nominalismus auf dem Wege war, sich selbst als alleine Monarchie eingesetzt. Das ist ein ebenso totales System aus Unvernunft, wie das Hegelsche eines aus lauter Vernunft zu sein prätendiert.

So viel hat das neue, das bunte, unpure Denken bezahlt, um sein Gemeintes zu entwickeln. Geht man von hier nochmals zu *Hegel*, zur Frage des Einzelnen bei ihm selbst, so war sie ihm ebensowohl die niederste wie die wichtigste. Die niederste, sofern sie aus der Empfindung stammt, die wichtigste, sofern sie den Sauerteig und die historische Fülle des Seins betrifft. In der Lust, dem Bewußtsein seine Gestalten zu entwickeln und es zur obersten aufsteigen zu lassen, beginnt Hegels »Phänomenologie« durchaus vom »schlechthin Einzelnen« her. Das Werden des Wissens beginnt mit dem Jetzt und Hier und Dieses, mit dem Objekt seiner untersten Stufe: der sinnlichen Gewißheit, und wirft es als das erste Wechselnde dialektisch hin und her, schließlich aber hinter sich zurück. Der Begriff verweilt nicht lange bei diesem Einzelnen; denn indem das Jetzt nicht bleibt, das Hier allen möglichen Ortsbestimmungen zukommt, ist das schlechthin Einzelne zugleich auch das schlechthin Allgemeine – es ist eine dialektische Keimzelle, sonst nichts. Auch kommt das schlechthin Einzelne später nirgends mehr vor, wird am Anfang der »Phänomenologie« abgemacht, wird von Tieren unmittelbar, vom Begriff mittelbar verzehrt – es ist als bloß Einzelnes die niederste, als Keimzelle die wichtigste Wirklichkeit. Auch weiterhin überwindet Hegel das Einzeln-Viele, vor allem als natürliches, häufig nur derart, daß er es entwertet, mit

»Würmern und ähnlichem Geschmeiß«, mindestens mit bloßen Beispielen, ja nur »Beiherspielendem« zusammenstellt. Hierher gehört die schiefe Widerlegung, welche Hegel den Einwänden des Skeptikers Krug gegen die idealistische Konstruktion entgegenstellt: »Herr Krug hat ... einst die Naturphilosophie aufgefordert, das Kunststück zu machen, *nur* seine Schreibfeder zu deduzieren. Man hätte ihm etwa zu dieser Leistung und respektiven Verherrlichung *seiner* Schreibfeder Hoffnung machen können, wenn dereinst die Wissenschaft so weit vorgeschritten und mit allem Wichtigerem im Himmel und auf der Erden in der Gegenwart und Vergangenheit im reinen sei, daß es nichts Wichtigeres mehr zu begreifen gäbe« (Enzyklopädie § 250 Anm.). Der magistrale Witz, der lehrreich gereizte Hohn dieser Stelle verdecken aber das Problem der Deduktion von Einzelnem, auch als Geringem nicht, und der Trick der Entwertung hilft nichts; denn die Crux des Problems wächst gerade umgekehrt proportional zu der Nichtigkeit der Krugschen Schreibfeder. »Es ist der sinnlichen Vorstellungsweise zuzurechnen«, bemerkt der § 250 weiter, »Zufälligkeit, Willkür, Ordnungslosigkeit für Freiheit und Vernünftigkeit zu halten. Jene Ohnmacht der Natur setzt der Philosophie Grenzen, und das Ungehörigste ist, von dem Begriffe zu verlangen, er solle dergleichen Zufälligkeiten begreifen, – und wie es genannt worden, konstruieren, deduzieren.« Ja, an anderer Stelle (l. c. § 375) läßt Hegel sogar den – Tod Rache nehmen für das Unvermögen der Vernunftkonstruktion am Einzelnen: »Seine (des Tiers) Unangemessenheit zur Allgemeinheit ist seine ursprüngliche Krankheit und der angeborene Keim seines Todes.« (Merkwürdig erinnert dieser Satz an das berühmte Dictum Anaximanders, wonach alle Einzeldinge ins Apeiron wieder zurückkehren, »Buße leistend für die Ungerechtigkeit [Abfall] nach der Ordnung der Zeit«; es ist ein verwandtes Pathos der Totalität darin, eine Deduktion des Einzeltodes statt der des Einzellebens). Vielheit und Sobeschaffenheit der »ohnmächtigen Art« haben derart bei Hegel »keine Wahrheit«, sie sind nur »ein verschwindendes Moment«; oder wie Hegels Logik beim Satz des Widerspruchs formuliert: »Die endlichen Dinge in ihrer gleichgültigen Mannigfaltigkeit sind daher überhaupt dies, widersprechend an sich

selbst, in sich gebrochen zu sein und in ihren Grund zurückzu-
gehen« (Werke IV, S. 72). Andererseits aber unterscheidet Hegel das Einzelne vom Besonderen mehrfach in dieser Weise:
Einzelheit im unmittelbaren Sinn sei lediglich das sinnlich Isolierte, während Besonderheit bereits ein bestimmtes Allgemeines darstelle, das über das unmittelbar Allgemeine des abstrakten Begriffs ebenso hinausgewachsen sei wie über das unmittelbar Einzelne der isolierten Wahrnehmung. Mit diesen Unterscheidungen ist bereits ein Übergang zu der Vielheit *höherer
Ordnung* geschaffen: eben, wie eingangs dieses Kapitels bemerkt, zu der des antithetischen Sauerteigs und der historischen
Vernunftfülle. Dieser Art Vielheit schadet auch ihr »Wider-
sprechendes an sich selbst«, ihr »in sich Gebrochenes« so wenig,
daß der Widerspruch zur Allgemeinheit gerade die Vernunfts-
sphäre der Antithese heizt und für die Synthese (die Tonika
gleichsam) die Dominante stellt. Nun »geschieht nichts Großes
ohne persönliche Leidenschaft« (hier ist die Willenskomponente); nun sind die historischen Individuen dazu gehalten, »dem
Weltgeist die Kastanien aus dem Feuer zu holen«; nun ist die
Kunst die erste Offenbarung »bedeutender Mannigfaltigkeit
geretteter Phänomene«. Die Kunst ist zwar der Ort, wo Psyche
den Staub von den Flügeln wäscht, den die ungemütliche Arbeit
darauf gebracht hatte; doch sie ist ebenso der Ort, wo der ganze
Mensch die Ganzheit der Idee durch sinnliche Anschauungen
erblickt, durch eine zur Galerie gewordene Mannigfaltigkeit.
Daß die allgemeine Idee in diesen Gestalten – als endlich-vielfa-
chen – sich unruhig hin und her wirft, ist der Weltfülle der Idee
ebenso wesentlich, antithetisch wesentlich, wie der letzthin ru-
hige, allgemeine »Kreis von Kreisen«, als den sich die Enzyklo-
pädie-Fülle der Idee in der Ordnung der Synthesen darstellt.
Selbstverständlich sind die Willenskomponente (Leidenschaft,
Intensität) wie die Fülle von ruhigen Besonderheiten in der wesentlich noch kontemplierenden Vernunft Hegels a priori nicht
vorhanden gewesen (obwohl sie eine genetisch-historische par
excellence ist). Denn die willenskräftige Antithese ist niemals
dasselbe wie die »Idee in ihrem Außersichsein«; die sich verneh-
mende Vernunft andrerseits als jenes »Allgemeine, das den
Reichtum des Besonderen, Individuellen, Einzelnen in sich

faßt«, wäre ohne dauernde Nachkonstruktion aufs sinnlich-konkret Vernommene niemals so reich geworden. Die Hegelsche Vernunftdialektik hat eine starke Kraft gezeigt, dies Einzelspannende, Einzelgestaltete zu bewältigen und die Kategorien aus »Gottesformen im Dasein« zu weltlichen zu säkularisieren. Doch die Spannung zwischen den Allgemeinbegriffen im Denken und den Besonderheiten im Sein und seinem Seienden ist auch im genetisch-historischen Verfahren Hegels nicht getilgt, sofern dieses ein betrachtendes, panlogisch erfülltes bleibt. Der Spannung Denken – Sein entspricht in der Kategorienlehre das dauernd hohle Verhältnis: Allgemeinheit – Einzelheit, beziehungsweise (in der Natur- und Geistesphilosophie): Einzelheit – Allgemeinheit. Hier sind die Antinomien des betrachtenden Denkens überhaupt, als eines Abstand haltenden und oft nur wie im Kopf geschehenden; es ist noch nicht auf die Füße gestellt. Das sind, wie zu sehen war, nicht nur die Antinomien des bürgerlichen Denkens; denn das Kategorialproblem Einzelheit-Allgemeinheit ist so alt wie die Philosophie, ja älter. Nur erreicht diese Antinomie im bürgerlichen Gedanken, als einem ursprünglich kalkulatorisch gewesenen und weniger material gesättigten, die ausgebreitetste Spannung. Ebendeshalb sind zugleich – in der Verstandesskepsis Kants beginnend, im Vernunftreich Hegels sich vollendend – die Antinomien hier die stärksten, die Vermittlungsversuche zwischen Denken und Sein, Allgemeinheit und Einzelheit die mächtigsten. Hegel hat derart das Einzellebendige nicht nur als Subjekt (Subjekte), sondern auch als Substanz, das Allgemeinwahre nicht nur als Substanz, sondern auch als Subjekt (Subjekte) wieder zu etablieren versucht: der Vermittlungswille zwischen diesen beiden Gliedern ist der Motor seiner Dialektik. Doch der Hegelsche Grund-Satz: »Die Substanz ist das Subjekt« und in gleichem Zug also das Subjekt die Substanz, diese Vertauschung der Glieder, besser Pole hat weder das erkenntnistheoretische Subjekt des Ausgangspunkts mit der gegebenen Objektivität zu identifizieren vermocht, noch die Subjekte der kosmischen Mannigfaltigkeit mit der wirklichen Substanz vermittelt; hier zeigen sich, gerade wegen seiner Größe und gemeinten Umfassendheit, zuletzt die Schranken des kontemplierenden Hegelschen Idealismus, auch als noch so objektiven. Das trotz der Nachkonstruktion, auch trotz der sensualistisch-empirischen Inhaltsanleihe; die Schranke der Einzelheit (für die Vernunft), die Schranke der Allgemeinheit (für die Sinnlichkeit) sind Schranken der Betrachtung. Die Erzeugung als *verstandener Arbeitsprozeß* dagegen (wozu Hegels »Phänomenologie« immerhin durchaus das Stichwort gab) kennt diese Schranken nicht mehr; die Methode der *materialistischen Theorie-Praxis* kennt auch weder Sinnlichkeit noch Verstand, weder Sensualismus noch Rationalismus als getrennte Akte und Alternativen, sondern bezieht den überlegenen Standpunkt der *produktiven Abbildung, Fortbildung* des Seins und seiner Forminhalte (Kategorien). Was abschließend aber Hegels »Selbstdifferenzierung der Vernunft« angeht, sie war so breit wie keine andere: sie hat die Welt zwar auf den Kopf gestellt, aber sie hat die *Welt* auf den Kopf gestellt, nicht bloß eine verstandeshafte Fassade. Sie hat den Begriff Einzelheit mit dem der Intensität aufgeladen, sie hat dem Individuiert-Intensiven (wenn auch einem panlogisch definierten) die dialektische Sprengrolle zugeteilt, – »auf sein Drängen – wenn der Maulwurf im Inneren fortwühlt – haben wir zu hören und ihm Wirklichkeit zu verschaffen« (Werke XV, S. 691); da ist Schellings reaktionäre Teufelei selber gesprengt. Die Verbindung von Dialektik und Kategorienlehre hat die Tafel der Kategorien endlich mit Zeit und Tendenz durchströmt (so idealistisch diese Tendenz aufs »Fürsichwerden des Geistes« auch dreinsieht): »Und dieser lange Zug von Geistern sind die einzelnen Pulse, die er in seinem Leben verwendet; sie sind der Organismus unserer Substanz.« Die wirklichen Triebkräfte der historischen Bewegung wurden noch nicht erkannt, auch führt die Buch-Vollendetheit der Hegelschen Subjekt-Gestalten hinter die Dämmerungen des späten Kant zurück, nämlich hinter das Postulatsdenken eines noch Unverwirklichten. Aber Hegels Kategorienlehre meinte zum ersten Mal das sowohl stoßende, wie darin sondernde, detaillierende *Leben* der Wahrheit, als ein vermitteltes, immanent sachliches. Diese Art Vernunft gewährte die bisher reichsten Durchblicke auf Mannigfaltigkeit, und sie ist die von Mannigfaltigkeit am lehrreichsten, am fruchtbarsten – durchbrochene.

13

SPÄTERGEKOMMENE ERKENNTNISTHEORIE, VIELHEIT DER KATEGORIEN
(Rickert, Lask, Cohen, Husserl)

Die Kraft begrifflich zu denken nahm bald danach ab. Der Geist wurde mangelhaft, es fielen ihm die Zähne aus. Die Kategorie wurde oft nur noch als gut eingefahrene innere Denkbahn verstanden. Verbindung zwischen allgemeinen Vorstellungen, das ist die Kategorie sogar bei Windelband, freilich wieder im logisch wertenden Sinn. Hier vor allem hat die Südwestdeutsche Schule eine eigene Art Kategorien gesondert, allzu gesondert untersucht: die historische. Der Grundgedanke ist einfach: naturwissenschaftliche Begriffe sind »nomothetisch«, denn sie setzen über lauter nichtigen und austauschbaren Einzelheiten allgemeine Gesetze. Historische Begriffe sind »idiographisch«, denn sie beschreiben unwiederholbare und kulturell wertvolle Einzelheiten, allerdings lesen sie die Einzelheiten aus und ordnen sie nach ihrem Bezug zu den (bürgerlichen) Kulturwerten. Zweifellos sind an dieser Trennung von Natur und Geschichte reaktionäre Bedürfnisse mitbeteiligt. Der »freie« Unternehmer hebt sich besonders gut und profiliert von der »Masse« ab, wenn alle Geschichte als solche den »idiographischen« Zauber des Einzelnen und Persönlichen zeigt. Die Naturwissenschaft und ihr Kausaldenken wird weltanschaulich besonders weit zurückgeworfen, wenn die generalisierende, die »nomothetische« Methode nur noch für tote Körper, äußerstenfalls für soziale Massenbewegungen gilt (denen der »Geist« der Geschichte fremd ist). Derart setzt *Rickert* gesellschaftliche Vorgänge zu einem nur »relativ-Historischen« herab, zu einem pöbelhaften Abhub, worin »von einzelnen Persönlichkeiten, also vom absolut Historischen (!) überhaupt nicht mehr die Rede ist, oder doch nur von dem, was diese Persönlichkeiten mit anderen oder gar mit der großen Masse (!) gemeinsam haben« (Die Grenzen der naturwissenschaftlichen Begriffsbildung, 1929, S. 265). Derart wurde, wider Willen freilich, durch die Abkehr vom genetisch-kausalen Allgemeingesetz, auch Platz geschaffen für elitäre Geschichts-Irratio, für Zufall, Führer und nicht zuletzt für die Anbetung gesetzloser Tatsächlichkeit. Nicht als ob interessefreiere Züge dieser Betonung der Einzelheit, der »werthaft« ausgelesenen Einzelheit fehlten. Die idiographische Beschreibung steht einem gewissen vornehmen Positivismus nicht fern, einem Lob des unmittelbar Tatsächlichen, das in Gesetzen nicht untergeht. Dergleichen ist lehrreich: die Grenzziehung gegen die generalisierende Methode stammt von Dilthey, einem der feinfühligsten Denk-Historiker. So kam zum gesetzesfeindlichen Positivismus Denken der Fingerspitze, Begriff der Nuance, Weimarer Kultur, Hegelsche Lust an farbig gehaltener Gruppierung epigonal hinzu. Also involvierte der ästhetische Positivismus (Nominalismus) mit seinen »Kulturwerten« nach Diltheys Programm geradezu eine »Wiederentdeckung der Geschichte als der fundierenden Schicht des menschlichen Daseins«. Überflüssig zu sagen, daß auf diesem unternehmerisch-intuitiven Weg wirkliche Geschichte nicht entdeckt werden konnte; historischer »Reichtum« allein schafft noch keine historische Erkenntnis. Dagegen trieb der beschreibende Positivismus, diese mäßig-bessere Hälfte innerhalb des historischen Begriffs noch eine beträchtliche Frucht: Emil *Lask,* der letzte Denker der Heidelberger Schule, war nahe daran, den abstrakten Idealismus gerade im Kategorialproblem zu durchstoßen. Lask interessierten von frühauf jene Kategorien, die »gar nicht umhin können, sich anwenden zu lassen«; er leugnete die Selbstentfaltung des Logischen zu Kategorien, er suchte den Differenzierungsgrund der logischen Form im »einzelnen Material«. Entdeckt er von hier aus auch mehr die alogisch-logische Kategorienlehre Eduard von Hartmanns (wovon im nächsten Abschnitt) als den Materialismus, und er hat Lukács' weitergehende, historisch-materialistische Kritik des rationellen Systems nicht mehr erfahren, so erkannte er doch völlig klar, daß alle »spezifischen« Kategorien nur »durch die Determinierung, die sie vom Material empfangen«, spezifische sind. »Nicht rein logisch ist die Mannigfaltigkeit der logischen Formen zu begreifen, sondern sie zeigt ein Moment der Undurchsichtigkeit, das uns auf die bedeutungsbestimmende Gewalt des alogischen Materials hinweist« (Logik der Philosophie, 1923, S. 61). So reicht der Inhalt, die Materie in die Struktur der Formen und noch des Formen-Systems selber herein; allerdings erst eine Materie als differenzierender Grenzbegriff oder als Logosdämmerung des Idealismus, noch nicht eine Materie der selber kategorialen Daseinsweise. Auch ist bei Lask das Problem des Einzeln-Allgemeinen nicht mit dem der »spezifischen« Kategorien verbunden und dadurch aus der falschen, aus der kontemplativen Antithese Denken-Sein, Allgemeines-Einzelnes, Logisches-Alogisches entfernt. Ja, Lask macht gerade, was Individuelles angeht, alle Katzen grau, nämlich alogisch; er nannte schlechthin jedes »Kategorienmaterial« alogisch, sogar die Kategorialform selbst, sobald sie materialer Gegenstand einer auf sie gerichteten Untersuchung ist. Das Einzelne wie seine Materie erschien in dieser mühseligen Explosion des Idealismus als bloße ersehnte Fremdheit, als das »den Artefakten des Subjekts« (sc. Kalküls) »Entgegengeltende«, als logisch transzendente, doch logisch determinierende »Undurchsichtigkeit«. Lasks »Irrationalität« (besser: Alogizität) wirkt derart noch ambivalent; sie ist eine Art vorweihnachtlicher Nikolaus, der teils erschreckt, teils Geschenke notiert. Die spezifischen Daseinsweisen (Kategorien) der Materie überbieten den bürgerlichen Werthorizont.

Gegen das sonstige weichgewordene, unbegriffliche Denken ging noch von anderer Seite Kampf an. Der Geist, so sagten wir, war mangelhaft geworden, es fielen ihm die Zähne aus. Wie viele Neukantianer waren derart rein psychologistisch gesunken, die Kategorien erschienen ihnen als bloße assoziative Verbindung. Das Logische, ohne das man nicht einmal zum Begriff der Assoziation käme, sollte aus eben dieser empiristisch erklärt werden. Solchem Tiefstand gegenüber sind selbst pure Idealisten heilsam, selbst Wiederherstellung des Apriori. Diese sind der Kategorie als Daseinsform seltsamerweise näher als die Psychologisten, die alle Kategorien zu subjektivem Spaß oder zu einer Gewohnheit erklären, die auch anders sein könnte. Psychologen solcher Art sind idealistischer als die abstraktesten reinen Idealisten; denn sie heben jeden Bezug zu einem objektiv Allgemeinen auf (worüber nach Lenins Kritik des Empiriokritizismus kein Zweifel sein könnte). Zwei Logiker sehr verschiedener Art und historischer Bindung, doch beide von einem objektiven Bewußtsein überhaupt ausgehend, haben das Denken der Kategorie in strenger Weise zu erneuern versucht. Von Kant herkommend: Cohen; von Platon, mehr noch von der Scholastik und Neuscholastik beeinflußt: Husserl. Statt des psychologistischen Verbindens von Vorstellungen erscheint das Logische bei *Cohen* rein Kantisch als mathematisches Erzeugen von wissenschaftlicher Erfahrung. Das Urteil wird dadurch wieder flüssig und urbar, sich fortschreitend als »reines« Erkennen bewährend: »die Kategorie ist das Ziel des Urteils, und das Urteil ist der Weg zur Kategorie« (Logik der reinen Erkenntnis, S. 47); die Kategorien sind »Grundweisen, Grundzüge, Grundrichtungen des Urteils«; die Urteilsformen betätigen sich daher – bei solch funktionaler, auch approximativer Fassung ihres Ziels – »in der Erschaffung und Formulierung immer neuer Kategorien«. Freilich bewirkt Cohens mathematisch orientierte Logik, daß sie einmal gänzlich unter sich bleibt und nichts Äußeres außer ihr selbst erkennt, sodann aber, was mit dieser Autarkie eng zusammenhängt – daß das Ding an sich, in jeglicher Schattierung, ausgeschieden bleibt. Damit auch das empfunden Einzelne, ja, es wurde dieses selten so hochmütig, so wenig schockiert abgelehnt wie hier. Die Empfindung der sinnlich »gegebenen« Mannigfaltigkeit wird hier vom Verstand weniger »gehört« als »verhört«, das heißt, sie hat sich logisch zu rechtfertigen; »denn ihr Anspruch ist unzulänglich und nicht ohne Täuschungen« (l.c., S. 423). Cohen fragt zwar: »Wie kann die Kategorie des Einzelnen den Anspruch zur Befriedigung bringen, den die Empfindung, so weit und klar sie es vermag, anzeigt und anmeldet?« Die Antwort des mathematischen Idealismus aber lautet: »Die Größe (!) ist die Kategorie, welche sich deckt mit der Kategorie des Einzelnen; mit der Kategorie der Wirklichkeit« (l.c., S. 409 und 412). So verschwinden die Einzelheiten des faktischen Inhalts auf die erwünschteste Weise, auf eine Weise freilich, die nur völlige Blindheit (sensual insanity) über den Fortbestand des Mannigfaltigkeitsproblems in der Kategorienlehre täuschen kann. Werden hier die faktischen Einzelinhalte der Natur durch Größe ersetzt, so die der Geschichte durch – Chronologie (als wäre sie genau jenes historische Wissen, das noch alle Geschichtszahlen weiß, jedoch nicht mehr, was zu ihrer Zeit passiert ist). Lange vorher schon hatte Cohens Logik (als eine des überreifen, des inzesthaft übertriebenen Kalküls) das erste Element der Wirklichkeit, nämlich das Etwas aus dem – Fast-Nichts abzuleiten versucht, genauer: aus dem Unendlichkleinen der Differentialrechnung. Hier wurde sogar jede Art denkfremder Gegebenheit aus dem Grundurteil, als dem »Urteil des Ursprungs« entfernt, also nicht nur die Gegebenheit des Empfindungsdings, sondern freilich auch die des Gottdings, sozusagen. Statt des Schöpfers Himmels und der Erden, statt des Unendlichgroßen tritt – mit einem Witz der Umkehrung, der bei jedem anderen Philosophen zynisch gewirkt hätte – das Unendlichkleine (woraus der Mathematiker mittels der Infinitesimalmethode die Elemente der Wirklichkeit konstituiert); Gott selbst wird umgesiedelt, zieht aus dem kosmischen Anfang ins ethische Ende, ins Postulat. So aufgeklärt das aber auch klingt, so feierlich auch die mosaische Schöpfungsgeschichte entfernt und durch das Pathos der Propheten ersetzt wird: die Aufhebung des Schöpfers ist nicht nur Aufhebung des Schöpfers, sondern alles Seienden außerhalb der mathematischen Konstruktion. Also auch der sinnlichen Materie, also auch der faktischen Einzelheiten: das ist der Preis, womit die Erneuerung des Kategorial-Logischen, auf neukantischer Grundlage, bezahlt wurde. Ganz anders, so bemerkten wir, ging *Husserl* gegen den Psychologismus an, wenn auch gleichfalls von der Basis eines Bewußtseins überhaupt; dieses aber war, als auf Kategorien bezogen, nicht der Einheitspunkt einer »transzendentalen Apperzeption«, sondern einer »Ideenschau«. Der Bezug auf den »Subjektivismus-Rest« des Bewußtseins überhaupt ist in der weiteren, wenigstens in der »katholischen« Fortbildung der Phänomenologie zurückgetreten, doch bei Husserl selbst geblieben. »Jeder intentionale Denkakt ist ein Akt des Ich«; Phänomenologie überhaupt ist besonders beim späteren Husserl wissenschaftliche Wesenserkenntnis des Bewußtseins und der verschiedenen Weisen seiner Gegenstandsbeziehung. Nur wird dieser transzendentale Ausgangspunkt weit von Objektivismus überboten, ja von förmlichen Verdinglichungen des Logischen, wie sie im Anschluß an reine Mathematik (nicht wie bei Cohen: an reine mathematische Naturwissenschaft) angehoben und sich entwickelt haben. Reine Logik mustert erstens

die formalen Verbindungsbegriffe, sodann die formal-gegen-
ständlichen Kategorien wie Gegenstand, Sachverhalt, Einheit,
Vielheit, Anzahl, Beziehung und dergleichen. Zweitens untersucht sie die Gesetze, die in diesen kategorialen Begriffen gründen, so die Gesetze der Syllogistik, der reinen Vielheitslehre,
reinen Anzahlenlehre und dergleichen. Drittens obliegt ihr die
Ausbildung einer allgemeinen apriorischen Lehre der wesentlichen Theorie-Formen und ihrer logischen Beziehungen zueinander; in dieser Ausbildung vollendet sich reine Logik als Wissenschaft der (vom Wissensgebiet selbst unabhängigen) Bedingungen und Begründungszusammenhänge der Wissenschaft –
als »Theorie des Theoretischen an sich«. Wie das »Mathematische« besitzt das »Logische« ein eigenes ideales Reich: »Dieses
konstituiert sich letztlich in rein generellen (!) Sätzen, aufgebaut aus »Begriffen«, welche nicht etwa Klassenbegriffe von
psychischen Akten sind, sondern Ideen, die in solchen Akten
ihre konkrete Grundlage haben. Die Zahl drei, die Wahrheit,
die nach Pythagoras benannt ist, und dergleichen, das sind ...
nicht empirische Einzelheiten oder Klassen von Einzelheiten, es
sind ideale Gegenstände, die wir im Akte des Zählens, des evi-
denten Urteilens und dergleichen ideierend erfassen« (Logische
Untersuchungen I, S. 187 f.). Vorzüglich also sind »Bedeutungen«, »Bedeutungskategorien« Gegenstand der reinen Logik;
innerhalb dieser nicht abstrahierenden, sondern von Klassenzu-
sammenhängen entfernten bedeutungsanalytischen Schau,
»Wesensschau« sollen dann individuelle Bedeutungen (etwa
Bismarck) genauso gut wie generelle (etwa Dreiheit, Tugend,
Philosophie des Pythagoras) Gegenstand der reinen Logik werden; – in ihr soll da zwischen Bismarck als dem Bismarckschen
und dem pythagoreischen Lehrsatz kein Unterschied hinsichtlich des »Ideierten«, Ideierbaren walten. Denn wie das Sinnliche kann auch das Allgemeine phänomenologisch angeschaut
werden, ersteres mit schlichter, letzteres mit »kategorialer«
Anschauung; auch die abstrakteste Intention besitzt an ihrem
einsichtig gewordenen Gegenstand eine mögliche »Erfüllung«.
Daher wendet sich Husserl – mittels einer einzigartigen Verbindung von Deskription, Sensualismus, Positivismus und pla-
tonischem »Realismus« zugleich – gegen die englischen Nomi-

nalisten von Locke bis J. St. Mill, gegen die Tendenz, Abstraktion nur als Weglassung sinnlicher Einzelheiten oder Merkmale zu definieren und dadurch zu verblassen. Vielmehr: Abstraktion mag psychologisch-genetisch durch Weglassung der speziellen Unterschiede zustande kommen, doch die generalisierende Ideation ist als logisches Phänomen davon völlig verschieden und hat einen eigenen Gegenstand, betrifft eine selbständige Gattung von Allgemeinheiten an sich. Diese unterschiedslose Schaulust (in Ansehung des Besonderen und Allgemeinen) hat sich erst recht verstärkt, als Husserls reine Logik immer mehr zur reinen Phänomenologie überging. Die Form der reinen Logik war more mathematico gemeint, von genauen Definitionen sollten evidente Grundsätze entwickelt und aus ihnen weitere Sätze deduziert werden. Die reine Phänomenologie dagegen vermehrt sowohl die rein deskriptiven (also nicht eben mathematischen) Bestandteile, als vor allem: sie ist eine Wissenschaft der kategorialen Schauung schlechthin, »pure Intuition«; diese bringt das »Wesenssein« jedes intendierbaren Gegenstands zur Gegebenheit. Eigene Ordnung besteht letzthin auch hier, eine letzthinnige Ordnung aller Wesensgestalten; nur keine bekannt mathematische, sondern eine sozusagen konkret formalisierte, »eidetische«, eine Ordnung der »regionalen Ontologie« (Ideen zu einer reinen Phänomenologie, S. 18 f.). Wie das Einzelne der schlichten Anschauung hier unterkomme, diese Frage freilich hat bei Husserl ihre alte, ihre brennende Schärfe verloren. Denn das Wesenssein eines Gegenstandes involviert in keiner Weise sein Dasein; ist doch die »pure Intuition« keinesfalls auf den Inhalt wirklicher Erlebnisse allein angewiesen, ihr Lebenselement ist vielmehr die »Fiktion«, die Phantasie. Demgemäß kann die »Wesensschau« sich ebenso gut (wo nicht besser) auf fingierte Bedeutungskategorien (auf das Tugendhafte überhaupt, ja, auf nur poetisch oder mythisch gegebene Gegenstände) beziehen wie auf empirisch vorhandene: Das Reich der idealen Wesensgestalten ist weiter als das der im Dasein befindlichen. Das Problem der empirischen Existenz und Existenzen samt den Realurteilen darüber wird in der reinen Phänomenologie insgesamt »eingeklammert«; um etwa ein Undinenhaftes sich in seiner kategorialen Anschauung zu vergegenwärtigen, dazu müssen nicht einzeln-reale Undinen existieren oder existiert haben; es genügt hierfür ihr »Dasein« in Dichtung, bildender Kunst, ja auch nur in halluzinierten Gebilden aus Aberglaube, gar Irrsinn. Davon aber ganz abgesehen hat Husserls neuplatonisierende Wesensschau, als die durch Scheler aus dem Schatten der Hörsäle heraustrat, die sogenannte abstrakte Malerei in ihrer empirisch undetaillierten »Gegenstandslosigkeit« theoretisch befördert. Dazu hat sie in anderer, nicht ganz unparallel bleibender Reihe die Gestalttheorie in Psychologie, Geschichte und Gesellschaftswissenschaft neu belebt, leider auch deren mit dem »Kristallographischen« so leicht verbundene Prozeßferne, Statik. Bei Husserl stellt das »Logische«, wie gesehen, die Bedingungen und Zusammenhänge des Wissens unabhängig vom jeweiligen Wissensgebiet dar: so kommen die Realurteile zur Wesensschau erst hinzu; so sind die »Tatsachenwissenschaften« bloße Außenseiter der eidetischen und von diesen umgeben. Dadurch aber wird auch die großzügige Unterschiedslosigkeit zwischen »individuellen und generellen Bedeutungskategorien« (hinsichtlich ihres »Wesensgehalts«) zu einer scheinbaren. An der sogenannten individuellen Bedeutung aber kann das Dasein gerade nicht eingeklammert oder als Außenseiterhaftes behandelt werden, ohne daß das Wesen selber an ihr verschwindet. Das alte Universalienproblem hatte gerade die *Realität* des Einzelnen oder aber der Allgemeinheit zum Gegenstand; fällt gleichmäßig die Realitätsfrage weg, so ist das Problem umgangen, nicht gelöst. Cohens Haß gegen die »Impertinenz der (sinnlich einzelnen) Gegebenheit« ist sondierender als Husserls erzidealistische Total-Eidetik, trotz deren Anschauung und Fülle, der alles und jedes (daher nichts wirklich) zur »Gegebenheit« wird oder werden kann. Das Wesen der haecceitas ist und bleibt dieses, keine Allgemeinheit, folglich auch keine »Wesenheit« zu haben; ja, nicht einmal dieses Nicht-Haben eines Allgemeinen ist ein Allgemeines, ausgemacht Wesenhaftes an ihm, sondern eben, wie der Universalienstreit zeigt, ein Problem. Auch Husserls Phänomenologie – mit der realitätsfremden Endlosigkeit ihrer Bedeutungs- und Wesenskategorien – hat die Kategorien als spezifische Daseinsformen nicht erreicht. Sie hat aber das Begriffsgefängnis des bisherigen allgemeinen Kategorialsystems mit Bildern de omnibus rebus et de quibusdam aliis erweitert und ausgemalt.

14   SPÄTERGEKOMMENE METAPHYSIK,
ZWEISEITENLEHRE DER KATEGORIEN
(Bahnsen, E. v. Hartmann)

Lange hielt sich noch eine ältere Art des begrifflichen Denkens, nicht immer schlecht. Seinem freilich immer einsamer werdenden Spekulieren fehlten Einflüsse des Schellingschen »Ungrunds« nicht. Eine Schrift wie *Bahnsens* »Der Widerspruch im Wissen und Wesen der Welt« (1881/1882) lehrt überhaupt nur eine unendliche Vielzahl auswegloser Konflikte. Deren sogenannte Realdialektik (oder der Untergang der Hegelschen Vernunftdialektik an hundertprozentig gewordenem Widerspruch) kennt lediglich Individuen des entzweiten Willens, diese sind nicht nur fürs logische Denken unvergleichbar, sondern in vollendeter Unvernunft (Unseligkeit) auch unter sich. Der kapitalistische Grundsatz des homo homini lupus reflektiert sich in dieser Individualwelt, es reflektiert sich ebenso die Einsamkeit, die Wertentleerung einer anarchischen Gesellschaft. Bahnsens »Individualwille« als Gegensatz gegen die Allgemeinheit sozialer wie kategorialer Art ist nicht (wie in Stirners radikalem Individualismus) ein zynischer, sondern ein verzweifelt-grotesker. »Realdialektik« (lucus a non lucendo) ist hier der endlos gesetzte, noch in der Einsamkeit der Willenspunkte gesetzte Widerspruch an und für sich selbst. Hier ist eine Nicht-Reihe aus lauter Anti-Kategorien (Anti-Allgemeinen): Sophistik, Nominalismus werden das »Wesen der Welt«. Es gibt wenig lupushaftere Zersetzungen des Hegelschen Panlogismus, und keine führt solche sichtbare Antikategorie im Schilde; auch Schopenhauers Wille hat darin seine Alleinheit verloren.

Ein weiter, nicht unvermittelter Weg von hier bis zur spätesten (und ungenügend bekannten) Leistung der nachspekulativen Schule, zu E. v. *Hartmanns* »Kategorienlehre« (1897). Das Einzelne kommt in ihr nicht eigens vor, bemüht wenig, hat in ihr keinen besonderen Platz, aber der Begriff geht durchaus teilend voran, und das aufgeteilt von einem anderen als ihm selbst. Hartmann sucht hierbei im Bewußtsein die Verknüpfungen, die in ihm sich vorfinden und reflektieren, die aber keineswegs selber bewußt und vor allem nicht rein vernunfthaft sind. Es sind die Beziehungsbegriffe der »Sinnlichkeit« (des Empfindens und der Anschauung); ihnen folgt die »Urkategorie der Relation«; dieser folgen die Kategorien des »reflektierenden Denkens« (als des vergleichenden, des trennenden und verbindenden, des messenden, des schließenden, des modalen), sodann des »spekulativen Denkens« (mit Kausalität, Finalität, Substanz). Alle diese Kategorien werden wieder quer durchschnitten, das heißt, nach den jeweiligen Bereichen ihrer Anwendbarkeit aufgeteilt. So erhält Hartmann nach dem Vorbild Plotins (auf dessen Bedeutung er in diesem Zusammenhang zuerst aufmerksam gemacht hat)»kategoriale Sphären«, und zwar diesesfalls drei. Die subjektiv-ideale Sphäre der Bewußtseinswelt (ihr gehört vorzugsweise die Kategorie der Qualität an), die objektiv-reale der *Erscheinungswelt* außerhalb des Individualbewußtseins (mit der Hauptkategorie der Quantität), die metaphysische des hinter der subjektiv-idealen, objektiv-realen Sphäre liegenden *Wesens* (mit der Hauptkategorie der Substanz). Obwohl die Beziehungs- oder Kategorialbegriffe im Bewußtsein sich vorfinden, ist ihr Ursprung wie ihre Wirksamkeit bewußtseinstranszendent, nämlich – unbewußt und ebenso der reinen Vernunft transzendent, heißt reich an alogischen Bestandteilen. Hartmanns Kategorienlehre, indem sie psychologische Vorgänge als Leitfaden, mindestens als Fundort der Kategorie benutzt, berührt sich hierin mehr mit Lockes als mit Kants und gar mit Hegels Entwicklungen; es ist das eine weiche, selber höchst bewußtseinspsychologische Grundlage. Aber obwohl hinter Kants wissenschaftstheoretische, Hegels ontologisch-objektive Darstellung, Entwicklung und Reihenfolge der Kategorien zurückgegangen wird, meint Hartmann doch die Kategorialbegriffe (innerhalb des Bewußtseins) ausschließlich als bloße »Bewußtseinsrepräsentanten induktiv erschlossener unbewußter Kategorialfunktionen«. So füllt er seine Kategorien zugleich aus dem a posteriori der empirischen Welt und aus dem a priori des – Unbewußten. Dadurch wird das Bewußtsein ebenso rasch verlassen, wie es aufgesucht worden war, und noch energischer eben wird der dem Bewußtseinsstandpunkt verwandte Standpunkt der reinen Vernunft liquidiert, der Standpunkt der rein logischen Kategorie-Konstruktion. Es ist nach Hartmann unmöglich, die apriorischen Inhalte des Bewußtseins auch a priori zu belauschen, unmöglich die kategorialen Differenzierungen (Determinierungen) der Vernunft aus bloßer Vernunft, gar aus bloßem Bewußtsein ihrer herauszuklauben. »Nur das Irrlicht der apodiktischen Erkenntnis hat die Philosophen von Descartes bis Hegel im cogito ergo sum, das heißt im bloßen Bewußtseinsraum und seinem konstruktiven Apriori herumgetrieben«; die echte Erkenntnis statt dessen, auch als Kategorial-Erkenntnis, geschieht a posteriori und induktiv, geschieht als lediglich wahrscheinliche, nicht apodiktische, dafür aber realistische. Aus Kategorialbegriffen (im Bewußtsein) einerseits, empirischen Induktionen (sachlichen Durchblicken) andererseits werden derart die eigentlichen *Kategorien* erschlossen: die »supraindividuellen Betätigungsweisen der unpersönlichen Vernunft in den Individuen« (Kategorienlehre, S. VIII). Die Kategorie ist nicht in einem »Bewußtsein überhaupt«, sie geschieht als »unbewußte Intellektualfunktion von bestimmter Art und Weise«, als »unbewußte logische Determination«. Hartmann lehnt derart die Kategorie als bloßes Fachwerk ab, als Schublade, wohin die empirisch und sozusagen außerkategorial erfahrenen Einzeldinge erst eingeordnet wurden. Aber die Lebendigkeit der kategorialen Intellektualfunktion, wie sie Hegel mit Recht gegen die Schubladentheorie eingesetzt hat, wird ebenso abgelehnt, wenn sie – wie bei Hegel – sich lediglich aus reiner Vernunft zu differenzieren glaubt, kraft des Widerspruchs, des Außersichseins und anderer *versteckt* alogischer Elemente. Statt dessen bringt Hartmann als entscheidendes Novum eine *Zweiseitenlehre der Kategorien:* das heißt, mit wenig Ausnahmen ist *jede Kategorie ein Spannungsverhältnis zwischen Daß und Wie, zwischen Wille und Vorstellung, zwischen alogischer Intensität und logischem Gesetz;* in jeder Kategorie, sozusagen, ist ein kleiner Schopenhauer und ein kleiner Hegel. Hier nun ist der Punkt, wo die Hartmannsche Kategorienlehre in die Hartmannsche Metaphysik übergeht, in die frühere »Philosophie des Unbewußten«; aus dieser Fragwürdigkeit, nicht aus »Induktionen«, bezieht sie die letzten Prinzipien. Hartmanns Metaphysik ist eine Schellingiade: dergestalt, daß in Gott ein blindes Urwollen und eine weise, doch ohnmächtige Uridee unterschieden werden; der Wille bricht in die Idee ein, und aus diesem »Urzufall«, aus dem »Faux-pas« dieses Brautbetts entstand die – Welt. Seitdem sind in allen Erscheinungen des Daseins gedankenloser Wille (Intensität) und kraftlose Idee (Logos) gemischt; die Intensität aber wirkt von Anbeginn nichts Gutes. Ihr tätiger Wille ist zwar das Realisierungs- und Realprinzip par excellence, doch eben deshalb macht ihn Hartmanns Metaphysik (Schelling entsprechend, mehr noch Schopenhauer, mehr noch dem müden Spießertum des nachromantischen Pessimismus) zur Qual und Unseligkeit schlechthin. Der Wille ist der unstillbare Hunger der unbestimmten Daßheit, ist das »Sinistre« in der Welt und ihr eigentlich »dysteleologischer« Unsinn; denn die Realität als solche ist des Teufels. Demgemäß hat die Uridee, nachdem sie in die Realität gerissen wurde, als Ziel, die Erhebung des Unlogischen wieder rückgängig zu machen, den Weltwillen zu annullieren. Von daher die kausalen Zusammenhänge im physischen, die teleologischen im organischen Leben; von daher der Kulturprozeß mit der Durchschauung aller (Optimismus-) Illusionen, mit der Willens-Wendung und Universal-Erlösung als Ziel; von daher schließlich auch der vernünftige Inhalt im Kategorialsystem der Welt. Wille und Idee sind Doppelattribute des Absoluten und folglich jeder seiner kategorialen Differenzierungsgestalten: auf dem Boden des Bewußtseins bringt sich das Kategorialsystem zur methodisch faßbaren, in den Gestalten des Weltprozesses zur kosmologisch wirksamen Erscheinung. Es ist, wie ersichtlich, leider auch ein etwas grotesk-phantastischer Hintergrund, der sich derart in den Bettgeheimnissen des Absoluten, der Kategorienlehre auftut; dennoch lieferte er die Hilfskonstruktion zu der oben definierten Zweiseitenlehre der Kategorien. Nun eben wird zu verstehen gesucht, wie »Beziehung« als unabdingliche Struktur jeder Kategorie überhaupt möglich sei und welch getrennte Bestandteile sie voraussetze, statt daß anstelle der kategorialen

Spannung schlechthin ungespannte Identität, mindestens Einerleiheit vorliege, wie sie dem ungereizt, nämlich ungehindert Logischen doch gemäß wäre. In die Mitte seines Werkes setzt Hartmann die »Urkategorie der Relation«; Fundament jeder Relation aber ist ihm die Doppelheit des Unlogischen-Logischen in fast allen Determinierungen des Logos. Die reine Vernunft sei leer, unterscheide sich niemals in sich selbst von sich selbst, sie setze weder methodisch noch kosmologisch Sondergestalten, sie sei als ewige Ruhe ebenso ewige und ewig sich gleichbleibende Identität. Erst der Wille in der Vernunft, der Kraftbestandteil der Intensität gebe den Anstoß zur Differenzierung, den Sauerteig und Realinhalt, woran das Logische seine Bestimmung entfalte. Das Sein sei nicht nur In-Beziehung-Stehen, sondern *dynamisches* In-Beziehung-Stehen (am lückenlosesten in seiner objektiv-realen Sphäre); dem entspreche die Kategorialwelt in ihrer Doppelrelation: als »gesetzmäßige Kraft und idee-erfülltes Wollen«, als »Funktion der logisch determinierten Intensität«. Das sinnlich *Einzelne* freilich, sagten wir eingangs, hat bei Hartmann keinen besonderen Platz, es ist auf keiner der beiden Seiten der Kategorie in seiner eigentlichen Weise enthalten, weder in den Determinierungen des Logischen noch in den Differenzierungen durch die intensiven Willensanstöße. Die Vielheit selber, vor allem als raum-zeitliche, hat Hartmann mehrmals behandelt, sie steht aber mit dem Willenshaften, Verwirklichenden in keiner engeren Beziehung und mit dem Logischen in keiner genaueren. Zusammenfassend bemerkt Hartmann, das Problem der »Vervielfachung« mitbetreffend, die crux der »Willensatome« aber nur streifend: »Darum zeigt sich bei den meisten Kategorien die Doppelheit ihres metaphysischen Ursprungs aus dem Logischen und Unlogischen. Nur der erstere weist ihnen den kategorialen Charakter an; aber der letztere gibt ihnen erst den terminus ad quem, ohne den es zu keiner Beziehung, also auch zu keiner Kategorie käme. So wiesen z. B. die Empfindungskategorien der Intensität und Zeitlichkeit auf die determinierende Funktion des logischen Prinzips hin. Die Anschauungskategorie der Räumlichkeit leitete zu der logischen Funktion hin, die gleichzeitig und mit einem Schlage die unbestimmte eindimensionale Extension der

Willensfunktion zur Mehrdimensionalität vervielfachte und quantitativ bestimmte; in der unbestimmten eindimensionalen Extension, die den Gegenstand dieser Vervielfachung und quantitativen Bestimmung bildete, zeigte sie aber zugleich die Unentbehrlichkeit der Willensfunktion als tieferen Hintergrundes der Räumlichkeit« (l. c., S. 543 f.). Überwiegend also ist die »Vervielfachung« bei Hartmann ein Produkt der logischen Determinierung, wogegen der Wille nur seine unbestimmte, eindimensionale Extension setzt und einzahlt; andererseits aber schafft der Wille als »Realisierungsprinzip« doch überall den »Anstoß« zur Differenzierung, zur Entfaltung – offenbar also fungiert er als primum principium individuationis (nämlich des »Urzufalls« und seiner kontingenten Nachwirkungen). Freilich, weiter als bis zur unbestimmt intensiven und extensiven Quantität der einen Dimension reicht bei Hartmann sein Einfluß nicht: das Willensmoment einer Kategorie schafft noch keine Individuation. »Es bedarf dazu einer gleichzeitigen Mehrheit, und diese simultane Pluralität der Individuation braucht als ... Medium eine Extension von einer oder mehreren Dimensionen, die sämtlich auf denen der Zeit senkrecht stehen, indem sie den zeitlichen Querschnitt des simultan Existierenden darstellen. Es ist nun die recht eigentliche Leistung des Logischen, daß es zu der von ihm bestimmten, eindimensionalen Extension der Zeitlichkeit die mehrdimensionale Extension der Räumlichkeit hinzufügt« (l. c., S. 329). Da diese entscheidende »Vervielfachung«, auch »Gliederung« durchs Logische nun nicht bloß für die Kategorien der Sinnlichkeit, sondern auch für die des Denkens gilt (zum Beispiel die Kausalität ist »die logische Determination einer Intensitätstransformation«): so stellt letzthin allerdings das Logische das entscheidende Prinzip der Individuation dar, gegenüber den bloßen »Intensitätstransformationen« des Willens. Womit also die Schellingsche Individuationslehre aus »Selbstsucht«, »Abfall«, »Partikularwillen« merkwürdig verändert, fast umgekehrt wird: die Einzelheit stammt nur in ihrer Wurzel aus dem Alogos, in ihrer *Ausbreitung* aber aus dem Logos, aus der allemal logischen »Determination«. Freilich wieder: welche Art Einzelheit und Vielheit ist mit diesen »Differenzierungen« denn gemeint und betroffen? – keine qualitative jedenfalls (Qualität findet sich bei Hartmann fast nur in der subjektiv-idealen Sphäre), sondern letztlich eine quantitative, eine bloß »numerische Verschiedenheit der Zeit, des Orts oder der Richtung«. So ist mit allen »Anstößen« oder »Differenzierungen« das Sinnlich-Einzelne – dies brennendste Kategorialproblem – nicht weniger ausgelassen als in der allgemeinsten Schubfachlehre der allgemeinsten Konstruktions-Vernunft. Das schlechte Gewissen vor den andrängenden Daß- und Einzelinhalten, wie es in Schellings »Freiheitslehre« neben aller Reaktion schon lebendig war, lebt auch in der »Induktionsphilosophie« Hartmanns; doch das Einzelinhaltliche verknüpft sich mit allen möglichen »bewußtseinstranszendenten« Äquivokationen, mit dem Unbewußten, mit der »Intensität« eines allgemeinen Willens, mit der »Differenzierung«, einer allgemeinen Idee, nur nicht mit der wirklichen Vielheit, mit dem Kategorialproblem des individuum ineffabile. Stark ist das Problem des »terminus ad quem«, weiterhin des nicht Kategorierbaren in der »Intensität« der Welt gestellt; schwach ist es definiert, und völlig mythisch, mit metaphysischem Ur-Dualismus, ist es »gelöst«. Hartmann machte sich, in der »Philosophie des Unbewußten«, anheischig, »den ganzen Materialismus in sein System aufzunehmen«: sein »Materialismus« kam dahin, daß er erklärt, das Wahrgenommene sei »durch und durch ein Kategoriengespinst«, der Stoff sei eine Scheinkategorie aus der subjektiv-idealen Sphäre, und der Weltprozeß die vorbereitete Ehescheidung von Monsieur le Désir und Madame l'Idée. So ist der apriorische »Bewußtseinsstandpunkt« auch in dieser Kategorienlehre nicht verlassen, trotz unleugbarer Verdienste ihrer um die Herausarbeitung des Daß-Faktors, des Intensitäts-Faktors, in der Welt. Die Zweiseitenlehre der Kategorien ist das Bedenkenswerte an Hartmanns Darstellung, ebenso ihre zähe Durchführung in mancherlei Details: beides selbstverständlich außerhalb der Metaphysik, außerhalb der Beschimpfung des »dysteleologischen« Willens in dieser Metaphysik. Auch ist lehrreich, wie Hartmann in dem Widerspruch, dem Außersichsein der Natur, in der gesamten Sphäre der Negation, wie sie die Hegelsche Dialektik zur »Selbstdifferenzierung« der Vernunft benutzte, verkappte alo-

gische Elemente nachweist. Selber ist ihm die eigentliche »Urkategorie der Relation«, nämlich die Dialektik, nie erschienen,
obwohl er sie historisch kannte und behandelt hatte: Wille und
Idee bleiben unvermittelt, ja zu Hypostasen eines spießbürger-
lichen Wahnsinns stabilisiert. Die *wirkliche Intensität* des Wil-
lens-Widerspruchs, seiner Daßheit und seiner Diesheit, steht
außerhalb jeder Narretei und Mythologie; diese Intensität
macht sich schon auf Erden gut.

ERGÄNZUNG: GESUCHTE PRAKTISCHE ANWENDUNGEN VON ALLGEMEINEM IN RECHTS- UND MORALKASUISTIK

Das Genaue wendet sich hier aufs tätig Einzelne an, schraubt
das Glas darauf ein. Der Wille soll in seiner besonderen Art
bezeichnet werden, sowie die beurteilbaren Wendungen seines
Tuns. Am schärfsten freilich ist dieser Blick juristisch ausge-
dacht; denn vertraglich etwa forscht ein Interesse danach, nichts
einzeln, unbestimmt zu lassen. Im *Vertrag* ist der Wille beider
Parteien, wie er beim Abschluß des Rechtsgeschäfts vorhanden
war, tunlichst ausgedrückt und auf alle vorhersehbaren Fälle
festgelegt. Für unseren Fall besonders lehrreich faßt das römische Recht die Einschränkungen ins Auge, von denen in praxi
der Bestand des geschlossenen Rechtsgeschäfts abhängig gemacht wird. Diese Einschränkungen erscheinen als fixierte Bedingungen des Eintritts und der Wirksamkeit des Vertrags, ihn
so kasuell wie zeitlich begrenzend. Vertragliche Festlegungen
(mit einer Sprache, die dem jeweiligen Fall genau sich anzupas-
sen hat, die weder schwankt noch mehrdeutig ist, noch ein unbe-
zeichnetes oder unverstopftes Loch läßt) – vertragliche Festlegungen danken ihre Genauigkeit dem Interesse, das an ihnen
hängt. Die stärkste Akribie des Einzelnen entstammt nicht dem
kontemplativen Fleiß, sondern dem praktischen Mißtrauen; gegen den Teufel schützt der genau gezogene Drudenfuß an der
Schwelle, gegen den Vertragspartner der präzis bestimmende,
präzis einschränkende Wortlaut. Der antike Grundsatz: »Gehe
mit deinen Freunden um, als ob sie noch einmal deine Feinde

würden«, – ist auch der jedes christlichen Rechtsvertrags und erzeugt dessen Akribie. Daß trotzdem Prozesse entstehen, mit ungewissem Ausgang, beweist nur: gegen die Freiheit des Anderswollens, gegen die unvorhersehbaren Einzelfälle des Konflikts kommt auch juristisch kein Bann auf. – Viel differenzierter freilich als das Zivilrecht verästelt das *Strafrecht* seine Bestimmungen; ja, hieran geschieht, vom »Moralischen« abgesehen, sein eigentlicher »Fortschritt«. Auch strafrechtlich wird zunächst der Wille bedacht, nicht als bloße bekundende Festlegung, sondern mit förmlichen Kategorien, mit einer Art beurteilender »Triebkategorien«. Zugrunde liegt eine Willensschuld, ein gewolltes Unrecht; diese »Schuld« trennt sich bereits im älteren Recht von dem bloßen fahrlässigen Verschulden ab und bildet das Kriterium der eigentlich dolosen Handlung (dolus eventualis, dolus indirectus sind Zwischenformen). Die Reichweite der »Schuld« ist geringer geworden: von der mythisch beurteilten Verletzung göttlicher Gebote bis zur formalen Verletzung bloßer Rechtssicherheit sind hier alle Grade vertreten. Gemeinsam blieb jedoch der Akzent auf die individuelle Verfehlung; ebenso richtet sich die Strafe – ob als Rache oder Vergeltung oder Schutzstrafe – allemal gegen den gesellschaftlich isolierten Einzelwillen. Die Strafsache Individuum ist trotz aller späteren Differenzierungen ihres dolus identisch mit dem »Entschluß der Auflehnung« (Binding), mit jener Hypertrophie der Besonderheit, die nach Hegel rein schon als Einzelwille das rechtlich Böse ist. Solche von aller Psychologie wie freilich auch aller Mythologie des Bösen scheinbar entleerte Schuldtheorie – als eine des Individuums an sich im Verhältnis zur Allgemeinheit an sich – fand ihren geradezu dramatischen Ausdruck bei Hebbel. Die tragische Schuld nimmt hier die juristische auf; Hebbels »Tagebücher« machen aus Hegels Rechtsphilosophie praktische Kunst. Die Schuld bei Hebbel erscheint völlig formal, sie ist jene »starre eigenmächtige Ausdehnung des Ich, die das bedenkliche Verhältnis vergegenwärtigt, worin das aus dem ursprünglichen Nexus entlassene Individuum dem Ganzen, dessen Teil es trotz seiner unbegreiflichen Freiheit noch immer geblieben ist, gegenübersteht«. Durch das tragische Mischgefühl, das heißt durch die ebenso verwerfende wie adelnde Reaktion auf die schuldhafte Handlung, ja Existenz »tragischer Helden« wird unübertrefflich die Zweideutigkeit der jeweils herrschenden Klasse dem »Entschluß der Auflehnung« gegenüber ausgedrückt. Zugleich verwischt der Formalismus den je nach der herrschenden Klasse verschiedenen Charakter und Inhalt der Auflehnung; und: er scheidet die ökonomischen Motive der meisten Rechtsbrüche ebenso aus wie die der sogenannten Gerechtigkeit, welche sich (als das verletzte Interesse der Klassengesellschaft) »in der Strafe wiederherstellt«. Das moderne Strafrecht läßt die Ideologie der Schuld völlig im Hintergrund; es begnügt sich mit den Kategorien des subjektiven Tatbestands. Diese sind der Vorsatz, sodann (über den Vorsatz durch die Stärke und das Bewußtsein des verbrecherischen Willens hinausgehend) die Absicht der rechtswidrigen Handlung; wobei Notstand, Befehl des Vorgesetzten, Wahrnehmung berechtigter Interessen, verminderte Zurechnungsfähigkeit und dergleichen den subjektiv-kriminellen Tatbestand noch weiter, in milderndem Sinn, differenzieren. Letztere Differenzierungen wirken bereits gegen eine maschinenmäßige Gleichförmigkeit der Gesetzesanwendung; sie erweitern auf liberale Weise die Wortenge der Gesetzesstellen zugunsten des Angeklagten. Logisch wichtiger aber ist die Erweiterung der Gesetzesanwendung hinsichtlich des objektiven Tatbestandes selber; denn nicht in Rücksicht des verbrecherischen Willens, sondern der verbrecherischen Einzelheiten und Variationen blüht die eigentliche Deduktions- und Treffkunst des Strafrechts: die *juristische Hermeneutik und Kasuistik*. Der Grundsatz nulla poena sine lege (der alle bürgerlichen Rechtsstaaten auszeichnet) setzt als kalkulatorisches »Ideal« voraus: das Gesetz hat keine Maschen, es gibt für alle möglichen Vergehen ein anwendbares Gesetz. Das Gesetz selber ist eine in bestimmter Form ergangene Willenserklärung, es kann eine Ermächtigung oder Erlaubnis, ein Gebot oder Verbot, eine Strafandrohung oder die Gewährung eines Anspruchs enthalten, doch im Gebiet des Strafrechts ist das Gesetz ein allemal tunlichst genau umschriebenes Verbot mit dem gestaffelten Preistarif der Strafen, womit Verbrechen bezahlt werden müssen (oder wofür sie gleichsam erhältlich sind). Selbstverständlich kann kein Gesetz, auch nicht bei genauester Maßarbeit, sämtliche Fälle bezeichnen, wofür es als zuständig gedacht worden ist. Staatsgesetze im Allgemeinen erhalten hier Ausführungsbestimmungen nachgeliefert, im Sinne der Detaillierung; Strafgesetze im engeren Sinn schließen sich, mit ergänzender Gesetzeskraft, zumeist den Entscheidungen des obersten Gerichtshofs an. Dennoch ist in praxi fast jederzeit noch Rechtsfindung unerläßlich, welche die Besonderheit dem ausgesprochenen Tatbestand des Gesetzes unterordnet, welche feststellt, wieweit ein Verbrechen strafwürdige Tatbestandsverwirklichung darstelle. Dies eben leistet, in abstrakterer Weise, die Hermeneutik, als wörtliche Begriffsbestimmung des Gesetzes, als seine Einteilung in Arten und Unterarten, weiterhin als seine Sinnerforschung nach dem »Willen des Gesetzgebers«, nach den Rechtsgründen, die dem Gesetzgeber vorgelegen haben, nach den äußeren Veranlassungen des Gesetzes. An die Hermeneutik schließt sich, bereits in konkreter Weise zur Kasuistik übergehend, die Gewinnung verwandter Rechtssätze an (ad similia procedens), die Analogie. Ihr Verfahren besteht nicht einfach in der Übertragung von Rechtssätzen auf ähnliche Fälle, sondern darin, daß ein Rechtssatz auf sein Prinzip zurückgeführt und aus diesem als Obersatz der neue zutreffende Untersatz gewonnen wird. Mit Hilfe der Analogie werden derart Rechtslücken ausgefüllt, doch freilich wird ihr Verfahren in keinem Rechtsstaat als eigentliche Rechtsquelle anerkannt; weshalb neu auftretenden Delikten gegenüber, wie etwa dem Elektrizitätsdiebstahl, statt des Notbehelfs analoger Gesetzesauslegung sogleich mit einem eigenen Reichsgesetz, um die Jahrhundertwende, begegnet worden ist. Was das eigentliche Verfahren der Kasuistik angeht, das heißt der ergänzenden Rechtsfindung neuen, absonderlichen oder komplizierten Erscheinungen gegenüber, so nimmt diese die Hermeneutik zwar in Gebrauch, liegt aber, der Konkretheit gemäß, außerhalb ihrer. Sie exerziert einen ganz anderen Scharfsinn, auch Takt als den der bloßen Sinnauslegung. Hierüber bestimmt beispielsweise das Schweizerische Zivilgesetzbuch, Artikel 1: »Das Gesetz findet auf alle Rechtsfragen Anwendung, für die es nach Wortlaut oder Auslegung eine Bestimmung enthält. Kann dem Gesetz keine Vorschrift entnommen werden, so soll der Richter nach Gewohnheitsrecht und, wo auch ein solches fehlt, nach der Regel entscheiden, die er als Gesetzgeber aufstellen würde.« Trotz der vornehmen, auch sprachlich klassischen Formulierung dieses Artikels ist die Gefahr doch unüberhörbar, welche Kasuistik überall erwächst, wo ihre eigentliche Kultur, statt in die Hände ausgeführter Rechtsscholastik, in die des Gewohnheitsrechts gelegt werden muß oder auch der Rechtsschöpfung einer vorausgesetzten Moralperson. Eigentlich fixierte und differenzierte Kasuistik findet sich aber nur in der katholischen Moralwissenschaft, besonders in der von Jesuiten bearbeiteten, nicht in der bürgerlichen Jurisprudenz; sie findet sich in der »Praxis« der Seelsorge und Beichte, nicht in der Rechtsprechung. Ursprünglich ging das Rechtsdenken aller Kulturen von Einzelfällen aus, von besonders häufigen oder signifikanten (etwa erpreßtem Eid); der Sachsenspiegel, Schwabenspiegel, auch noch der Talmud sind voll solcher Anschaulichkeiten und des gesetzlichen Exemplifizierens an ihnen. Je ausgebildeter das Recht sich abstrahierte (und das abstrakteste Recht, das römische, fiel im 16. Jahrhundert nicht nur mit den Interessen der Fürstenklasse, sondern auch mit dem beginnenden Kalkül zusammen), desto mehr entfernte es sich vom Gewohnheitsrecht, doch auch vom salomonischen Urteil, desto stärker wurde sein Ehrgeiz, die allgemeinen Fixierungen sowohl weit als auch genau genug zu halten, um die individuellsten Delikte als Tatbestandsverwirklichungen zu treffen. Es ist also eine Art impliziter Kasuistik im Fortschritt des juristischen Scharfsinns; was bewirkt, daß die explizite fehlt, daß aber auch das juristische Mikroskop – in untypischen Fällen – fast nie scharf einschraubbar ist. Sowohl vom Einzelfall zum Gesetz hin wie in der »Anwendung« des Gesetzes auf den Einzelfall zeigt sich dieser Abstand, dieser Hiatus auch der praktischen Abstraktion. Für den Abstand von unten nach oben ist etwa die Schwierigkeit bezeichnend, die durch die sogenannte Idealkonkurrenz ausgedrückt wird. Diese tritt in Erscheinung, wenn eine Person durch verschiedene selbständige Handlungen eine und dieselbe Straftat mehrfach, mithin verschiedene Straftaten (nach dem Sinn des Gesetzes) in einer und derselben begeht. Hier wirkt das Gesetz also undifferenziert, und das Gesetz trifft eine Vielfalt von Straftaten, wo in Wirklichkeit doch nur eine einzige besteht. Umgekehrt eben wirkt der Abstand von oben nach unten, und zwar überall dort, wo die Schwere des Gesetzes Hohlräume aufweist oder die bekannten Lücken der Deduzierbarkeit; sodaß das Gesetz allemal nur eine ungefähre Handhabe zur Beurteilung darbietet. Alle diese Schranken der Einzelheit, vor allem der qualitätshaften, sind aus dem Kalkül des anderen »Gesetzes«, des pur quantitativ bestimmenden Naturgesetzes wohlbekannt; und sie wiederholen sich, mutatis mutandis, nicht grundlos in der auf Handlungen bezogenen normativen Gesetzlichkeit. Ja, die Schranken der Einzelheit sind im juristischen Kalkül noch fühlbarer als im physikalischen; nicht nur wegen der »menschlichen Freiheit und Bosheit« dem Gesetz gegenüber, auch wegen des besonders fragwürdigen Bezugs der juristischen Form zum *juristischen Inhalt* überhaupt. Aus den Blütezeiten des kalkulatorisch-rationalistischen Denkens bleibt das Postulat des lückenlosen Zusammenhangs eines formellen Rechtssystems. Von den ehemaligen Idealen des bürgerlichen »Naturrechts« bleibt die formelle Gleichheit aller Menschen vor dem Gesetz (zum Unterschied vom vielfältigen Privilegienrecht aus dem Mittelalter). Aber je mehr das bürgerliche Recht von seinen revolutionären Anfängen sich abwandte, je siegreicher die Bourgeoisie in die Machtpositionen vorrückte oder mit dem Adel sie sich aufteilte, desto entleerter trat der kalkulatorische Formcharakter, desto zynischer der klassenkämpferische Inhaltscharakter dieser »Gerechtigkeit« hervor. Sowohl in der »historischen« wie in der späteren »kritischen« Rechtsschule wurde der Rechtsinhalt wachsend metajuristisch; auch die (niemals einwandfreie) Beziehung der »Legalität« zur »Moralität« geriet stetig dünner. Der Zynismus der Macht, die genetisch wie substanziell »vor Recht« geht, hat sich in den faschistischen »Rechtsanpassungen« vollendet. Vorher schon hatte die bürgerliche Rechtsphilosophie den ökonomischen Rechtsinhalt der Politik zugewiesen, sofern sie ihn nicht, wie der äußerst »kritische« Jurist Kelsen, als ein förmliches »Mysterium« bezeichnen zu müssen glaubte. Dadurch blieb die wirkliche Grundlage der Rechtsentstehung und des Rechtsvollzugs, nämlich das Interesse der jeweils herrschenden Klasse, weiterhin außer Schuß. Das Recht selber war zwar als inhaltslos behauptet, jedoch es gab den ökonomischen, politischen, schließlich den mannigfach mysterischen Inhalten, die es formierte, immer noch seine Weihe. Nicht zuletzt deshalb, weil der Rechtsformalismus, gerade der »kritische«, in höchster Verlegenheit doch wieder zur »Gerechtigkeit« zurückkehrte, soll heißen: zum dünnen Aufguß des bürgerlichen Naturrechts, zum sogenannten »richtigen Recht«. So suchte Stammler dem juristischen Kalkül, wenn keinen Inhalt, dann doch das Normative eines »ewigen Werts« zu retten; Cohen gar hat dem Rechtsformalismus, zum letzten Mal, ein bürgerlich revolutionäres Pathos zu verleihen versucht. Das Pathos einer »Gerechtigkeit«, wie sie selbst Kant fremd war, einer an den Propheten genährten Gerechtigkeit; diese rückte, mit feierlicher Abstraktheit, sogar zur ethischen Hauptkategorie auf (nicht nur zur Kategorie des »richtigen Rechts«). Legalität und Moralität wollten, mit wehrhaft romantischem Aufklärertum, in eine Deckung geraten, die sie selbst im blühendst revolutionären Idealismus nie gehabt: die (durch die Propheten verbesserte) Jurisprudenz präformiert die »Grundstruktur des sittlichen Kulturbewußtseins schlechthin«. Die Jurisprudenz wurde bei Cohen zur »Mathematik der Ethik oder zu deren einzig wissenschaftlicher Grundlage«. Solcherart suchte der Rechtsformalismus noch einmal eine letzte Weihe oder das »Mysterium« seiner Abstraktheit selbst; auch mochte er nicht umhin, die »Gerechtigkeit« – auf dem Boden dieser Art Jurisprudenz – als eine soziale zu definieren, sogar als eine sozialistische. Als ungemein versierte und auf Handlungen bezogene hat die allgemeine, ja scheinbar die »Allgemeinheit« vertretende juristische Form (Generalität des Gesetzes) freilich weit verästelter als die des physikalischen Kalküls auf Einzelheiten, Besonderheiten und bisherige »Ausnahmen« sich ausgedehnt, selbst auf Eventualitäten. Die Logik der Klausel (in Verträgen), der Gesetzesinterpretation und Kasuistik ist ausgebildeter als die jeder anderen, noch so universalen »Charakteristik«. Doch der Inhalt ist der Jurisprudenz, als solcher, fast noch abstrakter entlegen als den übrigen bürgerlichen Rationalismen. So sind die Kategorien der Legalität, gleich denen der Moralität, in der bürgerlichen Gesellschaft überwiegend nur solche konkret sich gebender Abstraktheiten, nämlich des Einzellebens und Lebens in der Klassengesellschaft (in der »menschlichen Vorgeschichte« also). Sie schrauben auf das tätig Einzelne seinen Handlungen nach mit bemerkenswerter Kasuistik ein, doch diese Einzelhandlungen geschehen selber nur in einer halben, einer gleichsam noch abstrakten Wirklichkeit, voller Entfremdung.

Ganz anders scheint der *sittliche* Blick Handeln, Einzelnes zu fassen, denn danach beurteilt er. Hat sich das Handeln nicht in *jedem* Fall, unablässig, ohne nur mögliche Ausnahme zu bewähren, ist hier der Pfennig nicht soviel wert wie der Taler? Aber was die reinste Art Moral angeht, die Kantische, so redet sie zwar jedem ins Gewissen, doch jedem auf allgemeine Weise. Sie bezieht sich, bürgerlich-liberal, zwar auf den Einzelnen, doch nirgends auf das Einzelne, sie ist formale Gebrauchsanweisung der »Pflicht« in Anwendung auf sich selbst. Die sittliche Beurteilung bezieht sich nur auf die Gesinnung (den guten Willen), nicht auf die Handlung oder deren äußere Folgen. Ja, die Kantische Sittenlehre ist eine der Gesinnung, nicht der äußeren Werke, doch auch die Gesinnung selber wird nicht als lebende, möglicherweise individuell verschiedene beachtet, sondern einzig als die *Form* des guten Willens überhaupt. Kant entwickelt derart »Kategorien der Freiheit«, nennt sie auch »praktische Elementarbegriffe«, als solche, die auf die Bestimmung eines freien Willens gehen und die Form des reinen Willens zur Voraussetzung haben. Wie die reine theoretische Vernunft entwickelt auch die reine praktische ihre Kategorien in der Zwölfzahl und verteilt sie, ebenso schematisch, auf die vier Urteilsarten Quantität, Qualität, Relation, Modalität. Bejahung und Verneinung fungieren in seiner theoretischen Kategorientafel völlig affektfrei, als pure Verbindungs-Kategorien der »Realität« und »Negation«. Dafür aber greift eben die *praktische Vernunft*, auf ihre Weise, die merkwürdige Kategorierung des Willens auf; als Versuch, die selbsterzeugten Formen der Willensautonomie durch ebensoviele Freiheitskategorien a priori auszudrücken. Dadurch entsteht nicht nur der kühne Schein eines *ethischen* Kalküls, nach und über dem logischen, sondern ebenso eine erstmalige Verbindung abstrakter *Logizi-*

tät mit einer (wenn hier auch in sich bleibenden) *Handlungs-Intensität*. Einer Intensität allerdings, deren Kategorien noch weniger besondere Inhalte betreffen und mit sich führen als die Kategorien der reinen theoretischen Vernunft. Denn diese verbreiteten wenigstens das Material der Newtonschen Naturwissenschaft, ergänzten sich überdies, in der Urteilskraft, durch das Problem der »Spezifikation der Natur« (gleichsam einer Art naturgesetzlicher Kasuistik). Die Kategorien moralischer »Praxis« dagegen haben überhaupt keine Kraft, sich auf »Gegenstände möglicher Anschauung« zu beziehen. Denn da alle uns gegebenen Inhalte der Naturwelt angehören, folglich (nach Kant) dem Mechanismus objektiver Notwendigkeit: so kann sich – auch nach dieser Seite – die Ethik intelligibler Freiheit nur auf die allgemeinen Formen des inneren Handelns überhaupt beziehen, nicht auf die »Materie des Wollens«. Selbst der gemeinte bürgerlich-sittliche Inhalt ist dem Sittengesetz fremd; »denn die reine Pflicht«, sagt Hegel in der Phänomenologie, »ist schlechthin gleichgültig gegen jeden Inhalt und verträgt jeden Inhalt«. Er ist ihr so transzendent wie dem abstrakten Recht der jeweilige Rechtsinhalt, ja, sofern hier das gegebenenfalls sich auch sozialistelnd gebende Mischpathos der Gerechtigkeit fehlt, eher noch entlegener. »Einteilung« der Pflichten fehlt bei Kant nicht, doch wirkliche Einzelprobleme moralischen Handelns haben in der formalistischen Ethik keinen Platz. Die Welt des sittlich Relevanten ist ohnehin nicht groß, und die »Schreibfeder des Herrn Krug«, die im Gebiet des theoretischen Urteils, trotz Hegels Verdikt, gerade wegen ihrer »Geringfügigkeit« eine bedenklich störende Rolle spielt, hat im Gebiet der moralischen Beurteilung überhaupt kein Pendant. Nicht umsonst stammt der Begriff des »Adiaphoron«, als des sittlich Gleichgültigen, Indifferenten oder Irrelevanten, aus der Ethik, diesesfalls der stoischen, und ist seitdem im formalistischen wie selbst materialen Moralsystem legitim (das heißt, keine Verlegenheit) geblieben. Aber die formalistische Ethik freilich will überhaupt keine inhaltliche Entscheidung an die Hand geben, sie hat keinen anderen Kompaß und keine andere Landkarte als die subjektiv-objektive Allgemeingültigkeit eines guten Willens überhaupt. Daher fehlt der protestantischen

Ethik (und die Kantische ist nur ihr strengster Ausdruck) *das Problem des jeweiligen Kasus, die Kasuistik*. Das bürgerliche Recht hat hier, wie zu sehen war, trotz allem Formalismus genau differenziert; sogar unselbständige Tatbestände werden herausgearbeitet, die ohne die Haupttat gar nicht wären, nun aber der juristisch abgestuften Bewertung unterliegen, so der Versuch oder die Anstiftung oder die Beihilfe zum Verbrechen. Die bürgerliche Ethik dagegen hat nur als katholische eine Tradition gehalten oder erneuert, die religiösen Kulturen eigen war, zum Beispiel in den fast anekdotisch kasuistischen Moralpartien des Talmud. (Auch Dostojewskijs Romane treiben noch moralisch-religiöse Kasuistik; so stellt Raskolnikow die Frage, ob es erlaubt sei, ein unbedeutendes menschliches Leben zu einem höheren Zweck zu vernichten.) Nur: die katholische Moral-Kasuistik wurde eine aus Gründen, die nicht selber, aller Orten, den Skrupeln des Lichts im Labyrinth der Welt entstammen. Die Moral-Kasuistik (bei den Scholastikern keine eigene Disziplin) wurde erst von Jesuiten zur Vollkommenheit ausgebildet; so jedoch, daß sie nicht für Laien galt, sondern nur für Seelsorger und ein Mittel war, die Macht des Beichtpriesters, im Gestrüpp der Konflikte, als die eines Spezialisten zu erhöhen. Ferner liegt hier, an ausgetüftelten Fällen, oft nur Übung des Scharfsinns vor, öfter sogar jene Subtilität, welche der Pornographie auf ihren gelehrten Höhepunkten eignet, und welche aller erdenklichen positiones der Sünde geistig mächtig ist. Die protestantische Ethik hat, wie auf die Beichtpraxis, so auf die Kasuistik verzichtet; sowohl aus der Stärke ihres Gesinnungsmotivs heraus wie freilich auch aus der nichts durchbohrenden Schwäche ihres Formalismus. Der protestantischen Ethik liegt der sittliche Wert gerade in der freien Entscheidung bei Konfliktsfällen; dies Wagnis duldet also keine vorbestimmte oder vorgeschriebene Wahl. Nicht minder jedoch hindert eben die Abstraktheit des Sittengesetzes, Details aus ihm zu entlassen; was Kant, was aber auch – in viel individueller eingehender Art – Schleiermacher oder Hegel an Einzelausführungen geben, ist eher angefügtes Beispiel als abgeleitetes Detail. Hegel bemerkt zur Kasuistik (beim Thema Rechtspflege innerhalb der Sittlichkeit, Enzyklopädie § 529): »Wenn die Bestimmungen dieser

Art gleichfalls den Namen *neuer* Entscheidungen oder *neuer Gesetze* erhalten, so nimmt im Verhältnisse des Weitergehens dieser Entwicklung das *Interesse* und der *Gehalt* dieser Bestimmungen ab. Sie fallen *innerhalb* der bereits bestehenden, substanziellen, allgemeinen Gesetze, wie Verbesserungen an einem Boden, Tür usf. innerhalb des Hauses fallen und wohl etwas *Neues,* aber nicht ein Haus sind.« Hier überall läßt also Moralität die Einzelfälle wie Inhalte des sittlichen Handelns undurchdrungen; denn da ist keine verändernde, sondern eine sich selbst kontemplierende Sittlichkeit. Eine zudem, deren Inhalte die der gegebenen Klassengesellschaft sind, wie sie vor sich schön tut oder ihre Interessen von der »Pflicht« der Untertanen und Ausgebeuteten wahren läßt. Bei Kant immerhin ist der Enthusiasmus der Menschlichkeit, sogar der Französischen Revolution in Nebenbemerkungen untergebracht, in ergreifenden, und in fernen Idealen. Der kategorische Imperativ selber setzt idealisch eine nicht-antagonistische, klassenlose Gesellschaft voraus, denn allein in ihr kann die Maxime jedes einzelnen Handelns wirklich jederzeit das Prinzip einer allgemeinen Gesetzgebung sein. Zum Unterschied von der »Gerechtigkeit« ist »Sittlichkeit« (als Humanität) allerdings voll möglicher Substanz, doch eben erst in der klassenlosen Gesellschaft und vorher schon als Agens und Maxime des revolutionären Willens zu ihr hin. Das Unvermögen der formalen Ethik zu jeglichem Inhalt (gar Einzelinhalt) beließ die Sittlichkeit im »Ideal«. Das Unvermögen der bisherigen materiellen Ethik zu anderen Inhalten als denen der Staatsordnung (protestantisch) oder der ständisch gestuften Werthierarchie (katholisch) vernichtete das »Ideal« in der Klassengesellschaft und garnierte seinen Untergang als seine Konkretion. Bleibt also das Prinzip der *intensiv-moralischen* »Praxis« selber, die »Anwendung« von Logik auf den tätigen Kern eines vielheitlichen menschlichen Handelns. Bleibt, daß die Moral Kategorien auf Willensvorgänge, Logisches auf Intensitäten und Individualitäten zu beziehen versucht hat. Bereits die bisherige Ethik ist derart ein Versuchsstück, wenn auch ein ungelingendes, Kategorien in Handlungen und Lebensdetails selbst einschlagen zu lassen. Es ist das eine Rückwendung der Theorie, welche innerhalb der so unmenschlich als starr gegebenen Gesellschaft Schein bleiben mußte. Unter dem starr gesetzten, mechanisierten, gar panlogisierten »Schicksal« der Klassengesellschaft und ihrer Welt bleibt alle Sittlichkeit abstrakt oder aber ein ideologischer Komplize der herrschenden Macht. Das freilich ist nicht ihr letztes Wort, noch weniger ihre letzte Gestalt; denn eben: Humanität steht uns Menschen vor als die immerhin utopisch mögliche Daseinsform unserer Welt. Daher enden in der vermenschlichten Gesellschaft und auf dem bewußten Weg zu ihr hin alle Kategorien der Kultur, auch die anerkannt »musischen« der Kunst, als Ethika, nämlich als Kategorien der menschlichen Intensität, ihrer Situationen, ihrer Güter und letzten Guts. Auch ist an diesen Kategorien nichts Normatives mehr, wie an den abstrakten Kontemplationen des »Ideals«, sondern *die genau einschlagende Daseinsform befreiter Wirklichkeit, des »Tao«, guten Gangs der Wirklichkeit.* Selbst die Kategorien der Physik, sofern sie mit dem Menschen und seinen Angelegenheiten Vermittlung finden können, enden derart als die der Dinge für uns, als Ethik. Diese erst legt die viele Welt übersichtlich-human zusammen, enthält folglich die wahre *synthesis situs*, das ist Zusammenlegung der Zerstreuungen, der Vielheits-Inflation von Situationen und Fällen durch ihre Sammlung im Einen, das nottut.

16   EINE PRÄZISION DER ALTEN CRUX
MARXISTISCH

Die rote Tinte streicht jedes einseitige Ansich durch. Weder die Empfindung noch das Denken werden »gesondert« betont oder das Eine gegen das Andere ausgespielt. Erst die auffassenden Akte alle zusammen, das heißt: zusammenwirkend, geben das Wirkliche wieder. Marxistisch wird auf die Trennung der Akte verzichtet, ebenso verschwindet die sehr alte einseitige Zuordnung der Empfindungen zum Stoff, des Denkens zur Form. *Lenin* sagt hierzu deutlich: »Das der Vorstellung entnommene Denken widerspiegelt ebenfalls die Wirklichkeit«. Ja, noch weitere Akte zusammenführend: »Das Herangehen des Verstandes an das einzelne Ding, die Anfertigung eines Abdrucks (= eines

Begriffs) von ihm, ist kein einfacher, unmittelbarer, spiegelartig-toter, sondern ein komplizierter, zwiespältiger, zick-zack-artiger Akt, der die Möglichkeit in sich schließt, daß die Phantasie dem Leben entschwebt... Denn auch in der einfachsten Verallgemeinerung ... steckt ein gewisses Stückchen Phantasie (vice versa: es ist ein Unsinn, die Rolle der Phantasie auch in der strengen Wissenschaft zu leugnen).« Was das Zusammenwirken der menschlichen Abbildungsakte insgesamt angeht, der sensuellen und der rationalen, so bemerkt Lenin in seinem »Philosophischen Nachlaß« mit besonderem Blick auf Praxis: »Vom lebendigen Anschauen zum abstrakten Denken und von diesem zur Praxis – das ist der dialektische Weg zur Erkenntnis der Wahrheit, der objektiven Realität.« Also gilt nicht mehr die alte harte, undialektische Teilung: sensus stat singularitatem, ratio stat universalitatem, vielmehr ist sowohl die Sinnlichkeit wünschenswert relativiert, als auch das abstrakte Denken braucht den unverabsolutierten Ort in der dialektisch vermittelten Ordnung der Apperzeptionsmomente, der allemal untrennbaren und zusammenwirkenden. Nichts liegt Lenin, dem Kritiker Machs ferner, als die Kategorien zum bloßen Gedächtnisbild sensueller Wiederholungen zu idealisieren. Vielmehr sind sowohl sinnliche Empfindungen wie die logischen Figuren voneinander ungetrennt, zwischen beiden besteht keine alternativisch ausschließende Wahl, und die Ratio vernichtet nicht, sondern verdeutlicht die Sinnlichkeit. Logische Figuren sind zweifellos, zum Teil, bloße »Vorurteile«, subjektive, reflexive; doch indem sie, sofern sie, soweit sie imstande sind, Konkretes zu spiegeln, stellen sie Abdrücke oder Abbilder realer Figuren dar. Womit ein weiterer Satz Lenins, aus den Hegelexzerpten, entscheidend übereinstimmt: »Die Kategorien des Denkens sind nicht Hilfsmittel des Menschen, sondern der Ausdruck der Gesetzmäßigkeit sowohl der Natur als des Menschen.« Mit anderen Worten, denen von *Marx* und *Engels* selber: Kategorien drücken einzelne Seiten des Prozesses aus, sie sind *Daseinsformen, Existenzbestimmungen* der realen Welt. Dementsprechend lehrt Engels im Anti-Dühring: »Die Bewegung ist die *Daseinsweise* der Materie, also mehr als ihre bloße Eigenschaft«; und in seiner Naturdialektik: »Leben ist die *Daseinsweise* der Eiweißkörper«. Marx bemerkt in der Einleitung zur »Kritik der politischen Oekonomie« das gleiche von den Beziehungsformen des sozialen Subjekt-Objekts, hier der bürgerlichen Gesellschaft; ökonomische Kategorien sind »Daseinsformen, Existenzbestimmungen, oft nur einzelne Seiten dieser bestimmten Gesellschaft, dieses Subjekts«. Es gibt keine Kategorien einer freischwebenden Vernunft, außer als bloße Abstraktion im Kopf; wohl aber drücken Kategorien der bürgerlichen Vernunft allemal »die bürgerlichen Beziehungen in der Form des Gedankens aus«. Es gibt bei Marx keine Begriffsmythologie, ebensowenig jene logische Hypertrophie, der »die Dinge nur Stickereien sind auf einem Stramingewebe, gebildet durch die logischen Kategorien«; wohl aber sind die Kategorien, wie sie in der Folge der Geschichte hervorgetreten sind, allemal Formbeziehungen der Menschen zu Menschen und zur Natur, kurz: Formen der sozialen Vergegenständlichung und ihrer jeweiligen Gegenständlichkeit; wichtig ist bei alledem freilich, daß hier die Kategorien gerade als Daseinsformen, als reale Figuren nichts Fest-Logisches im platonischen Sinn sind, gar bleiben. Sie zeigen statt dessen, infolge veränderter Einzelheiten, gar Besonderheiten ihrer Allgemeinheit, fortdauernden Bedeutungswandel, gemäß dem Prozeßcharakter der Gesellschaft, worin sie formuliert werden und für deren Inhalte sie gelten; Kategorien wie Eigenschaft, Ding, Substanz, selbst Kausalität zeigen in der ständisch-feudalen Gesellschaft ein ganz anderes »Gesicht« als in der bürgerlich-kapitalistischen. Sogar die Kategorie der Kategorie selber ist in beiden Gesellschaften verschieden: Die Formen der feudalen Vergegenständlichung und ihrer Inhalte sind gattungshaft, die der bürgerlichen Gesellschaft und ihrer Warenumlaufs-Welt funktionalistisch. Marx betont den Bedeutungswandel von Kategorien, und seien sie noch so umfassend, auch innerhalb der bürgerlichen Gesellschaft selber, und zwar an ihrer Grundkategorie: dem Kapital. »War es selbst bei seinem Eintritt in den Produktionsprozeß persönlich erarbeitetes Eigentum seines Anwenders, früher oder später wird es ohne Äquivalent angeeigneter Wert oder Materiatur, ob in Geldform oder anders, unbezahlter Arbeit« (Kapital I, Kap. 21). Das benimmt den Kategorien – *als Daseinsformen eines wirkli-*

chen Prozesses – noch anders als bei Hegel (und seinem bloßen Gedankenprozeß) den character indelebilis. Die Geschichte der Kategorien als objektiver Daseinsformen fällt derart, wie besonders Lukács in »Geschichte und Klassenbewußtsein« betont hat, marxistisch mit der Geschichte der Vergegenständlichungen und Gegenständlichkeitsformen zusammen, die das Dasein des Menschen und seiner Welt gestalten. Ja, der Marxismus will gerade die *Einzelfacts* als bloße isolierte »Tatsachen«, als verdinglichte Prozeßmomente in die Gesamtkategorie einer dialektisch-materiellen Bewegung, Fortgangs-Geschichte auflösen, das Besondere von »Tatsachen« aus jeder Einsamkeit, Langsamkeit, Starre ent-isolierend. Sie werden so *methodisch zu Instanzen, konkret zu Durchgangspunkten* eines allgemeinen Prozesses und seiner sich behauptenden »Totalität«, zu *überall aufsuchbaren und kategorierbaren Momenten seiner.* Das Vehikel wie Ziel solcher Entbindung, jenseits der uralt-falschen Alternative zwischen Einzelheit-Allgemeinheit, ist nach Marx nichts anderes als der – Humanismus. Bereits der junge Marx bemerkt hierzu, in den »Ökonomisch-philosophischen Manuskripten«, 1844: die »menschliche Emanzipation und Wiedergewinnung«, die »Emanzipation aller menschlichen Sinne und Eigenschaften«, die »vollständige, bewußt und innerhalb des ganzen Reichtums der bisherigen Entwicklung gewordene Rückkehr des Menschen für sich als eines gesellschaftlichen, das heißt, menschlichen Wesens« sei »die wahrhafte Auflösung des Widerstreits zwischen dem Menschen mit der Natur und mit dem Menschen, die wahre Auflösung des Widerstreits zwischen Existenz und Wesen, zwischen Individuum und Gattung«. Die uralte Crux der Einzelheit-Allgemeinheit oder das Unvermögen der Kategorien zur Erschöpfung ihres Inhalts präzisiert sich demnach großenteils und steigend als eine der noch falschen, inadäquaten, bloß abstrakten Subjekt-Objekt-Beziehung. Es bleiben allerdings Inkohärenzen, wie vor allem die des Zufalls, ja auch der echten, fruchtbar einzelnen Unterbrechungen genug. Lukács freilich versucht durchgehends, die Alternative Einzelheit–Allgemeinheit (nebst den weiteren, die sich anschließen) als bloße Alternative des kontemplativen Rationalismus darzustellen: »Denn die Irrationalität, die rationelle Unauflösbarkeit des Begriffsinhalts für den Rationalismus ... zeigt sich in der Frage der Beziehung des sinnlichen Inhalts zur rationell-kalkulatorischen Verstandesform am krassesten. Während die Irrationalität anderer Inhalte eine positionelle, eine relative ist, bleibt das Dasein, das Sosein der sinnlichen Inhalte eine schlechthin unauflösbare Gegebenheit« (Geschichte und Klassenbewußtsein, 1923, S. 128). Das Einzelheit-Allgemeinheit-Problem, das bürgerlich besonders geschärfte, entsteht derart, nach Lukács, aus dem Zusammenstoß zweier unvereinbarer Beschaffenheiten des Kalküls. Einmal aus der Tendenz, Dasein und Sosein ins rationelle System bloßer Verstandesbegriffe restlos einzuarbeiten; sodann aus der Unfähigkeit, den Begriffsinhalt (des Dings an sich, näher die Spezifikation der Natur, noch näher die sogenannten irrelevanten Einzelfälle) mittels der quantitativ-allgemeinen Konstruktion zu bewältigen. Soweit Lukács, soweit sogar eine gewisse, unverkennbare Verwendung Rickert-Lask'scher »Positivismen« zum Zweck des Anti-Kalküls, zum Zweck des marxistischen Kommentars. Soweit aber auch die Verbindung mit Materie, im Sinn des dialektisch-praktischen Materialismus. Soweit der Kampf gegen die bloße abstrakte Kategorienlehre des Warenumlaufs; gegen die ebenso »nomothetische« wie »idiographische« Verdinglichungsstruktur, die ihm entspricht; gegen die Unwirklichkeit, die Nicht-Materie dieser Allgemeinheiten wie dieser Einzelheiten. Gewissermaßen ist die *alte Crux* hier mit dem *ebenso alten* »*Skandal*« *der Philosophie* verbunden, nämlich mit dem Fremdkörper der Materie innerhalb der idealistischen Philosophie. Kant hatte die Unbeweisbarkeit der existierenden Außenwelt als Skandal der Philosophie bezeichnet, Schelling die Undefinierbarkeit der Materie; der Marxismus, dem diese beiden Arten des ›Skandalon‹ (Falle) fremd sind, will für sich Skandal und Crux zugleich aufheben. Die unübersichtliche Crux: Einzelheit–Allgemeinheit wird gleichsam umgedreht und erscheint dann als das weit einfachere Skandalon: Kalkül – qualitative Materie.

Ist damit, daß begrifflicher Abstand aufhört, genügend bereinigt? Bleibt von den alten scharfsinnigen Fragen ein tückischer Rest? Gehe man zunächst die Liste der Spielarten, vor allem der

Weiterungen des Einzeln-Allgemeinen vermehrend durch, mit verschiedenen Sachaspekten, doch gleichbleibendem Einteilungsgrund. Die Grundform war: Einzelnes – Allgemeines sowie Besonderes als Besonderes eines Allgemeinen – Allgemeines als Allgemeines eines Besonderen. Das die vielen Varianten Verbindende bleibt die Spannung Einzelheit – Allgemeinheit, bleibt das Verhältnis der vielen Andersheit, des Vielen der Erscheinung zur brüchigen oder ausstehenden Einheit des noch nicht manifesten Wesens. Dieses Verbindende macht aber auch, daß die Varianten untereinander nicht etwa vag analog sind, sondern quer durch ihre differentia spezifica zentrale Entsprechungen innerhalb ihrer verschiedenen Variationsgebiete halten. So kehrt auch in noch so verschieden lozierten Dualgruppen wie Ausnahme – Regel, Tatsache – Gesetz, Individuum – Kollektiv, Freiheit – Ordnung der Grundtyp: Vieles der alteritas – Eines der Gesammeltheit wieder. Die Varianten sind: Verschiedenes – Gleiches; Vielheit – Einerleiheit; Mannigfaltigkeit – Einheit; Individuelles (Dieses, jetzt und hier Soseiendes, Einmaliges) – Gattungshaftes; Individuum (Teil) – Gesellschaft (Ganzheit); Exemplar – Typus; ferner: Ausnahme – Regel; Tatsachen – Gesetz; Zufall (Unterbrechendes, Abgebrochenes) – Notwendigkeit; dementsprechend: Novum – Abgeschlossenheit (Gewordenheit – Ruhe); Werdensversuche (der Sache, die selber noch nicht weiß, wo ihr der Kopf steht) – Gelungenheit. Zu bemerken wäre auch hier, daß der Aspekt des mehr als fragwürdigen abstrakten Kalküldenkens sich weithin noch einmischt, mindestens bei der Gruppe Tatsachen – Gesetz, sowohl die fixen Tatsachen wie das ewige Gesetz gehören dem verdinglicht abstrakten Kalküldenken an. Freilich bereits die Gruppe: Individuum (Teil) – Gesellschaft (Ganzheit) drängt aus dieser Abstraktheit heraus, wenigstens sofern sie im Ganzen mehr sieht als die Summe oder den Funktionszusammenhang seiner Teile. Doch wird dann der Kalkül oft nur um den Preis einer anderen Abstraktheit verlassen, nämlich einer reaktionären (»organische« Volks- und Ganzheitstheorie); und die Glieder der Gruppe: Teil – Ganzheit bleiben ebenfalls abstrakt, ohne Wechselwirkung, statisch dazu. Die Gruppe: Zufall – Notwendigkeit erhöht die Gruppen: Ausnahme – Regel, Tatsachen – Gesetz um einen deutlich konstitutiven Grad, besonders wenn Zufall mit »Freiheit« verbunden ist und Notwendigkeit umgekehrt noch mechanisches oder sonstwie heteronomes »Schicksal« mit sich führt. Doch mischen sich dann, das Glied Schicksal betreffend, statt der Abstraktionen des Kalküls ebenfalls Abstraktionen ein, ältere, nämlich die des mythischen Denkens. Jedoch wesentlich außerhalb solcher Beimengungen von Klassengesellschaften, von bürgerlicher Ideologie und hypostasierter Mythologie, auch über das Kategorialfeld Einzelheit – Allgemeinheit hinaus, nämlich im Materiellen selber liegen (wie am Schluß des Buchs konkret hervortreten wird) die anderen Cruxpaare: Novum – Abgeschlossenheit (Gewordenheit, Ruhe); Werdensversuche (der Sache, die selber noch nicht weiß, wo ihr der Kopf steht) – Gelungenheit. In letzteren Gruppen machen ja die angeführten bloßen *Alternativ*-Spannungen, letzthin allesamt aus der Kategorialverlegenheit Vielheit – Einheit stammend, echten materialistischen *Aporien* und *Antinomien* Platz. Die Liste ist, wie ersichtlich, eine methodisch reich gemischte, doch ihre wechselseitigen Entsprechungen sind markant. Ohne Affekte eines nicht nur rein logischen sondern ideologischen Interesses freilich ist kein Glied jemals aufgetreten, auch nicht in den Schulzeiten des Universalienproblems; der sogenannte reine Äther des Gedankens war in diesem Gebiet der Kategorienlehre besonders deutlich von sozial-ideologischen Reflexen durchzuckt. Die Liste der Varianten ist noch lange nicht vollständig, besonders wenn man an die Einfügungen des Besonderen als konstituierend für die Kunst denkt, wie das bei Lukács geschieht (was allerdings nur für die sogenannte klassische Kunst gelten mag), oder an die Betonung des Typischen von Personen und Situationen als ästhetisch konstituierend bei Engels. Weiter brechen sich noch die mit dem Kategorialproblem Einzelheit – Allgemeinheit nur mehr schwer verbindbaren Varianten: Sollen – Sein, Subjekt – Objekt, Autonomie – Heteronomie, Voluntarismus – Fatalismus; und in der Tiefe meldet sich das ungemeine Metaphysikproblem, bei Böhme und Schelling begonnen, einen telisch-gesetzten »Ungrund« der Welt, einen gänzlich undeterminierten »Urzufall« und dessen Verhältnis zum Logischen in der Welt betreffend. Ja, diese vermehrten Dualismen können das *ganze* Problem erst ergänzen und kenntlich machen: eben nicht als *bloßes* Schrankenproblem der Kontemplation des unbewältigten Inhalts. Es ist wahr, die vorige Gruppe: Tatsache und Gesetz verschwindet, sobald das starre dinghafte Sein der Gegenstände als bloße Gegenstandsform einer bloßen geschichtlichen Epoche: des Kapitalismus erkannt wird; sobald statt des Bodens der Tatsachen und des Kalkülhimmels der Gesetze die Tendenzen der Entwicklung betreten werden. Auch die anderen Gruppen verlieren durch konkrete Dialektik ihre starre, unüberbrückbare Gegensätzlichkeit; erst recht behebt die dialektische Praxis viele Wechselbegriffe und ihre Dualismen als immer noch kontemplative. Kommt das Bürgertum in der Abstraktheit des Kalküls über die Unmittelbarkeit des Daseins der gegebenen Gegenstände auch nicht hinaus, und gibt es hier keine konkrete Vermittlung mit dem wirklichen Subjekt und Inhalt der Geschichte, ihrer Prozeßwelt, so hat proletarische Theorie – Praxis zum Ursprung der »Fakten« selber herabzusteigen und den Hebel zu beherrschen. Praxis der dialektischen Mittelbarkeit involviert derart »die Verwandlung der Gegenständlichkeit der Objekte des Handelns« (l. c., S. 191), und zwar gerade der raumzeitlich nächsten. Die proletarisch-dialektische Bewegung »geht, da ihr innerster Wesenskern praktisch ist, notwendigerweise *vom Ausgangspunkt des Handelns* selbst aus, erfaßt die unmittelbaren Objekte des Handelns am stärksten und entschiedensten, um durch ihre totale, strukturelle Umwälzung die Umwälzung des extensiven Ganzen ins Rollen zu bringen« (l. c., S. 192). Das alles aus einer materialistischen Geschichtsauffassung, die die Materie trifft, sie nicht mehr kontemplativ ausläßt, so empiristisch wie idealistisch. Jedoch ebensowenig darf übersehen werden, daß die Crux, obwohl sie durch das ausgetriebene Skandalon mit ausgetrieben scheint, im gegenwärtigen (das heißt eben großenteils noch theoretischen) Marxismus sich stellenweise deutlich reproduziert. Nämlich in Gestalt *neuer Varianten* von der Einzelheit – Allgemeinheit; diese heißen: Spontaneität – Automatismus der Gesellschaft; weiterhin: Individuum – Kollektivismus, und vor allem: brechende Neuheit – haltende Gebautheit (sei es auch nur in einem elastischen, mit der offengehaltenen Tendenz übereinstimmenden Plan). Auch die Spannung: Teil – Ganzheit ist in der Gruppe: Individuum – Kollektivismus noch enthalten, jenseits der Abstraktheit und Statik; es gibt auch kommunistisch Individuen, und es gibt sie im kollektiven Reich der Freiheit zum ersten Mal; ihre Solidarität will ja – im Unterschied vom noch bestehenden Partei-Kollektiv – künftige Kollektivität gerade zum Springquell künftiger Freiheit entbinden. Ja selbst die anders alte Spannung: Sollen – Sein ist mit dem Abtun ihrer abstraktstarren, abstrakt-entgegengesetzten Charaktere noch nicht völlig abgetan. Der dialektische Materialismus beendet das innerliche oder putschende Postulat des Sollens, die geschichtslose Naturmechanistik des Seins, er beendet die vormarxistische Utopie. Doch indem er die Subjektivität und Abstraktheit ihrer Postulate vernichtet, indem er das objektlose Besserwissen des Individuums aus ihr vertreibt, indem er das Sollen auf den Revolutionsweg, Prozeßweg des Seins brachte, hat er die Substanz der Sache nicht vernichtet, ganz im Gegenteil. Es gibt seitdem erst recht den Freiheitsfaktor der Utopie, als einer revolutionär-konkreten; und der Marxismus ist – mitten in den »Gesetzen der Natur und Gesellschaft« – seine kämpfende Erscheinung. Des näheren jedenfalls steht fest: keine Einzelheit ist marxistisch von vornherein irrelevant, indifferent oder ein sonstwie ausgemachtes Adiaphoron. Selbst Hegel überwies »individuelle Kleinigkeiten«, nachdem sie aus seinem »Begriff objektiver Wahrheit« herausgeworfen waren, wenigstens dem – historischen Roman (Enzyklopädie § 549); Wirklichkeitssinn zwang auch den Verächter alles Privaten und Ideefremden hierzu. Wieviel stärker mag unabgeschlossene Geschichtserkenntnis (die ihr Schäfchen noch nicht im Trockenen hat), gar revolutionäre Geschichtspraxis für solche Instanzen sich offen halten und die Schärfe des Einzelblicks für jede praktische Gelegenheit mobilisieren. Das Gegenteil ist Anklang des Prozeßgeists an einen von oben herab, mit lauter großmächtigen Verordnungen in der Welt, und die Tendenz wird dann lediglich zu einem »verhinderten Gesetz«. Theorie-Praxis negiert nirgends das schädliche oder heilsame Überraschungsmoment im vorerst Abseitigen; der erfahrene Seemann übersieht Wölkchen nicht a priori. Was Einzelheiten solcher Art angeht (und die Tätigkeit, die sie möglicherweise – durch genaue Beobachtung im gegebenen Moment – in Bewegung setzen), so muß der alten Crux das neue Ihre gegeben werden. Lenins immer wiederholte Mahnung, »jenes ›nächste Glied‹ der Entwicklungskette mit voller Wucht anzufassen, an dem im gegebenen Augenblick das Schicksal der Totalität hängt«, meint selbstverständlich nicht »Relativismus«, nicht nur »Realpolitik«, sondern mindestens ebenso genau Sinn für Wölkchen oder andere Nuancen, sofern sie einen Wetterwechsel in der Tendenz anzeigen, eine Elastizität im Zusammenhang mit der Tendenz nahelegen. Auch das eigentlich Neue kann in solch »Irrelevantem« als schädlich oder helfend, jedenfalls als relativ unvorhersehbar auftauchen; denn die Totalität ist auch eine der dialektischen Materie, gerade als solche voll Unterbrechungen, undogmatisch, ungeschlossen. Es bleibt vielmehr die Mühseligkeit und Unabgeschlossenheit, welche die Welt zeiträumlich distrahiert und Singularitäten auch marxistisch reproduziert. Sind diese Varianten der Crux gewiß auch nicht unaufhebbar, so sind sie doch durch die dialektische Wechselwirkung von Form – Inhalt, Theorie – Praxis, Marxismus – Prozeßmaterie zur Zeit noch nicht beseitigt. Daß hundert Jahre theoretischer und fünfzig Jahre selber so vielfach durchkreuzter theoretisch-praktischer Marxismus auf einem Teil der Erde die Probleme von zweieinhalbtausend Jahren Philosophie nicht in toto bereits lösen, überrascht nicht. Das riesige Material der Kategoriengeschichte kann gewiß ökonomisch-materialistisch immer deutlicher hergeleitet und kritisiert werden. Ein großer Teil Scheinprobleme fällt dann ab, jedoch nicht einmal diese (sofern sie von bedeutenden Denkern traktiert worden sind) enthalten glatten Schein, der ebenso glatt von wirklicher Wirklichkeitserkenntnis bereits abtrennbar wäre. Eben deshalb, weil selbst ideologische Wechselbegriffe der genannten Art sich mit einem Rest verhaken können, der dialektisch-materialistisch noch nicht aufgearbeitet ist, sind die bedeutenderen unter ihnen philosophie-historisch erst einmal erinnert worden. Fast nur die Hegelsche Kategorienlehre ist, vor allem seit Lenin, marxistisch en vogue geblieben, halb als Stein des Anstoßes, halb als Anstoß des

Steins. Doch auch Hegel erspart die neu zu überdenkende Kenntnis der Kategoriengeschichte nicht, besonders eben im Hinblick auf die Willens-, Intensitäts-, Pluralismusseite im Kategorienproblem; nicht einmal die materialistische Aufhebung ideologischer Wechselbegriffe erspart sie. Der dialektische Materialismus ist die *Anweisung* zur Lösung der Wechselbegriffe samt ihrer weiter daraus folgenden Antinomien, die Materie ist des Pudels Kern, doch *Materialismus ist noch nicht Materie*. Die Probleme treten mehr und mehr – in der begriffenen Geschichte und beginnenden Beherrschung ihres Kerns – in dialektisch-materialistische Kontinuität; doch solange die *Einheit* von Form-Inhalt, Inhalt-Form noch nicht hergestellt ist, bleibt auch diese Kontinuität eine bloße des Vielen. Ja auch bei hergestellter Einheit und völliger Aufhebung der Kategorial-Dualismen, als bloßer des Begriffs-Abstands von der vorhandenen Materie, auch dann ist die Crux nicht ganz aus der Welt. Es verschwindet der unfruchtbare Dualismus der Glieder, es verschwindet noch nicht die *Distrahiertheit der Sache selbst* (die in den bedeutenden Antinomien mit intendiert war). Es bleibt die Mühseligkeit des Prozesses, es bleibt die vielheitliche Streuung und antithetische Gärung bloßer Vorbestimmtheiten und Halbkonkretion der Materie. Daher sind einige Varianten des Einzelheit-Allgemeinheit-Problems materialistisch, Freiheit – Notwendigkeit an der Spitze. Die Fülle der Varianten aber erlangt durch die Verwandlung jedes Kategorienproblems in ein historisch-materialistisches Problem Präzision und Aussicht auf reale Lösung; dialektischer Materialismus macht mit bloßen verkleideten gesellschaftlichen Antinomien ebenso Schluß wie mit der abstrakten Entgegensetzung echter Spannungsglieder. Minima non curat praetor – dieser praktisch leitende Grundsatz gilt auch marxistisch, doch nicht als wären alle Kleinigkeiten und Partikularitäten von vornherein (aus der »Idee« des praktischen Marxismus her) ausgemacht oder immer solche. Kurz: marxistisch verschwindet die Vielheit noch nicht, doch sie wird dialektisch-praktisch eingespannt, sie wendet sich *in eine einzige Richtung*. Das verdinglicht-Endlose löst sich, das prozessual-Vielheitliche wird zum möglichen, jederzeit offenen Gebrauchsort revolutionärer Instanz und Wichtigkeit. Ein Steuermann, ein großer Kapitän, ein Praetor zur See kümmert sich sehr wohl um Minima. Und wenn sie als Störungen, Erschwerungen, Unterbrechungen unterschlagen werden, dergestalt, daß man nicht den Wald vor lauter Bäumen, doch die Bäume vor lauter Wald übersieht, soll heißen, daß Großes, Eines behauptet wird, als wäre es schon jetzt und man brauchte gar keine pluralistischen Menetekel mehr, dann sagt man dem Prozeß ab. Verliert sich zwar nicht ins einzeln Wirre schlechter Art, verliert aber das Gären, Proben, Offenhalten, das Mögliche im noch nicht Ausdeterminierten, worin sich gerade das Eine befindet, indem es sich noch nicht dort befindet. Gemunkelt soll nirgends werden, indes sich probend umgetan in den vielen Kammern des Welthauses und in der Geschichte, die noch mehr Treppen als Zimmer hat. Freilich, je mehr die Fahrt der »Vorgeschichte« heller wird, abscheidender sowohl wie entschiedener, desto dichter ist das Vielzuviele im entdeckten Prozeß seiner Materie zusammenlegbar. Die Fahrt wird übersehbar und verkürzt sich, die »Inflation« des Vielzuvielen erlangt am »Gold« (am Kern der Sache) ihr mögliches Maß.

EXZERPT, MONTIERT AUS »VIELE KAMMERN   17
IM WELTHAUS« (ERBSCHAFT DIESER ZEIT,
1935, GA BD. 6, 1962, S. 392 ff.)

Vieles ließe sich dem schlichten Grün noch nachtragen, mit dem zu staunen begonnen wurde. Eine Skizze, weniger: ein kleiner Katalog müßte so entstehen, sehr unvollständig und wissentlich ungeordnet. *Ein Katalog des Ausgelassenen, jener Inhalte, die im männlichen, bürgerlichen, kirchlichen Begriffsystem keinen Platz haben.* Die aber im selben Maße wieder hervortreten müssen, als das System revolutionär gesprengt wird oder »relativistisch« selber springt. Und infolgedessen – gegen den *abstrakten* Rationalismus – existentielle Inhalte erscheinen, die gewiß nicht jede Ratio sprengen, aber eine existentiellere und konkretere brauchen. Elende treten vor, die schlimmer als das Vieh gehalten werden und sich nicht dagegen regen, weil sie gänzlich draußen stehen. Dienstmädchen, so schwach und sprachlos, daß sie nicht mit dem Leid, sondern daß das Leid mit ihnen ins Wasser geht. Dirnen, Zuhälter, bürgerlich Unbestimmte und Unterbestimmte des Verbrechens, Gestank, Madenleben und eben »unsäglich« verkommene Buntheit in den südlichen Hafenstädten. Und im Seßhaften, gefährlicher Ausgelassenen: noch die Bauern marschieren außer Reih und Glied, in ihrer Nüchternheit, die keine ist, in ihrem Besitz, der nicht kapitalistisch ist und also nicht umschlägt. Der Adel ist erst recht kein Vorbei, vom Bürgertum linear überrannt, sondern das XIX. Jahrhundert ist noch ein Handgemenge bestehender Gewalten, unter denen die Restauration, auch innerhalb des Bürgertums, nicht die geringste war und bleibt. Und wieder herauf, zu Beständen mit tieferem Dunkel oder Licht: sind denn die Juden Spreu geworden, nachdem das Korn Jesu heraus ist? Niedere, auch höchste Religionen strotzen noch im vollsten Nebeneinander, in den Lagunen der Südsee, mit Kannibalen behaftet, in den geheimen Klöstern Indiens; sie landen weder tatsächlich noch substanziell im »Primat« des Christentums, als wäre bereits aller Dämmerungen Tag. Erschreckend, doch religiös erschreckend ist in ihnen das »Numinose« enthalten, ein Menetekel aller Theologie, die weiß, was es mit bloßem Rationalismus des Herzens und Geistes auf sich hat. Mitnichten ist auch die »Naturschranke« überwunden, wie es sich der Kapitalismus wünscht, der hier vergebens der Nachfahre der alten Zauberei ist. Der bloße Kausalnexus, von dem unser Leben, unsere Begegnungen und die daraus anhebenden Schicksale abhängen, sieht nicht nach konkretem Produktionsbudget aus, das den Wildwuchs der »Natur« überwindet. Und ebensowenig, nach der anderen Seite, den Abgrund des Unfalls: die Einstürze, Zusammenstöße, Explosionen im Bereich der Technik, der immer noch abstrakten, nichts durchbohrenden; gar die kosmische Schutzlosigkeit jenseits all der neumagischen Triumphe. Und auch sonst: wie disparat an sich selbst steht auch im Kleinen immer noch Naturhaftes zum wachsenden Generalnenner, der es nichts angeht. Da hebt sich das Wasser so öd und schwer, der Fels lastet, schweigt und starrt auf seine namenlose Weise, unendlich rollt die Wogenprozession aus der Nacht in die Nacht, ungeschäftig in dunklen Geschäften, es flammt die bleiche Blitzader, wie sie Dichter sehen und Philosophen nicht durchdringen, bis auf die feinste Einzelheit in solcher Eile ausgebildet, doch von unfaßbar kurzer Dauer; die Sterne brennen als Argusaugen, die keine sind, als Götter, die keine sind, als Feuerklumpen, Strahlungskörper, die keine sind, mitten in der ungeheuren Anderheit der Weltnacht: kein Begriff, weder einfühlend noch dichterisch noch qualitativ noch quantitativ, setzte diesem Übermaß an Rätseln ein Ziel; selbst die Fragestellung blieb hier blind vor Irratio: als der riesigen Anforderung an die Vernunft, die das Geheimnis nicht auflösen kann, ohne ihm gerecht zu werden. Selbst die Mystik gab mit allen ihren Sonnenwerdungen oder Gottiefen der »Natur« kein Haus. Faßt man die Welt nach der einen Seite, so entrinnt sie nach der anderen, verlegt immer wieder ihre schlechte Unstellbarkeit. Was heute Elektrizität ist, dies breit rationalisierte Wesen, war den Griechen gewiß nur geriebener Bernstein, aber dafür ist alle alte Magie wieder bis auf ein kleines Stück dilettantischen Bernsteins zurückgegangen, und die alte Magie war auch nur Stückwerk. Wie dunkelt erst der Kern der Natur, Menschen im Herzen. Der Beweger des Menschengeschicks ist unbekannt, sogar noch der Beweger des Hungers und der Ökonomie, wie sehr erst das Subjekt der »Kultur«, all der Täuschungen, auch Glanzbilder eines wechselnd adäquaten Bewußtseins, in dem das echte verborgen ist. Im Kleinen, Winzigen geht oft noch am genauesten das Herz des Existierens auf; das hat schon an der Art, wie diese Pfeife da liegen mag, die Instanz seines Schlags: doch nur erst ein großes *Staunen*, wenn auch das letzte und höchste, faßt sich daran. Völlig im Nebel, noch ohne Lampe des Begriffs, ist das Subjekt des Existierens überhaupt. Dieser Weltodysseus ist nicht nur der Philosophie, sondern damit sich selber noch unbekannt, heißt noch Niemand oder Subjekt ohne Gesicht, Tendenz ohne gestellte Materie; sein Ithaka liegt unter dem Horizont

So hart drängt reichlich Anderes an, links, auch rechts. Geht nicht unter einen Hut, steht quer, ist sperrig zu einem allzu rasch oder verabredet sammelnden Begriff. Dieser zeigt sich so als abstrakt, er läßt aus, mit einer Art numerus clausus, was nicht in seinen Zusammenhang paßt. In seinen abgegriffenen, dadurch doppelt glatt gewordenen, in ein Bezugssystem, das als männliches, bürgerliches, als immer wieder quantifizierendes sehr viel Unterbegriffenes im Vielen hat. Das Viele vagiert hier als das Einzelne, das nicht als Besonderes unterkommt; vorzüglich das qualitativ Besondere ist dann so wenig auch das Besondere eines Allgemeinen, wie das Allgemeine das Allgemeine dieses Besonderen sein kann. Der heutige Zerfall des Oberflächenzusammenhangs macht für dergleichen besonders empfindlich: freilich aber nicht zum Zweck einer Abdankung des Allgemeinen, weiterhin Ganzen, schließlich gar Einen. Wenn das Ganze nicht die Wahrheit ist, so nur nicht das allzu *fertig* geschlossene Ganze, wohl aber das offen gehaltene. Als eines, das sowohl nach unten wie nach vornhin begrifflich bisher Unterprivilegiertes einläßt, das, aus wirklicher Vornehmheit, gegen das bloß »Beiherspielende«, wie selbst Hegel zuweilen sagt, nicht vornehm tut. Ein so erfahrener Pluralismus ist dann gerade *Anforderung* an die Unitas und zu ihr hin; er macht sie durch Erschwerung erst unverabredet. Das Ganze dieser Einheit ist also nicht das bereits umfassend Wahre, sondern einzig das noch ausstehend Wahre; dies Totum gibt es noch nicht, außer in utopischer Experiment-Beschaffenheit. Sein Eines (wie es nottut, also noch nicht gelungen ist) steht erst in der vielfältig versuchten Prozeß-Richtung auf es hin. Nur derart, aber genau derart kann pluralistischer Reichtum kein Störendes sein, bleibt auch sein Kontingentes, versucherisch gesehen, nicht chaotisch Nebenbei, sondern wird umgekehrt ein Weisendes und Zeugenhaftes von unterwegs fürs Ganze, das wahr wäre. Solch Zeugenhaftes gibt statt des abkappenden Schemas mithelfende Fülle zur Abbildung des Prozesses, stärkt vor allem das Gewissen-Wissen, daß die Welt noch unfertig sei und ihr All-Eines, genau dieses, am wenigsten abgefertigt. Was nicht zuletzt dann auf die *dialektische* Methode einwirkt, als der des unabgeschlossenen Prozeß-Inhalts selber. Statt des bequemen Stoffs gehört zu konkreter Dialektik unbequemer, also nicht nur einer an homogen gewordenen oder auch ab ovo homogenen Widersprüchen, auch Widerständen. Sie trifft den unbequemen, doch sonderlich konkreten Stoff auch dort, wo nicht alles in Reihen läuft, wo es Kreuz und Quer gibt, Ungleichzei-

tigkeiten, ja Disparatheiten. In den vielen Kammern des Weltgebäudes, den genau durch Zerfall ab-, also aufgedeckten, den
in Montage nicht nur subjektiv zusammengeschobenen, nistet
solch eigenes Außersichsein, gegebenenfalls Negativsein viel,
auch ohne vorausgeschickte Thesis. Statt des immer gleichen
Dreitaktes Thesis, Antithesis, Synthesis, woran immer derselbe
und ein allzu sicherer Segen ist, erscheint dann ein wechselrei-
cher, auch stark synkopisierter Rhythmus. Statt des einlinigen
lebt ein vielzeitiger, vielräumiger Prozeß, worin seine keineswegs homogene Materie sich ausgestaltet und herausexperi-
mentiert. Die Welt arbeitet derart gerade in der dialektischen
Methode pluralistisch, doch erst recht als Multiversum versus
Unum nondum inventum. Einer Einheit also zugewendet, die
ebenso als das immerhin fehlende (nicht etwa völlig abwesen-
de) *Vollkommene* im ebendeshalb Unvollkommenen, das
heißt: seinem Vollkommenen, Unangemessenen umgeht, latent
ist. Dem muß Tag und Nacht der Gedanke geöffnet sein, ein
Rationalismus der ins Offene bezogenen Kontingenz und dialektischen Geladenheit zugleich, eine utopische Erfahrenheit,
die weder abstrakt entflieht noch irrational kapituliert.

Dazu aber muß der Begriff so spürsam wie eingedenkend
sein. Auch das kann aus dem Einsturz gelernt werden, sofern
man nicht selber zu ihm gehört. Und wie die Gesellschaft, so
schlägt auch die von ihr abhängige Welt immer wieder neue
Seiten auf. Das kann sogar, wenn auch zu einem noch nicht bestimmbaren Teil, in der von uns relativ unabhängigen Welt, sie
induzierend, ihr korrespondierend, der Fall sein. Also nicht nur
durch technische Vermittlung von heutzutage (die durchaus
keine bereits konkrete zu sein braucht), durch ihre oft nur listi-
ge Umleitung, künstliche Verbindung gesetzhafter Naturzu-
sammenhänge. Sondern es gab Zeiten – und sie könnten auf
höchst rationaler Ebene wiederkommen –, wo die Menschen
ein *kosmomorpheres* Verhältnis als das der List hatten, als das
bloßer »Beherrschung«, »Ausbeutung« der Naturkräfte. Bis zu
diesem, noch sehr ausstehenden, ja sehr hypothetischen Verhältnis freilich bleibt der größte Teil der anorganischen Welt,
humanistisch gesehen, freilich ein Niemandsland; das heißt, es
ist mit dem Menschen und seiner Geschichte, obwohl es sie

rundum umgibt, keineswegs konkret vermittelt, keineswegs daran angeschlossen. Ja, das Agens der Dinge selber, das X, das sie treibt und worin ihr Wesen zugleich latent ist: dies eben wurde als »Weltodysseus« bedeutet, der selber noch Niemand heißt, samt einem »Ithaka«, zu dem dies Fahrende noch keineswegs eine gebahnte Zukunft des Erreichens hat, das sich während der richtigen Fahrt und durch sie aus seiner Tendenz-Latenz sogar erst hebt. Aber das *Selbstproblem des unfertigen Daseins* hat im Bau seiner möglichen Lösung manche Bausteine, die die bisherigen Bauleute verworfen haben. Philosophieren muß also viel mitnehmend sein können, um andererseits wieder jene eingedenkende Einseitigkeit erprobend zu halten, die scharf macht zum Zweck. Nicht mit viel abseitig bleibenden Kammern zuletzt, sondern mit der Einheit einer Wohnung als Welt, die so erst recherche de l'espace perdu nicht mehr nötig hätte. Das ist ein noch völlig irrealer Grenzbegriff des Unum; außerhalb seiner bleibt daher der Blick aufs Uneingemeindete ein gutes Mittel gegen Armut der Umfassung. Totum relucet in omnibus: doch eben nicht als beruhigt generalisierendes, sondern nur als utopisch zentrierendes kann Totum widerleuchten. Wobei es dem Begriff wohltut, wenn er im geringsten Detail Zeugen sammeln will und kann.

ÜBERGANG /
WARUM UND ZU WELCHEM ENDE
DIE MEISTEN GROSSEN PHILOSOPHEN NICHT,
NOCH NICHT MATERIALISTEN WAREN

Besonders falsch hier, über einen Kamm zu scheren. Es geht bekanntlich nicht an, so allgemein und schlechthin zu sagen: der Russe säuft, der Schotte spart, der Deutsche trinkt Kaffee und liest dabei Bücher. Oder im hier behandelten Feld: der Stoff ist ein Klotz und alles besteht aus ihm, es gibt nichts anderes, wie aber, so wurde gefragt, wie kann bereits eine Raupe nur aus dem toten Stoff herkommen oder gar ein Gedanke? Der Stein läuft, gar denkt doch nicht und noch das Gehirn, es ist doch bestenfalls nur ein Instrument und eines, das sich nicht selber spielt, sondern der Geist in uns muß es erst anschlagen und das Seine darauf tönen lassen. All das scheint nicht ganz unverständig, nur eben: es setzt ein sozusagen dauernd niederes Klischee von Materie voraus, im ungeschieden allgemeinsten Sinn. Worin dann die Raupe und gar das sogenannte Höhere, indem es aus dem Begriff des Stoffs von vornherein ausgefallen ist, keinen Platz hat. Dergleichen aber ist Vergötzung eines vorgefaßt Allgemeinen nach unten, wonach dann wirklich alles *mechanisch* herzugehen scheint und darin beschlossen bleibt. Der vulgäre Materialist hat hierbei freilich nicht den klugen auf seiner Seite: der Stoff ist pluralistischer als die Simpeleien aus einem Guß, aus egal gleichem Gußeisen. Weshalb gerade Engels, nur scheinbar unerwarteter Weise, dem billigen Generalnenner recht nominalistisch entgegnet: Es gebe ebensowenig eine allgemeine Materie wie es Obst gibt, es gebe aber Äpfel, Birnen, Trauben und so fort.

Materie ist also nach ihren mehrfachen Daseinsformen gefächert, entwicklungsgeschichtlich differenziert. Den mechanischen Boden gibt es durchaus, doch dann zeichnet Engels in seiner »Dialektik der Natur« sehr gesondert unterbrechende, durchbrechende »starting points« zu sehr sich *differenzierenden* Sonderungen und neuen Schichten materieller Art. Zu Pflanzen, Tieren, zu Menschwerdung durch Arbeit, zu ökonomischem Unterbau, zu politisch-kulturellem Überbau; wobei letzterer den Unterbau keineswegs nur mehr oder minder trübe reflektiert, sondern gegebenenfalls, mit Kraft und Stoff per se, sogar aktiviert. Ja für Marx (in den »Ökonomisch-philosophischen Manuskripten«) ist der gesamte »Unterbau« Natur, als die von den Menschen bis jetzt noch unabhängige, welche nicht nur vorhistorisch unter uns liegt, sondern uns in *kosmischer* Ausbreitung umfaßt und überwölbt, ein posthistorisches und so eigenes, letztes Gebiet, in das »kultureller Überbau« höchst futurisch noch eingreifen könnte. Marx spricht von »Humanisierung der Natur«, sogar von »Resurrektion der Natur« zu einer ganz anders materiellen, mit »naturalisiertem Menschen« in sich. Dies führte im weiteren nicht zu irgendwelcher Aufgebung eines durchgängigen, gemeinsamen Diesseitsbegriffs Materie, gar zu transzendenten Hypostasen. Vielmehr bleibt als

Einheit in allen Differenzierungen und Daseinsformen der Materie und so auch des Materialismus die Immanenz, obzwar mit Ultra-Violett darin. »Materialismus«, sagt Engels, »ist Erklärung der Welt aus sich selbst«. Und das gilt selbstverständlich zwischen allen recht unterschiedlichen materialistischen Lehren selber, mechanistischen, hylozoistischen, gar dialektischen. Durch diese Einheit ist ja vor allem die Dialektik, die Platons wie gar die Hegels, am wenigsten ein Mädchen aus der Fremde geblieben, ein nur menschenhaft-dialogisches Wesen, gar ein einzig logoshaftes. Die so scheinbar aus Multiversem stammende Verbindung Dialektik-Materie erwies sich statt dessen im dialektischen Materialismus gerade als höchst uni-versushaft, universal. Mit der bloßen Einheit des über den Kamm Geschorenen freilich wären genau die Sonderfälle und Variabilitäten auch im Dialektischen nicht entdeckbar gewesen. Wie wenig erst so scheinbar Entgegengesetztes wie der speziell und diesseitig entzaubernde Blick des Marxismus und dann wieder, im echten Marxismus, das Umfassende der universalen Perspektiven. Der Blick aufs Einzelne läßt also überall aufhorchen. Indem er nämlich für dasjenige empfindlich macht, was aus dem meist allzu schön und allzu groß gemachten Rahmen herausfallen läßt. Ein mechanistischer Blick auf solches Nebenbei und seine Instanzen wird das freilich noch mehr auslassen müssen als die idealistischen, ohnehin hochschwebenden Geistaufnahmen; ist er doch auf den Klotz vereidigt. Wie sollte derart das Bunte, das qualitativ so Vielartige, diese so störende wie befördernde Finesse, ja gar das nach vorn Offenräumige der Welt bemerkt werden? Man hat den sonderbaren Fall, den ebenso verblüffenden wie unausgewerteten, daß, mit der einzigen Ausnahme Demokrit, alle bisherigen großen Philosophen Idealisten waren. Und diese überwiegende Geistesbeziehung wird durch das Metier des Denkens, auch durch den oft erzwungenen, oft vornehm selbst erwählten Elfenbeinturm nicht allein erklärt. Ja nicht einmal mit dem sozialen Auftrag, den die jeweils herrschende Klasse an ihre Denker ergehen ließ, die mangels marxistisch-detektivischer oder auch nur machiavellistischer Schulung diesen Auftrag nicht durchschauten. Sondern die geringe Affinität zum Materialismus erklärt sich vorab auch aus der Gefahr, worin dieser in Ansehung des Niveaus steht, aus seiner mechanistischen Gefahr, ins Decrescendo des Wurmisierens, des intellektuellen Verlustes, der All-Banalität abzuleiten. Bis hin zu Moleschotts Satz: »Wie das Bein seine Gehmuskeln hat das Gehirn seine Denkmuskeln, und wie der Urin eine Ausscheidung der Nieren so ist der Gedanke nichts anderes als eine Ausscheidung des Gehirns.« Oder bis zu dem Satz selbst Kautskys, dem mindestens an Zwischengliedern armen, an Horizont nicht reicheren: »So ist die Reformation nichts anderes als der ideologische Ausdruck tiefgehender Veränderungen auf dem damaligen europäischen Wollmarkt.« Derlei und Verwandtes ist gewiß nicht mehr Aufklärung, eher, wie Lessing sagte, »Aufkläricht«, ja wie Engels ergänzte: »Abspülicht vom Aufkläricht«; vor Tische las man's bei Demokrit gewiß anders. Doch die Verführung dazu, mit und ohne ein Sinken der Aufklärung, ist in etwas auch bei den Originalen des bisherigen Materialismus, sofern man dort sein Decrescendo nicht durch völlige Unverwechselbarkeit verriegelt hat. Wie sollten derart bedeutende idealistische Philosophen bei so mißverstandenem und so leicht entstellbarem Materialismus in die Schule gehen; war zwar unverstiegen, doch grenzte mehr an Plattitüde als an die Gärten des Epikur. Die verblüffend starke Idealismus-Vertretung in der bisherigen Philosophiegeschichte erklärt sich letzthin noch durch den kurzen Atem der Begriffe im gehabten Materialismus, durch dessen aussperrende Engräumigkeit der Inhalte. Jedoch weiter auch das anders Verblüffende, wenig Verblüffende darf nicht übersehen werden: gerade bei den großen Philosophen wie Aristoteles, Spinoza, Leibniz, Schelling, Hegel finden sich im Einzelnen wie im Ganzen durchaus kryptomaterialistische Züge; auch hätte sich speziell Hegel ohne diese nicht so mannigfach vom Kopf auf die marxistischen Füße stellen lassen. Und das nicht nur in der Dialektik, sondern mit Maßen auch in der Ästhetik, selbst in der Religionsphilosophie, woraus immerhin noch Feuerbach und der junge Marx ihren Brennpunkt materialistischer Geschichtsphilosophie ermittelt haben, nämlich den geschehenen und zurückzunehmenden Akt der Selbstentfremdung. Ja nun die Hauptsachen, die besondere Rolle der großen *Idealisten* im materialistischen Erbe betref fend; ihnen war nicht wie den Materialisten die *Materie* eine ausgemachte Sache, sondern eine Verlegenheit, zum Denken auffordernd, ob auch oft eingekleidet in gebliebene Verlegenheit oder nur durch Beschimpfung abgewehrt. So wie umgekehrt den *Materialisten* der *Geist* keine ausgemachte Sache war, sondern eine Verlegenheit, zum Denken auffordernd, wiederum oft eingekleidet in gebliebene Verlegenheit oder unbedeutend gemacht durch Reduktion auf Geschlechtstrieb, Profittrieb, also unidealistischen Treibstoff. Infolgedessen ließ sich bei Materialisten, bei Freud auf privatem, bei Marx auf sozial-objektivem Gebiet, entscheidend besser als bei Idealisten lernen, was Geist ist; umgekehrt läßt sich auch bei Aristoteles vor allem lernen, was Materie ist, gerade auch ohne physische Begrenzung, entwicklungsgeschichtlich. Überdies, wenn es viel weniger große Materialisten als große Idealisten in der Philosophiegeschichte gegeben hat, so steht doch immerhin Materialismus, hylozoistischer, *am Anfang ihrer* vom befruchtenden Wasser des Thales bis zum Nus, der als Denkstoff gedacht wurde, bei Anaxagoras. So sind die sogenannten vorsokratischen Philosophen doch fast schon immer materialistisch lehrreich gewesen, und wie ist es erst Aristoteles als »idealistischer« Stoffdenker, wenn er, wie zu sehen sein wird, eine »objektiv-reale Möglichkeit«, ein »dynamei on« und die alle Formen gebärende offene Materie zum ersten Mal zusammenbringt. Darum, nach der Durchlaufung des ersten Kursus, das materialistisch so wichtige Universalienproblem betreffend, wird genau der folgende zweite Kursus die bekannten wie vor allem die unbekannteren Materiebegriffe der Philosophen behandeln; sporadisch, mindestens wie Wetterleuchten geht darin eine nicht in den Klotz oder selbst auch in ein bloßes elektromagnetisches Feld geschlossene Materie auf. Selbst die mythische mater ist in der materia zuweilen noch nicht vergessen, so wenig wie andererseits Spinoza hernach, gegen alle mechanische Begrenzung, die Cogitatio neben der Extensio als eines der unendlichen Attribute seiner natura sive deus, substantia sive deus ausgelassen hat. Vorbereitet wurde bei all diesen jedenfalls ein nicht mechanistischer Materieblick und ein neuer Topos Materie; er wird nun – offen für das viele Überschäumende unterwegs, für das Chiffrenhafte an den Gestalten als Auszugsgestalten, fürs Utopikum in der Welt, ja schließlich fürs Realproblem des Überhaupt, für die fast schlechthin ausstehende Materie der »letzten Dinge«. Diese wäre das noch überall ausstehende Substrat eines Gehalts, den nicht Rost noch Motten fressen; sie wäre also weder gedanklicher Dunst, noch bestünde sie objekthaft aus bloßem sogenanntem Urnebel, wie gehabt, sie war stets gemeint als Sein wie Utopie. Eine, die weder aus gedanklichem Dunst noch objekthaft aus bloßem sogenanntem Urnebel immer wieder zu bestehen hätte.

ZWEITER KURSUS
DIE LEHREN VON DER MATERIE,
DIE BAHNUNGEN IHRER FINALITÄT
UND OFFENHEIT

> Der kluge Idealismus steht dem klugen Materialismus näher als der dumme Materialismus.
>
> Lenin

DENKEN DES LEIBS

Wir stoßen spürend an etwas an. Zuerst durch Tasten, durch diesen merkwürdigen Sinn. Er steckt halb im Gefühl des eigenen Leibs, halb greift er, auf besonders genaue Weise, das uns Fremde. Das Glatte, Rauhe, Kantige ist ebenso an der Spitze des tastenden Fingers wie, unverkennbar, an dem Berührten selbst. Der Tastsinn ist dumpf und scharf, inwendig und auswendig zugleich, er hat das Leibhafte sozusagen nach zwei Seiten. Mit dem eigenen Leib merkt er den fremden, und zwar immer nur dem eigenen Leib entlang; das zeigt alles Getastete als nahe, doch auch als eng. Erst das Auge weitet hier aus, gibt vor allem Farbe hinzu, macht die Dinge im Tag kenntlich. Führt freilich auch leicht in den farbigen Dunst und Schein, welchen die greifbaren Dinge optisch werfen, und worin sie sich ebenso oft verkleiden als aufschließen. Das nüchterne Denken hat daher Eindrücke des Tastsinns allemal lieber aufgenommen und verarbeitet als des Auges, gar des schwärmend und brechend gewordenen, des gefühlvoll verschleierten. Das Tastbare wirkt wirklicher; der Stab im Wasser erscheint dem Auge gebrochen, während er für den Tastsinn unverändert so gerade bleibt, wie er ist, dieser Unterschied steht für viele dergleichen. Wir glauben dem Tastsinn mehr als dem Auge; das Wahre aber, das er zeigt, ist allemal ein stoffliches. Daher wirkt der zu tastende Stoff auch als gedachter, als Begriff besonders vertrauenerweckend. Er ist jederzeit greifbar, was er gibt, gibt er in bar.

Ziemlich spät erst wird nach dem gefragt, was bleibt. Dann aber drängt sich sogleich der zähe, dichte, breit vorhandene Stoff auf. Die Dinge waren zwar noch von Spuk bewohnt, und Thales schrieb dem Magneten eine Seele zu, doch das Allgemeinste von allem stand sogleich auf beiden Füßen ziemlich faßbar da. Ob als Wasser, Luft oder Gärstoff, als Feuerfluß oder Seinskugel, als vier Elemente, mechanische Materie, auch vernünftige. All diesen ersten Bestimmungen des »Wesens« eignet Stoffcharakter, selbst bei Anaxagoras. Verblüffend weit ist das vorsokratische Denken vom γνῶθι σεαυτόν entfernt, nicht minder aber von animistischen Vorstellungen, obwohl es hylozoistisch ist. Dichterisches Gefühl für eine schöne, faßbare Welt setzt ein; und die Frage nach dem Wesen findet allemal materielle Antwort. Auch Heraklits Fluß-Bewegung ist nicht substratlos, sondern die eines Feuerstoffs; und die Seinskugel des Xenophanes, indem sie den Olymp ersetzt, ist πλέον, dichteste Körperlichkeit. Unstoffliches spielt nur bei den Pythagoreern und bei Empedokles mit: hier ist es die Zahl (doch immer noch mit den körperlichen Gestalten der Dinge verbunden), dort trennt sich das Bewegende als Liebe und Haß vom »trägen« Stoff ab (doch immer nur in Mischung oder Trennung der Elemente wirksam). Sogar der νοῦς des Anaxagoras gehört noch zum Erklären der Welt aus sich selbst; weshalb ihn auch noch Windelband mit »Denkstoff« übersetzt. Dieser Nus ist raumerfüllend, materiell, weltimmanent, er ist der Luft des Anaximenes verwandt, dem Luftzug, der als πνεῦμα später dem Geist selber synonym wurde, er ist, wie Diogenes von Apollonia sagt, ein »großer kräftiger, ewiger, vieles wissender Körper«. Völlig reif aber, frühreif trat der Materialismus bei Demokrit vor, wenigstens in seiner mehr quantitativ-mechanischen Gestalt. »Ich möchte lieber einen einzigen ursächlichen Zusammenhang entdecken als König der Perser werden« – der naturwissenschaftliche Forscher ist geboren. »Es gibt zwei Arten der Erkenntnis, eine echte und eine unechte. Zur unechten gehört die gesamte sinnliche Wahrnehmung: Gesicht, Gehör, Geruch, Geschmack, Gefühl; die echte ist davon zu unterscheiden. Nur in der Meinung (νόμῳ) besteht das Süße, Bittere, Warme, Kalte, Farbige; in Wahrheit besteht nichts als die Atome und der leere Raum« – die Unterscheidung der quantitativ-primären und qualitativ-sekundären Eigenschaften ist geboren. »Kein Vorgang geschieht zufällig (μάτην), sondern alles aus einer Ursache und mit Notwendigkeit (ἀνάγκη, ursprünglich freilich eine Art Muttergöttin)« – das Denken der Quantität ist das der atomistisch-mechanischen Gesetzlichkeit. Nirgends allerdings haben die vorsokratischen Materialisten die Seele geleugnet, ihrer Existenz nach. Sie haben sie nur ebenfalls stofflich zu bestimmen versucht, als feinen, durch den ganzen Leib zerstreuten Körper: als Lufthauch bei Anaximenes (wodurch das Unsichtbare der Seele dennoch materiell gehalten wurde), als besonders warmes und trockenes Feuer bei Heraklit, als Überzahl von Feueratomen bei Demokrit. Denn Demokrit schrieb die Eigenbewegung sämtlichen Atomen als ursprünglich und ursachlos zu; sie ist nicht nur die Bewegung des Falls, sondern – in Pflanzen, Tieren, Menschen – die Bewegung der Feueratome, der belebenden und beseelenden. Der Stoff als das Wesen aller Dinge kann auch hier nicht umhin, hylozoistisch zu sein, trotz der quantitativen, jedoch nicht gleichartigen Atome und der mechanischen Notwendigkeit. Diesseitig durchaus, der Blick ging überwiegend nach außen, nicht so sehr erkennen wollend, was in unserem Inneren vorliegt, sondern was die Welt im Innersten zusammenhält.

Aber seltsam, wie rasch das nach außen blickende Denken welkte. Sokrates brachte den Umschwung, von den Bäumen und Dingen draußen will er nichts lernen, wohl aber von den Menschen in der Stadt. An sie ergeht der Ruf Γνῶθι σεαυτόν, die große, seitdem nie vergessene Kehre des Erkenne dich selbst. Den Sinn des Körperhaften (und was damit zusammenhängt) mit neuem Ton erschwerend, nicht nur umstimmend. Von da ab schwächte sich der griechische Materialismus ab; er erlosch nicht, er fand noch seinen Aristipp, vor allem Epikur, er lebt verdeckt und durchkreuzt in der Stoa fort. Doch er verliert seinen schöpferischen Antrieb, auch Epikur fügt zu Demokrit (außer dem freien Fall der Atome, einer bemerkenswerten Unterbrechung der Ananke) nichts wesentlich Neues hinzu; frisches Feuer ist nur in Lukrez, dieser aber ist ein Dichter, kein Denker. Die großen Philosophen nach Demokrit: Platon, Aristoteles, Plotin – sind alles andere als Materialisten; das Denken des Stoffs wird sozusagen eine Angelegenheit zweiten Ranges. Und das nicht nur in der griechischen Philosophie: auch der Materialismus der bürgerlichen Neuzeit hat keinen Denker vom Rang Demokrits aufzuweisen. Es ist zwar wahr, der neuere Materialismus hat vor dem antiken den politischen Klassenkampfcharakter voraus, die revolutionäre Aktivität, die ideologische Entlarvung, auch Spuren eines Theorie-Praxis-Verhältnisses. Das alles fehlte noch im geistigen Griechenland, in der Gesellschaft der »Freien«, im »Epikureismus« des arbeitslosen Einkommens. Leukipp lebte so zurückgezogen, aufgrund wohl einer derart gesicherten Privatheit, daß bereits das spätere Altertum an seiner Existenz zweifelte; Epikur führte mit seinen Schülern ein ruhiges Gartenleben, mit nur geselligem, keineswegs gesellschaftlichem Interesse. Keiner dieser Männer und keine ihrer Lehren widersprach dem Interesse der Klasse, der sie angehörten oder deren musischem Denkspiel sie dienten; Diogenes ist nicht Rousseau, Demokrit nicht La Mettrie oder Holbach. Platon freilich reiste mehrere Male nach Sizilien, zuletzt unter Lebensgefahr, um dort die Sozialutopie seiner »Politeia« zu verwirklichen, doch Platon war, by Eros, kein Materialist. Selbst der Kampf gegen Religion (Demokrit erklärte den Götterglauben aus Gewitterfurcht) war in einem Land nicht eigentlich revolutionär, dessen feudale Zeit bereits keine herrschende Priesterkaste kannte, dessen stadtbürgerliche, stadtpatrizische Zeit mehr die religiös geheiligten Bräuche und Symbole schützte (Hermen und dergleichen) als den längst diskutabel gewordenen religiösen Inhalt. Und was eigentlich Gottlosigkeit anbelangt, so lebte Demokrit wie Epikur dieserhalb in Frieden, während Sokrates den Schierling trank und auch Aristoteles an seinem Ende der Religionsfeindschaft angeklagt wurde. Hier also ist der Unterschied zwischen antikem und neuerem Materialismus schneidend: der neuere war eine Brechstange der bürgerlichen Revolution, der antike – bei Demokrit wie Epikur – huldigt der Ruhe, dem Glück wunschloser Betrachtung der Dinge und ihrer Notwendigkeit. *Theoretisch* jedoch, in den Inhalten dieser Betrachtung selber, ist der bürgerlich-mechanische Materialismus über jenen Demokrits durch kein neues Prinzip hinausgekommen; Demokrit hat ihn festgelegt, mechanischer Materialismus, trotz des ausgestoßenen Hylozoismus, ist und bleibt Demokritismus. Selbst die Anwendung der Mathematik auf Mechanik ist philosophisch im Quantitätsprinzip des Demokritismus vorgezeichnet; Pythagoras und Demokrit zusammen sind die Atlanten der mathematischen Mechanik. Erst der Marxismus erneuerte hier entscheidend, durch die Aufnahme der revolutionären Aktivität, durch die ökonomisch-detektivische Geschichtsauffassung vom durchschauten materiellen Interesse her, durch Einfügung der vordem rein idealistischen Dialektik. Bis dahin aber war der Materialismus – wenigstens in seiner bekannten, mechanischen Gestalt – so an Demokrit fixiert, als wären nach ihm nur noch Epigonen möglich. Als hätten Atome und Mechanik allen künftigen Genies die Sprache verschlagen, das materialistische Pulver verschossen. Ja, als wäre der Reichtum der Philosophie (von ihrer Tiefe zu schweigen) nach Demokrit nur noch an Hand des idealistischen Irrtums auffindbar.

Nichts erspart uns, den raschen Fall des diesseitigen Denkens zu beachten. Die Zeit des ionischen Glanzes ging für den Stoff bald vorüber, er hat sie in so vielfältiger Buntheit kaum wieder erreicht. F. A. Lange bemerkt derart in seiner Geschichte des Materialismus, mit einiger Enttäuschung: daß wenig große Naturforscher und fast keine großen Denker Materialisten waren. Was freilich Naturforscher angeht, so ist deren Weltanschauung meist Privatsache; das gilt von den kleinen wie den großen unter ihnen. Der Lenard-Effekt, die Ionisierung des Wassers durch Aufschlagen auf Gestein betreffend, ist davon unabhängig, daß sein Entdecker auf den Mythos des zwanzigsten Jahrhunderts schwört. Und um in wirkliche Größe zu greifen: Newtons »Mathematische Prinzipien der Naturphilosophie« stehen mit seiner späteren Beschäftigung, den »Randnoten zur Weissagung Danielis«, in keinem Gravitationszusammenhang. Ganz anders wirkt Langes nachdenkliche Beobachtung, wenn sie auf Philosophen bezogen wird; die Geschichte der Philosophie führt, gleich hinter Demokrit, tatsächlich vom Materialismus fort. Insofern kann man den ionischen Materialismus, von Wundern selber so weit entfernt, fast ein Wunderkind nennen; er ist dies auch hinsichtlich seiner baldigen Erschlaffung, seiner geringen Fortentwicklung bei großen Denkern, in großer Philosophie. Gewiß, was sind hier große Denker, nach welchem Maß werden sie als solche gemessen? Danach etwa, daß sie aus dem niederen Dunst zu den Gefilden hoher Ahnen strebten, daß sie deshalb keine – Materialisten waren? Ja, ist der Begriff des großen Philosophen, auch abgesehen vom idealistischen Lehrinhalt, nicht von vornherein ein aristokratischer, auch mythischer? – wodurch er sich dann freilich auch besonders leicht den Idealismen zuordnet. Vor allem: Ist denn materialistische Philosophie nach Demokrit immer nur eine mechanische geblieben, immer nur Demokritismus der Denker zweiten Ranges oder der Epigonen? Lebte nicht Bruno, ist Spinozas mathematische Gott-Natur nicht ein originäres Prinzip Materialismus, mindestens ein höchst wirksam gewordener Objektivitäts-Pol? Ist die Priorität des Seins vor dem Bewußtsein, der Natur vor dem Geist ausschließlich auf mechanischen Materialismus, ja auf *ausgesprochenen* Materialismus beschränkt? – existieren keine Krypto-Materialismen in der Geschichte der Philosophie und gerade der großen? Steckt nicht im idealistischen Substanzbegriff – etwa Hegels – mancherlei, das nicht nur »Idee« ist, das – aus der idealistischen Hülle herausgeschält – Materie gerade neu erlernen läßt? Vieles an diesen Gegenfragen ist richtig, besonders im Hinblick auf Krypto-Materialismen, doch die Bedeutung des Problems wird dadurch nur gereinigt, nicht aufgelöst. Platon und Aristoteles, Leibniz und Hegel sind auch nach Abzug der bürgerlichen Heldenverehrung große Philosophen; denn sie standen auf der höchsten Höhe ihrer Zeit, sie leuchten – in vielem unabgegolten – weiter vor. Ebenso sind und bleiben diese großen Philosophen Idealisten, auch wo, nach Aristoteles, Krypto-Materialismus in sie eingesprengt ist. Und nun gar erst die so selbstverständliche wie bestürzend-bedenkenswerte Hauptsache, mit und außer dem höchst verschiedenen Größenmaß eines Philosophen: der idealistische »Irrtum« eines Leibniz erstreckt sich beunruhigend tief neben der materialistischen Maschinerie eines La Mettrie. Auch nach erlangter Einsicht in die Relativität der Größe, in die Variabilität des Begriffs Materialismus bleibt derart das am Schluß des vorigen Hauptteils bereits bedeutete, das vieltönige Problem: wieso waren fast alle großen Philosophen Idealisten, konnten sie es sein? Es mag freilich nun folgendermaßen formuliert werden: Kein großer Philosoph nach Demokrit hat die Wahrheit seiner Zeit und der Welt anders als in idealistischer *Hülle* gesehen und ausgedrückt. Das wäre die nichtbürgerliche, die materialistisch wertende Definition des gleichen Tatbestands, der vorher als Decrescendo des Materialismus erschien. Der sonst verdienstliche Lange hatte, um das Decrescendo wenigstens zu versüßen, Mittel angewandt, die eben nicht die unseren bleiben dürfen: Lange setzte die großen Denker zwischen Demokrit und – Moleschott herab, weil sie noch nicht die Weisheit des letzteren besessen hätten. Er ließ überdies – in echt neukantianischer Halbheit – vom großen Idealismus nur das »Begriffsmärchen« übrig, das Klingelspiel fürs ewig schöne, ewig reflexive Gemüt. Und mit sehr anderer, mit materialistischer Halbheit wurde das »Begriffsmärchen« selber nicht etwa, wie rechtens, als noch ideologische »Hülle«, auch als bloße Kopfbeschaffenheit einer Wahrheit gegebenenfalls verstanden, die noch auf die Füße zu stellen wäre, sondern lediglich und ausschließlich, mit Vulgärmaterialismus, als »Mäntelchen«, am liebsten als religiöses, das keinen anderen Inhalt, geschweige denn Gehalt umgab als einen mechanistisch wegzuschaffenden. Die *Lösung des Problems* ist aber eine andere, als der Neukantianer und auch als der Vulgärmaterialist sie sich vorstellt; beide betrügen die Sache des Proletariats um ein wichtiges Erbe. Die Lösung liegt in Lenins nicht genug zu kommentierendem Satz: »Der kluge Idealismus steht dem klugen Materialismus näher als der dumme Materialismus«. (Philosophischer Nachlaß, 1949, S. 212). Zweifellos drang mit Sokrates Reaktion vor (wenn zunächst auch mehr gegen die Sophisten als gegen Demokrit), zweifellos datiert von ihm ab die Entstofflichung des Begriffs, des in der Reflexion des Begriffs zu gewinnenden Wesens einer Sache. Zweifellos suchte die Ideologie der Sklavenhalterklasse von Platon bis Plotin immer wieder und immer dringender Rückverbindung mit den mythologischen, den transzendenten Mächten; so kam, wie Lange sagt, »der große Umschwung . . ., der die Welt auf Jahrtausende in den Irrweg des platonischen Idealismus leitete«. Zweifellos aber auch kam mit dem γνῶθι σεαυτόν des Sokrates, mit der Dialektik Platons ein Reichtum in die Philosophie, der den mechanischen Materialismus nicht ohne Grund überbot und vielfach hinter sich zurückließ. In idealistischer Hülle wurden zum Teil Wirklichkeiten bezeichnet; so drückt beispielsweise die aristotelische Stufungslehre, trotz ihrer hierarchischen Kleidung, ein Stück Umschlag von Quantität in Qualität aus, das der dialektische Materialist am wenigsten leugnet, und das er – bei Demokrit nicht findet. Kurz: was der mechanische Materialismus verfehlt hat und als mechanischer verfehlen mußte, das hat im Idealismus vielfach eine Behandlung gefunden, seine erste und lange Zeit einzige. Ganz offenbar gingen gewisse Grundzüge des Daseins, besonders tiefliegende, viel eher in idealistischer Form auf als in materialistischer; sosehr der Idealismus allemal in der Luft schwebt. Spitzfindigkeiten des bloßen Begriffs waren die Gestehungskosten für die Entdeckung der Dialektik, Aristotelisch-Hegelsche Teleologie ging der Tendenz, Augustinisches Sabbatreich dem Reich der Freiheit voraus. Und nicht zuletzt, ganz zuletzt geht die Aristotelische Deckung des δυνάμει ὄν, des In-Möglichkeit-Seins mit der Materie als tragender Materie jeder utopischen Substraterweiterung der Materie vorher; ob auch der Aristotelische Materiebegriff in großer Philosophie rückwärts wie großen Teils auch vorwärts oft vereinsamt blieb. Derart also konnte, ja mußte das materialistische Denken nach Demokrit nachlassen oder ein kryptomaterialistisches werden; derart aber auch war der Idealismus, besonders der objektive, kein so ausgemachtes Verlustgeschäft oder pure Ideologie der Reaktion. Diese Erkenntnis hebt das Klagelied ebenso auf wie die kenntnislose Frechheit mancher Vulgärmaterialisten; die Verehrung, als Grundaffekt gegen die Platon und Aristoteles, Leibniz und Hegel, erlangt ihren materialistischen Begriff. So wird ein neuer Gang durch die Geschichte der Philosophie unumgänglich; er hat nicht die Universalien, sondern den Universalbegriff der Materie selbst als Leitfaden.

22

MATERIE ALS UNBESTIMMTHEIT
UND GÄRENDE BESTIMMBARKEIT
(Platon, Aristoteles)

Was erst sich selbst begreifen will, wendet sich von äußeren Fragen ab. Tritt so einen Schritt zurück, aber auf das Denken selber zu, schärft es begriffhaft. Indem Sokrates den Begriff als das Verbindende, Vernünftige in die Mitte stellte, wurde der äußere Stoff gleichsam unsichtbar. Hinzu kam freilich beim reinen Menschenfreund die Kühle gegen Naturdinge; das steckt auch in der Absicht, die Wissenschaft vom Himmel auf die Erde zu führen. Darunter war nicht der religiöse sondern eben der naturhafte Himmel gemeint, und die Erde war das Erkenne dich selbst, die innermenschliche Vernunft. Da mochte auch die Welt, als Platon in großer, wiedergewinnender Fülle zu ihr zurückkehrte, wenig mehr vom alten Stoff enthalten; desto weniger als hier der Blick und der Mann, der ihn sandte, gänzlich von oben herab kamen und die Platonische Verachtung des sogenannten Pöbels auch den Stoff nur als gleichgültig unten liegend, höchstens als störend werten mochte. Verhält sich Platon selber platonisch, also, aristokratisch gesagt, zu der Welt wie ein seliger Geist, dem es beliebt, einige Zeit auf ihr zu herbergen, so drückt diese mehrsinnige Goethische Wertung eindeutig genug den Blick von oben aus und das Verdämmern des Stoffs in ihm. Die Materie (der Ausdruck ὕλη kommt freilich erst bei Aristoteles vor, Platon drückt das Hylehafte nie positiv aus) – die Materie wurde das Unbestimmte schlechthin, der Gegensatz zum Seienden und Gestaltenden; sie ist das μὴ ὄν oder der leere Raum. Freilich war dies Nichts allem Seienden wieder beigemischt: zunächst mathematisch in der Leere geometrischer Gebilde, als dem Vorhof der Ideenwelt; sodann ursächlich, in der mechanischen Mitwirkung, als dem trübenden Gegenstück zur idealen Zwecktätigkeit, zur reinen Teilhabe an Ideen. Sonst aber hat die platonische Materie mit deren heutigem Begriff nichts gemein, sie ist – als gestaltlos – nicht einmal wahrnehmbar. Der Stoff in seiner Gleichsetzung mit dem leeren Raum ist bei Platon weder dem Denken, noch gar der Vorstellung und der Wahrnehmung unmittelbar zugänglich; er kann vielmehr nur mit Mühe durch einen λογισμὸς νόθος, einen unechten Schluß erschlossen werden. Denn eben: die dem Begriff *homogene* Welt ist ausschließlich die der Formen im Raum; der gestaltlose Leerstoff, Nichtsstoff ist ein ἄρρητον, ein Unsagbares, Unbestimmbares (ganz unvergleichbar mit dem anders Unsagbaren, dem mystisch erscheinungsfreien und unbestimmbaren letzten Einen, der höchsten Idee). Alle vorsokratischen Stoffbestimmungen, sowohl die heraklitischen der Dialektik wie die eleatischen der Ruhe, gingen auf die Formideen über, an denen die Erscheinungen nur teilhaben; der Stoff jedenfalls hat keine von beiden Bestimmungen an sich, nicht einmal die der irdischen Veränderung; denn auch diese geschieht durchs Kommen oder Gehen, Eintreten oder Austreten der Ideen. Freilich sind die Ideen selber bei Platon noch nicht geistig, sie sind vielmehr die hypostasierten Gattungen von allem und jedem irdisch Gestalteten. Von Tisch, Bett, Leib ebenso wie von Seelen und geistigen Beziehungen: nur der Stoff selber, das an sich Gestaltlose, hat keine Idee, nicht einmal die Möglichkeit, an ihr teilzuhaben, μέθεξις zu haben, gar sie zu tragen.

Alles geht hier nach außen, aber so geisthaft, daß für den Stoff nichts übrig bleibt. Der Weg von daher zu *Aristoteles* wurde welthaft, indem genau Form mit der Erscheinung vermittelt wurde, und das entwicklungsgeschichtlich, empirisch, nicht in Ideenhimmel schauend. Hier zuerst kam auch der weithin sammelnde, beobachtungsreiche, induktive Blick de plantis, de mineralibus, de constitutionibus gentium diversis hinzu, nicht zufällig Alexanders Feldzügen kosmographisch entsprechend. Der philosophische Hauptpunkt aber ist der: Stoff ist kein μὴ ὄν, kein Nicht-Sein, sondern das, was den Formen ermöglichend zugrunde liegt. Das Unbestimmte freilich ist mit dieser Bestimmung nicht aufgehoben, sondern freundlicher bedacht: das ἀόριστον, Amorphe des Stoffs ist nicht ausschließlich leer und negativ und bezieht sich ganz nur auf den ersten, noch mit keinen Formen verbundenen Stoff, die πρώτη ὕλη. Da aber Erkenntnis auch bei dem Platonschüler nach Ursprung wie Inhalt allein durch die »Form« gewährleistet wird, ist der Stoff, als das bloße Wachs für den Formstempel und selbst als Material zur Form, auch hier unerkennbar an sich, ἄγνοστον καθ' αὑτήν, besser freilich: untererkennbar. Er kann nur analog verstanden werden, nämlich aus dem Verhältnis eines bereits formhaft geprägten Stoffs, etwa Holz oder Metall, zu den weitergeformten Dingen, die aus ihm gemacht sind, etwa Boot oder Schwert, und dann ist er die vorausgesetzte Unterlage überhaupt (τὸ ὑποκείμενον) für das sinnlich Gegebene. Diese Unterlage mag vom platonischen Nichts die Passivität geerbt haben, doch der gleichsam unendliche Sinn ihrer δύναμις, als des Ermöglichenden, enthält auch den Nebensinn eines Nicht-Passiven, *zunächst* des bedingenden *Nach-Möglichkeit-Seins,* eines Seins κατὰ τὸ δυνατόν. Darunter sind die störenden, durchkreuzenden, aber vor allem auch helfenden materiellen Bedingungen zum Hervortreten der Form zu verstehen, sie begrenzen das »Mögliche«. Demgemäß stammt aus dem Unbestimmten der Materie gewiß auch, was aus der bestimmten »Form«, aus der Entelechie nicht erklärt werden kann: das Störende, Zufällige, Gesetz- und Zwecklose in der Natur. Aristoteles trennt demgemäß die mechanischen Ursachen von den Zweckursachen ab und nennt erstere als stoffliche, trotz ihrer ἀνάγκη, gesetzlos. Denn das Gesetz ist eben das Aussagbare oder die Ableitbarkeit des Besonderen aus der allgemeinen Form; diesem gegenüber gilt die Materie als spröde dysteleologische Störung. Nicht nur aus sittlichen oder religiösen Gründen – wie teilweise bei Platon, ausgeführt bei Plotin – sondern aus empirisch-naturphilosophischen wird derart Materie hinter das Eidos Form zurückgestellt: sie wird nach Seite ihres Störenden der Sündenbock für fehlende Teleologie. Die ionische Naturphilosophie, in welche der Mensch mit seinen Zwecksetzungen, auch seiner »Idee des Guten« noch nicht eingesprochen hatte, war mit dem Schauspiel der Notwendigkeit zufrieden: das reicht noch bis Anaxagoras, trotz seiner zweckordnenden Vernunft. Platon und Aristoteles dagegen dachten das Weltall von vornherein nach Analogie des menschlichen Eros, und zwar eines Eros nach oben, zum Schönen-Guten oder zur stofffreien Form. So bleibt die wirkliche Welt zurück, so muß der Stoff nach dieser seiner kontingenten Seite den Lückenbüßer dafür stellen, daß ein zweckvoll harmonisches Weltbild sich in der Realität leider noch nicht überall herumgesprochen hat, daß eine nur gedacht vorhandene Vollkommenheit noch keine konkrete ist. Das gilt nun allerdings keinesfalls für die andere Seite des χατὰ τὸ δυνατόν, nämlich für das angegeben Helfende darin. Das gilt erst recht nicht für die eigentliche Hauptkategorie des Möglichkeits-Stoffs, also für die Kategorie des δυνάμει ὄν, des In-Möglichkeit-Seins, worin der Stoff nicht als das Bedingende (nach Maßgabe des Möglichen), sondern als gärendes Möglichkeitssubstrat selber bestimmt ist. Bereits das Helfende noch innerhalb des Nach-Möglichkeit-Seins überbietet das Störende, indem der Stoff ja wesentlich das Tragende der Erscheinungen sein soll, ohne das auch deren Form sich nicht ausprägen könnte. Ja der Aristotelische Stoff ist nicht nur das Tragende, sondern das jeden gestaltenden Aufstieg in den Erscheinungen Begünstigende, das heißt hier begünstigend Determinierende des χατὰ τὸ δυνατόν, welches jeweils den Fahrplan der entelechetischen Verleiblichungen bestimmt, und zwar in aufsteigender Linie. Dergestalt daß sich die Formen nicht nur nach, sondern kraft Maßgabe ihrer erlangten Möglichkeit nach oben entwickeln können, die Bewegung ihrer also immer mehr der höchsten Form sich teleologisch annähern kann. Ohne dieses mithelfende, ja eigene Anliegen der Materie gäbe es keinen Fortschritt der Bewegung von der bloß mechanischen Ortsveränderung (φορά) zur aggregatshaften oder chemischen Eigenschaftsveränderung (ἀλλοίωσις), bis hin zur organischen Verwandlung mit Wachstum und Rückbildung (αὔξησις und φθίσις). Der Fahrplan indiziert zugleich, daß nicht alles zu jeder Zeit möglich ist, sondern eben eine frühere Stufe der geprägten Materie voraussetzt; statt der Aporien der Verwirklichung, der Fortschrittspannen und Torsi trägt diese Art der Materie also den Fortschritt selber, worin die Formenfolge sich real entwickelt. Wie aber erst, wenn eben die wichtigste, die *Hauptkategorie* in der Materie-Lehre des Aristoteles, das *In-Möglichkeit-Sein*, diese zentrale Erhebung über den Platonischen Stoff als Nicht-Sein, positiv in den Blick kommt. Materie ist hier nicht nur Tragendes, sondern Austragendes, sie stellt überall das Woraus, in dessen Empfänglichkeit die Form einschlägt. So jedoch, daß die Form nicht aus der Materie kommt, sondern sich ihr aufprägt. Stoff und Form stehen bei Aristoteles im Verhältnis der objektiven Anlage zur objektiven

Verwirklichung: Die Bewegung ist der Übergang vom Möglichen zum Verwirklichten. Das potentielle Sein der Materie, das aktushafte (energetische) der Form zusammen ergeben die Wirklichkeit: sie ist das Mögliche als verwirklicht. Michelangelo glaubte in einem Marmorblock die in ihm schlafenden Gestalten zu sehen; Aristoteles gibt zuweilen Anlaß, seine Möglichkeits-Materie nicht anders zu verstehen, eben als Ort der sich herausbildenden Gestaltformen im Zustand des erst Potentialen. Ja dieses In-Möglichkeit-Sein der Materie enthält bei ihm sogar ein eigenes Vermögen ihrer, derart potentiell zu sein: es ist ihr Trieb (ὁρμή) geformt zu werden, ihre Trieb-Disposition zu immer höheren Formen. Durch die Sehnsucht der Materie nach Form, durch das Sehnsucht-Erregende der höchsten Form kann überhaupt erst die Energetik der Formen verwirklichend zum Zug kommen. So tritt die Materie bei Aristoteles geradezu ein Erbe am Platonischen Eros an: genau dieses, was Aristoteles als ἐφίεσθαι καὶ ὀρέγεσθαι τοῦ θείου καὶ ἀγαθοῦ, als Begehren und Verlangen nach dem Göttlichen und Guten ausdrückt (Phys. I 9). Und ohne dieses der Materie zugewandte Erbe hätten die bei Platon transzendenten Ideen niemals zu den welthaft immanenten Entelechien des Aristoteles werden können. Geradezu darstellbar als Morphologien der seit der πρώτη ὕλη fort und fort bestimmten, aus ihrer Potentialität befreiten Materie (mit der Bewegung selber als unvollendeter Entelechie). Das δυνάμει ὄν des Aristoteles gibt damit eine der auffallendsten und großartigsten Bestimmungen der materiellen »Unbestimmtheit«, Bestimmbarkeit der Materie. Avicenna wie Averroës haben diese Seite der aristotelischen Materie nachher betont und entwickelt, die Form als bloßen Geburtshelfer gewinnend (vgl. Kap. 24 und Anhang). Als Fazit liegt jedenfalls nahe: die angebliche Gleichgültigkeit des aristotelischen Stoffs dem gegenüber, was aus ihm wird, ist nicht nur das zufällige Auch-Anders-Sein-Können, sondern ebenso das unabgeschlossene Noch-Nicht-Sein, ja Viel-Mehr-Sein-Können im Vergleich zu den bereits gewordenen Formen. Die Materie wäre danach, in heute erst spruchreif werdender Konsequenz, potentiell reicher als jede ihrer bisherigen entelechetisch bestimmten Form-Gestalten, sie ist am wenigsten auf ihre physisch-mechanischen Gestalten beschränkt. Die Interpretation der genannten arabischen Aristoteliker läßt sich beziehen auf die fortlaufenden Möglichkeiten und ihre Potentialität zu immer neuen Formen: die δύναμις der Materie sehnt sich nach der erweckenden ἐνέργεια der Form, um mittels dieser zu Entelechien entbunden zu werden. Kraft der weib-männlichen Zweiheit Stoff-Form wird die Materie als das angedeutet, was sie in ihren kühnsten wie klügsten vorsokratischen Bestimmungen noch nicht war: als Mutter des Seins. Und zwar reicht die Beimischung dieses Schoßes so weit, daß sie fast nur künstlich in der erzmännlichen Hypostase der reinen Form oder Gottheit verschwindet. Denn bezieht sich die reine Energie des höchsten Wesens auf keine Möglichkeit mehr in sich, ist das höchste Wesen als nur Wirkliches der Gegenpol zur Materie als dem nur Möglichen: so ist der Gott bei Aristoteles doch nur stofffrei, weil alle Möglichkeit in ihm nach Seite ihres Keimbodens Wirklichkeit geworden sei. Die aristotelische Materie aber, nach Seite ihres Keimbodens eben durch Averroës überliefert, wurde die »Göttin« Brunos, auf- und abwallend in Lebensfluten. Insofern hat der Idealist-Materialist Aristoteles kräftiger zum Begriff der gärenden, der – dialektischen Materie beigetragen als Demokrit; ein Paradox des Idealismus.

23

MATERIE
ALS NATÜRLICHE WERTBESTIMMTHEIT;
UNTERE UND INTELLIGIBLE MATERIE
(Epikur, Stoa, Plotin)

Nicht jeder Bezug des Denkens auf sich selbst führte so weit vom Tastbaren ab. Hinter Sokrates kamen auch schlichtere Weise, weniger begriffliche; und sie gaben dem demokritischen Stoff neue Ehre, sittliche. Aristippos, der Hedoniker, setzte das Diesseits der *Lust;* von hier geht es zu Epikur. Antisthenes, der Kyniker, setzte den Einklang des Menschen mit der unverfeinerten, ursprünglichen Natur; von hier geht der Weg zur Stoa. Wichtig aber auch die Belebung Demokrits durch *Epikur:* das eigentlich Griechische, das unbefangen Schuldlose, ja Befreiende der materialistischen Lehre ist nie reiner erschienen. Der Aufruhr, den sie später, in der Hand von sansculottes, bedeutete, fehlt noch ganz; eher entspricht die mäßige, geistige, zurückgezogene epikurische Lust dem Lebensideal eines feinen, Horazischen Prälaten. Neue Erkenntnisse theoretischer Art kamen zu Demokrit kaum hinzu; überraschend ist freilich, daß seither in der Übernahme Demokrits nach seiner atomistischen und mechanischen Seite sowohl die Willensfreiheit wie die ursachlose Zufälligkeit bei Epikur einen Platz bekamen. Wie die fallenden Atome willkürlich befähigt sind, von der geraden Fallinie abzuweichen, und dadurch die Wirbel der Weltentstehung ermöglicht werden: so besteht im Menschen eine Kraft der empfänglichen Wahl; erst nach getroffener Wahl werden die Atome, die Menschen Knechte. Die private Freiheit der Sklavenhalterklasse hat sich hier einen bequemeren Fluchtweg geschaffen als im Determinismus der Stoiker; wenn auch einen mit der Mechanik unvereinbaren. Das Preisen des abweichenden Zufalls erscheint jedoch weniger seltsam, sobald man es nicht nur oder nicht so sehr gegen die Kausalität als gegen die idealistische Teleologie gerichtet sieht. Hier hatten Platon und Aristoteles gleichsam eine andere Marschroute gesetzt: der Zufall war die Materie, das Gesetz die teleologische Idee; demgegenüber ergriff Epikurs Materialismus die Partei des ihm wirklich erscheinenden »Anstoßes«, des Zufalls. Davon abgesehen eröffnet die Lehre vom freien Fall der Atome nicht nur Fluchtraum, sondern auch einen Impetus gegen unterbrechungslose Notwendigkeit, worüber revolutionär-materialistisch das letzte Wort noch nicht gesprochen ist. Die Hauptsache ist dem Epikur, als einem ernsten Materialisten, die Erklärung der Welt aus sich selbst; also kann der Zufall offen bleiben, sofern er nur nicht die Eintrittsstelle transzendenter Schrecken oder Wunder ist. Denn eben: die Abschiebung der Götter, vor allem der Furcht vor ihnen, die Besitznahme eines irdischen außergöttlichen, auch außerdespotischen Raums ist ein Segen, welcher der Materie von nun ab eignet. Besonders sichtbar, ja, in strahlender Schöne ergeht dieser Segen im Lehrgedicht des Lukrez De natura rerum: hier zum ersten Mal hat auch die ausgebildete Philosophie (nicht nur die keimende des Parmenides, Empedokles) Poesie hervorgerufen und eben Poesie des Materialismus. Ruhe vor den Göttern ist das epikurische Motiv, doch nicht vor allen: gerade Lukrez beginnt sein religionsfeindliches Gedicht mit der Anrufung der Venus, als dem Ursprung des Lebens, des Glücks, des Friedens; und er beschließt es mit einer Schilderung des Todes (in seiner grausigsten Gestalt, der Pest), als welcher über den Weisen des Diesseits keine Gewalt hat. Es ist eine Rechtfertigung des Diesseits, wie sie bis Bruno nicht mehr erschienen ist, eine Rechtfertigung desto erstaunlicher, auch ergreifender, als ihr Glück auf Atomen beruht, nicht auf dem Alleinen. Felix qui potuit verum cognoscere causas: – dieser Vers von Vergil, dem Lukrez gewidmet, gilt freilich auch von den Gegenspielern des Epikur, von der äußerst naturgesetzlichen Stoa. Der Materialismus der Stoa nun hat sokratische und demokritische Wurzeln zugleich, in der Tat, er ist ein seltsames Gebilde. Nirgends hat das sokratische γνῶθι σεαυτόν den Menschen so heftig auf sich selbst zurückgetrieben, aus der Äußerlichkeit, aus dem Despotismus, aus einer argen Welt heraus. Aber die Freiheit dieser *Ethik* steckt in einer völlig deterministischen *Physik,* in Demokrits ausnahmsloser ἀνάγκη. Der Übergang zwischen beiden ist schwierig: auf der einen Seite wandelt der Weise in seinem eigenen Sonnenschein, stolz und kräftig geschlossen, von Trieben und Weltlauf unabhängig; auf der anderen Seite wird die Willensfreiheit verneint, wird Naturnotwendigkeit im Sinne eines lückenlosen Kausalnexus gelehrt, ja eines ausweglosen Fatums. Die stoische Physik kennt zum Unterschied von der aristotelischen, aber auch von der Epikurs, keinen Zufall, keine indeterministischen »Störungen« oder »Freiheiten«: nichts geschieht ohne »Ratschluß des Zeus«. Demungeachtet wird vom Weisen gefordert, ὁμολογουμένως τῇ φύσει ζῆν, also gerade in »ununterbrochener Übereinstimmung mit der Natur zu leben«; ja diese Übereinstimmung gilt paradoxerweise als sein Halt und sein Wesen. Denn die stoische »Natur« berührt sich mit der kynischen doch nur im Sinne der Bedürfnislosigkeit und der individuellen Autarkie, keineswegs aber im Sinn der Triebbejahung: konträr, sie ist Beherrschung der Triebe, Walten eines vernünftigen Gesetzes. Der stoische Doppelsinn des sowohl fatumhaften wie normativen, mechanischen wie teleologischen Naturgesetzes wiederholt sich erst recht in der Verkoppelung, welche der demokritische Materialismus nun wieder mit der Teleologie erfährt und zwar mit einer für »vernunftbegabte Wesen«. Auf diese Art hatte nicht nur die banalste Nutzenlehre, sondern auch aller Aberglaube der Winke, der Orakel, der Weissagungen im Kausalmechanismus Platz, die Karten der Vorsehung aufschlagend. Denn die Kausalität war das Marionettenspiel des Zeus, und Zeus war ebensowohl der materialistische Kraftstoff des Feuers wie das idealistische Pneuma der Weltvernunft und ihrer Vorsehung. Die stoische Physik ist derart der bedenklichste, doch auch merkwürdigste Hylozoismus aller Zeiten, mehr: sie ist Stoff-Theologie. Der Weise, der sein Recht und Maß aus der Natur holt und in ihr das einzige Gesetz findet – das möchte freilich nach anderer Seite weniger widerspruchsvoll scheinen. Denn alles »Naturrecht« der späteren Zeit hat hier seine Quelle, ebenso die Säkularisierung der Religion zur Sittlichkeit. Ist nämlich lex naturae dasselbe wie lex divina, so ist auch lex divina nichts anderes als lex naturae; ferne meldet sich damit Rousseau an, weit über antike Leibfreude hinaus. Desgleichen markiert der stoische Natur-Zeus den ersten materialistischen Pantheismus: als Kraft ist die Gottheit immerhin Feuer, als Stoff ist sie Wasser und Erde; das Feuer ist die Seele, Wasser und Erde sind Leib des Weltgottes. Aber so einheitlich-immanent dieses Wesen auch gedacht wird, und so sehr die Stoa die Lebensregungen des Pneuma und seine Hervorbringung in Wasser und Erde als σώματα, Körper definierte, nicht mehr als ideale »Entelechien«: es sind doch seltsame Körper, hervorgebracht durch einen immanenten Zeus als λόγος σπερματικός. Sie sind oft einem von oben her verhängten Ratschluß und den Zeichen seiner gemäß, dergestalt daß außer Mantik auch noch die primitive Teleologie eines überall gut vorgeordneten Wegs samt seiner Theodizee daran gedieh. Erst auf anderem Boden, ganz ohne solchen amor fati, auf einem Boden, wo das Schicksal nicht gläubig hingenommen, sondern umgekehrt ursächlich durchschaut und so um die Macht gebracht wird, die es einzig als undurchschautes besitzt, erst derart folglich, mit solch kausal vermittelter und völlig immanent bleibender Teleologie wird die Verbindung fruchtbar, welche die Stoiker zwischen Kausalität und humaner Tendenz, Mechanismus und Teleologie auf bedeutende Weise gesehen haben, zwischen gewußten, dadurch lenkbaren Ursachen also und dem so durchsetzten Zweck. Zu dieser Verbindung hat die Stoa allerdings das erste Programm aufgestellt, desto lehrreicher vor allem, als es aus ihrem Materiebegriff nicht herausfällt. Der Stoff behielt stärker als beim mechanistischen Epikur seine Unbestimmtheit, im Sinn des Aristoteles, wurde sogar, aufgrund dieser seiner Eigenschaftslosigkeit, zur Substanz ernannt, der sämtliche Eigenschaftsbestimmungen (Kategorien) inhärieren. Insofern ist die Stoa ohne Scheuklappen vor reellem Pneuma, indem sie sich nicht durch schlechthinnigen Hinauswurf alles Anthropomorphen aus dem Stoff beschränkt, auch anders als Epikur für Finalität in großem Umfang materiellen Platz hat, Platz hält. So wurde der Stoff immer weniger leer gelassen, er füllte sich gut. Die Zeit kam aber, wo das Diesseits insgesamt immer mehr schreckte, und als weise erschien nur, es ganz zu fliehen. Da wurde auch sein Stoff nicht nur als bloßer Mangel, als Leersein von allen Eigenschaften bestimmt, wie bei Platon, oder gar positiv als möglicher Glücksspender, wie bei Epikur und der Stoa. Sondern der spätantike *Plotin* machte aus dem Platonischen μὴ ὄν schlechthin τὸ κακόν, das Böse. Das ist eine mehr als asketische Bestimmung, wie sie bisher noch nicht vorkam und auch ein bisher nur »Störendes« in der Materie regelrecht zum Teuflischen hob, zum Inferno. Der ehemalige Schoß der Formen wurde deren Vernichtung, λόγοι σπερματικοί sind allein die Ideen. Die Materie ist also nicht nur der leere Raum, sondern eben auch der völlig finstere, unbeleuchtbare; sie ist die äußerste Entfernung vom Licht, das Urböse, der Gegengott. Als unbeleuchtbarer Raum ist die Materie auch mit den Körpern nicht verwechselbar (auf welche doch noch Licht fällt, ja Durchleuchtung durch Schönheit und magisches Beziehungsspiel, Analogiespiel); die Materie ist vielmehr körperlos als sozusagen (gegen jede Tastbarkeit verstanden) immateriell. Sie teilt den Körpern nur die Vielheit mit, wozu das ewig eine Licht – in den gestaltlosen Raum einstrahlend – allmählich zerspringt. Sie gibt vor allem den Ideen (die bei Platon auch Körperdinge, ja das Häßliche und Böse mitumfaßten) völlig geistig-theologischen Charakter: Ideen sind die Urgedanken Gottes. Das vom Ewig-

Einen, der Ousia, durch νοῦς und Weltseele ausgestrahlte Licht emaniert gradweise abnehmend, durch die sinnliche Welt hindurch, nicht nur in die Materie als absolute Finsternis, sondern auch in sie als völlige Vernichtung der Lichtemanation. Zum Reich des Anti-Lichts gehört bei Plotin immerhin nicht ganz die sinnliche Erscheinung, denn als relativ über dem Stoff liegende ist sie noch fern beschienen von den aus dem Intelligiblen wirkenden Lichtflüssen. Derart nennt Plotin alles Schöne in dieser Welt und seine künstlerische Gestaltung sogar (wie später Hegel) die »sinnliche Erscheinung der Idee«; zum Unterschied von Platon, der, wenn die Erscheinung bei ihm nur ein trüber Schatten der Idee ist, die Kunst und Welt des Schönen sogar zu einem bloßen, doppelt nichtigen »Schatten eines Schattens« herabgesetzt hatte. Das volle Tohuwabohu ist und bleibt bei Plotin erst im unsichtbaren Abgrund der unteren Finsternisse, die qua Urbösem das Licht nicht begriffen haben. Merkwürdigerweise aber setzt nun Plotin nicht nur in diesen Abgrund, sondern gerade auch in die Höhe noch Materie, eine völlig andere gewiß, doch immerhin eine, die mit dem Stoff-Satan den Namen teilt: er nennt sie ὕλη νοητή, die *intelligible Materie*. »Es gibt dort also eine Materie, welche die Form aufnimmt und für jede das Substrat ist. Ferner wenn es in der oberen Welt einen intelligiblen Kosmos gibt, und der irdische sein Abbild ist, dieser aber zusammengesetzt ist unter anderem aus Materie, dann muß es auch dort oben Materie geben ... Die intelligible Materie aber ist alles zugleich; es gibt also nichts, in das sie sich verwandeln könnte, denn sie hat schon alles in sich« (Enneaden II, 4). Auch Aristoteles hatte den merkwürdigen Begriff einer ὕλη νοητή gebraucht, er hatte mit ihm die geometrischen Gestalten nach ihrer sinnlichen Erscheinung bezeichnet, eine Kugel etwa, soweit sie nicht eisern oder hölzern ist, sondern eben ein Körper. Plotin dagegen legt die intelligible Materie dem Zwischenreich zwischen dieser und der höheren Welt bei, nicht nur dem »Luft«- oder »Feuerleib« der »Dämonen«, sondern – in weniger superstitiöser Weise – dem »Unbegrenzten« und »Gemeinsamen«, das durch die dem νοῦς entfließenden Kategorien näher bestimmt wird. Dies Unbegrenzte – als Moment der *oberen Sphäre* – ist eben die intelligible Materie; in ihr liegt der Grund der oberen Vielheit, welche der νοῦς zum Unterschied vom ewig Einen der οὐσία in sich hat, und vermöge derer er sich in die Ideen jeder Gattung, jedes spezifischen Einzelwesens auseinanderlegt. Die *untere* Materie widerstrebt bei Plotin jeder Form, besitzt keinerlei Sehnsucht nach Gott, die *intelligible* dagegen ist durch das Höhere geformt und belebt, ja als Materie der Ideen im νοῦς bereits selber enthalten. Das ist auch dadurch eine sehr überraschende Wendung, daß Materie unten verteufelt, doch droben sozusagen in eine heilige Familie aufgenommen ist; der Neuplatoniker Jamblichos gibt dem deutlich religiöse Weihen, lehrt ὕλην τίνα καθαρὰν καὶ θείαν, einen reinen und göttlichen Stoff. Genau wie die Verteuflung der Materie machte diese ihre intelligible Erhöhung Schule, wenn auch keine christliche. Die *Verteuflung* verband sich in der Kirchenlehre mit Parteinahme für den weißen Terror im Himmel, verschlang sich mit dem Sündenfall, Aufruhr und Sturz der Engel, Finsternis und ewigem Feuer der Hölle. Umgekehrt läßt sich mit Grund behaupten: die Funktion der Materie in den viel späteren Bewegungen des revolutionären und entzaubernden Materialismus entnahm der Verteuflung einen verwandten Charakter, wie er der unverteufelten Materie im ionischen, dann im epikureischen Materialismus noch fehlte. Kämpften Demokrit, erst recht Epikur und Lukrez auch gegen Götterfurcht, so war die Operationsbasis, von der her der Kampf geschah, eine nüchterne oder weltfreudige, war dem Aufruhr keine Wertnegation mittels des Stichworts Materie. Erst der Zusammenstoß des Materialismus mit Staat und Kirchenlehre übernahm die Herabsetzung der Materie positiv, machte mit anderen Worten aus dem Teufel des Abgrunds einen Zerstörer der falschen Höhe. Die Entzauberung benutzte die Materie des Unten als Brechstange, als Mittel der Opposition, als säkularisierten Antichrist. So etwas wie *intelligible Materie* dagegen kam dem späteren Materialismus direkt zugute, besonders auf dem Umweg der arabisch-jüdischen Philosophie, die dies Lehrstück des Neuplatonismus beibehielt und den Stoff bis in Gott hinein vortrieb. Ja noch Pantheisten wie Bruno ziehen, über Avicebron, den Glanz ihrer Materie indirekt aus der intelligiblen Plotins; auch wurde Theos via Materie besonders leicht unpersönlich.

24

MATERIE ALS SCHOSS DER FORMEN,
ALS PRINZIP DER INDIVIDUATION UND
QUANTITÄT, ALS FUNDAMENT
(Avicebron, Avicenna-Averroës, Thomas, Duns Scotus)

Das unfrei werdende Denken musterte das ihm Bleibende besonders scharf, unten wie oben. Mittelalterlich wurden Nach-
richten von draußen, aus der früheren Zeit hungrig gelesen,
nach allen Seiten erwogen. Die Zufuhr griechischer Bildung
war, dem Mangel an tatsächlichem Wissen entsprechend, vor
allem eine logische. Aber auch das Denken der verrufenen Hylē
war darunter; gerade diese wurde unaufhörlich hin und her gewendet, bizarre Muster gingen auf. Die jüdisch-arabischen
Denker waren von Haus aus Ärzte, selten Kleriker, und die
christlichen, obwohl Mönche, hefteten ihr Formdenken, ihre
Sachformen weitgehend an irdischen Stoff. Die Scholastik der
Nichtchristen ist materialistisch besonders lehrreich; unter den
Juden hebt sich dieser Art Avicebron vor. Glühender synago-
galer Hymnendichter, war Avicebron (Salomon ibn Gabirol,
1020–1068) als Philosoph ein Ketzer. Sein Werk Fons vitae, obwohl neuplatonisch beeinflußt, ist original, konsequent und
kühn. Nicht allzuweit von Bruno, der ihm viel verdankt und
seinen Namen an entscheidenden Stellen hervorhebt. Avicebrons Lehre ist hier wesentlich durch das Kennwort: allgemeine Materie bezeichnet. Jegliche Form der irdischen, geistigen,
himmlischen Welt ist danach mit Materie behaftet, von der der
Hymnendichter nur noch Gott ausnimmt, und zwar, was entscheidend, mit der gleichen. Diese einheitlich-allgemeine Materie ist auf der ersten Stufe ihrer Erschaffung die universelle Unendlichkeit, das heißt das Vermögen, zu allem bestimmbar zu
sein: wäre sie aber bloß auf die körperlichen Dinge beschränkt,
also an sich schon quantitativ, dann wäre ihre Bestimmbarkeit
nicht mehr eine allgemeine. Folglich liegt die materia prima vel
universalis noch diesseits der Scheidung in körperliche und geistige Formen; sie trägt aber beide und fundiert dadurch, was
weiterhin entscheidend ist, den einheitlichen Zusammenhang
der verschiedenen Formen, sie garantiert das »Universum«. Die
geistigen Wesen schließen Körperlichkeit von sich aus, jedoch

eben nicht Materie; denn Körperlichkeit ist genau wie Geistigkeit eine Form der Materie und nicht etwa diese selbst. Materie
ist vielmehr zu beiden Grundformen gleich fähig, mit dem einzigen Unterschied, daß Materie in der Form der Korporeität
kontrahiert ist und folglich nicht mehr – wie im universellen
Zustand – sämtliche Formen, auch die geistig höchsten, annehmen kann. Doch ist dieser Tribut an eine neuplatonisch-duali-
stische Denkart desto unerheblicher, als Avicebron die Materie
auf die körperliche Form ja nicht beschränkt, noch die körperliche Materie von der spirituell-intelligiblen abtrennt. Aller Stoff
im Weltall ist vielmehr derselbe, vom Lehmkloß über die Seele
bis zu den himmlischen Sphären und Intelligenzen. Nur die
Form der Bestimmung differenziert, die Materie der Bestimmbarkeit (die an sich unendlich unbestimmte, endlich bestimmbare Materie) ist überall die eine. Soweit Avicebron; machte seine
Materialisierung vor Gott auch halt, und hat er den Schöpfer-
begriff durch eine veritable Theosophie des göttlichen welt-
schaffenden Willens, die sich bei ihm ebenfalls findet, eher verstärkt, so war der Weg von der universalen Materie zum ebenso universalen Schoß aller Formen doch nicht weit. Diese Verbindung nun gelang bei den beiden arabischen Philosophen,
von denen Avicebron gleichsam flankiert ist. Sie wurde ange-
bahnt von dem zeitlich früheren Avicenna (980–1037), ausgeführt von Averroës (1126–1198), als dem Denker der *universalen Potenz*. Dieser Begriff stand bei Avicebron wegen seines
Schöpfergotts noch nicht in solcher Mitte; erst Averroës, als
Aristoteliker, gab ihn dem Gesicht hinzu, das die Materie durch
Avicebron erlangt hatte. Avicenna bereits hatte den Stoff als
das Mögliche erinnert, das zum Hervortritt des äußeren Stoßes
bedarf; Entwicklung ist bei ihm deutlich eductio formarum ex
materia, mit materia wirklich als mater (vgl. in diesem Buch
den Anhang: Avicenna und die Aristotelische Linke). Averroës
dazu machte die universale Materie zum Schatzraum der Welt;
item: in der Möglichkeit des Stoffs liegen keimartig alle Formen
beschlossen und versammelt, die durch den selber nicht erschaf-
fenen Anhauch der Gottheit, als des actus purus, entwickelt
und extrahiert werden. Dadurch ist die Form insgesamt dahin
gebracht, als selbständiges Prinzip verlorenzugehen; sie wird

bei diesen linken Aristotelikern Eigentümlichkeit des Stoffs selber. So unterscheiden sich die Dinge also nicht nur durch ihre Form, sondern viel grundlegender durch ihre Materie; und zwar nicht nur, wie später bei Thomas, durch Materie als bloßes Quantum, sondern durch sie als eine qualitativ ausgestaltete und so differenzierte. Das ist ein weittragender, noch lange nicht eingelöster Gedanke; er fügt der abstrakt gestaltlosen, der gleichsam vorgeschichtlichen materia prima qualitative Mittelstufen aus und in der Materie hinzu; er bereitet statt der ewig allgemeinen, gar nur mechanischen Materie eine solche des qualitativen Prozesses vor als eines der Materie immanenten und von einem Gott nicht inhaltlich geführten. Was diesen Gott oder den actus purus selber angeht, so hatte Avicenna bereits seine Funktion auf die bloße Verleihung das Daseins eingeschränkt; bei Averroës, wie bemerkt, führt der actus purus des ersten Bewegers lediglich die Möglichkeiten der Materie in Wirklichkeiten über, er gibt aus seiner Einheit von Wesen (Essenz) und Existenz dem Außergöttlichen die Existenz als das einzig hier Fehlende hinzu. Auch ist diese »Schöpfung« keine einmalige aus dem Nichts, sondern eine von Augenblick zu Augenblick erneuerte, sie ist Schöpfung in Dauer, oder eigentlich »Erhaltung«; denn die Materie selber ist ungeschaffen und ihre Welt von Ewigkeit her. Es hätte nicht erst der anderen Ketzereien des Averroës bedurft (wie Leugnung der individuellen Unsterblichkeit), um die Orthodoxie dreier Religionen gegen den Lehrsatz von der unerschaffenen Materie und der Ewigkeit der Welt auf den Plan zu rufen. Maimonides etwa gibt zwar zu, die biblische Schöpfungsgeschichte sei rational nicht beweisbar, jedoch die Offenbarung ergänze ihm diese Lücke durchaus und unwidersprechbar: Gott habe auch die Materie aus dem Nichts ins Dasein gerufen. Jüdische Anhänger des Averroës, wie Gersonides, haben die der Schöpfungsgeschichte widersprechende Ungeschaffenheit der Materie dann wieder zu mildern gesucht: die Materie als das schlechthin Formlose sei »so gut wie Nichts«; also sei diese das Nichts, woraus der Bibelgott die Welt geschaffen habe. Christliche Kabbalisten, wie Robert Fludd, fügten später sogar das Paradox hinzu: Gott habe allerdings die Welt aus dem Nichts geschaffen, jedoch dies

Nichts sei er selbst; nämlich die Unbestimmtheit der ersten Materie und das Nichts der negativen Theologie zugleich. Averroës selber ordnete die biblische Schöpfungsgeschichte (die der Koran übernommen hatte) in jedem Fall dem Aristoteles unter, ebenso wurde die Transzendenz Allahs zugunsten eines neuen Materialismus gedämpft. Je umfassender die Materie als Schoß der Formen erschien, desto weniger blieb auch der Aristotelische Gott, der erste Beweger von ihr getrennt – natura naturans und natura naturata (gerade diese Termini stammen von Averroës) wurden zu zwei Seiten des materiell-göttlichen Allwesens. Das Besondere des Averroës bleibt, daß er die göttliche Existenz fast mit den Geburtskräften der Materie verschlang. Gott ist der Existenz-Verleihende, doch alle Verwirklichung ist an die Möglichkeiten des Weltstoffs gebunden – die Welt ist die Entfaltung der universalen Materie.

Daß so etwas den Frommen von oben her nicht paßte, ist ausnahmsweise leicht zu verstehen. Wir sagten, die islamischen Denker seien überwiegend Ärzte, die christlichen überwiegend Mönche gewesen. Im übrigen aber war der gesellschaftliche Bau des Mittelalters hier wie dort noch rein ständisch gegliedert, mit theokratischer Spitze. Und die islamischen Arztdenker hatten demgemäß ebenso klerikale Feinde, wie die christlichen Mönchsdenker durch naturalistische Ketzer unterbrochen waren. Den Klerikalen in beiden Lagern war dies naturalistische Denken ein Greuel, der Koran wie die Bibel widersprachen ihm. Die arabischen Denker selber hatten sich durch die ihren Lehren widersprechenden Sätze im Koran nicht bemüßigt gefühlt, sie ordneten den Glauben ohnehin der Vernunft unter. Die religiöse Bildersprache galt ihnen bestenfalls als eine noch unmündige Vorstufe des Begriffs, und wo sie der Vernunft widersprach, galt sie als Kinderei und nicht als Vorstufe. So hatte Averroës die persönliche Unsterblichkeit, den Ursprung der Welt aus dem Nichts, die göttliche Vorsehung vernunfthaft abgelehnt. Desto heftiger aber, desto antiphilosophischer war im Orient die rechtgläubige Reaktion; sie begann schon zu Lebzeiten des Avicenna, formulierte sich zwischen Avicenna und Averroës in der skeptisch-mystischen »Destructio philosophorum« des Algazel, in der Glaubenstreue der Motekallemin

(das ist: der Lehrer des Kalam, des geoffenbarten Wortes).
Niemals gerade wurde die Allmacht Gottes so bizarr wie hier
überspannt: selbst die Feder, die hier schreibt, wird von Gott
bewegt, das Papier wiederum nicht von der Feder, sondern von
Gott beschrieben, und dergleichen Absurdes mehr. Hauptpunkt
des Kalam war überall die Leugnung selbständiger Naturgesetze, die Ablehnung einer eigenen, außer Gott bestehenden Potenz der Materie. Wie nun bekannt, sah das Verhältnis von
Glaube und Begriff im *christlichen* Mittelalter wesentlich anders aus; Rechtgläubigkeit und Vernunft blieben sozusagen in
einer Hand. So war die Reaktion der christlichen Orthodoxie
(einige Kriegsfälle wie den zwischen dem schlichtgläubigen
Bernhard von Clairvaux und dem dialektischen Abälard ausgenommen) nicht antiphilosophisch. Galten doch gerade in der
Hochscholastik die göttlichen Geheimnisse, indem sie sich der
rationalen Behandlung entzogen, nicht etwa als widervernünftig, sondern einzig als übervernünftig. Erleichtert freilich
wurde diese philosophisch bleibenwollende Reaktion durch das
andere Verhältnis zwischen Offenbarung und Vernunft, das
hier sich genau umgekehrt bestimmte wie bei den Arabern: die
Philosophie ist dem Glauben untergeordnet, aber als einem
auch gedanklich ausdrückbaren, und so kann sie auf sehr brei-
tem Feld immerhin seine Magd sein. Wie schon im neunten
Jahrhundert, an der Schwelle der christlichen Scholastik Scotus
Erigena forderte: »verae religionis *regulas* exprimere«. Bei alldem freilich fanden auch so wenig »übervernünftige« Gegenstände wie die ungeschaffene, die universale, die alles enthalten-
de Materie in der Hochscholastik durchaus keinen Platz; Naturforschung blieb verdächtig, Materie insgesamt wurde bestenfalls
zurückgesetzt. So bemerkt der Dominikaner Heinrich von Gent
über die Forscher der Materie: »Was immer sie denken, ist ein
Räumliches (Quantum) oder besitzt doch einen Ort im Raum
als ein Punkt. Daher sind solche Leute melancholisch und werden die besten Mathematiker, doch die schlechtesten Metaphysiker.« Die allerdings höchst wichtige Ausnahme von Subalter-
nisierung, gar Verteufelung der Materie war demgemäß in der
Scholastik hochketzerisch; sie geschah, zur Zeit der Albigenser-
kriege, vermutlich unter dem Einfluß von Avicebrons Haupt-

gedanken de materia universali und vor allem durch Avicenna-Averroës. Die Infektion kam von der Sekte der *Amalrikaner;* im Einklang mit der Albigenserbewegung wurde hier das Ende des zweiten, der Beginn des dritten Evangeliums proklamiert oder der Anbruch des allverbindenden »Geistes«. Der Lehrinhalt dieses Geistes aber war bei den Amalrikanern völlig pantheistisch, und zwar in doppelter Gestalt: *Amalrich von Bena,* der Stifter der Pantheisten-Sekte, ging noch vom Formbegriff aus, erhöhte diesen, nicht die Materie, zum immanenten Gott; *David von Dinant* dagegen, Amalrichs Schüler, pantheisierte als erster die Materie selber. Die aristotelische Wertordnung von Stoff und Form hat David von Dinant nun völlig, radikaler als Averroës umgedreht und das, wie man gleich sehen wird, mit verblüffender Konsequenz dazu. Nämlich: Die Wirksamkeit der Formen als energetischer Kategorien ist und bleibt zwar ens in actu; da aber Gott über alle Kategorien erhaben ist, kann er nur das ens in potentia = Materie sein. Gott ist die Materie, welche den körperlichen wie den geistigen Dingen als deren einheitliche Substanz zugrunde liegt; daher sind in letzter Instanz Gott, Materie, Geist identisch. »Deus, hyle et mens una sola substantia sunt«, so gibt Albertus Magnus die Lehre der Amalrikaner an, und »stultissime posuit«, so berichtet Thomas über David von Dinant, »deum esse materiam primam«. Jedoch freilich: trotz dieser Verdammungen, trotz des offenkundig auch politischen Affekts gegen die materialistische Formen-Entwertung, Hierarchie-Entwertung ließ auch die *Orthodoxie* keinen völlig extremen Haß gegen die Materie in den Begriff. Die ausgleichende Vernunft blieb das Herrschaftsinstrument der Kirche, die Materie aber, obwohl verrufen und, wie David von Dinant gezeigt hatte, politisch-ideologisch gefährlich, blieb als Substrat der Formen so unumgänglich wie der Bauer, das Agrarische überhaupt als Fundament der ständischen Gesellschaft. Darum ging nun *Thomas von Aquin,* das Haupt der Orthodoxie, auch nirgends den naturfremden, den gottomnipotenten Weg der Motekallemin, konträr: Er ist Aristoteliker wie Avicenna und ehrt, mit Maß und Ziel, die materielle Potenz. Ja Thomas hat dem Stoff eine Bestimmung gegeben, die bei den Arabern fehlt oder nur angedeutet ist: die folgenreiche Bestimmung der *Quantität*. Auch diese stammt aus dem Aristoteles, gewiß, und Averroës hat sie nicht übersehen; doch gerade indem der Araber die Materie zum Schoß aller Formen, nicht nur der körperlichen erhoben hatte, verlor sich die Quantität in den höheren Kategorien der Entfaltung. Bei Avicebron hinderte die Universalität der Materie ganz ähnlich, daß eine körperhaftmetrische Bestimmung dem gesamten Stoffbereich zukam. Thomas dagegen kennt keine universale, sondern zunächst nur eine erste Materie und diese ist, als völlig unbestimmte, ein Sein schwächster Art (ens debile), ein bloßer Ansatz zur Gestaltung. Ferner reicht auch die bestimmtere Materie nicht weiter als bis zum menschlichen Leib, sie ist keineswegs Potenz zu allen Formen, sondern auf die körperlichen beschränkt. Dadurch aber erhielt Thomas Platz für die Bestimmung der Quantität, also Teilbarkeit der Materie; es entsteht zeiträumlich bestimmte materia signata per hic et nunc. An dieser Stelle verschränkt sich also besonders das kategoriale Vielheitsproblem mit der Materie, wenigstens eine Strecke weit. Denn nach Thomas involviert die Fähigkeit des Stoffs, raumzeitliche Differenzen anzunehmen, zugleich die Möglichkeit der Individuation, das heißt die Möglichkeit, daß dieselbe allgemeine Form (zum Beispiel Linde, Wolf, Mensch) in unterschiedlichen Exemplaren sich einzeln verwirklicht. Materia signata ist also jene bestimmte, quantitativ abgegrenzte Materie, welche einem bestimmten Individuum eignet, samt all jenen individuellen Accidentien, mit welchen es in concreto behaftet ist – insofern ist die Materie kraft ihrer Teilbarkeit, das ist teilbar im quantitativen, ob gewiß auch nicht qualitativen Sinn, das Prinzip der vielheitlichen Individuation. Freilich nicht das einzige; denn da nach Thomas die geistigen Formen (Seelen, Engel) durchaus keines Stoffs bedürfen, so wäre – bei Beschränkung der Individuation auf den Stoff – die Folge, daß die abgeschiedenen Seelen und die Engel keine Individuen wären, ja Gott keine Person. In der Tat erhob sich gegen die sonst so korrekte Thomasschule wegen dieses Punktes ein Ketzergericht in Paris; der Thomismus aber umging den Widerspruch zur Kirchenlehre mit bewunderungswürdiger Spitzfindigkeit. Er unterschied die eigentliche *Individuierung*, nämlich in mehrere, quantitativ-accidentiell unter-

schiedene Exemplare, von der formalen *Differenzierung,* als
einer in Gattungen und Arten. Die Individuierung hat ihr Prinzip außerhalb der Formen, das heißt, eben in der Materie, womit die Gattungen der körperlichen Dinge, also die formae inhaerentes, verbunden sind; die Differenzierung ist aber individuiert nur durch sich selbst, nicht durch einen Stoff; den Gattungen der *geistigen* Wesen, den formae purae sive separatae sive in se subsistentes, entspricht jeweils nur ein Exemplar. Der Fall liegt noch schwieriger bei den mit dem Leib verbundenen menschlichen Seelen, sofern diese – als oberste formae inhaerentes, als unterste formae subsistentes – sowohl körperlich wie formhaft individuiert sind; der Fall liegt für Thomas ganz einfach bei den – Himmelkörpern und Engeln. Denn die Himmelkörper haben eine andere Materie als die Körper unter dem Mond, sie haben die Potenz ihrer Materie vollständig in die ihr adäquate Form gebracht, daher ist diese Potenz nur in einem einzigen Wesen verwirklicht, es gibt nur ein Individuum Mars, Venus, Saturn. Die Engel wiederum haben freilich in ihrer Darstellung auch bei Thomas eine ganz unirdisch sublimierte Materie, die immerhin in ihrem Flügelleib, ihrem Weiß, Gold, im Wehen, Hauchen ihrer Erscheinung sich kundmacht, doch ihrem Begriff nach haben sie überhaupt keine Materie, sollen sie durchaus formae separatae sein. Folglich fehlt ihnen jede Individuierbarkeit im Sinn der Vervielfältigung durch ein außerhalb ihrer liegendes Prinzip; das bedeutet aber nicht, daß sie keine Individuen wären, sondern sie sind nur zu mehreren Exemplaren individuiert – Individuum und Gattung fallen bei den Engeln zusammen. Kurz, Thomas fügt zur Individuation im eigentlichen Sinn eine der nicht-numerischen Mannigfaltigkeit hinzu, und diese soll nicht aus der Materie stammen, sondern unmittelbar von Gott. Ja bereits die Materie ist hier von Gott als Prinzip der Teilbarkeit geschaffen worden, weil nur unter dieser Bedingung, nur in der Vielzahl von Exemplaren die Formen, welche darin sich ausprägen, ihrem ganzen Umfang nach verwirklicht werden können. Erst recht stammt die Vielheit der Gattungen und Arten, also die geordnete multitudo der Universalien im Multum der sublunarischen Exemplare, aus Gottes Willen zu seiner möglichst reichen geschöpflichen

Offenbarung. Die Individuierung selber bleibt zwar ein Mangel, in der Unfähigkeit der Materie begründet, Formen ganz und mit einem Male auszuprägen (etwas vergleichbar Hegels »Ohnmacht der Natur, den Begriff in seiner Ausführung festzuhalten«). Indem die Materie aber immerhin die Fähigkeit zu immer erneuter Ausprägung der Artformen zu Exemplaren besitzt, wird die Individuierung zur Fähigkeit der Wiedergutmachung, nämlich mißlungener Form-Exemplare. Sie wird überdies, in der eigentlichen Formenfülle, zur Gnade und Ausgießung (wieder etwas vergleichbar der Hegelschen Weltergießung des absoluten Geistes, der »Wirklichkeit, Wahrheit und Gewißheit seines Throns, ohne den er das leblose Einsame wäre«). Nach Thomas liegt das Prinzip der quantitativen Individuation und des formhaften Multiversum nicht in der nach unten fortschreitenden *Entfernung* vom Ewig-Einen; konträr: es ist ein Produkt der göttlichen *Güte*, des göttlichen *Reflexes*, der breiten *Mitteilung* Gottes an die Welt. So entstehen Vielheit, kausale Selbständigkeit der Dinge, so entsteht im Menschen individuelle Willensfreiheit, kurz, Ähnlichkeit mit Gott, – ein sublimer und fröhlicher Gedanke, der trotz seiner theologischen Struktur der Quantitätslehre zugute kommt und die Teilbarkeit der Materie aus dem Notstand zum Glück erhöht, zur breiten Aktualisierung der in einem einzigen Exemplar noch nicht erschöpften Potenz. Die formae subsistentes freilich, die reinen Formen ohne Materie – das ist ebenso abergläubischer wie bodenloser Idealismus; er steht hinter den naturalistischen Aristoteles-Interpretationen der Araber weit zurück. Doch wie bemerkt: nur durch die Beschränkung der Materie auf die körperlichen Formen gewann Thomas das Prinzip der Quantität. Gerade dadurch, daß in den geistigen Formen nicht ein Tropfen Materie fließt, gerade durch diese Exklusivität des Spuks wurde für die Wirklichkeit eine wichtige Teilbestimmung vorbereitet: die quantitativ-mechanische. Die thomistische Gleichung: materia = quantitas war folgenreich; nichts überraschender, als einen *Keim* der Keplerschen Definition (»Materie ist unendliche Teilbarkeit«), ja der Descartesschen (»Materie ist teilbare, gestaltbare, bewegliche Größe«) bereits hier zu entdecken. Nur: die thomistische Gleichung mochte in der ständischen Gesellschaft ihren Sinn noch nicht entfalten; sie wurde – bei mangelnder Thematik – von den geistigen Formen und der alles überwältigenden Teleologie erdrückt. So daß im Quantitätsbereich der thomistischen Materie, selbstverständlich, keine Spur von Demokritismus steckt; so daß gerade die Einheits-Auffassung der nachmaligen Mechanik im schärfsten Kampf gegen das thomistische Stufensystem von Stoffen und Formen lag. Dennoch eben bestehen Zusammenhänge zwischen den thomistischen Definitionen der Materie und jenen des Descartes, auch Hobbes; denn die Scholastik der »Materie« versank nicht jäh wie die der »Formen«. Ja der mechanische Kampf gegen das Stufensystem war im Spätmittelalter selbst vorbereitet, nämlich durch den großen Gegner des Thomas selber, durch *Duns Scotus*, mit dem deshalb hier zu schließen ist. Griff doch das bürgerliche Leben immer näher zu dem sinnlichen Stoff, den es vor Augen hatte, woraus Mönche wie Laien gleichmäßig gemacht waren. Der franziskanische Preis des Tuns vor der Beschaulichkeit, des Willens vor dem Geist, paßte ebensogut in diese Bahnen wie die erneuerte Liebe zu den sinnlich wahrnehmbaren Einzeldingen. Das alles ist neues, europäisches Gut, wenn auch von Avicebron beeinflußt; deutlich arabisch aber ist die *Wiedergeburt der universalen und der intelligiblen Materie*. Eben dieses findet sich, in verschiedenem Ausmaß, bei den franziskanischen Scholastikern, so bereits bei Roger Baco: die Formen fließen nach der Ansicht dieses ersten Empirikers nicht aus einer transzendenten Ursache, sie sind vielmehr der Potenz nach schon in der Materie enthalten; die Tätigkeit der wirkenden Ursache erregt lediglich die Materie dazu, sich selbst durch eine in ihr liegende Kraft zu verändern und die Formen aus ihr herauszuziehen. Duns Scotus nun fügt diesem Averroismus allerhand Avicebron hinzu, vor allem in Ansehung der intelligiblen Materie; er bestreitet dem Thomas, daß die geistigen Formen stofflos seien. Das Weltbild des Duns Scotus erhellt aus einem Satz, der seiner Bildhaftigkeit nach in der gesamten Scholastik selten sein dürfte; in dem Satz kreuzen sich feudale Stammbäume mit der »organischen« Weltfreude viel späterer Zeit. Er lautet: »Und so stellt die Welt sich dar als allerschönster Baum, dessen Same und Wurzel die erste Materie, dessen Blätter die flüchtigen Accidentien, dessen Äste und Zweige die sterblichen Geschöpfe, dessen Blüte die vernünftige Seele, dessen Frucht die engelhafte Natur« (»Ex his apparet, quod mundus est arbor quaedam pulcherrima, cujus radix et seminarium est materia prima, folia fluentia sunt accidentia; frondes et remi sunt creata corruptibilia, flos anima rationalis; fructus naturae consimilis et perfectionis natura angelica«; Duns Scotus, Tractatus de rerum principio). Des näheren unterscheidet Duns Scotus die erste oder reine Materie (materia primo-prima), noch ohne Bestimmtheit und Form, sie kann bereits an sich bestehen, unabhängig von der Form, und ist das Substrat der göttlichen Wirksamkeit. Ihr folgt die zweite Materie (materia secundo-prima), diese ist bereits durch Quantität, substanzliche Formen bestimmt und das Substrat der geschöpflichen Wirksamkeit; eine dritte Materie (materia tertio-prima), das Substrat der menschlichen Kunstprodukte, schließt sich an. Als Substrat der Geschöpfe ist die zweite Materie – in bedeutsamem Unterschied zu Thomas – auch den Seelen und Engeln beigemischt, wenn auch in vollkommenerer Durchdringung und Einheit mit der Form. Daher schließen die geistigen Wesen die Quantität von sich aus und bewahren wegen ihrer Nähe zu der göttlichen Einheit gottähnliche Einfachheit und Unkörperlichkeit. Die erste Materie aber liegt allen Dingen zugrunde und ist sämtlichen Geschöpfen gemeinsam, den körperlichen wie geistigen, sie ist das zu allen Formen bereite Ur- und Grundpotential. Damit eben (und er bestätigt es ausdrücklich) kehrt Duns Scotus zur universalen Materie des Avicebron zurück; mit einer Wendung freilich, die stärker noch als die thomistische Quantität künftige Entwicklungen vorbereitet. Indem nämlich die erste oder universale Materie völlige Unbestimmtheit oder Grundpotential ist (Quantität kommt ihr ja erst auf der Stufe der materia secundo-prima zu), ist sie zugleich die völlige Einerleiheit in allem. Das principium individuationis liegt deshalb nicht im Stoff, wie bei Thomas, sondern lediglich in den Formen, welche den Stoff bestimmen, disponieren und verwirklichen. Duns Scotus ist in Ansehung der Materie kein Nominalist, im Gegenteil: hier betont er aufs stärkste die Realität, das Universale, nämlich die Einerleiheit und die

Einheit des Dingsubstrats. Er ist aber auch den Formen gegenüber nicht ganz Nominalist, obwohl er das Einzelne gerade als das Wirkliche betrachtet, obwohl er das principium individuationis zum Formprinzip selber macht und geradezu eine Wertklimax vom Genus zur Species zum Individuum aufstellt; indes: er erhebt doch das principium individuationis zum Formprinzip selber. Was Duns Scotus lehrt, ist Universalismus in Ansehung der Materie, »Formalismus« in Ansehung gerade der Einzelheiten. Das Singulare selbst rückt nun ins Reich der Formen (die in den früheren Behandlungen des Universalienproblems gerade die der Einzelheit fremden, die zur Allgemeinheit aufsteigenden waren); die Individualität (ecceitas oder haecceitas) wird nun selbst eine Form, und zwar die letzte, die höchste. Dadurch gerade soll sich hier die Universalität der Materie verstärken, und zwar eben im Sinn der Einerleiheit und Einheit – omnia univoce participent materiam. Von diesen Univoce aus gehen die Nachwirkungen des Scotismus auf den späteren Materiebegriff, und zwar in doppelter Weise, je nachdem, ob die *Einerleiheit* oder ob die *Einheit* der Materie betont wird. Einerleiheit ist dasselbe wie *Homogeneität:* die universale Materie Avicebrons verwandelt sich hier zur einförmigen, zum überall gleichen Substrat der Phänomene; es hält nicht schwer, auch bei Duns Scotus Prämissen zur Materie des Galilei, Descartes, Hobbes zu erkennen, wenn auch andere Prämissen als bei Thomas und der Quantität. Von der materiellen Einerleiheit, Homogeneität her entbrannte ja gerade der Kampf gegen das mittelalterliche Stufensystem der Welt – das All wurde früher nivelliert als die menschliche Gesellschaft. Faßt man das Univoce freilich im Sinn der *Einheit*, so ist die Materie ganz im alten Sinn des Arabismus das *Fundament des Weltzusammenhangs* und wird von Duns Scotus auch so bezeichnet (unum primum, quod est metrum et mensura omnium). Von dieser Seite her also leuchtet Avicebron fast unverändert durch den Scotismus, wie denn überhaupt die naturalistischen Elemente der arabisch-jüdischen Philosophie gegen Ende der Scholastik vordringen. Averroës war selbst im Hochmittelalter, gerade an der Sorbonne als dem Zentrum der Studien, nie erloschen; gegen Ende des Mittelalters herrschte er in Padua, wirkte von hier aus in die

italienische Renaissance. Und das Ende all der vielverschlunge-
nen, eintönig-mühevollen Kombinationen, die die Spätscholastik mit Materie und Form anstellte, war Rückkehr zur universalen Materie, zur Materie als Schoß der Formen. Methodisch ist
zwischen Scholastik und neuerer Philosophie ein gewaltiger
Bruch, auch die Metaphysik der Formen wurde nach kurzer
Zeit – dem Niedergang der ständischen, dem Aufgang der bürgerlichen Gesellschaft entsprechend – kaum mehr verstanden.
Aber die Metaphysik der Materie hat sich, wie bemerkt, in
manchen ihrer scholastischen Bestimmungen erstaunlich überliefert; trotz der veränderten Gesellschaft, trotz des Abbruchs
der Formen. Die immer öderen Prozent- und Kombinations-
rechnungen zwischen Stoff und Form versanken, erst recht die
»Wissenschaften« der reinen oder subsistenten Form. Mittels
derer die Biologie der Engel, die Anatomie der Dreieinigkeit
klassifiziert worden waren, als wäre hier nicht nur »gewissestes
Sein«, sondern pedantisch erfahrbares. Aber wenn die Formen-
Metaphysik verschwand, so die der Materie eben nicht oder
nicht entfernt im gleichen Maße, wie es von einem bloßen Korrelat erwartbar gewesen wäre. Quantität, Homogeneität, Fundament des Weltzusammenhangs – diese blieben, zu sehr verschiedenem Gebrauch, Schul- und Erbbegriffe aus der Zeit der
materiellen Potenz.

25   MATERIE ALS GRÖSSE UND AUSDEHNUNG;
              GANZ ANDERS:
          ALS ORGANISCHE WELTGÖTTIN
           (Galilei, Hobbes, Descartes; Bruno)

Der bürgerliche Mensch drang durch, er dachte von der Ware
her. So wird das Licht, das von hier aus auf den Stoff fällt, ein
besonders bekanntes. Mindestens die naturwissenschaftliche
Forschung arbeitet, seit die Formen nicht mehr spuken, lang auf
rein mechanischem Wege. Gassendi hat seit 1620 Epikurs Atome erneuert, nach ihrem langen Schlaf, er nennt sie die »Kerne
aller Dinge«. Sie sind unerzeugbar und unzerstörbar, sie verändern sich nicht, sondern bewegen sich nur im Raum, die For-

men entstehen ausschließlich aus der wechselnden Verbindung der Atome, bestehen daraus und vergehen wieder. Völlig entschieden geht die Form bei *Galilei* unter; zugleich streift die mathematische Theorie der Bewegung den letzten Rest der pythagoreischen Qualifizierung von Zahlen ab, mit dem sie bei Kepler noch behaftet war. Galilei führt das Bewegungsmoment in die Materie ein; es tritt bei jeder Änderung im Zustand eines Körpers quantitativ-meßbar zutage. Da dies Moment bei gleichen Geschwindigkeiten von den Gewichten, bei gleichen Gewichten von den Geschwindigkeiten abhängt, so offenbart sich in ihm sowohl eine konstante als eine variable Größe. Die konstante Größe ist die Masse, die zusammen mit der variablen: der aktuellen oder virtuellen Bewegung das Wesen des bewegten oder der Bewegung fähigen Körper bildet; der materielle Körper also ist ein Produkt aus Masse und Bewegung. Aristotelisch-scholastisch war die Materie das Zufällige, weiterhin das Untererkennbare oder das nur durch Analogie Formulierbare: nun aber, wo Kalkül und Warenumlauf andere Evidenzen schaffen als die Formen, wird Materie – als mechanische – Hauptbestand des neuen Begriffssystems. Sowohl die quantitative wie die homogene Begriffsbestimmung sind uns von Thomas und Duns Scotus her vertraut; doch sie haben durch geometrische Behandlung und Totalität ein wahrhaft riesiges Gesicht erlangt. Quantität ist hier nicht mehr das Prinzip der Individuation, sondern der Gleichartigkeit, worin gerade der Zufall und die Singularitäten (mitsamt der sogenannten Formenfülle) untergehen. Der Begriff der Materie bildet nicht mehr den Gegensatz, sondern das Korrelat der gedanklichen »Notwendigkeit« als einer Notwendigkeit des mathematischen Kalküls, der mechanischen Bewegung und ihrer Dieselbigkeit. Identität und Unveränderlichkeit sind nicht nur der mathematischen Behandlung zugänglich, sie garantierten damals zugleich, daß von der Materie ein vollkommenes, dem mathematischen vergleichbares Wissen erreicht werden kann: die Physik wird so evident wie die Geometrie (vgl. dazu Cassirer, Das Erkenntnisproblem I, S. 387 f.). Die dem Mittelalter so dämonische Natur wird die allererhellbarste; Galileis Materie ist das Substrat des mathematisch-mechanischen Verstandes. So verschwanden nicht nur die

Qualitäten spurlos, alles wurde quantifiziert entsprechend dem Warenaustausch, auch von der merkwürdigen, vieldeutigen »Passivität der Materie« bei Aristoteles war in Galileis Mechanik nur die Trägheit übriggeblieben, das Trägheitsgesetz als Fundament der mechanischen Bewegungstheorie. Dialektik ist damit verriegelt; denn die dialektische Materie, als die des Prozesses, ist eben das Gegenteil von »Identität und Unveränderlichkeit«. Um diesen Preis also ist die mathematisch-mechanische Theorie der Bewegung entwickelt worden, um diesen Preis wurde Materie auch als Dynamei on, als Substrat der Möglichkeit verlassen, verriegelt. Ja, die mathematisch rein gemachte Materie kehrte immer wieder zum bloßen Synonym für Körper oder Ausdehnung zurück; so bei Hobbes, so bei Descartes. Auch nach *Hobbes* ist nur dasjenige wissenschaftlicher Gegenstand, was im Raum ist und sich darin bewegt, also der Körper; Philosophie ist Körperlehre. Kein Körper unterliegt hier anderen Veränderungen als der Bewegung seiner Teile; Materie aber wird ein bloßes Wort und eine Abstraktion vom Körper, sie hat keine Substanz. Damit hat der Nominalismus, der früher nur die selbständig wesenden Formen bestritten hatte, sogar den Stoff selber herabgesetzt; »die materia prima ist (sc. nichts als) der Körper im allgemeinen, nicht als ob er keine Form oder kein Akzidens hätte, sondern wenn und soweit an ihm Form und Akzidenzien mit Ausnahme der Quantität unberücksichtigt sind« (De corpore, cap. 8). Noch entschiedener als bei Hobbes ist bei *Descartes* die Materie bloßer Ausdehnung zugeordnet; genauer: Hobbes lehrte den Raum als bloßes phantasma rei existentis, Descartes dagegen bestimmte ihn als eigene Substanz selber, als res extensa, und das zum Unterschied von der anderen Substanz, von der res cogitans (dem Bewußtsein), machte ein Attribut der Substanz daraus (es gibt bei Descartes keinen *leeren* Raum). Dadurch freilich erlangt die Materie wieder realistische Würde; weit entfernt davon, bloße Abstraktion von Körpern zu sein, wird die körperhafte Materie eine Substanz, und die Körper sind lediglich attributive Weisen der Raummaterie, modi extensionis. Aber auch für Descartes fällt der physikalische Körper mit dem geometrischen zusammen, auch hier klingt die Hobbesche Definition der Materie als bloßer Raumerfüllung nach. Bewegung ist bei Descartes nur eine örtliche Veränderung unter den Teilen des unendlichen Raums, alles physikalische Geschehen reduziert sich auf eine Verschiebung der Korpuskeln im Lageverhältnis zueinander. Der Körper und sein Stoff bleibt so überall nichts als der von ihm eingenommene Raum; jeder Trieb, der die ausgedehnte Materie dem Geist näher brächte, selbst Schwere wird dem Körper abgesprochen. Da den Raumgrößen keine selbständige Bewegungskraft innewohnt, läßt Descartes diese nur von Gott geborgt sein: der Naturprozeß wird lediglich durch Übertragung der göttlichen Kraft von Raumteil zu Raumteil in Gang gehalten. Die Vorgänge dieser Übertragung sind ausschließlich die von Druck und Stoß, ihre Gesetze sind mechanisch-kausal und entbehren der Teleologie: der Körpermaterie selber fehlt noch jeder Kraftbegriff, sie ist noch nicht das Substrat des späteren *dynamisch*-mechanischen Materialismus. Überraschend genug, daß erst von einer ganz anderen, zwar gleichzeitigen, aber der mathematischen Naturphilosophie ferner stehenden Seite, von Henry More und Cudworth eine so wichtige, heute fast selbstverständliche energetische Bestimmung wie Widerstand des Raumfüllenden gegen Durchdringung, also Undurchdringlichkeit, Festigkeit, solidity eingeführt wurde. Und diese Bestimmung kam nicht aus naturwissenschaftlicher Forschung, sondern aus – neuplatonischer Philosophie: More und Cudworth waren Häupter der neuplatonischen Schule von Cambridge; es war noch einmal die intelligible Materie, welche dem Ausgedehnten lebendige Kraft, das ist, die Eigenschaft der »Geister« verlieh. Das pure Geometricum der Descartes'schen Materie zeigte sich aber noch an einer anderen Stelle, nämlich an dem Dualismus, in den es notwendig mit der zweiten Substanz geriet, der res cogitans, dem Bewußtsein (cogitatio). Hobbes hatte jede mögliche Wissenschaft auf Körperlehre eingeschränkt (»das Geistige muß der Offenbarung überlassen werden, es sei denn, daß Gott selber einen Körper habe«); Empfindung und Bewußtsein sind bei ihm Bewegungsarten des menschlichen Leibs, der Staat ist ein purer Zweckverband zur Niederhaltung der pöbelhaften Egoismen durch weniger pöbelhafte, die Furcht vor unsichtbaren Mächten ist Aberglaube und heißt Religion, wenn dieser Aberglaube dem Staat nützlich ist. Soweit der kaltblütige, der durchaus materialistisch entzaubernde Hobbes; Descartes dagegen hatte, obzwar rein idealistisch übertrieben, an seiner aus dem Materiellen ausscherenden Bewußtseins-Substanz ein Problem, das gerade bei jeder Erweiterung des Materialismus immer wieder übel hervortritt, das rein mechanisch nicht lösbar ist, rein idealistisch erst recht nicht. Descartes nämlich, indem er die Materie gänzlich auf Ausdehnung beschränkt, bricht ihr zur Welt des Lebens, Bewußtseins, Geistes jede denkbare Verbindung ab. Ein totaler Anspruch des Kalkül- und Maschinendenkens ließ noch die Tiere, ja Menschenleiber als Mechanismen erscheinen, doch gerade indem die Natur völlig mechanisiert wurde, trennten sich Leib und Seele, Materie und Bewußtsein bei Descartes mit einem Riß, wie er selbst im Mittelalter unerhört war. Dort hatte Thomas die Leibmaterie durchaus als »dispositio« zur Seele zu bestimmen versucht, und der Mensch lag auf dem Horizont zwischen den materiell-inhärenten, immateriell-reinen Formen. Aber Descartes leugnet, infolge seiner heterogenen Substanzlehre, jeden Einfluß der räumlichen Substanz auf die denkende und umgekehrt; nicht grundlos berühren sich daher die rein metaphysisch überbrückenden Kausalitätstheorien der Descartes'schen Schule, bei Geulincx und auch Malebranche (den influxus physicus, den Kausalzusammenhang zwischen Leib und Seele betreffend), in diesem Punkt mit den abenteuerlichen Lehren vom stetigen Einfluß Gottes. Geulincx läßt für den Körper nur eine physisch-psychische Einwirkung zu, insofern er dem göttlichen Eingreifen »Gelegenheitsursachen« liefert, okkasionalistisch, nicht urhebend. Thomas hatte umgekehrt gerade die relative Selbständigkeit und eigene Kausalität der Dinge als Willen des christlichen Gottes dargestellt, der eine selbständige Welt wünscht und ihr einen Teil seiner Kraft zum Lehen gibt. Demungeachtet bezeichnet es Malebranche, der eigentümlichste Nachfolger des Descartes, geradezu als Kennzeichen christlicher Philosophie, daß sie Gott als alleinige Ursache des Geschehens in den Körpern wie Geistern habe – eben dieses aber war die Metaphysik der Motekallemin oder der extremsten islamischen Transzendenz. So viel Transzendentes also mochte sich, bei Malebranche, an eine Naturphilosophie noch anschließen, die in allen Grundzügen die mechanisch-materialistische Naturforschung ihrer Zeit aufnimmt, ja entscheidend an deren mathematischem Rüstzeug mitarbeitete. Die Ausschaltung der Kraft aus der Materie, die Gleichung Materie = Ausdehnung, die daraus resultierende Schärfe der Zwei-Substanzen-Lehre haben Physik und Metaphysik (bereits die Psychologie wird von Descartes so benannt) auseinandergerissen. Andererseits gab sich die Mechanerie La Mettries, des radikalsten mechanischen Materialisten, später als Cartesianismus aus; – L'homme machine bei Descartes wie La Mettrie gab dazu den Übergang. Gerade die Einseitigkeit, womit extensio und cogitatio ausgearbeitet sowie voneinander ferngehalten wurden, beförderte die mechanistisch-materialistische Fassung der Körperwelt (die solidity kam stillschweigend hinzu). Kann das Ausgedehnte denken? – mit dieser späteren Frage war der Cartesianismus verwandelt. Eben durch die Trennung der beiden Substanzen war diese Verbindung zwischen beiden einladend geworden, andrerseits schien die Substanz des Denkens – bei solch geschlossener Totalität der Ausdehnung – überflüssig.

Ganz anders ließ sich der Stoff immer an, wo er nicht nur gewogen und berechnet wurde. Gar wo er in Fleisch und Blut erschien und ebenso draußen, als das überall lebende Sein. Giordano *Bruno* hat den Ton dafür gefunden, der Mann aus Nola, aus der Landschaft von Vesuv und Mittelmeer. Auf allen Sätzen Brunos liegt ihr Licht; ein an sich mäßiges Sonett an Apollo zeigt trotzdem den Jubel, den die beleuchtete Welt als solche entfachte: »Dir will ich lauschen, meine holde Stimme, / Du rufest, daß dem Abgrund ich entklimme, / Dir dank ich, göttlich Licht, du meine Sonne, / Die du mich führest in das Haus der Wonne.« Bruno bekämpfte nicht etwa das Christentum, mit seinem Apollo, sondern er hatte es bereits mit der Kutte ausgezogen, das »gewisse tragische Mysterium aus Syrien«. Er fühlt sich als neuer Lukrez, und der berühmte Anruf, worin Lukrez unter dem Bild der Venus die schaffende Naturkraft feiert, ist Brunos Evangelium. Nochmals lebt sich hier die Renaissance aus, in der Diesseitigkeit des erwachenden Bürgertums, diesfalls nicht analytisch, sondern gesteigert zu einem organisch-hymnischen Weltbild. Dem war, auf deutsche krause Weise, auch Paracelsus voraufgegangen, die innere Schaffenskraft der Welt suchend und betonend, den »Archeus« im Menschen, den »Vulcanus« in der Natur, beide im Gesunden (als Vorgang wie als richtigem Sein) sich beistehend. Seit Kopernikus überhaupt springt die Weltenge samt der Himmelsdecke, die göttliche Unendlichkeit dringt als völlig leibhafte des Weltraums an, das Universum überwältigt den geistlichen Himmel und setzt sich selbst als Gott. Und hier unten erscheint Natur als Mutter – der alte vorchristliche Gaiamythos kehrt wieder, Demeter-Isis säkularisiert sich zur irdischen Materie. So hatte bereits Paracelsus die materiellen Elemente als die »Mütter« zu allen Dingen bezeichnet und die Urmaterie, worin die Keime zu allen liegen, als limbus mundi, als Vorraum der Welt. Aber auch der patriarchalische oder himmlische Astralmythos erneuert sich in diesem Materialismus; denn das Auge der Materie ist eben Apollo oder die im Unendlichen schwebende Sonne. Die reinen Formen verschwinden nun völlig zugunsten der einzig realen Substanz, der materiellen; das Materialprinzip, besonders in der Gestalt, die es bei Avicebron und Averroës gefunden hat, bleibt als einziges, und jede Autarkie der Formprinzipien neben der Materie wird von Bruno abgelehnt. »Wir sehen alle Formen der Natur aus der Materie schwinden, und wieder in die Materie eingehen; daher scheint in Wirklichkeit nichts beständig, fest oder ewig und der Geltung eines Prinzips wert als die Materie. Überdies haben die Formen kein Sein ohne die Materie, in welcher sie entstehen und vergehen, aus deren Schoß sie entspringen, und in deren Schoß sie zurückgenommen werden. Deshalb muß die Materie, die immer dieselbe und immer fruchtbar bleibt, das bedeutsame Vorrecht haben, als einziges substantielles Prinzip und als das, was ist und bleibt, anerkannt zu werden, während alle Formen zusammen nur als verschiedene Bestimmungen der Materie anzuerkennen sind, welche gehen und kommen, aufhören und sich erneuern, und deshalb nicht alle das Ansehen eines Prinzips haben können. Deshalb haben einige, da sie das Verhältnis der Formen in der Natur wohl erwogen hatten, soweit man es aus Aristoteles und anderen von ähnlicher Richtung erkennen konnte, zuletzt geschlossen, es seien die Formen nur Akzidenzien und Bestimmungen an der Materie, und das Vorrecht, als Aktus und Entelechie zu gelten, müsse daher der Materie angehören, nicht solchen Dingen, von denen wir in Wahrheit nur sagen können, daß sie nicht Substanz noch Natur, sondern Dinge an der Substanz und an der Natur sind. Diese aber, behaupten sie, ist die Materie, die nach ihnen ein notwendiges, ewiges und göttliches Prinzip ist, wie bei jenem Mauren, dem Avicebron, welcher sie den allgegenwärtigen Gott nennt« (Von der Ursache, dem Prinzip und dem Einen, 3. Dialog). Freilich stimmt Bruno selber dieser völligen Absetzung des Formalprinzips an einigen Stellen nicht ganz zu; Teofilo, der Sprecher des Nolaners, ergänzt daher im gleichen Dialog, daß neben dem Materialprinzip allerdings noch ein formales bestünde, wenn auch in inniger Vereinigung mit der Materie, das er Weltkraft, Weltseele nennt, universale Form. Die Weltseele sprengt aber Brunos Materialismus nicht durch irgendeinen neuen, gleichsam innerweltlichen Dualismus, sondern sie ist in der Welt, wie »der Steuermann im Schiff«, sie garantiert der Materie ihre immanente Lebendigkeit. Die Materie erhält hier ihre Abmessung und Gestalt nicht von außen, sondern es ist ihr eigener Schoß, aus dem die mannigfaltigen Bildungen steigen, und zwar, wie Bruno ausdrücklich bemerkt, die quantitativen ebenso wie die der sogenannten Formen. Indem er eine unkörperliche Materie lehrt, der keine Ausdehnung zukommt, und auch die körperliche Materie fast als Spezialfall der allgemein intelligiblen begreift, nämlich als bloß kontrahierte, als eine, »welche die Art ihrer Ausdehnung erst entsprechend der Art von Form erhält, welche sie annimmt« (l. c., 4. Dialog). Erst recht sind diese Formen selber von innen her in der Materie enthalten, als in der materiellen Weltseele oder beseelten Materie: der Stoff allein strebt zur Gestaltung auf, ohne Verursachung durch ein ihm jenseitiges Form- und Zweckprinzip, – die Materie ist hier die einzige Quelle der Formwirkung. Bruno will also nicht (wie die Physiker seiner Zeit) Materie auf ein mechanisches Fixum beschränken, sondern umgekehrt: er unterlegte ihr außer der unendlichen Entfaltbarkeit und der Entfaltbarkeit zu unendlichqualitativen Formen auch die Kraft (den Aktus) zu dieser Entfaltung. Dabei allerdings lehnt Bruno zusammen mit einer bloßen passiven Potentialität erstaunlicherweise auch den Aristotelischen appetitus der Materie ab; obwohl dieser appetitus als Streben, Verlangen, Sehnsucht, Trieb in Brunos materieller »Weltseele« Platz gehabt hätte. »Die Materie begehrt nicht jene Formen, die sich täglich auf ihrem Rücken ändern ... Überdies haben wir nicht besseren Grund zu sagen, daß die Materie die Formen begehre, als im Gegenteil, daß sie sie hasse; ... denn mit ebenso gutem Grunde, wie man sagt, daß sie das begehrt, was sie manchmal empfängt und hervorbringt, kann man auch sagen, wenn sie abwirft und beseitigt, daß sie verabscheut, ja viel mächtiger verabscheut als begehrt, da sie doch die einzelne Form, die sie für kurze Zeit festgehalten hat, für ewig abwirft« (l. c., 4. Dialog). Der Tenor dieses Satzes wäre offenbar sehr weitgreifend, denn er könnte zuletzt nichts geringeres besagen, als daß die Materie ein Ungenügen an den bereits gewordenen Gestalten hätte und ebenso gerade jene sehr unabgeschlossene Möglichkeit fundierte, welche immer neue Gestalten, geradezu Auszugsgestalten aus sich gebiert. Indes kommt dem leider Brunos letzthin statisch bleibende Weltfrömmigkeit in die Quere, wonach im *Universum* der Materie alles Seinkönnende schon da ist. »Also ist diese Welt, dieses Wesen, das wahre, universale, unendliche, unermeßliche, in jedem seiner Teile ganz, mithin das Ubique, die Allgegenwart selber« (l. c., 5. Dialog). Doch war der Pantheismus (die Säkularisierung Gottes) endlich durchgebrochen, und die Materie, nicht eine davon abgetrennte Weltseele oder ein Weltgeist, hat die Substanz zu diesem Pantheismus abgegeben.

26   MATERIE, GESEHEN IN GOTT;
      ALS AUSDEHNUNGS-ATTRIBUT GOTTES
              (Malebranche; Spinoza)

Zweifelnd, nüchtern, von vorn an hatte das neuere Denken eingesetzt. Aber die Männer, die es weiter betrieben, hatten noch sehr viel gläubigen Saft oder Blume in sich. Das verflog vor dem Zweifel schon deshalb nicht leicht, weil dieser noch nicht so sehr das Unsichtbare bezweifelte als das Undeutliche. Deutlich waren die geometrischen Verhältnisse der Körper, deutlich aber auch war die Vorstellung Gottes. Gott also blieb im Hintergrund ständig erhalten, ja er gewann in neu aufgetauchten Zweifelsfragen, wie denen des Verhältnisses von Körper und Seele, eine nützliche methodische Bedeutung. Er wurde gleichsam das, als was der Staat in der gleichzeitigen bürgerlichen Ideologie erschien: übergeordneter Ausgleich zwischen widerstreitenden Gruppen. Descartes hatte Ausdehnung und Denken, Körper und Geist völlig voneinander getrennt; wie muß also der »Schein« eines influxus physicus, einer Einwirkung des Körpers auf den Geist, aber auch des Geistes auf den Körper gedeutet werden? Dazu eben bot sich das Tertium des Gottesbegriffs als Vermittler an. Es hinderte zunächst materialistische Folgerungen, freilich auch seelisch-spiritualistische; da aber Gott Geist ist, stand er der seelischen Gruppe ohnehin näher. Derart wird bei Geulincx jede Wechselwirkung zwischen Körper und Seele geopfert, ja jede Wirkung von Körpern und Seelen aufeinander. Leib und Seele stehen ausschließlich durch ihren Urheber in kausaler Beziehung; sie sind – nach einem damals eingänglichen (immerhin maschinellen) Bild – Uhren, die gleich, sozusagen parallel gehen, weil sie vom selben Meister gearbeitet worden sind. Noch viel frenetischer wurde der influxus physicus von *Malebranche* auf Gott zurückgeschoben: hier kann der Körper auf den Geist, der Geist auf den Körper nicht nur nicht wirken, der Geist kann auch nichts nur Körperhaftes erkennen. Der Körper hat nur die Fähigkeit, bewegt zu werden, keine zu bewegen; Malebranche nennt die Annahme, daß Körper aufeinander wirken können, sogar »heidnisch« oder den »Grundirrtum der antiken Philosophie«. (Er wußte eben nicht, daß die »Grundwahrheit« von der alleinigen Kausalität Gottes dafür islamistisch ist, wurde sie doch von den orthodoxesten Kismet-Philosophen, den Motekallemin, zuerst und mit aller Ausführlichkeit gelehrt). Relative Selbständigkeit der Verursachung (Motivation) gibt es danach nur in der Seele; stammte nämlich auch diese Motivation nur von Gott, dann wäre er auch die Ursache der Sünde und des Irrtums, so aber stamme diese Ausnahme lediglich aus dem Sündenfall und sei überhaupt ein »Mysterium«. Regulär geschieht alles in der Welt einzig durch Gott, und alles ist von ihm umfangen. So ist Gott der auch den Raum umfassende Ort der Geister; alle Erkenntnis folglich geschehe so, »que nous voyons toutes choses en Dieu« (De la recherche de la vérité, 1675). Es gibt eine ideale Körperwelt in Gott, ihre »idée primordiale« ist die der intelligiblen Ausdehnung, nach dieser Idee wurden von Gott erst die einzelnen materiellen Körper geschaffen, in ihr allein werden sie vom menschlichen Geist mathematisch erkannt. Deshalb zweifelte Malebranche nicht daran, daß die Physik einmal dieselbe Evidenz haben werde wie die Geometrie; deshalb wiederum wird der Erkenntnis der materiellen Körper (und ihrer von Gott mitgeteilten Bewegungen) eine größere, bis auf den Grund gehende Deutlichkeit zuteil, als die der Seelen hat (mit deren »Freiheits-Mysterium«). Denn in der intuitiv-rationalen Erkenntnis eben (als der einzig deutlichen) geht das Allgemeine dem Besonderen zuvor; die Körperwelt der mathematischen Mechanik aber enthält mehr »Allgemeines« als die Seelenreihe. Verblüffend derart, wie nahe sich der tollste Spiritualismus mit der Mechanik im mechanischen Materialismus vermittels dieser Allgemeinheit berühren kann; das Bindeglied heißt ausnahmslos gesetzte Notwendigkeit. Das primordial Allgemeine bleibt aber trotz Sündenfall und Freiheitsmysterium auch der Deduktionsort für alle Regungen der Seelen, der Geister, auch ihnen, ja letzthin ihnen erst recht ist Gott ihr Ort; denn alle Dinge eben sind bei Malebranche nur in Gott zu sehen, aus ihm folgend, durch ihn zusammenhängend. Wie erstaunlich dann, daß sich hier Berührungen nicht nur mit der Mechanik der Welt, sondern sogar höchst ungewollt mit einer Vergottung der Welt ergaben, wie sie gerade bei dem doch so äußerst untranszendenten Spinoza Durchbruch fanden. Malebranche nannte zwar den gleichzeitigen Spinoza »le misérable« und definierte ihn als äußersten Gegensatz; denn dieser habe Gott in der Welt, er dagegen die Welt in Gott – »der Gott« selber freilich ist höchst verschieden. Das Pathos der »Ausdehnung« aber, als einer idée primordiale, ist auch bei Malebranche; Gott als Ort der Geister steht geradezu in definitorischer Nähe zum Raum als Ort der Körper. Malebranche ist die versuchte spiritualistische Gegenbewegung gegen einen unaufhaltsamen pantheistischen Materialismus. Dieser war das Thema in der geistigen Frühgeschichte des Bürgertums; die Flucht vor dem Thema geriet deshalb nur als eine andere, vertrackte Art seiner Abwandlung.

Daher der doppelt gereizte Haß, als die Sache aufkam. Als Spinoza beim Namen nannte, was manchen Frommen nur so auf der Zunge lag. Nämlich das ausgedehnte Diesseits und seinen Sieg – nicht über Gott, aber in Gott, in einem völlig verwandelten. *Spinoza* übertraf sämtliche Patres aus Malebranches Orden an religiöser Glut, aber er übertraf sie auch an naturwissenschaftlichen Kenntnissen. Ungebrochen und materialistisch ragen einige ihrer bis ins Psychologische und Staatstheoretische herein. So das Bestreben der Körper, in ihrem Zustand zu verharren: es kehrt im Bestreben, »sein Sein zu erhalten«, überall wieder. Das Suum esse conservare als wirkliches Wesen aller Dinge (Ethik III, Lehrsatz 6 und 7), dieser anerkannte Grundtrieb des Egoismus ermöglicht die erste Kritik vieler Beschönigungen und Verhüllungen. Zugleich wird mit einer Nüchternheit, die der des Hobbes ebenbürtig ist, der bürgerliche Staat als purer Ausgleich streitender Egoismen definiert; es gibt nur eine in diesem Sinn mehr oder minder funktionierende Staatsmaschine, es gibt keine eigene Staatsmoral. Auch die Sittlichkeit beruht auf dem Naturgesetz des Suum esse conservare und ist dessen Krönung: nämlich als Trieb, sein Sein zu mehren. Nun aber besteht hier diese Vervollkommnung durchaus nicht nur in der des Geistes, sondern, da alle Modi des Seins Körper und Geist parallel darstellen, so geht der Körper mit der theoretischen Vervollkommnung im gleichen Gang zur Stärke. »Es kann in unserem Geist keine Idee geben, welche das Dasein unseres Körpers ausschließt« (Ethik III, Lehrsatz 10): diese Ethik ist also keine spirituelle. Das Baconsche Prinzip »Wissen ist Macht« kehrt bei alldem mit völlig neuem Glanz wieder, mit einem nicht utilitaristischen, wohl aber mit einem römisch-stoischen, mit dem leibhaftiger virtus. Entscheidender noch als alle diese Naturalismen ist die grundlegende Rolle, welche das Attribut der *Ausdehnung* im Verhältnis zu dem des Denkens, ja in der göttlichen Substanz selber erhält. Ganz und gar irdisch ist bereits der Satz: »Geist und Körper sind ein und dasselbe Ding, welches bald unter dem Attribut des Denkens, bald unter dem der Ausdehnung begriffen wird« (Ethik III, Lehrsatz 2, Anm.). Und das Attribut der Ausdehnung hat den Vorrang im Begreifen, die Begriffe corpora und res werden durchgehend synonym gebraucht, Körperlichkeit und Realität fallen darin zusammen. Spinoza will die menschlichen Handlungen nicht bloß betrachten, als wären sie Linien, Flächen oder Körper, sie entfalten sich vielmehr selber nach geometrischer Gesetzmäßigkeit, nach der Logik der Ausdehnung, reflektiert in der Bewußtseinsreihe (cogitatio). Weshalb der berühmte Satz: »Die Ordnung und der Zusammenhang der Ideen ist dieselbe wie die Ordnung und der Zusammenhang der Dinge« statt des unterschobenen idealistischen Sinns das genaue Gegenteil davon enthält, nämlich einen objekthaft-materialistischen. Die Ordnung der Ideen ist deshalb dieselbe wie die der Dinge, weil das Attribut der Ausdehnung (Körperlichkeit, Materie) die Anweisung für den Vorstellungsverlauf und Vorstellungsinhalt im menschlichen Denken abgibt. Wie wenig Spinoza einer umgekehrten Prävalenz, das heißt einer Abhängigkeit der Ausdehnungs-Modi von denen des Denkens geneigt war, ist aus seiner Ablehnung der Willensfreiheit: des Zweckbegriffs (als eines reinen Denkmodus) ersichtlich. Nur die geometrische Notwendigkeit und der mechanische Kausalnexus in Form geometrischer Notwendigkeit beherrschten nach Spinoza den Ablauf der Natur; Geister, aber auch Wunder (aus einer prävalierenden Zweck-Logik der Idee allein) haben hier keinen Raum. Lehrreich ist hier der unverhohlene Hinweis auf Demokrit und andere Anti-Spiritualisten, bei Gelegenheit einer Anfrage, Geister und Gespenster betreffend: »Ich gebe nicht viel auf die Autorität eines Platon, Aristoteles und Sokrates. Ich hätte mich gewundert, wenn sie den Epikur, Demokrit, Lukrez oder einen von den Atomisten und Verteidigern der Atome angeführt hätten. Man darf sich nicht darüber wundern, daß die, welche verborgene Eigenschaften, intentionale Species, substantielle Formen und tausend andere Narrheiten vorgebracht haben, Gespenster- und Geistererscheinungen angenommen und alten Weibern geglaubt haben, um die Autorität des Demokrit zu schwächen, dessen guten Namen sie so sehr beneideten, daß sie alle seine, mit so großem Ruhm herausgegebenen Schriften verbrannten« (Spinoza, Briefwechsel, 56. Brief, Meiner, 1914). Die Prävalenz der Körperlichkeit vor aller Spiritualität reicht aber noch weit über Attribute und ihre einzelnen Modifikationen, die Modi, Einzeldinge hinaus; sie hat ihre Garantie in der *göttlichen Substanz selbst.* Wäre doch die Darstellung der Welt more geometrico völlig undenkbar, wenn die »Ausdehnung« in Gott selber nicht das Attribut aller Attribute wäre, wodurch erkannt wird. Ebenso ist nur kraft dieser Geometrisierung Gottes und der »aus ihm folgenden« Welt Spinozas seltsame Vermischung des Realgrunds mit dem Erkenntnisgrund verständlich, die Vermischung der *geometrischen* Notwendigkeit des sequi ex mit der *kausalen* des propter, des logischen Zusammenhangs: Grund-Folge mit dem realen: Ursache-Wirkung. Gewiß schließt Spinoza (in Übereinstimmung mit Maimonides) jede Analogie mit dem menschlichen Leib von Gott aus, erst recht Verstand und Willen; aber nicht, um, wie Maimonides, die Transzendenz Gottes zu akzentuieren, sondern umgekehrt: um ihn der Geometrie und Mechanik eines gänzlich nicht-anthropomorphen Diesseits zu verbinden. Leidenschaften fehlen der göttlichen Natur, aber nicht körperliche oder ausgedehnte Substanz: »Weshalb man auf keine Art sagen kann, daß ... die Materie der göttlichen Natur unwürdig sei, selbst als teilbare; wenn anders ihr nur Ewigkeit und Unendlichkeit zugeschrieben wird« (Ethik I, Lehrsatz 15). Spinoza lehnt also Anthropomorphismen nur um der Geometrismen willen ab; er denkt Gott durchaus in Analogie, aber in Analogie des Weltraums und seiner Materie. »Gott ist die innewohnende, nicht aber die von außen her übergehende Ursache aller Dinge« (Ethik I, Lehrsatz 18); er ist das unendliche Raumsubstrat, aus dem ebenso alle Attribute und Modi folgen wie aus der Definition des Dreiecks dessen Eigenschaften. Die unendlich vielen Attribute sind die unendlich vielen Richtungen der Substanz, »von denen jede ein ewiges und unendliches Wesen ausdrückt«, und die einheitliche Seelenruhe, womit der Philosoph dies ewige und unendliche Wesen erfaßt, geschieht im »Bewußtsein jener ewigen Notwendigkeit der Dinge«, die eben eine geometrische ist, eine begriffene expressio des metaphysischen Raums. Bruno hatte die Substanz als gebärende Mutter, dergestalt »daß alle Unterschiede, die man an Formen, Komplexionen, Gestaltungen, Farben und sonstigen Eigentümlichkeiten der Körper sieht, nichts anderes sind als ein wechselndes Angesicht derselben Substanz, ein schwankendes, bewegliches, vergängliches Antlitz eines unbeweglichen, beharrlichen und ewigen Seins, worin alle Formen, Figuren und Glieder sind, aber unterschiedlich und gleichsam noch in keimhafter Mischung« (Von der Ursache, dem Prinzip und dem Einen, 5. Dialog). Spinoza, in der Erhabenheit des amor dei intellectualis, hat die Substanz nicht als diesen mütterlich gebärenden, ob auch von der hellen Sonne beschienenen Mischgrund; er hat sie als Klarheit katexochen, als Kristallgott. In diesem mathematischen Sinn erneuerte er die Lehre des Averroës von der natura naturans und der natura naturata: »Unter natura naturans ist zu verstehen, was in sich ist und begriffen wird oder die Attribute der Substanz, sofern sie ewiges und unendliches Wesen ausdrücken, Gott, indem er als freie Ursache begriffen wird. Unter natura naturata aber ist alles zu verstehen, was aus der Notwendigkeit der Natur Gottes oder jedes göttlichen Attributs folgt; das heißt, alle Daseinsweisen der Attribute Gottes, sofern sie als Dinge betrachtet werden, welche in Gott sind und ohne Gott weder sein noch begriffen werden können« (Ethik I, Lehrsatz 29, Anm.). Zum Unterschied von der teleologischen Naturkraft ist Spinozas natura naturans eine der Gelassenheit und der mathematisch-zweckfreien Entlassungen. Was Bruno angeht, so kennt er ferner (hierin ein Vorläufer des Leibniz) in seinem maximalen Universum auch das Gegenteil, sogenannte Minima oder Monaden, als kleinste Spiegel des All; Spinoza dagegen legt die Welt ganz ohne elementaren und individuellen Rest ins All-Eine. Bei beiden aber haben die eigenen Angelegenheiten des Menschen keinen Platz im Weltall; bei beiden ist deus sive natura in sich selber ruhend und fertig. Alter Astralmythos mit Schicksalglauben klingt an, bei Spinoza ergriffen und mehr als stoisch in seinem amor fati; so haben weder humanistischer noch dialektischer Materialismus hier unmittelbaren Platz. Dafür freilich mittelbaren, nämlich in dem ageometrischen »Mißverständnis«, welches Spinoza bei Goethe, Schelling, Hegel gefunden hat. Hier hatte die »immanent waltende Substanz« echte Nachreife; sie wirkte als kosmisches Subjekt-Objekt, sie gab sogar Prämissen zur revolutionären Gleichung: Substanz = Subjekt. Nicht also amor fati, Frieden mit der Notwendigkeit, sondern Notwendigkeit des Unfriedens, das heißt des Übergangs von der Geometrie zum Prozeß, vom gewordenen Raum zum sausenden Webstuhl der Zeit. Damals wurden die organischen Renaissance-Elemente nicht nur in Bruno, auch in Spinoza neu ergriffen, der *organische* Naturgedanke wurde zum letzten Mal *bürgerlich-revolutionär* erfaßt. Das Dasein der bewegten Materie (Erdgeist, Substanz) war *Leben,* nicht Tod; und es war im Spinozismus Goethes, sogar Schellings immer noch Dasein der – *Materie.* Es ist der völlig transzendenzfreie Blick auf die Welt, der seit Bruno und Spinoza das Diesseits geladen hat und es nicht etwa verarmen mußte, im Gegenteil. Die Einführung der vormals göttlich hypostasierten Formkräfte in die Materie, das ist die erhaltene Wahrheit des Spinozismus; wie immer auch diese Formkräfte noch statisch, sogar astralmythisch bestimmt waren.

MATERIE ALS NUR MECHANISCHES GEBILDE 27
(La Mettrie, Holbach)

Von hier ab beginnt es mit dem Stoff weniger hoch herzugehen. Das mechanische Denken seiner hat das Leben auf Stoß und Gegenstoß vereinfacht, auf berechenbare Bewegung verdinglichter Teile. Aber es hat ebenso – gemäß seiner revolutionären Rolle in der französischen Aufklärung und während dieser – die Welt von jenseitigem Spuk entzaubert. Das Denken der Aufklärung war Analyse auf den Stoff als auf den Kern hin; war dieser Kern auch etwas dünn und der Stoff nicht mehr der reichste. *La Mettrie*s »L'homme machine« (1748) spricht schon im Titel die radikal-mechanische Lust des Zeitalters aus; dem Räderwerk schien keine Grenze gesetzt. Nicht grundlos paradierte das achtzehnte Jahrhundert mit künstlichen Tieren und Menschen, mit automatischen »Schachspielern«, »Flötenbläsern« und dergleichen. Das Homunkulus- oder Golem-Grauen war verschwunden (es wirkte später nur noch an der Puppe Olympia in »Hoffmanns Erzählungen« nach); statt der alchymistischen oder magischen Belebung suchte man Entzauberung des Lebens durch sinnfälligste »Physik«. So lehrt La Mettrie, der Mensch sei eine Maschine, die selber ihr Triebwerk aufzieht; oder: der Mensch verhalte sich zu den Tieren wie der aus sich rollende Planetengang zu einem gemeinen Uhrwerk. Materialistisch wichtig an diesem Satz ist nicht seine Mechanistik (womit Materialismus so oft noch verwechselt wird), sondern der dringende Wille zur Erklärung der Welt ohne fremden Eingriff. Ähnlich hatte auch Diderot die Natur das große Instrument genannt, das sich selbst spielt, das wahre Perpetuum mobile. Freilich hatte gerade das Maschinengleichnis die Zweideutigkeit in sich, auf einen Konstrukteur hinzuweisen; Boyle wie Newton, der Chemiker wie der Physiker zogen aus ihren Beweisen des Mechanismus diesen Beweis fürs – Dasein Gottes. Je vollkommener die Weltuhr, im Ganzen wie in ihren Teilen, eingerichtet war, desto einleuchtender schien einem Deismus in der Aufklärung der Rückschluß auf einen intelligenten Urheber. Aber wenn Diderot als Deist noch bemerkt hatte: die Flügel eines Schmetterlings, die Augen einer Mücke würden hinreichen, den Atheisten zu zermalmen, so entgegnete ihm La Mettrie treffend: die natürlich wirkenden Ursachen seien nicht vollständig genug bekannt, als daß man leugnen könne, die Natur bringe alles aus sich selbst hervor. Kurz, die Materie ist nach La Mettrie immanent bewegt, sie ist der »Sitz« der Kraft, der Ausgang wie der Angriffspunkt aller Bewegung. Leben und Bewußtsein seien keine Zutaten zur Materie von oben her, sondern lediglich Produkt der Stoffteilchen in besonders verwickelter Zusammensetzung: *es ist die Ausdehnung, welche denkt.* Und nicht nur die Ausdehnung, sondern die Undurchdringlichkeit, ja mit Maßen auch das Trägheitsgesetz (ein eigenes Suum esse conservare) machen jede übermaterielle Erklärung der Welt danach unzuständig. So sagt *Holbach,* der Systematiker des gesamten mechanischen Materialismus: »Der Stein leistet der Zerstörung Widerstand durch das bloße Zusammenhalten seiner Teile; die organisierten Wesen durch kompliziertere Mittel. Den Trieb der Erhaltung nennt die Physik Beharrungsvermö-

gen, die Moral Selbstliebe.« In der Auswirkung dieses Satzes
tritt nun gerade auch der mechanische Materialismus als Entlarvung auf: die Triebfeder der vorliegenden Welt, von unten an
bis oben hinauf, ist der materielle Egoismus; das »Ideale« ist
seine Verschleierung oder bestenfalls seine Verfeinerung. Jedoch hatte die damalige Auswirkung auch noch andere Elemente der »Natürlichkeit«, »Naturgemäßheit« nicht als solche des
immanenten Gesetzes, sondern einer immanenten normativen
Regelgebung; es sei nur an den Kampf des damaligen Naturrechts gegen jede feudale Künstlichkeit erinnert, ja auch – obzwar ziemlich gegen Holbachs eigene Intentionen – an die sen-
timentalisch-poetischen Affinitäten großer Naturschwärmerei,
wo nicht Naturreligion. Nicht nur der Deismus mitten in der
Aufklärung, sondern vor allem ihr Rousseauismus gaben damals Akzente, welche im mechanischen Materialismus La Mettries wie vor allem Holbachs fremd waren oder ihm erst aufgesetzt wurden. Holbach selber, in seinem »Système de la nature«
(1770), hatte nur die allgemeine Gesetzlichkeit gefeiert; erst
Diderot gab mit seinem »Abrégé du code de la nature« zu Holbachs »Système« ein dithyrambisches Amen aus naturhaftem
Einklang hinzu: »la vertu, la raison, la vérité sont les filles de la
nature«. Wie aber Leben und Bewußtsein, so schien dergestalt
der Einklang aller Egoismen im »grand tout« eine Funktion der
mechanischen Materie, einer dadurch idealisierbaren. Antike
Atomistik, Newtons Weltsystem, Descartes' radikalisierte
Quantitäts- und Maschinenlehre schienen dieses Ende zu ge-
währleisten – der Mechanismus schloß als *beflaggte Weltfabrik*.
Ungelöst blieb freilich, wie es von hier zu Leben und
Empfindung weitergehe. Wie der Schein der Seele überhaupt
zustande komme, wenn sie nichts als Hirnschwingung sei. Auch
die erkenntnistheoretischen Zweifel, welche nicht nur Berkeley,
vor allem Hume dem Kausal- und Dingbegriff angedeihen ließen, blieben an dieser Stelle unbeantwortet. Nur in bezug auf
Berkeleys esse = percipi, Sein = Wahrgenommenwerden erklärt
Holbach, daß diese extravagante Lehre auch am schwersten zu
bekämpfen sei. Der Materialismus hatte damals noch keinen
Lenin gefunden, der hier erkenntniskritisch objektivieren wollte; so stand er dem Zusammenstoß von tollstem Berkeley und

echter Schwierigkeit hilflos gegenüber. Bekannt ist dieserart Schopenhauers Spott, die materielle Entstehung des Bewußtseins betreffend: »Wären wir nun dem Materialismus ... bis dahin gefolgt, so würden wir, auf seinem Gipfel mit ihm angelangt, eine plötzliche Anwandlung des unauslöschlichen Lachens der Olympier spüren, indem wir, wie aus einem Traum erwachend, mit einem Male inne würden, daß sein letztes, so mühsam herbeigeführtes Resultat, das Erkennen, schon beim allerersten Ausgangspunkt, der Materie, als unumgängliche Bedingung vorausgesetzt war ... So enthüllte sich unerwartet die enorme petitio principii: denn plötzlich zeigte sich das letzte Glied als den Anhaltspunkt, an welchem schon das erste hing, die Kette als Kreis; und der Materialist gliche dem Freiherrn von Münchhausen, der, zu Pferde im Wasser schwimmend, mit den Beinen das Pferd, sich selbst aber an seinem nach vorne übergeschlagenen Zopf in die Höhe zieht« (Die Welt als Wille und Vorstellung I, § 7). Schopenhauer kritisiert hier expressis verbis nur vom erkenntnistheoretischen Idealismus her (»›Kein Objekt ohne Subjekt‹ ist der Satz, welcher auf immer allen Materialismus unmöglich macht«); doch jenseits dieser – dem Materialismus ganz fremden und falschen – Voraussetzung ist mit Schopenhauers Kritik eben die Entstehbarkeit des Bewußtseins aus der Materie La Mettries, aus der undialektischen Materie mit betroffen. In eine verwandte Reihe gehört das Urteil Goethes über den französischen Materialismus; nur: es richtet sich nicht so sehr gegen die Schwierigkeit, aus mechanischer Materie die Entstehung von Bewußtseinslicht begreiflich zu machen, als gegen die totale Mechanik selber, wie sie Holbach darbot (selbst Diderot hatte sie, in der Ekstase der Befreiung, nicht gefühlt). Dem unscharfen Klassengefühl, dem brausenden Naturgefühl des jungen Goethe erschien das »Système de la nature« nicht als Befreiung: »Es kam uns so grau, so kimmerisch, so totenhaft vor, daß wir Mühe hatten, seine Gegenwart auszuhalten, daß wir davor wie vor einem Gespenste schauderten ... Wie hohl und leer ward uns in dieser tristen atheistischen Halbnacht zumute, in welcher die Erde mit allen ihren Gebilden, der Himmel mit allen seinen Gestirnen verschwand. Eine Materie sollte sein, von Ewigkeit her bewegt, und sollte nun mit dieser Bewegung rechts und links nach allen Seiten, ohne weiteres, die unendlichen Phänomene des Daseins hervorbringen. Dies alles wären wir sogar zufrieden gewesen, wenn der Verfasser wirklich aus seiner bewegten Materie die Welt vor unseren Augen aufgebaut hätte. Aber er mochte von der Natur so wenig wissen als wir; denn indem er einige allgemeine Begriffe hingepfahlt, verläßt er sie sogleich, um dasjenige, was höher als die Natur oder als höhere Natur in der Natur erscheint, zur materiellen, schweren, zwar bewegten, aber doch richtungs- und gestaltlosen Natur zu verwandeln« (Dichtung und Wahrheit, 11. Buch). Das sind Reaktionen gegen die Weltfabrik, die dem französischen Materialismus mitten in seiner ungeheuren Praxis, als Vorbereitung der Revolution, gleichgültig sein konnten. Doch sie sind denen wichtig, die daran interessiert sind, daß das nicht-mechanische, das organische Denken nicht der Reaktion zugetrieben wird oder dem Denken der Nicht-Materie. Indes man vergleiche mit dem Urteil Goethes über die französische materialistische Philosophie dasjenige Hegels, ein Urteil ebenfalls aus dem Rückblick und ebenfalls aus einer organisch-konservativen Welt: »Der französische Atheismus, Materialismus und Naturalismus ist einerseits mit dem tiefsten und empörtesten Gefühl gegen die begriffslosen Voraussetzungen und Gültigkeiten des Positiven in der Religion, den rechtlichen und moralischen Bestimmungen und der bürgerlichen Existenz vergesellschaftet und mit dem gesunden Menschenverstand und einem geistreichen Ernst, nicht frivolen Deklamationen, dagegen gekehrt; andererseits entsteht er aus dem Streben, das Absolute als ein Gegenwärtiges, als Gedachtes zugleich und als absolute Einheit zu erfassen – ein Bestreben, welches, mit Leugnung des Zweckbegriffs sowohl im Natürlichen (also des Begriffs vom Leben) als im Geistigen (des Begriffs vom Geiste und von Freiheit) nur zum Abstraktum einer in sich unbestimmten Natur, des Empfindens, des Mechanismus, der Eigensucht und Nützlichkeit gelangt« (Hegel, Werke, 1832–45, XV, S. 510 f.). Hegel also ist gegen die Abstraktheit und Kahlheit der mechanistischen Materie, doch – klassenbewußter als der junge Goethe – nicht gegen ihren politisch-philosophischen Rang. Ja Hegel findet sogar, im Zeitalter des Goe-

thisch-poetischen Spinozismus, zur Materie das pikante Wort:
»Es vollbringt sich hier eigentlich in diesem Gegenstand die spinozistische Substanz« (l. c., S. 509). So sehr also auch Schopenhauer, Goethe und teilweise Hegel, jeder in anderer Weise,
über die mechanistische Fragwürdigkeit sich mokierten, so wenig ist doch die philosophisch-politische Durchschlagskraft des
erneuten Demokritismus betroffen worden; Hegel selber wendet sich nur gegen das »Abstraktum einer in sich unbestimmten
Natur«, das heißt gegen die Partikularität und Ungegliedert-
heit der mechanistischen Materie. Hierzu mögen noch, nach
dem großen Dichter und großen Philosophen, die Bonmots
eines modernen Paradoxisten Platz finden, desto eher, als wenige Materialisten sie kennen. Wir meinen die Kritik Chestertons
an La Mettrie, die Kritik eines Mannes, der, hätte er im achtzehnten Jahrhundert gelebt, sicher der witzigste Vorkämpfer
der Materie gewesen wäre (und zwar, da er Paradoxist ist, mittels der Geheimnisse der Kirche). Heute jedoch, da der mechanische Materialismus kein Werk mehr tut, stellt der große Kon-
vertit den Witz in den Dienst des Mystizismus und argumen-
tiert gegen La Mettrie mit Problem-Aperçus, die in einer Geschichte der Materie (an ihrer mechanischsten Stelle) nicht
übergangen werden dürfen. Chesterton bringt den mechanischen Materialismus (einen anderen kennt er nicht) in die Nähe
des – Irrsinns: wie der Kranke, so befindet sich der Materialist
»in der leeren und grellen Zelle einer einzelnen Idee, und auf
diese ist sein Geist mit peinvoller Schärfe gerichtet. Es ist dieselbe Art von Geschlossenheit und Unzulänglichkeit, alles ist
hier zusammengeschrumpft, das Leben als Ganzes betrachtet
etwas viel tristeres, engeres, trivialeres, als manche seiner Seiten, ja der Kosmos wird so klein, daß er kaum Raum genug
bietet, den Kopf eines Menschen zu bergen. Kurz: Der Materialismus als Erklärung des Weltalls trägt den Stempel einer gewissen wahnwitzigen Einfachheit, genau wie die Argumente
eines Irrsinnigen; man gewinnt sofort den Eindruck, daß hier
alles gesagt und zugleich alles ausgelassen ist« (Orthodoxie,
1909, S. 18 f.). Hier wäre also »etwas wie eine inferiore Unendlichkeit, eine niedere und sklavische Ewigkeit«, die Ewigkeit eines fatalistischen Rings, dem nichts Neues entspringt;

weshalb auch die Schlange, die sich in den Schwanz beißt, dies »Gleichnis einer höchst unbefriedigenden Mahlzeit«, zum Religionssymbol der Freidenkerei erhoben worden sei. Soweit Chesterton, mit Kindermärchen im Herzen, nach den »fröhlichen Unbelauschtheiten auf Erden«, nach den »Christlichen Exzentrizitäten der Welt« begierig; Kipling fügt noch den historischen Irrtum hinzu, der Materialismus sei »in der Stadt geboren, worin es nichts gibt als Maschinen, Asphalt und steinerne Bauten. Natürlich kommt da der Mensch zur Überzeugung, daß es neben ihm nichts Höheres gibt, und daß das Stadtbauamt die Welt erschaffen hat«. Von Chesterton gilt, was (nach Goethe) von Lichtenberg: wo er einen Witz macht, liegt ein Problem verborgen; dennoch trifft Chestertons Kritik nur das Partikular-Abstrakte des *mechanischen* Materialismus, und auch das nur partikular-abstrakt. Obzwar der Vordertreppenwitz Chestertons durchaus bohrt und mit Heiterkeit säuert, er trifft nur die überalterte Mechanik, nicht den *Materialismus* an dieser Mechanik. Und so richtig auch unsere bisherige Feststellung ist, daß man bei großen Idealisten, mindestens Halb-Idealisten wichtigere Beiträge zur Biographie des Begriffs Materie finden kann als bei den mechanischen Materialisten der Vergangenheit, so muß man doch sagen: Was dem Materialismus La Mettries an Durchdachtheit und Tiefe abgeht, das ersetzt er durch Wirkungen und Eigenschaften, worum ihn alle bisherige Philosophie beneiden kann. Denn erstens hat der mechanische Materialismus das bis dahin größte Ereignis der Geschichte ideologisch vorbereitet: die Französische Revolution. Gerade die Beschränkung der Materie auf ihren partial-mechanischen Teil hat entlarvt oder den Wolf aus kirchlichem Agnus-Dei-Fell herausgeschält. War hier Bornement, ist die Materie nicht nur unten, nicht nur Egoismus, so rechtfertigt der menschlichste Erfolg die außermenschliche Theorie – und: sie ist ergänzbar. Zweitens eignet dem französischen Materialismus, dadurch daß er ausgebrochen und offenbar geworden ist, ein Charakter, der allen größeren und großen Philosophien noch fehlt: der des – sit venia verbo – Weltanschauungs-Plakats. Auch das ist erkauft durch reichlich bedenkliche Züge, durch die Enge rein quantitativer Generalität, durch Wegwerfung alles dessen, was

Mechanistik nicht erklären kann. Jedenfalls: für eine Liebesnacht, die Schlacht bei Marathon, das Gastmahl des Lukullus, Mozarts Klavierspiel, die Oktoberrevolution und für anderes historisch-qualitatives Surplus ist eine Erklärung aus Atombewegungen und sonst nichts »letzten Endes« und »durch die Bank« schwerlich erschöpfend. Weshalb ja gerade Engels zum Atom oder Molekül den Sprung zu neuen »starting points« setzte, zur organischen Zelle, zum arbeitenden Menschen, zu Subjekten des Bewußtseins insgesamt und dadurch gewiß nicht aufhörte, materialistisch zu sein. Der dialektische Materialismus hat in dieser Beziehung den mechanischen in Fluß gebracht und um ganz andere, auch dämmernde Inhalte vermehrt; die Immanenz, die Erklärung der Welt aus sich selbst hat er dabei nicht verlassen. Auch der dialektische Materialismus bleibt darum in erster Linie – Materialismus, steht auf den Schultern der großen Enzyklopädisten und dem Original Demokrit; das Dialektische widerlegt nur die Mechanistik, doch nicht die beständige Heftung der Erscheinungen an die oder in die Materie. La Mettrie-Holbach haben, trotz aller Plattitüden und Unzulänglichkeiten, auf die Wahrheit gesetzt, wenn sie radikal auf die Materie gesetzt haben. Daß es noch nicht die rechte oder die ganze Materie war, ist korrigierbar, des weiteren ultraviolett korrigierbar; hingegen der kühne Irrtum eines Berkeley oder anderer Spiritualisten, wenn sie, den Materialismus formal kopierend und kontrastierend – alles auf den Geist gesetzt haben, ist nicht korrigierbar.

28   MATERIE ALS VITALES UND ALS
DYNAMISCHES GEBILDE; DING AN SICH
(Robinet, Leibniz, Kant)

Sehr bald begann der Stoff ohnehin wieder blühender zu werden. Seine Traube blieb länger hängen, bis sie sogar wie eine seelenhafte reifte. *Robinet* war solch ein interessanter Gärtner unter den französischen Materialisten, zuweilen auch tat er Zucker in das kräftig-saure Wesen. Seine Schrift De la nature (1761) setzt die Atome als seelisch belebte, sie empfinden, haben Bewußtsein, wenn auch noch keines ihrer selbst. Die große Schwierigkeit, aus mechanischen Bewegungen, gar aus bloßen Lagerungen der Stoffteile ein so völlig Nicht-Äußeres wie Bewußtsein zu erklären, ist hier auch gleichsam neu-animistisch umgangen. Damit freilich ebenso zeitgemäß; schon Voltaire hatte behauptet, Körper und Seele seien beide Ureigenschaften des Stoffs, mit jeder Bewegung seien Leben und Empfindung zugleich gegeben. Ebenso sprach der Naturforscher Buffon von »organischen Molekülen« als einer keineswegs zusammengesetzten Urtatsache. Robinet nahm all das auf, seine Lehre aber ersparte sich die mechanistische Seite nicht. Sind auch Körper und Seele überall gekoppelt, sogar im Stein, und verhalten sich wechselwirkend, so ist der erste Anstoß zur Wechselwirkung doch stets mechanisch (ebenso wandelt sich das seelische Leben wieder in die mechanische Grundtätigkeit zurück). Nur: der mechanische Anstoß bleibt nicht der einzige noch die einzige Kraft der Materie. Gleichmäßig und einheitlich steigen Körper und Seele vielmehr hier auf; im Stein ist bereits die erste vollgedoppelte Erscheinung von Körper und Seele. Das tierisch-menschliche Bewußtsein entspringt also nicht einer besonders komplizierten Maschine, sondern wächst mit ihr; dem einfachen Steinkörper entspringt dumpfes Bewußtsein, dem höchst zusammengesetzten Menschenleib reiches. Beide aber, Leib wie Seele sind nach Robinet in einer dritten, unbekannten Eigenschaft der Materie geeint. Seine Lehre spielt also sowohl auf den Spinoza der parallelen Attribute wie auf den Leibniz der Monaden als psychischer Kraftpunkte an, doch sie ist auch in sich selbst merkwürdig. Ihre Umgehung der mechanistischen Schwierigkeiten hat bei aller Scheinhaftigkeit auch ein sehr ernstes Moment: das einer verlorenen Eingängigkeit. Denn erstmals erscheint hier mitten im mechanischen Kalkül das Mechanische doch nicht eingängiger, gar selbstverständlicher als das Organische. Das Leben, das Seelische wirkt ebenso gegeben und ursprünglich wie die mechanische Bewegung, es wirkt gleich dieser als Urtatsache und natürlicher Zustand der Materie. Gewiß war diese Urtatsache nicht berechenbar, also dem Kalkül fremd; weshalb auch Robinet das Mechanische überall als ersten Anstoß setzte. Aber das Leben, das Seelische zeigt demungeachtet eine andere Evidenz (neben der ursprünglichen Gegebenheit, psycho-physischen Überallheit). Mitten aus dem quantitativen Denken der Materie erhebt sich ihr qualitativ-organisches; das mag Robinet nicht vergessen bleiben. Hier am nächsten spielt er auf Leibniz an, Robinet ist der einzige französische Materialist, auf den dessen körperliches Sowohl wie physisches Alsauch eingewirkt hat.

Wird der Stoff dermaßen strebend, so könnte er auch leicht zu schwinden scheinen. Bei *Leibniz* werden seine Teilchen, weit davon entfernt, körperhaft zu sein, von vornherein als Kraftpunkte gesetzt. Nicht die Ausdehnung macht ihr Wesen aus, sondern das Undurchdringliche, Widerstand Leistende; dieses ist primär, alle anderen Eigenschaften des Körpers folgen daraus. Leibniz begnügt sich also nicht damit, daß der Ausdehnung das Undurchdringliche hinzugefügt werde, sondern zuvor ist Kraft, dann erst Raum und fester Stoff. Nur insofern entsprechen den harten, sozusagen autarken Atomen die fensterlosen Monaden; im übrigen zeigen die Monaden phantastische Züge, die dem nüchternen Stoffatom völlig gefehlt haben. Die Kraftpunkte sind ebenso *seelische*, ihr Tun ist Vorstellen, und zwar, je nach der Intensität, dunkleres oder helleres, verworrenes oder klares. Zweitens unterscheidet, daß die Monaden nicht gleichartig untereinander sind, wie die Atome, sondern durch die verschiedenen Intensitätsgrade ihrer Vorstellung auch *qualitativ* voneinander abgehoben: es gibt nicht zwei gleiche Dinge in der Welt. Drittens aber fühlte sich Leibniz, in Ansehung der Atomistik, »gezwungen, die heute so verschrieenen substantiellen Formen zurückzurufen und wieder zu Ehren zu bringen«. Und hier erhellt: das bürgerlich-fortschrittliche Denken, das in Leibniz sich so reichhaltig zeigt, ja das er als erster in Breite gesetzt hat, ist ebenso feudal gesprenkelt. Die Lichtfunken, welche der große Philosoph in der Methoden- und Kategorienlehre ausgeschüttet hat, sind in der Monadologie leicht verstaubt, in der Theodizee verkapselt und verschüttet. So geht es höchst krypto-materialistisch hier wieder her (und das Krypton heißt nicht einmal Stoff als Schoß der Formen, sondern Kraft); statt der Materie steht die alte forma Pate bei dieser Aufklärung. Bürgerlich ungesprenkelt ist nun wieder, daß die ganze

Welt als einzige »Aufklärung« erscheint, daß sie zum Geschlecht zählt, das vom Dunkeln ins Helle strebt; doch das Licht kommt von der Form. Das konzilianteste aller Genies ist ein deutsches, sowohl in der Anpassung an die feudalen Gewalten wie in der Bewahrung von Überbauten (Scholastizismen), die fortgeschrittenere Länder längst abgebrochen hatten; die Leibnizsche Philosophie ist aber auch deutsch, nämlich ans mittelalterliche Reich erinnernd, in ihrer Universalität. Leibniz lehrt durchgehend kausal-mechanische Natur, doch er verband sie ebenso durchgehend mit Teleologie und Theologie. »Vermöge dieser Überlegung läßt sich die mechanische Philosophie der Modernen mit der Behutsamkeit mancher verständiger und von den besten Absichten beseelter Männer wohl vereinen, die, nicht ganz ohne Grund, fürchten, man möchte sich zum Schaden der Religiosität von den immateriellen Wesen allzuweit entfernen« (Leibniz, Hauptschriften II, Meiner, S. 161, Metaphysische Abhandlung). Die Monaden sind also nicht nur qualitativ sondern hierarchisch voneinander verschieden: jeder zusammengesetzte Körper (vor allem der der Pflanzen, Tiere, Menschen) enthält neben den niederen eine herrschende Monade, welche die ihr untergebenen mit einer größeren Klarheit vorstellt, als diese selbst es vermögen. Die klarer perzipierende Monade verhält sich eben darum zur Masse des ganzen Aggregats als substanziale Form, als Entelechie im aristotelisch-scholastischen Sinn. Um den Preis dieses hierarchischen und vom Stoff abgetrennten Begriffs erlangte Leibniz allerdings ein *organisches* Weltbild: »Jedes Stück Materie kann als ein Garten voller Pflanzen oder als Teich voller Fische aufgefaßt werden. Es gibt demnach im Universum nichts Ödes, Unfruchtbares, Totes, kein Chaos und keine Verwirrung außer dem Anschein nach; etwa im selben Sinn, wie in einem Teich, den man aus der Entfernung erblickte, und in dem man nur eine verworrene Bewegung und ein Durcheinander von Fischen erblickte, ohne die Fische selbst voneinander unterscheiden zu können. Aus dem Gesagten begreift man, daß jeder lebende Körper eine herrschende Entelechie hat, die in dem Tiere die Seele ausmacht, die Glieder dieses lebenden Körpers aber sind wieder erfüllt von anderen Lebewesen, Pflanzen, Tieren, deren jedes wieder seine

Entelechie oder seine herrschende Seele besitzt« (l. c. II., S. 451 f. [Monadologie]). Zusammengesetzte Körper sind deshalb für Leibniz stets Organismen, deren tätiges Leben sich in ihrer entelechetischen Zentralmonade konzentriert. Aber auch die unteren, mehr materiellen als substanziellen Elemente zusammengesetzter Körper sind Organismen; nicht nur als vital-psychische Kraftpunkte, sondern als lebende Spiegel des Universums. Spiegelt und repräsentiert die höhere Monade sowohl nach unten, wie nach oben, so spiegeln und repräsentieren die unteren wenigstens nach oben, nämlich das Weltganze, seinen allemal übermechanischen Zusammenhang. Hier ergänzt sich zugleich die Fensterlosigkeit der Monaden durch die sogenannte prästabilierte Harmonie: gerade indem die Monaden nur sich selbst ausleben, stimmen sie sämtlich, in jedem Moment, vermöge der Gleichheit des repräsentierten Inhalts miteinander überein. Historisch-materialistisch entspricht die fensterlose Monade der Einsamkeit des individuell wirtschaftenden Individuums, die prästabilierte Harmonie dem optimistischen Glauben an die Harmonie der Interessen, noch gestützt durch Restbestände der feudalen Ständestaats-Ideologie. Rein naturphilosophisch aber bildet diese Zusammenspannung ein außerordentliches Paradox; desto auffallender, als es gegen Newton gerichtet ist. Newton hatte die alte direkte Wirkung materieller Substanzen durch Stoß um das Novum der Fernwirkung vermehrt: letztere erscheint in der durchgehenden materiellen Eigenschaft der Schwere. Leibniz nun setzt statt dieser beiden Wirkungsarten gar keine, eben nämlich die Fensterlosigkeit, gemildert durch prästabilierte Harmonie. Diese erklärte – im Stoffgefüge der Einsamkeiten – wenigstens den Schein einer Wirkung durch die innere Korrespondenz parallel laufender Substanzen.

Soviel über den Rahmen, in dem stofflich-Bewegtes vor sich gehen kann und überhaupt bewegt ist. Näher nun zur *eigentlichen Konstitution der Materie*, so analysiert sie Leibniz folgendermaßen: In jedem Teilchen lebt außer der tätigen zunächst eine leidende Kraft, eine durch ihre eigene Schranke gehemmte. Eben vermöge dieser leidenden Kraft verschließt sich die Monade, macht sich undurchdringlich, und es entsteht der

Schein des ausgedehnt-harten Stoffs. Leidendes Widerstreben konstituiert somit den Raum wie die Materie, die ihn ein-nimmt, im gleichen Zug: Raum ist die sichtbare continuatio re-sistentis, Materie die greifbare. Da weiterhin Kraft dasselbe ist wie Vorstellung, und leidende Kraft dasselbe wie beschränkte, verworrene Vorstellung, so ist Materie sowohl das phaenome-non bene fundatum der Passivität (das heißt des geringeren Gra-des von Aktivität) wie der Verworrenheit. Leibniz unterscheidet hier eine materia prima, als objektive, in der Sache selbst fun-dierte Verworrenheit, von der materia secunda oder erschei-nenden Masse des Körpers, die lediglich in der verworrenen Vorstellung des Betrachters selbst besteht. Hinzu tritt aber zur leidenden Kraft die tätige: und diese aber konstituiert, wie be-merkt, die aristotelisch-scholastische Form, die Entelechie über der Materie. Entelechie ist als zweckmäßig führende Kraft, als ἐνέργεια im erneuerten Sinn, der eigentliche Hort der Leibniz-schen Teleologie und freilich auch seiner Entwicklungsdyna-mik; – die passive Kraft fundiert die mechanische, die aktive die finale Kausalität. Die Materie selber freilich, als objektive Er-scheinung passiver Kräfte, liegt ganz unten, sie ist der dunkel-ste Monadenzustand und so wenig Substanz wie eine Herde von Schafen. Doch ist Leibniz, gerade als Denker der prästabi-lierten Harmonie und durchgängigen Kontinuität, nicht ge-neigt, die Materie etwa abzutrennen und Dualismen zu setzen. Umgekehrt: der Unterschied von dunklen und klaren Vorstel-lungen, von Materie und Entelechie wird durch eine auch den dunklen Vorstellungen wesentliche, ja besonders wesentliche Eigenschaft überbrückt: durch die »tendence«, zu immer helle-ren überzugehen. Diese Tendenz – ein Bewegungs- und zu-gleich Aufklärungsbegriff erster Ordnung – wird von Leibniz, mit bezeichnender Erinnerung, auch appétition genannt. Darin klingt die alte ὁρμή des Aristoteles, der appetitus der Materie nach der Form an, jedoch mit der Modifikation, daß die appéti-tion der dunklen Materie keine Transzendenz ist, sondern die Aufklärung ihres eigenen Inhalts. Hier also kehrt sich ein Mo-ment im Leibnizschen Materie-Entelechie-Verhältnis um, wenn nicht nach der materialistischen, doch nach der *immanenten* Sei-te. Denn was die Monaden repräsentieren, ist allenthalben, auch im Höchsten ihrer Aufleuchtungen, das Diesseits, selbst die göttliche Zentralmonade ist einzig die stärkste, klarste Vorstellung des Universum-Inhalts. Von hier gesehen zahlte bereits die Aufhebung des Stoffs in immaterielle Kräfte der Immanenz Tribut, und zwar gerade mit der Unterwühlung des Stoffs durch die Kraft. Noch bei Descartes ist alle Kraft, welche die Körper entwickeln, vom Jenseits übertragen, als ein Teil des göttlichen Anstoßes. Die Wissenschaft der Körper war bei Descartes lediglich – Geometrie, die Energetik gehörte Gott; bei Spinoza fehlt der Kraftbegriff überhaupt. Indem jedoch Leibniz allerimmanenteste Energie dem Stoff supponierte und diesen von der bloßen Ausdehnung, vom Charakter eines toten Maschinenbestandteils befreite, kam – in unerwarteter Konsequenz – etwas vom »Schoß der Formen« in die Materie trotzdem zurück, ja das Novum eines aus sich selbst bewegten, eines gleichsam parthenogenetischen Schoßes. Das ist das Positive an dem idealistisch Negativen, die Materie als ein bloßes Scheinprodukt immaterieller Kräfte anzusehen. Die Kraft ist seitdem von der Materie untrennbar; auf dem Weg (Umweg) über Leibniz konnte sich erst der dialektisch-materialistische Grundsatz bilden: Die Bewegung (als Äußerung der Kraft) ist die Daseinsweise der Materie. Feuerbach stellt zwar bei Leibniz durchaus auch eine mehr negative Bewertung der Materie fest: »Der Begriff der Materie entsteht uns da, wo wir an die Grenze unsrer freien Selbsttätigkeit kommen, auf etwas stoßen, was nicht in unserer Gewalt ist ... Selbst unsere gemeinen sinnlichen Vorstellungen von der Materie reduzieren sich auf Gewalt, Zwang, Widerstand. Aber eine verworrne, unklare Vorstellung ist eben eine solche, die nicht in der Macht unseres Verstandes und Willens ist. Zum Begriffe der Materie gehört weiter nichts als der Begriff der Unklarheit und Unfreiheit, denn Unfreiheit ist, wo keine Klarheit des Geistes. Steinblöcke und Klötze sind nicht die wahren Typen zu dem Begriffe der Materie. Das wahre Wesen der Materie, die Idee derselben, existiert im Tier, im Menschen als Sinnlichkeit, Trieb, Begierde, Leidenschaft, als Unfreiheit und Verworrenheit« (Feuerbach, Darstellung, Entwicklung und Kritik der Leibnizschen Philosophie, Berlin, 1969, S. 68 u. 69). Doch eben diese noch asketische Bewertung der Materie wird zuletzt ergänzt und aufgehoben durch nichts Geringeres als die prästabilierte Harmonie selber, wobei deren Effekt nach Leibniz nicht nur von der Gleichheit des abgespiegelten Weltinhalts herkommt, sondern von der Materie als verworrener Vorstellung, lebendigen Leib und Seele derart verbindend, wozu wieder Feuerbach: »Die Monade selbst ist, ihrer ursprünglichen Idee nach, die prästabilierte Harmonie, die Seele und Leib verbindet. Sowenig die Vorstellung durch eine äußerliche prästabilierte Harmonie mit der Monade verknüpft ist, sondern ihre selbsteigenste, mit ihrem Begriff und Sein identische Kraft ist, sowenig ist es die Materie als eine verworrene Vorstellung . . . Die Materie ist nichts anderes als das Phänomen, die Erscheinung dieser inneren Beschränkung. Die (gleichen) verworrenen Vorstellungen sind es aber, die Leib und Seele verbinden. ›Durch die unmerklichen oder konfusen Vorstellungen‹, sagt Leibniz, ›erkläre ich die bewunderungswürdige, vorherbestimmte Harmonie des Leibes und der Seele und aller Monaden oder einfachen Substanzen‹. ›Diese kleinen Vorstellungen bilden das Band, das jedes Wesen mit dem ganzen übrigen Universum verbindet‹. Die Materie ist daher in der Leibnizischen Philosophie *zugleich* mit der Seele gesetzt« (Feuerbach, l. c., S. 71). Es ist den Zeitgenossen des Leibniz bereits verwunderlich erschienen, daß einer solch immanent-tätigen Welt noch ein äußerer *Schöpfer* hinzugefügt wurde, und daß dieser Schöpfer dasselbe wieder wie die höchste Monade sei. Gott allein soll hierbei die von der Materie wahrhaft abgesonderte Substanz sein; das jedoch wesentlich nur kraft der »grandeur« seiner Realität, kraft seines völlig reinen actus, seiner völlig distinkten perceptio. Nur insofern ist er von den Weltmonaden verschieden; »natura non facit saltus«, sagt Leibniz, aber auch zwischen Welt und Leibnizschem Gott ist hier kein Sprung. F. A. Lange bemerkt hier mit Recht: »Die Monaden entwickeln sich nach den in ihnen liegenden Kräften mit strenger Notwendigkeit. Keine derselben kann, weder im Sinn der gewöhnlichen Kausalität noch im Sinn der ›prästabilierten Harmonie‹ hervorbringende Ursache der übrigen sein. Die prästabilierte Harmonie selbst bringt ebenfalls nicht die Monade hervor, sondern sie bestimmt nur ihren Zustand, und zwar in durchaus gleicher Weise wie im System des Materialismus die allgemeinen Bewegungsgesetze den Zustand (bzw. das räumliche Verhalten) der Atome bestimmen.« Es ist also überflüssig, »noch einen ›zureichenden Grund‹ der Monaden und der prästabilierten Harmonie aufzustellen, welcher weiter nichts zu tun hat als eben dieser zureichende Grund zu sein« (Geschichte des Materialismus I, Anm. 93 zum 4. Abschnitt). Ein Gott, der in der Welt nichts zu tun hat, als Grund des letzten Grundes der Welt zu sein: »welch ein Abstand«, sagt Engels, »welch ein Abstand vom alten Gott-Schöpfer des Himmels und der Erden, Erhalter aller Dinge, ohne den kein Haar vom Haupte fallen kann!« Nur in einem Punkt verbindet Leibniz seinen Schöpfer in weniger künstlicher Weise mit den Dingen: beim alten *Möglichkeitsbegriff* der Materie. Wir meinen die Lehre der Wahl, der Schöpfung als realisierter Wahl zwischen unendlich viel möglichen Welten. Das Aristotelische δυνάμει ὄν wird hier von der Materie ins Übernatürliche, fast ins Übergöttliche verkehrt. An seine materielle Stelle tritt das Entgegengesetzte, nämlich die »Region der ewigen Wahrheiten«, der logischen, mathematischen, moralischen, metaphysischen; diese, deren Gegenteil nicht denkbar ist, wurden aus ihrer rein logischen Geltung hypostasiert und über die Welt gedreht. Die Welt scheint nun als bloße zufällige Tatsache, und zwar nicht nur ihrer Faktizität, sondern ebenso ihren – die Faktizität ordnenden – Naturgesetzen nach; all das könnte in der Welt auch anders sein. Daß die Welt ist und nicht ihr Gegenteil, dazu bedarf sie des zureichenden Grundes der Schöpfung, das heißt eben der realisierenden Wahl Gottes zwischen den unendlich vielen möglichen Welten ohne Widerspruch, die seine Weisheit vor ihm ausgebreitet hat, und deren bestmögliche er ins Dasein rief. »Da die Ideen Gottes eine unendliche Anzahl von möglichen Welten enthalten und nur eine einzige existieren kann, so muß es wohl einen zureichenden Grund für die Wahl Gottes geben, der ihn zu der einen eher als zu der anderen determiniert. Diesen Grund kann man aber in nichts anderem mehr finden als in der inneren Angemessenheit oder in den Graden der Vollkommenheit, die diese Welten enthalten, da jede das Recht hat, Existenz gemäß dem Grade der Vollkommenheit, die sie einbegreift, zu beanspruchen. Hierin liegt die Ursache für die Existenz des Besten, das von Gott vermöge seiner Weisheit erkannt, vermöge seiner Güte erwählt, vermöge seiner Macht erschaffen wird« (l. c. II, S. 447 f. [Monadologie]). Die bestehende Welt also bedarf zum ursächlichen Verständnis ihrer zufälligen Tatsachen-Wahrheiten (mitsamt den Wahrheiten der Mechanik) eines zureichenden Grundes, der sie zweckhaft, aus den Absichten des Schöpfers erklärt; nur die »ewigen Wahrheiten« haben ihren Grund in sich selbst, nämlich im Prinzip der Widerspruchslosigkeit, der Unmöglichkeit des Gegenteils. Läßt man die theologische Mythologie beiseite, so bleibt das höchst merkwürdige, daß die Möglichkeit, wenn auch als rein logisch-hypostasierte, einen Primat vor der Wirklichkeit erlangt und letztere als zufällige Tatsache auf dem Hintergrund der vor ihr bestehenden Möglichkeiten erscheint; die faktische Wirklichkeit erscheint somit enger als alles, was hätte sein können. Ein nur der Materie zukommender Begriff ist derart, in ungeheurem Bogen, um die gegebene Welt gelegt; sogar die Determinierungen der Materie erscheinen als Determinierungen durch den Logos der einmal erwählten Planmöglichkeit der Welt. Leibniz selber ist sich der Herkunft seiner transzendenten Schatzkammerlehre aus dem alten Materiebegriff bewußt: »c'est la région des vérités éternelles, qu'il faut mettre à la place de la matière«. Das Chaos der Kosmogonien, die Hylē des Aristoteles, der Schoß der Formen des Averroës – alle diese Stoffbegriffe sind hier von der région des vérités éternelles usurpiert; als der bindenden Möglichkeit der Weltschöpfung. Das ist kein Positives der Immanenz wie bei der Kraftauflösung des Stoffs (die zur Kraftbegabung wurde), dafür ein möglich Positives in der Geschichte der – Materie selbst; auf dem Umweg des extremsten Idealismus. Es sind lauter Hypostasen in dieser Möglichkeitslehre, lauter Usurpationen dessen, was ehemals der Materie zukam und nicht dem Abstraktum der logischen Möglichkeit. Es fehlt sogar jeder Bezug zum Leibnizschen Tendenz- und zum Entwicklungsgedanken; denn die unendlich vielen unrealisierten Möglichkeiten anderer Welten liegen ja gänzlich vor und außerhalb unserer gegebenen Welt. Auch ist die Leibnizsche Möglichkeitslehre inhaltlich durchaus keine Schatzkammerlehre; denn die anderen Welten sind noch unvollkommener als die vorliegend beste unter ihnen. Trotzdem ist unverkennbar: die Gewalt der *prima possibilitas* fällt mit den Bestimmungen nicht dahin, die Leibniz für seine Theodizee verwandte. Das empirisch Unvollkommene wie auch das bloß Formal-Rationalistische (eines logischen Fatums) kann dem nach vorn gedrehten Möglichkeitsbegriff, das heißt seiner über die *gegebene* Wirklichkeit gesetzten Geltung nichts anhaben. Die erweiterte *possibilitas* ist fruchtbar, sobald das Transzendente von ihr abgestreift ist, sobald sie aus der bodenlos-göttlichen Mythologie in einen Thesauros der Materie eingebracht werden kann. Der nicht untergeordneten Materie, sondern utopisch-konkreten Möglichkeit des Seins, des noch-Sein-könnens. Dann ist hier ein wirklicher Hilfsbegriff zum Problem der materiell-immanenten *Latenz* oder dessen, was in der Materie, von ihr unverwirklicht, noch steckt.

Seit der Stoff sich durchkraftete, ist er immer dünner geworden. Doch dadurch auch geeignet, recht anfänglich zu sein, als Nebel oder Dunst. Weiterhin stellte sich auch ein *ruhender* physischer Körper als kraftbegabt dar, nicht nur ein bewegter: tote und lebendige Kräfte gehen dauernd ineinander über. *Kant* setzte in seiner ersten Schrift bereits, unter anderem, diesen Übergang auseinander, Ruhe ist Sprung zur Bewegung. So daß der Weg zu einer vollkommen diesseitigen Naturgeschichte frei wurde oder zu einer *Theorie des Himmels* (1755), nach Newtonschen Grundsätzen abgehandelt. Auch der primäre Anstoß ist im Urstoff oder Urnebel bereits enthalten, in dem verschiedenen spezifischen Gewicht seiner verschieden dichten Elemente. »Bei einem auf solche Weise erfüllten Raume dauert die allgemeine Ruhe nur einen Augenblick«; und sie bricht nicht nur zum Stoß der Teilchen aufeinander aus. Sondern die Kräfte der Stoffbewegung sind doppelt, neben die Abstoßung tritt die *Anziehung*, beide zusammen machen die sozusagen kreißende Materie sogleich auch zu einer kreisenden. Die beiden Kräfte äußern sich vornehmlich, »wenn die Materie in feine Teilchen aufgelöst ist, als wodurch selbige einander zurückstoßen und durch ihren *Streit mit der Anziehung* diejenige Bewegung hervorbringen, die gleichsam ein dauerhaftes Leben in der Natur ist ... der senkrechte Fall schlägt in Kreisbewegungen aus, die den Mittelpunkt der Senkung umfassen« (Werke, Hartenstein, I, S. 249). Zu dem Weltnebel mit Elementen verschiedener Dichte treten also die Urkräfte der Anziehung und Abstoßung; vorzüglich erstere Kraftart ist das Novum, das Kant, im Anschluß an Newton, der Theorie der Materie mitteilt. Abstoßung (Undurchdringlichkeit) und Anziehung (die Fernwirkung der Newtonschen Physik): der Streit dieser Urkräfte im Schoß des Weltnebels bildet und erhält die physische Welt. Damit ist die Gravitation endlich neben die Undurchdringlichkeit als materielle Haupteigenschaft getreten; die Dialektik der beiden Grundkräfte nimmt auch, nach zweitausendjähriger Pause, das Problem der mechanischen Schöpfungsgeschichte wieder auf. Das Chaos Anaximanders wird neu bedacht (hundert Jahre vor Kant hatte der Alchymist van Helmont aus dem Wort Chaos das Wort Cas gebildet); vor allem aber bekennt Kant, in der Vorrede seines Werks, unverblümt, »daß die Theorie des Lukrez oder dessen Vorgängers, des Epikur, Leukipp und Demokrit mit der meinigen viel Ähnlichkeit habe«. Freilich auch viele Unterschiede und selbstverständlich solche theologischer Art; die Grenzen der mechanischen Erklärung, welche die Kritik der Urteilskraft nachdem setzte, figurieren bereits hier. So in Ansehung des Organischen; ohne Vermessenheit läßt sich sagen: »Gebt mir Materie, ich will eine Welt daraus bauen!«, doch nicht: »Gebt mir Materie, ich will euch zeigen, wie eine Raupe erzeugt werden könne«. Auch die höchste Intelligenz will Kant durchaus nicht missen, trotz oder wegen der schon ausreichenden Mechanik: »es ist ein Gott eben deswegen, weil die Natur selbst im Chaos nicht anders als regelmäßig und ordentlich verfahren kann« (l. c., S. 217 ff.). Doch man vergleiche die Kantische Kosmogonie mit immer noch magischen Spielen der Welterschaffung, die in Deutschland damals üblich oder noch im Schwange waren. Diese setzten nicht etwa Intelligenz voraus, materiebildende, lebenbildende, sondern, um aus Materie die Welt zu bauen, schlankweg – die alchymistische Tinktur. So in Wellings Opus mago-cabalisticum (1735) (demselben, das der junge Goethe mit Susanne Klettenberg und dem philosophischen Arzte las): »bringt man nacheinander sechs Tropfen der Tinktur auf Wasser, dann sieht man nacheinander die sechs Schöpfungstage und ihre Bildungen über dem Wasser geschehen; schmilzt man aber je ein Stück Gold, Silber, Zinn, Eisen, Kupfer, Quecksilber und Blei, jedes mit seinem Planetenzeichen versehen, und gießt diesen Urstoff in die Tinktur, so kreisen in der Stube Sonne, Mond und die fünf Planeten«. An dem Unterschied dieses zeitgenössischen Kunststücks zu dem »mechanischen Ursprung des Weltgebäudes« erhellt, wie abseitig auch der Materialismus in Deutschland reiten konnte. Seine eigentliche Kodifizierung (gewiß auch seine Isolierstelle) fand er in dem transzendentallogischen Determinismus und Mechanismus der *Kritik der reinen Vernunft*. Die »Metaphysik der Dinge«, in der Kosmogonie noch so kräftig-realistisch, war durch eine »Metaphysik des Wissens« ersetzt. Natur bleibt nun, beim Kant des Kritizismus, kein unabhängig von Erkenntnis Gegebenes, sondern wird die begriffene Newtonsche Naturwissenschaft oder der Ausdruck einer erreichten Sicherheit des Kalküls; »Natur«, sagen die Prolegomena, »ist das Dasein der Dinge, sofern es nach allgemeinen Gesetzen bestimmt ist«. Demgemäß erscheint auch Materie nicht mehr, wie in der Kosmogonie, als Urnebel im Raum, völlig unabhängig von einem Bewußtsein überhaupt. Sondern Materie im *chaotischen* Sinn ist nur noch jene ganz andere, die Kant auch »Stoff der Empfindung« nennt, also gerade die erkenntnishaft noch unbestimmte, vortheoretische. Materie im *physikalisch-theoretischen* Sinn dagegen ist ein höchst kompliziertes Produkt aus der »transzendentalen Deduktion der reinen Verstandesbegriffe«, das heißt aus der Beziehung der Kategorie auf Anschauungen, um aus letzteren Erfahrungsgegenstände zu machen. Entscheidend dafür sind vor allem die Kategorien aus der Urteilstafel der Relation, nämlich Substanz, Kausalität und Wechselwirkung; diese lassen die Erscheinungen, nach Analogie zur logischen Einheit der Kategorien, als mechanische Erfahrung lesen. Erster Grundsatz der »Analogien der Erfahrung« ist: »bei allem Wechsel der Erscheinungen beharrt die Substanz, und das Quantum derselben wird in der Natur weder vermehrt noch vermindert« (Werke III, S. 169); die Grundsätze der Kausalität und Wechselwirkung schließen sich an. Deutlicher auf Materie bezogen als die Relations-Kategorien der Vernunftkritik sind die ihres naturphilosophischen Ergänzungswerks, der *Metaphysischen Anfangsgründe der Naturwissenschaft* (1787). Die Kritik der reinen Vernunft hatte die allgemeinen Gesetze a priori untersucht, denen die geordnete Naturwelt der beweglichen Materie unterliegt; das Ergänzungswerk untersucht die transzendentalen Prinzipien in ihrer Anwendung auf die (empirisch gegebene) bewegliche Materie. Hier nun wird Materie deutlich zunächst auf »das Etwas« beschränkt, »das ein Gegenstand äußerer Sinne sein soll«; denn nur die Gegenstände des äußeren, nicht des inneren Sinns sind mathematisch, also wissenschaftlich und mechanisch behandelbar. Weiter wird der Materie als wesentlichste Bestimmtheit wieder Bewegung eingeschrieben: »Die Grundbestimmung eines Etwas, das ein Gegenstand äußerer Sinne sein soll, mußte Bewegung sein; denn dadurch allein können diese Sinne affiziert werden« (Werke IV, S. 366). Indem auch hier der Begriff der Materie gänzlich nach der vierklassigen Kategorientafel aus der Kritik der reinen Vernunft zergliedert und zurechtgeschnitten wird, ergeben sich vier Hauptstücke in »der Konstruktion der Begriffe, welche zur Möglichkeit der Materie überhaupt gehören«. Nämlich nach dem Gesichtspunkt der Quantität, Qualität, Relation und Modalität; hier aber ist der zweite Gesichtspunkt, der der dynamischen Qualitätsbestimmung, der wichtigste, während der dritte Gesichtspunkt, der der Relation, die entsprechenden »Analogien der Erfahrung« aus der Kritik der reinen Vernunft wiederholt – mit der freilich höchst angenehmen Bestimmtheit, daß für Substanz jederzeit Materie steht. Wichtig aber vor allem eben ist das zweite Hauptstück der *Metaphysischen Anfangsgründe,* die Dynamik betreffend, und zwar wegen der wahrhaft dialektischen Entschiedenheit, womit Attraktion und Repulsion, die aus der Kantischen Kosmogonie bereits bekannten Grundeigenschaften der beweglichen Materie, abgehandelt und einander entgegengesetzt werden. In der merkwürdigen vorkritischen Schrift »Versuch, den Begriff der negativen Größen in die Weltweisheit einzuführen« hatte Kant bereits Attraktion und Repulsion dialektisch, nämlich als beständig spannende

»Realentgegensetzung« (Werke II, S. 103) interpretiert, ja aus dem »conflictus der entgegengesetzten Realgründe« geradezu Dialektik der Natur prophezeit: »die negative und positive Wirksamkeit der Materien, vornehmlich bei der Elektrizität, verbergen allem Anschein nach wichtige Einsichten, und eine glücklichere Nachkommenschaft ... wird hoffentlich davon allgemeine Gesetze erkennen« (Werke II, S. 90 f.). Die Dynamik der *Metaphysischen Anfangsgründe* beschränkt sich, solcher Auswertung der Polarität gegenüber, auf Attraktion und Repulsion als auf die Grundkräfte des Zusammenhangs und der Undurchdringlichkeit. Dialektischer Anklang ist aber auch hier: »Es kann nur eine ursprüngliche Anziehung im Konflikt mit der ursprünglichen Zurückstoßung einen bestimmten Grad der Erfüllung des Raums, mithin Materie möglich machen«; werden Konflikt und Vereinigung nicht gesetzt, so zeigt sich, daß »der Raum allemal leer bleibe und keine Materie in demselben angetroffen werde« (Werke IV, S. 703). Kant nennt diese Bestimmung der Materie eben die dynamische, zum Unterschied von der mechanischen der Atomistik; denn letztere erklärt, wie Kant sagt, »die Kräfte aus der Materie, statt umgekehrt«. Die Lehre von der Attraktion und Repulsion als den beiden Grundkräften der Materie hat sich von Kant bis Fichte, Schelling, Hegel erhalten, und zwar jedesmal im Sinn erwünschter Polarität. Wie die moderne, der Dialektik entfallene Physik darüber urteilt, ist auf alle Fälle nicht unwichtig zu wissen; Hermann Weyl berichtet darüber soviel: »Gegenüber Kant ist zu bemerken, daß eine Zerlegung der einheitlichen Zentralkraft in zwei Teilkräfte nur dann nicht willkürlich wäre, wenn das Entfernungsgesetz der einen und der anderen je einen konstanten Parameter enthielte (›anziehende‹ und ›abstoßende‹ Masse), welche von Körper zu Körper unabhängig variieren; so scheiden sich elektrische und Schwerkraft voneinander, weil die Ladung durch die Masse nicht bestimmt ist. Da Kant aber nur von einer einzigen ›Massendichte‹ spricht, die als intensive Raumerfüllung durch das Gleichgewicht von abstoßender und anziehender Kraft determiniert sein soll, hängt seine Theorie in der Luft« (Weyl, Philos. der Mathematik und Naturwissenschaft, 1927, S. 128 Anm.). Die moderne Physik will immer

noch, in ihrer mehr statischen, heißt hier jeden Konflikt abwei-
senden Denkweise, Dialektik nicht wahr haben, selbst wenn
diese Mechanik Kant nicht überspringt. Wie wenig wiederum
Kant selber diese Mechanismen überspringt, zeigt diesesfalls
gerade das dritte Hauptstück der nämlichen *Metaphysischen
Anfangsgründe,* die Betrachtung der Materie unter dem Gesichtspunkt der Relation; daraus ergibt sich der entschiedenste
Kampf der Mechanik gegen jede Art von Belebung, von Hylozoismus. Nach Kant fließt hier aus dem Kausalitätsgesetz (»alle
Veränderung der Materie hat eine äußere Ursache«) unweigerlich die Fortsetzung: »diese Ursache … kann nicht innerlich
sein, denn die Materie« (als bloßer Gegenstand äußerer Sinne)
»hat keine schlechthin inneren Bestimmungen und Bestimmungsgründe« (Werke IV, S. 439). Das ist die Trägheit der
Materie oder: »nichts anderes als ihre Leblosigkeit, als Materie
an sich selbst. Leben heißt das Vermögen einer Substanz, sich
aus einem inneren Prinzip zum Handeln, einer endlichen Substanz sich zur Veränderung und einer materiellen Substanz sich
zur Bewegung oder Ruhe, als Veränderung ihres Zustandes, zu
bestimmen. Nun kennen wir kein anderes inneres Prinzip einer
Substanz, ihren Zustand zu verändern, als das Begehren, und
überhaupt keine andere innere Tätigkeit als Denken, mit dem,
was davon abhängt, Gefühl der Lust und Unlust und Begierde
oder Willen. Diese Bestimmungsgründe aber und Handlungen
gehören gar nicht zu den Vorstellungen äußerer Sinne und
also auch nicht zu den Bestimmungen der Materie als Materie … Auf dem Gesetz der Trägheit (neben dem der Behar-
lichkeit der Substanz) beruht die Möglichkeit einer eigentlichen
Naturwissenschaft ganz und gar. Das Gegenteil des ersteren,
und daher auch der Tod aller Naturphilosophie, wäre der Hylozoismus« (Werke IV, S. 439 f.). So siegt Mechanismus der
Äußerlichkeit durchaus, gemäß den Bedürfnissen des Kalküls
und des beharrenden, überraschungsfreien Substrats, das er seit
Galilei voraussetzt. Der Kalkül siegt gegen den energetischen
Vitalismus und die Folgerungen, welche zwar nicht Leibniz,
wohl aber Buffon und Robinet aus ihm gezogen haben; keineswegs ist das Organische bei Kant ein ursprünglicher Zustand
der Materie, keineswegs verwandelt sich physische Kraft in

psychische und umgekehrt. Vielmehr: wie die Lehre von der Attraktion und Repulsion, so deckt auch die Absage an den Hylozoismus sich mit – Holbachs *Système de la nature;* der mechanische Materialismus Kants ist in diesem Punkt vollkommen.

Freilich, wieso ist er, mit welchen Opfern ist sein Stoff so vollkommen? Um diese Frage zu beantworten, dazu muß der Blick von den Metaphysischen Anfangsgründen wieder zur *Kritik der reinen Vernunft* zurück, zur *Kritik der Urteilskraft* voraus, – als dem Schlußwerk gerade gegen den Mechanismus. Denn die Allmacht der Newtonschen Natur ist, wie bemerkt, vernunftkritisch isoliert; weder ist das Ding an sich der Materie uns erkennbar, noch ist der Materialismus in Totalität haltbar. Die Materie ist immer nur in der Relation zum äußeren Sinn gegeben, sie selbst in ihrer Erscheinung ist ein bloßer Inbegriff von Relationen, von Wirkungen, die sie ausübt, von Raumteilen, die sie erfüllt. Das Intelligible der Materie (als Korrelat der Erscheinungen des äußeren Sinns) ist noch verschlossener als der intelligible Charakter (das Korrelat der Erscheinungen des inneren Sinns). Beide sind nach Kant lediglich Denkbarkeiten (Noumena), keine Erfahrbarkeiten (Phänomena), doch eher noch liege der Welt intelligible Freiheit zugrunde als ausnahmsloser Mechanismus. Die Kritik der reinen Vernunft hat aber jeden Anspruch auf Totalität einer Weltanschauung dadurch ad absurdum zu führen gesucht, daß sie, in den »Antinomien der reinen Vernunft«, gänzlich entgegengesetzte Behauptungen rationaliter gleich gut beweist. Kant läßt durchblicken, daß in jenen Antinomien, welche Freiheit oder Mechanismus, Gott oder Nicht-Gott betreffen, die mechanistische These sehr wohl für die Erscheinungswelt, die idealistische für das Ding an sich gelten kann; es meldet sich der Primat der praktischen Vernunft. Ohnehin ist der mechanische Materialismus im Nachteil gegen die Glaubensinhalte, wenn Kant beiden gegenüber die gleiche agnostische Grundhaltung einnimmt. Denn sind die Aussagen über Sterblichkeit oder Unsterblichkeit der Seele, über das Dasein oder Nicht-Dasein Gottes auch gleichmäßig unbeweisbar, so nimmt diese agnostische Neutralität doch dem mechanischen Materialismus den Stachel, während der Glaube agnostisch gedeiht. »Die Metaphysik hat zum eigentlichen Zwecke ihrer Na-

turforschung nur drei Ideen: Gott, Freiheit und Unsterblichkeit ..., sie bedarf sie nicht zum Behuf der Naturwissenschaft,
sondern *um über die Natur hinauszukommen*« (Werke III, S.
271). Daher verschlägt es diesen Ideen wenig, wenn ihnen im
Reich des mechanischen Materialismus nicht der mindeste
Raum bleibt; denn dies Reich selber ist begrenzt oder Kosmos
auf einer Insel. Zwar ist nach Kant auch die Materie insgesamt
nur ein »regulatives Prinzip« gleich den »Ideen«, aber »da jede
Bestimmung der Materie ... ihre Ursache haben muß und daher immer noch abgeleitet ist, so schickt sich die Materie doch
nicht zur Idee eines notwendigen Wesens; ... so folgt: daß die
Materie und überhaupt, was zur Welt gehörig ist, zu der Idee
eines notwendigen Urwesens als eines bloßen Prinzips der
größten empirischen Einheit nicht schicklich sei, sondern daß es
außerhalb der Welt gesetzt werden müsse« (Werke III, S.
420 f.). So bleibt hier zwar Neutralität, aber die gegen den
Glauben ist die wohlwollendere, und sie gibt – im agnostischen
Dualismus der beiden regulativen Prinzipien – dem Als Ob des
Glaubens den Vorzug. Nicht aus irgendwelchen kommoden
Gründen (so einfach und unmittelbar war der Einfluß der
deutschen Misere auf einen so scharfen und geheimnishaltigen
Denker nicht); Kant schränkte das Wissen nicht ein, um dem
preußischen Kultusminister Platz zu machen, der ihm die Vorlesungen über Religion verbot. Sondern wie immer die Misere
und mehr noch die zutage getretene Unkraft des Kalküls zu
Dualismen zwang: philosophisch wichtig bleibt die Art, gleichsam *der Rang des Auswegs.* Er hat neben den politischen und
abstrakt-agnostischen Gründen auch sehr moralisch und final
bestimmte, wenn Kant seinen allzu vollkommen statuierten
Mechanismus verläßt. Gerade deshalb verläßt, weil die »Postulate der praktischen Vernunft«, die »regulativen Ideen der
Urteilskraft« auf der Landkarte jener Wirklichkeit ausfielen,
die Kant nach Maßgabe der mathematischen Naturwissenschaft
in seiner ersten Kritik ausgemessen hatte. Die Beschränkung
der objektiven Erkenntnis auf den reinen Kalkül, durch den als
mathematisch-mechanischen die Anschauungen allein formulierbar sein sollten, zwang der Kantischen Philosophie Dualismus, ja Trialismus auf. Doch der Riß gab ebenso den erstaun-

lichsten Restbeständen Raum, ja die Obdachlosigkeiten Kants
hängen – im Sollen und in den Dämmerungen des homo noumenon – über gewisse restaurierte Einwohnungen Hegels weit
hinaus, trotz aller Abstraktheit, Unvermittelbarkeit und In-
haltslosigkeit. Der Mechanismus-Ring sprang, weil Kant weder die menschliche Freiheit (als Bedingung des moralischen
Handelns) in ihm unterbrachte, noch die vérités de fait (den
besonderen Inhalt der allgemeinen Naturgesetze), noch das Organische (die immanenten Naturzwecke). In letzterer Beziehung knüpft die Kritik der (teleologischen) Urteilskraft genau
an die Grenzbestimmungen an, welche schon die »Theorie des
Himmels« vor den Lebensphänomenen gezogen hatte. Leben
und Freiheit bleiben für Kant freilich zunächst »...ein Schlag-
baum für die forschende Vernunft, damit entweder Erdichtung
ihre Stelle einnehme, oder sie auf dem Polster dunkler Qualitäten zur Ruhe gebracht werde« (Werke IV, S. 427). Wie es Kants
Kosmogonie ablehnte, aus mechanisch bewegter Materie eine
Raupe zu bauen, so erscheint es der *Kritik der Urteilskraft* ungereimt, »zu hoffen, daß noch dereinst ein Newton aufstehen
könne, der auch nur die Erzeugung eines Grashalms nach Naturgesetzen, die keine Absicht geordnet hat, begreiflich machen
werde« (Werke V, S. 413). Desto mehr aber erkennt Kant
einen teleologischen Gesichtspunkt für die Natur an, wenn auch
nur als »heuristisches Prinzip«, als Maxime der Betrachtung,
mit causa finalis: »es soll dadurch nur eine Art der Kausalität
der Natur, nach einer Analogie mit der unsrigen im technischen
Gebrauche der Vernunft, bezeichnet werden, um die Regel,
wonach gewissen Produkten der Natur nachgeforscht werden
muß, vor Augen zu haben« (Werke V, S. 396). Wobei übrigens
zwischen der zweckfeindlichen »Erklärungsart Epikurs«, auch
Spinozas und der teleologischen des Hylozoismus wie Theismus in Ansehung ihres *objektiven* Erkenntniswerts wiederum
kein Unterschied besteht. Alle Kritik der Urteilskraft betrifft
lediglich Maximen: »Die erste Maxime derselben ist der Satz:
alle Erzeugung materieller Dinge und ihrer Formen muß als
nach bloß mechanischen Gesetzen möglich beurteilt werden.
Die zweite Maxime ist der Gegensatz: Einige Produkte der materiellen Natur können nicht, als nach bloß mechanischen Ge-

setzen möglich, beurteilt werden (ihre Beurteilung erfordert ein ganz anderes Gesetz der Kausalität, nämlich das der Endursachen).« Beide Maximen des Möglichen oder Unmöglichen aber bleiben regulativ, die erstere wegen ihrer Totalität, die letztere wegen ihrer Schwärmerei und alle insgesamt, »weil wir von der Möglichkeit der Dinge nach bloß empirischen Gesetzen der Natur kein bestimmendes a priori haben können« (Werke V, S. 399). Und nicht nur die Organismen als immanente Naturzwecke, auch der erhabenste aller denkbaren Endzwecke selbst, der Mensch als Subjekt der Moralität fordert die Maxime teleologischer Betrachtung. Kants moralischer Rigorismus wird an folgender Stelle sogar allzu konträr, nämlich fast transzendent als antimechanischer Faktor eingesetzt: »Es wäre möglich, daß *Glückseligkeit* der vernünftigen Wesen in der Welt ein Zweck der Natur wäre, und alsdann wäre sie auch ihr letzter Zweck. Wenigstens kann man a priori nicht einsehen, warum die Natur nicht so eingerichtet sein sollte, *weil durch ihren Mechanismus diese Wirkung, wenigstens soviel wir einsehen, wohl möglich wäre.* Aber *Moralität* und eine ihr untergeordnete Kausalität nach Zwecken ist schlechterdings durch Naturursachen unmöglich; denn das Prinzip ihrer Bestimmungen zum Handeln ist übersinnlich, ist also das einzig Mögliche in der Ordnung der Zwecke, das in Ansehung der Natur schlechthin unbedingt ist, und ihr Subjekt dadurch zum Endzweck der Schöpfung, dem die ganze Natur untergeordnet ist, allein qualifiziert« (Werke V, S. 499). Der Verehrer des Lukrez, als den Kant in der Kosmogonie sich bezeichnet hatte, ist in der Kritik der Urteilskraft zwar soweit noch vorhanden, daß er Glückseligkeit hypothetisch als mechanische Folge zuläßt und nicht nur als Folge der Tugend, die uns des Glücks erst würdig macht. Doch letzthin entfernt Kant den materialistischen Hedonismus wie aus der Ethik, so auch aus den Veranstaltungen der Welt; weder fürs Leben noch für die Moralität als strengst gefaßte soll es eine generatio aequivoca aus der (strengst gefaßten) mechanischen Materie geben. Nur zuallerletzt gelangt Kants Dualismus zwischen Mechanik und Teleologie zu einer entlegenen Versöhnung; nicht im beschränkten, diskursiven Verstand des Menschen, sondern im unendlichen, intuitiven Verstand eines umfassenden Realgrunds, der mit den Formen zugleich die Inhalte sprengen, dessen »intellektuelle Anschauung« mithin dem Ding an sich korrespondieren würde. Es wäre ein Realgrund, der den Mechanismus im Dienst seines höchsten Vernunftzwecks: des Sittengesetzes besäße; ein (denkbarer) Gott, der zählt, indem er lenkt, lenkt, indem er zählt. Aber die Attraktion und Repulsion der Materie bliebe auch dann noch, für unseren Verstand, von den Zweckverbindungen abgeriegelt. Das wissenschaftlich Wahre (die mechanische Materie mit ihren Gesetzen) erscheint danach nicht zugleich als das Wertvolle (die Verwirklichung des Reichs der Freiheit); die dialektisch-objektive Brücke zwischen beiden fehlt. Indes bleibt Kant bei allen Veranstaltungsproblemen seines Freiheits- wie Zweckwesens, trotz einiges transzendent Anklingenden oder Nachklingenden, immanent. Die Materie faßt er zwar überwiegend als mechanische und so von Leben wie Geschichte wissenstheoretisch abgetrennte, doch Leben wie vor allem menschliche Geschichte selber sind dem großen Aufklärer immanente Vehikel fürs verändernde, ja durchschlagende Postulat einer Vervollkommnung der vorhandenen Welt. Die Kosmogonie zeigte, was die mechanische »Auswicklung der Natur« vermag; die Kritik der Urteilskraft, was die nicht-mechanische Auswicklung vermöchte, – wenn sie noch zur Materie und Natur gehörte.

29   NOCHMALS KANT:
MATERIE UND DING AN SICH

Weiter noch, was von außen sich aufdrängt und nicht gemacht werden kann, wird hier anders Stoff genannt. Gerade als nicht kategorial erzeugt, nämlich als *Ding an sich;* dieser Begriff durchzieht, in den verschiedensten Bedeutungen, Kants Werk. Mindestens drei Grundarten oder Grundfunktionen des Dings an sich sind bei Kant unterscheidbar; und die Materie im materiellen Sinn ist nicht darunter. Am meisten kommt ihr die *erste* Fassung des Dings an sich nahe: als des Stoffs der *Empfindung,* der das rezeptive Vermögen der Sinnlichkeit affiziert. Das Denken der Erzeugung, indem es durchaus bei den Sinnen anhebt, führt mit diesem seinem Anfang einen Fremdkörper mit sich; man hat ihn, auf Seite der Idealisten, stets lebhaft beklagt. Ganz anders aber stellt sich der *zweite* Sinn des Dings an sich dar, der der *Gegebenheit* oder »Materie« (des Begriffsinhalts) zum Unterschied von der logischen Form. Dieser Sinn ist desto verwirrender, als er sich unmittelbar in der Nähe des ersten, sensualistischen befindet und die »data zur möglichen Erfahrung«, welche die Sinne liefern, mit dem ganz und gar nicht sensualistischen Begriff des Form-Inhalts mischt. Auch diese Art Gegebenheit gehört zur transzendentalen Ästhetik: »In der Erscheinung nenne ich das, was der Empfindung korrespondiert, die *Materie* derselben, dasjenige aber, welches macht, daß das Mannigfaltige der Erscheinung in gewissen Verhältnissen geordnet werden kann, nenne ich die *Form* der Erscheinung« (Werke III, S. 56). Offensichtlich ist die solchergestalt der Form kontrastierende Materie von mindestens viel weiterem Umfang als die sinnlich affizierende und selber materielle. Gerade die ärgsten Idealisten belieben, was den Gegensatz zur Form und zum kritischen Formalismus angeht, hier am großzügigsten von »Materie« zu sprechen, etwa von »Materie des logischen, des juristischen Urteils«, gleich wie geistig oder körperlich diese beschaffen sei. Erst der Kantische transzendentale Idealismus (im Verein mit seinen Vorgängern Tetens und Lambert) hat die Unterscheidungen zwischen Stoff und Form des *Erkennens* getroffen, dergestalt getroffen, daß der Stoff oder das die Ordnungsformen anschaulich Erfüllende noch in den idealistischen Kreis fällt. Kannte auch Thomas bereits eine »materia enunciationis«, eine »materia syllogismi«, so regiert dort als eigentlicher Stoff die physische Materie, – in ganz anderer »Formbeziehung«. Kant dagegen setzt als Materie der Gegebenheit sämtliche Forminhalte, die idealen so gut wie die empirischen, ja sogar Begriffe als Inhalte eines Begriffs. Die Kritik der praktischen Vernunft setzt zwar auch eine »Materie des Begehrungsvermögens«; diese steht, ihrem bloß »empirischen Bestimmungsgrund des Willens« gemäß, dem äußerlich affizierenden Ding an sich wenigstens nicht fern. Dagegen die Prolegomena zeichnen sogar die allerbegrifflichsten Begriffsinhalte als Materie aus, nämlich »die Begriffe a priori, welche die Materie der

Metaphysik und ihr Bauzeug ausmachen« (Werke IV, S. 21). Solch vielseitiger Wortgebrauch lehrt, daß es nicht unbedingt die andrängende äußere Materie, das matter of fact der Äußerlichkeit war, welches als Inhaltsproblem bei Kant auftauchte und den Kalkül gesprengt hat. Große Teile des Gegebenheitscharakters am Ding an sich sprengen den Kalkül durchaus nicht so, nämlich wie Lukács meint, von dem gegebenen Inhalt, von der letzten Substanz der Erkenntnis her (vgl. Lukács, Geschichte und Klassenbewußtsein, 1923, S. 126 ff.). Selbst die rationelle Unauflösbarkeit des Begriffsinhalts bedeutet bei Kant nicht notwendig, daß hier reale Gegebenheit andringe und die Gleichsetzung von »Erzeugnis« und »Erfahrung« aufhebe. Sondern der Forminhalt selber gehört bei Kant – in wesentlichem Ausmaß – zur Form; ja er teilt sogar dem Ding an sich, der affizierenden Gegebenheit Momente idealer Gegebenheit oder logischer »Materie« mit. Der Fall ist lehrreich, weil Idealismus, durch das bloße Pathos seines (ganz unbestimmten oder unkonkreten) »Inhalts«, kurz durch eine Äquivokation des Begriffs »Materie« sich fast materialistisch mißverstehen kann (wie das in Lasks »Logik des Urteils« konsequent erscheint); das Wort Materie, selbst als Begriffs-material, ist aber noch nicht diese selbst. Zurück zu Kant, so hat gerade seine *physikalische Materie* mit dem Ding an sich kaum etwas gemein; weder mit dem des ersten und zweiten, noch mit dem eines letzten, dritten Sinns (wovon im nächsten Absatz). Zwar zeigt auch der Stoff des affizierenden Dings an sich gewisse – physisch-materielle – Bestimmtheiten, doch solche vorkantischer Art. Der Stoff der Empfindung gilt als blind, dunkel, verworren, ungeordnet, – so daß er erst durch die synthetischen Formen des Verstands verarbeitet wird. Dies Chaos erinnert auch ans Dunkel des vorrationalen Empfindungsstoffs in der Leibnizschen Gleichung: unterster Grad der verworrenen Vorstellung = Materialität. Doch gelten alle diese Anklänge nur für den Stoff der transzendentalen Ästhetik, nicht für die eigentliche, die physische Materie der kantischen Naturphilosophie. Deren Trägheit entspricht nicht der Dunkelheit, sondern dem Beharrungsgesetz a priori; deren Attraktion und Repulsion zählen nicht zum affizierenden Ding an sich der Sinnlichkeit, sondern folgen nach Kant gleichfalls aus Grundsätzen a priori, aus »Prinzipien der Möglichkeit von Materie überhaupt«. Ebenso entspricht die Teilbarkeit der physischen Materie keineswegs der Mannigfaltigkeit der sinnlich affizierenden, gar der Chaotik; bis es zur Bestimmung der Teilbarkeit (als »einer ins Unendliche möglichen spezifischen Verschiedenheit der Materien«) kam, haben bei Kant längst die Raumform a priori und die »Qualitätskategorien« der »Realität, Negation, Limitation« gewirkt. Kurz, die physikalische Materie Kants ist nirgends die sinnliche des affizierenden Dings an sich; »Undurchdringlichkeit durch Verstandesbegriffe« gilt für dies bei ihm höchst methodische Wesen nicht. Doch in der *Kritik der Urteilskraft*, vor allem in deren Lehre von der »Spezifikation der Natur«, sind zweifellos Ausnahmen vom idealistisch-allgemeinen Kalkül; die Spezifikation der besonderen Naturgesetze und vor allem ihrer Inhalte ist für die reine Vernunft zufällig, aus ihr unableitbar. Doch ist deshalb diese Spezifikation freilich noch nicht die »andrängende Materie«, noch nicht die Rache des Materialismus am Idealismus und Spiritualismus. Eher kehrt hier nochmals Leibniz wieder, oder die Lehre von den vérités de fait; diese Lehre aber (die Zufälligkeit der endlichen Dinge) kommt bei Leibniz nicht so sehr vom Materialismus her, sondern vom Voluntarismus – Gottes, von der choix de la sagesse, wie man sich erinnert. Zu Kant läßt sich trotz der Ausnahmen sagen: die Materie des mechanischen Materialismus ist bei ihm sowohl von der sinnlichen Mannigfaltigkeit wie von der Inhaltlichkeit verschieden, sowohl vom Ding an sich des ersten wie des zweiten Sinns.

Bleibt also jener Stoff, der weder erfunden noch erkannt, sondern nur als unsichtbar gedacht werden kann. Das Ding an sich dieses *dritten* Sinns ist der *Grenzbegriff* der Erfahrung, besonders aber könnten »Substanzen existieren und dennoch gar keine äußerlichen Relationen gegen andere haben, oder in einer wirklichen Verbindung mit ihnen stehen. Weil nun ohne äußerliche Verknüpfungen, Lagen und Relationen kein Ort stattfindet, so ist es wohl möglich, daß ein Ding wirklich existiere, aber doch nirgends in der ganzen Welt vorhanden sei« (Werke I, S. 20). Dieser Satz (er fließt aus der Leibnizschen Lehre von der Kraft als dem prius der Ausdehnung) wird vom frühen Kant bereits zu denen gerechnet, die »wunderbar sind und den Verstand sozusagen wider Willen einnehmen«; auch wird mit Bedeutung hinzugefügt, er sei noch von niemandem angemerkt worden. Die Bedeutung kam in allen späteren Ding-an-sich-Immaterialismen nach Hause, zum Teil vor allem bei Neukantianern bedenklich nach Hause, dergestalt daß, was immer sich den Kategorien des mechanischen Kalküls entzog, dadurch bereits in die Nähe eines Dings an sich geriet, für das nur Agnostizismus, wo nicht gar Irrationalismus zuständig waren. Jenes *Totum,* das auch das Anliegen der Kritik der Urteilskraft, gar der praktischen Vernunft umfaßt, ja fundiert, mehr als dies die bloße transzendentale Synthesis vermag. Kant verwendet freilich nie den Ausdruck Materie für dieses nicht erst transzendental synthetisierte, sondern real umfassende Einheits-, Totum-Substrat; doch hier, außerhalb aller apriorisch-idealistischen Formung, wäre ganz besonders Asyl für Materie als ein nicht methodisches Wesen. Die Kritik der Urteilskraft pointiert die Ausnahmen von der Totalität der reinen theoretischen Vernunft, die Kritik der reinen Vernunft freilich, in ihrer transzendentalen Dialektik, behandelt die Ausnahme, welche die als vollendet gedachte Totalität aller Gegenstände der Erkenntnis selbst darstellt; im letzteren Fall wird das Objekt der »Ideen des Unbedingten« zum Ding an sich. Materie aber im materiellen Sinn führen bei Kant höchstens die Ausnahmen der Kritik der Urteilskraft, und auch diese Materie ist da doch mehr eine der chaotischen Mannigfaltigkeit (Zufälligkeit) als eine des zugrunde liegenden totalen Substrats, seines sich ausgebärenden, spezifizierenden, gar unabgeschlossenen Reichtums. Die Vernunftideen andrerseits, Gott, Freiheit, Unsterblichkeit, diese Kontroversen der transzendentalen Dialektik, führen leider erst recht keine Materie; sie alle drei sind der Moral, nicht der Physik zugehörig. Das Ding an sich soll für uns Menschen schlechthin unerkennbar sein und auch als Totum nur Agnostizismus erlauben. Dafür aber – nun nicht nur aufs Totum, sondern aufs *Zentrum* bezogen – erlangt an dieser Stelle, wie doppelte Buchführung (Mechanismus – Postulat der Freiheit), so selbst Kants Agnostizismus noch einen bedeutend überhängenden Sinn, denn er enthält nichts Geringeres als Ele-

mente von einem *Sich-nicht-Kennen der zentralen Sache selbst*
(zum Unterschied von fertigen Höllen- oder Himmelsweisheiten). Was die zentrale Sache in uns selbst, bereits als »Denkungsart« angeht, so bemerkt Kant: »Die letztere kennen wir
... nicht, sondern bezeichnen sie durch Erscheinungen, welche
eigentlich nur die Sinnesart (empirischen Charakter) unmittelbar zu erkennen geben. Die eigentliche Moralität der Handlungen (Verdienst und Schuld) bleibt uns daher, selbst die unseres
eigenen Verhaltens, gänzlich verborgen. Unsere Zurechnungen
können nur auf den empirischen Charakter bezogen werden«
(Werke III, S. 381). Das ist ein Satz des wahrhaften Überschusses aus einem Irrtum, dem Agnostizismus; die Wahrheit kann
sich dies reale Selbstproblem oder Selbstsymbol des Kerns wohl
gefallen lassen. Und das gilt nicht nur für unseren Kern, sondern für den Kern aller Dinge in der Welt, den noch nicht erschienenen: »Das Ding an sich ... ist, was in der nächsten Ferne,
im actualiter Blauen der Objekte treibt und träumt; es ist dieses,
was noch nicht ist« (Geist der Utopie, 1964, S. 201). Derart geht
das Ding-an-sich-Problem Kants letzthin sogar in die noch weiter gärende Potenz wie die sich weiter aufschlagende Potentialität der Materie implicite, ob auch nicht explicite ein.

MATERIE ALS NICHT-ICH UND IM AUFSTIEG   30
SCHWERE-LICHT-LEBEN
(Fichte, Schelling)

Nun aber beginnt der Stoff immer aufreizender zu werden.
Und zwar buchstäblich der äußere, der der Empfindung, des
Nicht-Ich überhaupt. Der neue Weg begann verblüffenderweise als einer nach innen, das deutsche Denken überspann die
Welt mit Inwendigkeit und desto entschiedener, je weniger es
die Welt wirklich auf den »Kopf« stellen konnte. Seltsam verband sich das ausgegebene Nicht-Ich mit der vielen anderen Gegebenheit weit heteronomerer Art, nämlich mit der feudalen
Zwangsjacke. Das nicht so bei Grimm, gar bei einem Fichte, der
den Anstoß von 1789 kaum je vergessen hat, besonders nicht in
seiner Jugend. Wohl aber bei jener Romantik, die rebellisches

Verhalten dämpfte oder umleitete zu einem bloß ironischen. Man denke hier an die Schlegelsche Art von Ironie, worin sich das Subjekt ebenfalls kritisch zum Objekt verhalten wollte, doch eben nie über geistreiches Spiel mit ihm hinauskam. Vor allem, weit schwereres philosophisches Geschütz angehend, gewann im Zeitalter der Restauration das Erzeugen des früheren Kalküls nur einen quasi-revolutionären Zuschuß, einen vernunfthaft-konstruierenden, der alles Gewordene tunlichst rechtfertigen wollte. Dergleichen wurde freilich bedeutend unterstützt durch eine nicht nur formale, sondern inhaltlich phantasievolle Steigerung des Kantischen Erzeugungsbegriffs, wobei Schellings aufrichtiger Jugendgedanke, wie Marx sagt, geradezu in ein Nachschaffen der Natur, genetisch erleuchtend, sich vorwagte; dergestalt eben daß Bewußtsein nicht nur seine Formen, sondern auch seine Inhalte hervorbringen könne. Wobei bald auch der Stein des Anstoßes, den diese Inhalte nicht in Natur-, wohl aber in gegenwärtigen Staatssachen reaktionär darboten, beseitigt zu sein schien, kraft des höheren Friedens, wie Hegel sagte, den die Vernunft schafft, sc. die genetisch mitgehende, konkret hineinsehende, einsehende. Und zwar bewirkte die neue Art der Erzeugung oder »Genesis« genau das Umgekehrte des französischen Materialismus. Sie bewirkte als transzendental-*apriorische* (das heißt als erkenntnistheoretisch radikal-idealistische), daß die gegebene sinnliche Materie völlig aus dem Subjekt heraus konstruiert wurde. Sie ließ als transzendental-*historische* (das heißt als eine, die Geschichte statt Mathematik zum Organon der Erzeugung macht) zu, daß auch die Gegebenheiten des wirklichen bürgerlichen Nicht-Ichs, nämlich des Feudalismus und seiner Ideologie – als Produkte der Vernunft erscheinen. Letzteres noch nicht so bei Fichte oder dem Vorrang des Sollens über das Sein, wohl aber – mit Maßen gesagt – bei Hegel oder der »Versöhnung« der Vernunft mit der Wirklichkeit (kraft der genetischen Konstruktion des Logos der Wirklichkeit und der Wirklichkeit des Logos). Derart geht das sensuell-materialistische Ding an sich, kaum daß es sich gemeldet hatte, im stärksten Idealismus wieder unter. Derart aber kam auch – als frappantester Überschuß der restaurativ-reaktionären Ideologie und ihres »historischen

Sinns« – eine konkretionsgesättigte Welt ohnegleichen, eine Eroberung und Durchdringung des gewordenen Nicht-Ich durch die Logik des Werdens. Geschah diese Logik auch lediglich in der Kontemplation und hypostasierte sie sich, begriffsmythologisch, anstelle des wirklichen Geschehens und seiner Antriebe: so geriet auf diesem Umweg doch die dialektisch-historische Methode; so eröffnete die Restauration doch das historische Reich (statt des naturwissenschaftlich-statischen) und das Reich des Prozesses. Weiter eröffnete sich – unter nicht nur restaurativem, sondern rousseauhaftem Rückgriff wie unter Wiedererinnerung vormechanistisch reicherer, qualitativer Naturbilder – die »Natur« als das Auswegland aus bloßen quantitativen Kalkülkategorien; sie gedieh, im Blick Schellings, der romantischen Naturphilosophie zur wildgespannten Kriegs- und Nebelfahrt auf dem Weg zum Licht, bis zum Augenaufschlag des menschlichen Bewußtseins. Auch Spinoza, obwohl unqualitativ, erfuhr seine Renaissance, diesfalls contra Kants, besonders Fichtes reinen Bewußtseinsstand, eben als der Gegenschlag extremer Objektseite gegen die Subjektivität; die Welt der reinen historischen Vernunft erschien bei Hegel ebenso voll vom »Äther der reinen Substanz«. Aber in dieser Versöhnung blieb nicht mehr der unqualitative Spinoza, sondern, wie schon bemerkt, ein durch Bruno verstandener, ein Spinoza des Faustmonologs oder der organischen Totalität. Descartes, mit den Augen der Manufakturperiode, hat Tiere als Maschinen bezeichnet; Schelling, mit den Augen der romantischen Antimechanik, deduzierte selbst Steine als Derivat eines ursprünglichen Lebensprozesses. Statt der Natur Gesetze vorzuschreiben, will unser Geist viel mehr schaffen wie diese, sie selber schaffen. In Kants Werk, in der Kritik der Urteilskraft, war bereits einer anderen Natur ästhetisch-teleologisch Platz gemacht; es erschien, durch Kunst vermittelt, ein völlig unmathematischer »Genius« der Natur. So wurde die Kritik der Urteilskraft – all der vorsichtigen, regulativen Bestimmungen entledigt – zum Umschlag der Newtonwelt in die romantisch-organische, der mechanischen Starre in einen Puls der Lebendigkeit überall. Was aber geschah, bei soviel Lebensgeist, auch soviel Anschluß an Brunos Renaissancepracht, gar an tiefschlagende Ahnungen des Paracelsus und Böhme, mit der Materie? Wir sahen, als sinnliche wurde sie rein aus dem Subjekt heraus konstruiert, das heißt zur quantité négligeable (im buchstäblichen Sinn) des Bewußtseins gemacht. Aber als qualité très remarquable kehrte sie in den mannigfachen Ausweitungen wieder, die Schelling dem Fichteschen Nicht-Ich angedeihen ließ, und in den Schicksalen der Hegelschen Subjekt-Substanz. Es war also insoweit und letzthin, trotz vieler reaktionärer Anlässe und Eierschalen, doch ein Stück Wiedergewinnung alter materieller Potenzen und Immanenzen – aus dem Raum auf die Zeit, aus der Starre auf den Prozeß gebracht. Nicht nur die materialistische Dialektik, auch der dialektische Materialismus hat in der deutschen spekulativen Philosophie, streckenweise, ein Stück Hülle. In der Naturphilosophie ist die Hülle sogar weniger idealistisch als in der Lehre von den Volksgeistern oder in der Religionsdialektik; Engels hat in seinem Versuch einer materialistischen Naturdialektik besonders kühn darauf hingewiesen. Der qualitative Fortgang ursprünglich quantitativer Bestimmungen ist das Brauchbare; darin steckt das Plus der romantischen Materie gegenüber jener der Ausdehnung, der Undurchdringlichkeit, und vor allem der gleichbleibenden Homogeneität. So phantastisch auch das Einzelne (Stickstoff, Sauerstoff, Nordpol, Südpol, Schwere, Licht, Geschlechtsverhältnis) in lauter poetischen Analogien hin und her geworfen ist.

Das schrumpfte freilich zunächst, als das Ich auf gar nichts außer ihm selber setzte. *Fichte* sagte und schrieb einst, das Ich, von dem er spreche, gebe es gar nicht, sondern er wünsche, daß der Leser es werde. Hinzugefügt werden muß, daß man dies Subjekt nur als Handeln denke, mit politischem Hintergrund dieses Denkens als einer Denkfreiheit, als Zurückforderung ihrer und Bestimmung des Menschen. Nicht ohne anfänglichen Wegblick vom Draußen, sofern und soweit es dem davon umgebenen Ich lästig und unvermittelt erschien. Fichte setzte hierbei die Empfindung als untersten Akt des bewußtlosen Erzeugens, als Akt, wo das Ich schlechthin nur findet, aber noch nichts in und außer sich findet, »emp-findet«. Auch nachdem das geschah, ist zwischen dem Innern und dem Äußern der Empfindung, der eigentlichen sinnlichen Wahrnehmung ein Riß. Daß und wozu das Ich der Empfindung, sich selbst beschränkend, aus sich herausgeht, kann aus der erzeugenden Tätigkeit des Ich abgeleitet werden, nicht aber, wie und mit welch besonderem Inhalt. Auffallenderweise geht bei Fichte dieses Unerzeugbare besonderer Inhalte so weit, daß die einzelnen Inhalte der sinnlichen Materie (worauf Lask und nach ihm Habermas richtig hingewiesen haben) undeduzierbar bleiben, was fast empirisch klingt. Sonst aber setzt das Ich durchaus empirisch das Nicht-Ich; dieses Sich-Selbst-Setzen, das sich als seiend Setzen des Ich, um dadurch zum Bewußtsein seiner selbst zu gelangen, ist dessen durchgängige »Tathandlung«; diese Einheit von Subjekt und Objekt liegt allem weiteren von vornherein zugrunde. Doch was daraus hervorgeht, das eigentlich materielle Objekt-Sein ist lediglich ein Brett, das das Ich sich vor den Kopf nagelt, damit es auf sich wieder zurückpralle. Das Tun ist also bei Fichte nicht Eigenschaft und Folge des Seins, sondern das Sein Akzidens und Wirkung des Tuns. Im Näheren zwar macht sich Fichte recht physikalisch, das heißt, er nimmt Kants dynamische Bestimmung der Materie ins Subjekt selber herein. Er setzt zwei Arten Tätigkeit des welterzeugenden Ichs: eine expansive (schrankenlose) und eine kontrahierende (Schranken, Nicht-Ich setzende); einigermaßen kehrt hier die Repulsion und Attraktion der Kantischen Mechanik wieder. Dem Stoff selbst bleibt Anziehung freilich auch. Fichtes letzte transzendentallogische Vorlesungen drücken das so aus: »Wodurch ... wird denn dieser leere, durchsichtige und nach Belieben zu begrenzende Raum in der Synthesis mit der Qualität zu einer zusammenhängenden, widerstehenden, wirklich versuchten Teilung, kurz zu dem, was wir Materie nennen? Es ist durch die Mannigfaltigkeit verbreitet ein absolutes Gesetz der Einheit, des Zusammenhaltens derselben, als Kraft. Anziehung nennt man dies: also die Anziehung des Mannigfaltigen, wodurch die Materie Materie ist, ist das Bild der schlechthin im faktischen Wissen gegebenen Kraft der Einheit überhaupt, des Mannigfaltigen überhaupt« (Werke, Meiner, IV, S. 372). Ein sublimer Gedanke, Materie mittels ihrer »allgemeinen Anziehung« gleichsam als objektive Synthesis des Mannigfaltigen zu setzen; eine erneute Verbindung gleichsam von Kant (transzendentale Synthesis) mit Newton (Gravitation). Wobei Fichte hochidealistisch die Natur nach kurzer, auch widerwilliger Berührung überall verläßt, um zum Ich zurückzukehren, aber zur Reprise des Ich als eines am Stoff sittlich handelnden. Womit fast zum ersten Mal deutlich der Arbeitsvorgang auch philosophisch reflektiert wird, das Naturobjekt als Rohstoff erscheint und so gerade in die Menschwerdung durch Arbeit einbeziehbar. Das Ich setzt lediglich äußere Gegenstände, um den Widerstand zu haben, der die Arbeit sauer und sittlich macht. Der Anstoß des Dings an sich wird derart am Ende moralisch deduziert: »die Materie ist das versinnlichte Material der Pflicht«. Ist nichts als dieses Holz, zu nichts anderem nütze, als möglichst tugendhaft verschreinert zu werden. Jede Erinnerung an Materie als mater ist gestrichen, an seine Stelle trat die griechische Hylē im wörtlichsten Sinn, als Holz, zum Rohstoff erweitert. So sollen wir verändern, das aber auch vergewaltigend, naturfremd, mit bloßem Rohstoff zur Arbeit um uns, den es untertan und ichgemäß zu machen gilt.

Wie anders aber wirkt ein Empfinden nun ein, das ganz einfühlend sich ins Draußen wandte. Und nicht nur einfühlend, sondern so kräftig wie lebendig mitmachend, um in einem derart sich einschwingenden Denken so untrocken zu bleiben wie der Fluß der Dinge selber. Der frühe *Schelling* gab dazu das zustimmende Zeichen, und ein angeblicher Rohstoff, selber in sich schaffend, schien sich dadurch zu einem eigenen Leben zu weiten. Der junge Freund Goethes, poetisch-farbiger Bilder voll, sah statt des geschnittenen Holzes, fremden Nicht-Ichs Blumen, Bäume, Wälder, Schaffenstrieb überall, unserer eigenen Kraft verwandt. So setzte er die Natur, wo sie erstarrt, auch völlig quantifiziert schien, in ihren krafthaften, schöpferischen, ja vorkörperlichen Fluß. Das Ich, wenn es zum Nicht-Ich griff, brauchte nicht erst auf sich zu reflektieren, es lebte intuitiv wie und auch als das Hervorbringende der Natur selbst. Die ersten Schriften Schellings (bis 1801) befassen sich ausschließlich mit diesem Mitwissen des erzeugenden, gärend tätigen Wegs, der zur Materie führt und zugleich deren Weg ist. Schelling will die Materie aus den Kräften dieser Urtätigkeit, den anziehenden und abstoßenden, nochmals entstehen lassen, gleichsam vor den Augen des Lesers, doch ebenso im Objekt selber; er glaubt also, die Materie »einleuchtend zu machen«. Das ist ihm die anders *transzendentale* Begründung der Materie und eben deshalb, von vornherein, die dynamisch-lebendige, eben eine, welche die Natur als sich produzierend begreift. Nichts anderes ist der Sinn des hochfahrend ausgedrückten Satzes: »Über die Natur philosophieren heißt die Natur schaffen, ... denn philosophieren läßt sich über keinen Gegenstand, der nicht in Tätigkeit zu versetzen ist. Philosophieren über die Natur heißt, sie aus dem toten Mechanismus, worin sie befangen scheint, herauszuheben, sie mit Freiheit gleichsam zu beleben und in eigene freie Entwicklung versetzen« (Werke III, 1856–61, S. 13). Nicht eigentlich das Denken, sondern die Spontaneität im Denken bleibt derart das Prius der Natur oder die im Naturobjekt zugleich wirksame Produktion des Objekts. Die transzendentale Tätigkeit, wodurch das Subjekt zum Objekt kommt, ist zugleich die Naturtätigkeit oder ursprüngliche Produktivität der Natur, wodurch diese ihre Objekte (Produkte) heraussetzt. Man hat hier also gleichsam eine Umkehrung wie Ergänzung der Kantischen transzendentalen Methode; die Erkenntniskritik Kants fragt: Wie kommt das Subjekt zum Objekt?, Schelling fragt dazu weiter: Wie kommt das Objekt zum Subjekt?, also entwicklungsgeschichtlich voran zum Menschen, und diese Umkehrung der zuerst erkenntnistheoretischen Frage macht dann den Topos der Schellingschen Naturphilosophie, – von Schwere zu Licht zu Leben, schließlich Bewußtsein. Folgerichtig führt die transzendental-dynamische Begründung auch hier zu einer dynamischen Theorie der Materie; wie Fichte macht auch Schelling Kants Lehre von der Attraktion und Repulsion sich zu eigen, begrüßt sie als Morgenröte der wahren Naturwissenschaft. Abstoßung und Anziehung sind Grundkräfte der Anschauung wie der Natur; die Abstoßung erzeugt den Raum, indem sie sich von einem Punkt nach allen Richtungen ausbreitet; die Anziehung erzeugt den Punkt, der nur in einer einzigen Richtung fortfließt, die Zeit. »Die Abstoßung oder Expansivkraft der Natur ist die Tendenz zur Entwicklung mit unendlicher Geschwindigkeit; dadurch aber entstünde nur absolutes Außereinander. Die Anziehung oder Attraktivität ist demgegenüber zugleich die retardierende; wäre sie aber unbeschränkt, so entstünde nur absolutes Ineinander oder der Punkt. Die Natur kann keines von beiden sein; sie ist ein Außereinander in dem Ineinander und ein Ineinander im Außereinander – vorerst also ein in der Evolution nur Begriffenes – zwischen absoluter Evolution und Involution Schwebendes« (Werke III, S. 262); kurz: keine von beiden Kräften würde für sich die bestehende materielle Dichte bilden. Erst beide zusammen erzeugen eine raum- und zeiterfüllende Kraftwirkung; erst die Synthesis beider schafft Materie. So hat auch Schelling die Grundkräfte aus Fichtes Wissenschaftslehre mit den materiellen Grundkräften aus Kants metaphysischen Anfangsgründen der Naturwissenschaft in mehr als kühnem Bogen verbunden. Die Atomistik lehnt Schelling ab, sie ist ihm »eine träge Art zu philosophieren« oder eine Konsequenz jener empirischen Betrachtungsweise, welche – anders als die transzendentale – die Natur nur als Gegebenes betrachtet. Das Atom ist nach Schelling schon deshalb kein Baustein der Materie, weil es ja selber – Materie ist; lediglich reine Intensitäten, Dualismen, Polaritäten gelten als Elemente der Natur. Diese Dualismen sind eben wieder Attraktion und Repulsion, in unaufhörlichem Wechselschlag: »Zurückstoßungskraft ohne Anziehungskraft ist formlos, Anziehungskraft ohne Zurückstoßungskraft objektlos. Jene repräsentiert die ursprüngliche, bewußtlose, geistige Selbsttätigkeit, die ihrer Natur nach unbeschränkt ist, diese die bewußte, bestimmte Tätigkeit, die allein erst Form, Schranke und Umriß gibt ... Daß überhaupt eine Materie etwas Reales ist, werden wir der Repulsivkraft zuschreiben; daß aber dieses Reale unter diesen bestimmten Schranken, dieser bestimmten Form erscheint, muß nach Gesetzen der Anziehung erklärt werden« (Werke II, S. 234 ff.). Sehr merkwürdig erscheint in dieser Konstruktion der Materie Repulsivkraft als Quell des materiell Realen schlechthin; man wird sehen, daß Schelling, in seiner weniger transzendentalen Epoche, die bloße »Abstoßung« bis zum zentrifugalen »Abfall« (der Ideen von Gott) erweitert. Beim frühen Schelling jedenfalls ist alles Dasein noch transzendental-geistig beruhigt: Materie ist »nichts anderes als der Geist im *Gleichgewicht* seiner Tätigkeit erblickt«. Und Schelling fügt mit ausdrücklicher Berufung auf Leibniz hinzu:

»Es braucht nicht weitläufig gezeigt zu werden, wie durch diese Aufhebung … alles realen Gegensatzes zwischen Geist und Materie, indem diese selbst nur der erloschene Geist oder umgekehrt jener die Materie, nur im Werden erblickt, ist, einer Menge verwirrender Untersuchungen über das Verhältnis beider ein Ziel gesetzt wird« (Werke III, S. 453). Wie überall bei Schelling bricht aus der transzendentalen Begründung oder »Deduktion« der Materie bereits ihre *metaphysische* Theorie hervor, das heißt das Selbständigwerden des Objekts von der Kant-Fichteschen Subjektbeziehung. Man sah schon, die transzendentale Frage hatte gelautet: wie kommt das Subjekt zum Objekt, der Geist zur Natur? – die metaphysisch-naturphilosophische lautet umgekehrt: wie kommt das Objekt zum Subjekt, die Natur zum Geist? An die Stelle der transzendentalen tritt derart die organisch-historische Konstruktion; so wird die dynamische Theorie der Materie (besonders in den Schriften von 1803–1807) durch eine übermechanische, qualitative *Potenzierungslehre* der Materie ergänzt. Früh schon hatte Schelling bestimmt: »Es muß gezeigt werden, wie die Produktivität allmählich sich materialisiert und in immer fixiertere Produkte sich verwandelt, welches dann eine systematische *Stufenfolge* in der Natur geben würde …« (Erster Entwurf usw., 1799, Werke III, S. 302). Solche Stufen faßt nun die ausgeführtere Naturphilosophie Schellings zu *Potenzen* zusammen; der Geist, der in der Natur sich depotenzierte, kehrt mittels ihrer zu sich zurück. Erste Potenz ist die Schwere, sie bindet und vereinigt die beiden Kräfte der Anziehung und Abstoßung; zweite Potenz ist das Licht, es löst jenes Band wieder auf und macht den undurchdringlichen Raum der schweren Materie wieder durchdringlich. Dritte Potenz (über die Stufen Magnetismus, Elektrizität, Chemismus hinweg) ist das Leben (mit den Stufen Reproduktion, Irritabilität, Sensibilität); sein Dasein ist ständige Störung des Gleichgewichts, Metamorphose. Die Schwere ist das verkörpernde, das Licht das beziehende Prinzip derselben materiellen Natur, oder: »Das Dunkel der Schwere und der Glanz des Lichtwesens bringen erst zusammen den schönen Schein des Lebens hervor«, oder: »Die Schwere wirkt auf den Keim der Dinge ein, das Lichtwesen aber strebt die Knospe zu entfalten, um sich anzuschauen«, oder: »Das dunkle Band der Schwere ist in den Verzweigungen des Pflanzenreichs gelöst und dem Licht angeschlossen, die Knospe des Lichtwesens bricht in dem Tierreich auf« (Werke II, Von der Weltseele, S. 369 ff.). In der Lebenspotenz oder Metamorphose »spielt das Licht gleichsam mit der Schwerkraft«, das alles aber bleibt in der Materie, in ihrer weit über den Mechanismus hinaus phantasierten Natur beschlossen: »Wie die körperlichen Dinge der Leib der Materie sind, so ist die ihr eingebildete Seele das Licht« (Werke V, S. 330). Eigentümlich ist in dieser ersten Entwicklungsgeschichte der Natur nicht nur das bodenlose Analogie- und Parallelenspiel der Einzelheiten (worüber Spott genug vergossen scheint), nicht nur die anders bedenkliche Teleologie, sondern *der Primat der organischen Materie im Verhältnis zur anorganischen*. Dergestalt daß statt allem *mechanischen* Materialismus gleichsam ein *organischer* herauskommt, samt der Sensibilität als erstem Anzeichen von Seele = Bewußtsein. In der Lebenspriorität der Schellingschen Naturphilosophie wirkt so auch ein letzter Versuch bürgerlicher Philosophie zu mechanisch-vitaler Symbiose, Teile, welche bei Kant auseinandergefallen waren, nochmals, im Stadium immer höherer Sensibilität zusammenfassend. Von daher (an die Kritik der Urteilskraft anschließend) das Pathos der Kunst als eines ebenso sinnkräftigen wie teleologischen Erkenntnisprinzips; von daher die Erhebung der Kunst zum Organon der Philosophie: »Die Kunst ist eben deswegen dem Philosophen das Höchste, weil sie ihm das Allerheiligste gleichsam öffnet, wo in *ewiger und ursprünglicher Vereinigung* gleichsam in Einer Flamme brennt, was *in der Natur und Geschichte* gesondert ist, und was im Leben und Handeln, ebenso wie im Denken, ewig sich fliehen muß« (Werke III, S. 628). Von daher, aus dem letzten Willen zur *Einheit* der Erzeugung, auch die beständige Angleichung der »Natur« an ihren Produktions- und Bildreflex in der »Poesie« und die oft nur poetisch verstehbare Phantastik in romantischer Naturphilosophie. Eine »organisierende oder allgemeine Natur«, auch Weltseele genannt, liegt hier der Poiesis Natur insgesamt zugrunde, vermittelt zwischen einer organischen und anorganischen Reihe, fluktuiert zwischen organischer und anorganischer Natur.

Das Leben jedenfalls ist das Prinzip, das Tote ist abgeleitet: »Die unorganische Natur als solche existiert nicht« (Werke IV, S. 206); freilich sind schon »in der ersten Materie als dem primum existens (der ersten quantitativen Differenz des Seins), wenn nicht der Wirklichkeit, *doch der Möglichkeit nach alle Potenzen enthalten*« (l. c., S. 150). Weiter: »Der Organismus entfaltet die Materie nicht nach ihren Accidenzen, sondern der Substanz nach«; schließlich (die Erde selbst als »fernes, tiefverschlossenes Feuer« bestimmend, das sich teils mineralisierte, teils aber im Organismus nach oben flammt): »Wie die Pflanze in der Blüte sich schließt, so die ganze Erde im Gehirn des Menschen, welches die höchste Blüte der ganzen organischen Metamorphose ist« (l. c., S. 207, 210). All dies stellt eine der verblüffendsten Umkehrungen in der gewohnten Ordnung des anorganischen Sockels, der organischen Statue dar; vielmehr: der Basis selber wird ein Organisierendes vorgelegt, ins Innere gelegt, gleichsam eingemauert, das nun, in Pflanzen, Tieren, Menschen, wieder hervorbricht und das Anorganische unter sich sieht, schließlich, wie auch Hegel später sagt, als »Riesenleichnam«, als »scheidenden Koloß zu unseren Füßen«. Aristoteles hatte die Pflanzen und Tiere als nicht gelungene Menschen bezeichnet, Schelling wendete diese Bestimmung auf die anorganisch vorliegende (ausgeglühte) Materie selber an. Wie buchstäblich Schelling dieses Prius oder organisch Innere meint, zeigt noch folgender Lehrsatz: »Die Organisation jedes Weltkörpers (z. B. der Erde) ist das *herausgekehrte Innere dieses Weltkörpers selbst* und durch innere Verwandlung (z. B. der Erde) gebildet« (l. c., S. 207). Und damit über das organisierende Prius (also nicht nur den Primat des Organischen) kein Zweifel sei, fährt die Erläuterung fort: »Die jetzt vor uns liegende anorganische Materie ist freilich nicht die, woraus Tiere und Pflanzen geworden sind, denn sie ist vielmehr dasjenige von der Erde, was nicht Tier und Pflanzen werden oder sich bis zu dem Punkt verwandeln konnte, wo es organisch wurde, also das Residuum der organischen Metamorphose; wie Steffens sich vorstellt, das nach außen gekehrte Knochengerüste der ganzen organischen Welt.« Ja, das Gleichnis vom Friedhof (statt der Basis) wirkt auf Schelling so stark, daß auch die kreißenden Gräber nicht fehlen; wo aber das Tote selbst aufersteht, nicht nur die Toten. In diesem Allgemeinsten »bedenke man, daß wir die gewöhnlichen und bisher herrschenden Vorstellungen von der Materie gar nicht einräumen, indem man aus dem bisherigen ersehen muß, daß wir eine innere Identität aller Dinge und eine potentiale Gegenwart von allem in allem behaupten und also selbst die sogenannte tote Materie nur als *eine schlafende Tier- und Pflanzenwelt* betrachten, welche, durch das Sein der absoluten Identität belebt, in irgendeiner Periode, *deren Ablauf noch keine Erfahrung erlebt hat, auferstehen könnte*« (l. c., S. 208). Hier aber verwendet Schelling nicht Kunst schlechthin, sondern christliche Kunst als Organ der Philosophie; eine Naturschrift-Allegorik, eine Hieroglyphendeutung der Natur selber, im Sinn des Barock, lag bei Schelling ohnehin vor: »Die Natur ist für uns ein uralter Autor, der in Hieroglyphen geschrieben hat, dessen Blätter kolossal sind, wie *der Künstler* bei Goethe sagt. Eben derjenige, der die Natur bloß auf dem empirischen Weg erforschen will, bedarf gleichsam am meisten Sprachkenntnis von ihr, um die für ihn ausgestorbene Rede zu verstehen. Im höheren Sinn der Philologie ist dasselbe wahr. Die Erde ist ein Buch, das aus Bruchstücken und Rhapsodien sehr verschiedener Zeit zusammengesetzt ist. Jedes Mineral ist ein wahres philologisches Problem« (Werke V, Über die Methode des akademischen Studiums, S. 246 f.). Und was gar die letzte Lösung dieser Naturrätsel angeht, gleichsam das Ithaka ihrer Fahrt, so endet das System des transzendentalen Idealismus (1801) poetisch-mythologisch in den Sätzen: »Was wir Natur nennen, ist ein Gedicht, das in geheimer, wunderbarer Schrift verschlossen liegt. Doch könnte das Rätsel sich enthüllen, würden wir die Odyssee des Geistes darin erkennen, der wunderbar getäuscht, sich selber suchend, sich selber flieht; denn durch die Sinnenwelt blickt nur wie durch Worte der Sinn, nur wie durch halbdurchsichtigen Nebel das Land der Phantasie, nach dem wir trachten« (Werke III, S. 628). E. T. A. Hoffmanns beleuchtete Nebelbilder, vor allem aber die heimlich-unheimliche Chymie-Materie des Novalis kommen von hierher; die Natur ist, wie Novalis völlig Schellingisch sagt, »eine versteinerte Zauberstadt«. Ja bei Schelling entsteht, wenn er sagt, daß auch die anorganischen Gräber kreißen, gerade die anorganischen, gleichsam der Widerschein des jüngsten Tags in der Materie selber. Die auferstehende »Intelligenz« am Ende der Objektivität ist viel mehr paradiesisch als gärende Intelligenz des transzendentalen Anfangs. Kant hatte die Natur, unter anderem, als dasjenige bestimmt, zu dem ein Subjekt lediglich hinzugedacht werden kann; Schelling setzt das Natursubjekt (bewußtlose Intelligenz, natura naturans) als Erzeugendes der Erkenntnis, Produzierendes der Natur, Auferstehendes der Geschichte zugleich. Subjekt wie Ursprung der Materie ist die *Unruhe* nach dem Etwas-Sein, Objekt-Sein; Subjekt der aufgeschlossenen, prozessual beendeten Materie ist die Ruhe der Identität von Subjekt und Objekt. Die Materie aber enthält »der Möglichkeit nach alle Potenzen«, also auch die letzte, den »Sabbath der Natur«; es ist das die kühnste Ausdehnung der, wie sich zeigt, immer noch unvergessenen Möglichkeitsdefinition des Aristoteles. Darin deutet sich an: die Möglichkeiten der Materie reichen über die bisher realisierten, über organische Blüte und selbst über den Menschen hinaus; der letzte »Silberblick« der gärenden Weltmasse ist in ihr noch nicht erschienen.

Desto sonderbarer meldete sich, aus dem Jubel des Werdens heraus, ein erstes Dunkel an. Der Wille, die Materie »einleuchtend zu machen«, stieß auf eine Schranke; auf das Einzelne, hier als Endliches, Hartes. Es ist das die alte, wohlbekannte Schranke; neu aber ist, daß sie gerade im wildesten genetischen Vernunftrausch wiederkam. Schelling hatte sich selbst zu denen gerechnet, »in denen die Natur sieht, und die in ihrem Sehen Natur geworden sind«; er hatte sich als Liturg dieser Physik aufgetan. Noch seine Schrift »Bruno« (1802) hatte einheitlichen Lebenszusammenhang ohne Rest gefeiert: »In diesem allgemeinen Leben entsteht keine Form äußerlich, sondern durch innere, lebendige und von ihrem Werk ungetrennte Kunst. Es ist Ein Verhängnis aller Dinge, Ein Leben, Ein Tod; nichts schreitet vor dem anderen heraus, es ist nur Eine Welt, Eine Pflanze, von der alles, was ist, nur Blätter, Blüten und Früchte, jedes verschieden, nicht dem Wesen, sondern der Stufe nach, Ein Universum, in Ansehung desselben aber alles herrlich, wahrhaft göttlich und schön, es selbst aber unerzeugt an sich, gleich ewig mit der Einheit selbst, eingeboren, unverwelklich« (Werke IV, S. 314). Dieser fast stammelnde Dithyrambus könnte, bei aller Entwicklungsgeschichte, nicht monistischer sein; die Vorlesungen über die Methode (1803) bestimmen das »An sich der Materie« ohne dunklen Kern: als »Akt der ewigen Selbstanschauung des Absoluten, sofern dieses in jenem (dem Akt), sich objektiv und real macht« (Werke V, S. 327). »Der erste und allgemeine Typus der Raumerfüllung ist notwendig, daß die sinnlichen Einheiten, wie sie als Ideen aus dem Absoluten, als dem Centro, hervorgehen, ebenso in der Erscheinung aus einem gemeinschaftlichen Mittelpunkt ... geboren werden und wie ihre Vorbilder zugleich abhängig und selbständig seien« (l. c., S. 328); kurz, das materielle Universum ist, wie beim frühesten Schelling, noch »aufgeschlossene Ideenwelt«. Doch bald eben springt dieser pantheistische Monismus; die Schrift »Philosophie und Religion« (1804), vollends die »Untersuchungen über das Wesen der menschlichen Freiheit« (1809) machen mit der transzendental deduzierten Materie Schluß; diese wird vielmehr zum »dunkelsten aller Dinge«. Wir sind in der Schellingschen Freiheitslehre bereits dem Einzelheit-Allgemeinheit-Problem historisch begegnet, doch über den Umweg der sinnlichen Endlichkeit schlägt sie auch in das Problem der Materie ein. Es ist die Sinnlichkeit und Undurchdringlichkeit der Materie, das Zusammengezogene und Harte, das sie vorzüglich als Frucht des »Abfalls der Ideen von Gott« erkennen läßt. Damit reißt also die Stetigkeit ab »zwischen dem obersten Prinzip der Intellektualwelt und der endlichen Natur«; jetzt bestimmt Schelling: »Der Ursprung der Sinnenwelt ist nur als ein vollkommenes Abbrechen von der Absolutheit, durch einen Sprung, denkbar« (Werke VI, S. 38). Es ist sowohl für den Freiheitsbegriff wie für den Empiriebegriff der Restaurationszeit bezeichnend, daß die Freiheit nur aus dem »Abfall« hergeleitet wurde und die bloß physische Empirie (im Unterschied zu einer metaphysischen) aus dem »Urzufall, ja dem Urbösen in Gott« und seinen Folgen. Freilich fehlt Tiefsinn auch hier nicht, ja hier am wenigsten in Schellings Philosophie, nur: er hat mit Empirie nicht das mindeste gemein, er geht dem rationalen Idealismus mit der

Mythologie des – Sündenfalls zu Leibe. Demungeachtet steckt Böhmescher Tiefsinn in der energischen Betonung des Willenscharakters im *Daß* des Existierens überhaupt, der nicht-rationalen *Intensität* im *Fond* des historischen Prozesses. Schelling legt dies Nicht-Rationale allerdings in einen Urgott und nennt es den »Ungrund«, eben das Urböse in Gott (woraus der Abfall zur Endlichkeit stammt). Aber jenseits dieser bodenlosen Mythologie finden sich höchst bemerkenswerte Notierungen des »ersten Zufälligen, sich selbst Ungleichen« im primum existens der Materie, des materiellen Außenseins überhaupt. Schelling verbindet die Unruhe der noch unbefangenen, gestaltlosen, objektlosen Intensität mit dem alten Aristotelischen appetitus materiae nach Form; mit der Erweiterung, daß der Appetitus als »das erste sich zu etwas Machen, das erste Objektivwerden« seine Sucht, sein Emotional-Alogisches, seine Intensität auch im primum existens des Objektiv- oder Materiell-Seins beibehält. Die Münchener Vorlesungen zur Geschichte der Philosophie enthalten darüber die denkwürdigen Worte: »Das unbefangene Sein ist überall nur das, was sich selbst nicht weiß; sowie es sich selbst Gegenstand wird, ist es auch schon ein befangenes. Wenden Sie diese Bemerkungen auf das Vorliegende an, so ist das Subjekt in seiner reinen Wesentlichkeit *als* nichts – eine völlige Bloßheit von Eigenschaften – es ist bis jetzt nur Es selbst und so weit eine völlige Freiheit von allem Sein und gegen alles Sein; aber es ist ihm unvermeidlich, sich selbst anzuziehen, denn nur *dazu* ist es Subjekt, daß es sich selbst Objekt werde, da vorausgesetzt wird, daß nichts *außer* ihm sei, das ihm Objekt werden könne; *indem* es aber sich selbst anzieht, ist es nicht mehr als *nichts*, sondern als Etwas – in dieser Selbstanziehung also liegt der Ursprung des Etwasseins oder des objektiven, des gegenständlichen Seins überhaupt. Aber *als* das, was es ist, kann sich das Subjekt nie habhaft werden, denn eben im sich Anziehen *wird* es ein Anderes, dies ist der Grund-Widerspruch, wir können sagen, das Unglück in allem Sein – denn entweder *läßt* es sich, so ist es als nichts, oder es zieht sich selbst an, so ist es ein anderes und sich selbst Ungleiches, – nicht mehr das mit dem Sein, wie zuvor, Unbefangene, sondern das sich mit dem Sein befangen hat – es selbst empfindet dieses Sein als ein zuge-

zogenes und demnach zufälliges ... Das erste Seiende, das primum existens, wie ich es genannt habe, ist also das erste Zufällige (Urzufall). Diese ganze Konstruktion fängt also mit der Entstehung des ersten Zufälligen – sich selbst Ungleichen –, sie fängt mit einer *Dissonanz* an und *muß* wohl so anfangen« (Werke X, S. 100 f.). Man hat hier eine der tiefsinnigsten, auch unbekanntesten Stellen des deutschen Idealismus vor sich (Hegel stellt nichts Tieferes zur Seite); fast unübersehbar ist der Reichtum der Anspielungen; vor allem im Sinn echter Subjekt-Unruhe des Sich-Anziehens und darin doch nicht Befriedetseins, Objektiviertseins, also im Sinn der unbefriedigten Frage, des unglücklichen Grund-Widerspruchs in allem Etwas-Sein. Die Stelle ist erzdialektisch und von der Hegelschen Dialektik darin unterschieden, daß der Stachel des dialektischen Prozesses, der Grund-Widerspruch bereits die erste Setzung des Seins, mithin bereits in die Thesis, ja noch vor dieselbe gelegt wird; nicht nur in die Antithesis, in die Sphäre der ausgebrochenen Differenz. Aber nicht nur das factum brutum der Existenz ist nach Schelling ein Zufälliges (das heißt »von der Notwendigkeit Losgesagtes«), sondern auch das Faktum der weiteren Objektivation enthält – in gemindertem, vor allem qualitativ anderem Sinn – Zufall. Der erste oder Urzufall ist in einer Daßheit schlechthin, der sich setzenden Intensität; der folgende Zufall ist der einer unzureichend objektivierten Daßheit, des Subjektseins, von dem Schelling sagt: »es selbst empfindet dieses Sein als ein zugezogenes und demnach zufälliges«. Näher nun – von diesen noch vieldeutigen, bei Schelling selber unausgeführten Bestimmungen hinweg – zur Materie: so hat sie Schelling in den gleichen Vorlesungen unmittelbar ins Etwassein eingebaut. »Als jenes erste überhaupt Etwas-Sein des zuvor freien und als nichts seienden Subjekts, als das mit sich selbst also befangene oder verfangene Subjekt, als dieses erste wurde die Materie erklärt ... Diese Materie, die nur das erste Etwas-Sein ist, ist allerdings nicht die Materie, die wir jetzt vor uns sehen, die geformte und mannigfach gebildete, also namentlich auch nicht die schon körperliche Materie; was wir als Anfang und erste Potenz, als das Nächste am Nichts bezeichnen, ist vielmehr selbst die *Materie dieser Materie*, ... ihr Stoff, ihre Grundlage;

denn jene Materie, die nur das erste Etwas-Sein überhaupt ist, wird … unmittelbar zum Gegenstand eines Prozesses, in dem sie verwandelt und zur Grundlage eines höheren Seins gemacht wird, und nur, indem sie dazu wird, nimmt sie jene sinnlich erkennbaren Eigenschaften an« (l. c., S. 104). Was freilich jene *körperliche Materie* angeht (zum Unterschied von der materia prima, dicht am Nichts ihres Subjekts), so taucht sie Schelling, zunächst, völlig in die Mythologie des Sündenfalls ein. Sie eben wird »das dunkelste aller Dinge«, sie ist ein »bloßes Idol der Seele«, als einer selber gefallenen, wodurch diese die wahren Wesen nur wie durch einen Spiegel erkennt; körperliche Materie ist ein »Schattenbild des Hades« und »gehört, inwiefern sie nichts anderes als die Negation der Evidenz (!), des reinen Aufgehens der Realität in die Idealität ist, ganz und gar zu der Gattung der Nichtwesen« (Werke VI, S. 46). Lehrreicher als diese Neuplatonismen ist die Beziehung, welche die Materie des späten Schellingschen Systems zu den ehemaligen Grundkräften der Attraktion und Repulsion aufweist. Obwohl Schellings Spätmaterie dedizierte Nicht-Schöpfung ist, indem sie dem Abfall entstammt, der Verstocktheit des In-sich-selbst-Seins und der Zusammenziehung, hat sie doch eben deshalb Bezüge zur ehemaligen Dynamik, sogar doppelte, wenngleich in einer Umkehrung. In den frühen »Ideen zu einer Philosophie der Natur« (1797) hatte Schelling der Repulsivkraft das Real-Objekthafte an der Materie, der Anziehungskraft aber die bestimmten Formen als Effekt zugeschrieben (vgl. oben S. 218). Auch bei Nicht-Deduktion des bloßen Sündenfalls bleibt hier die Abstoßung als zentrifugales Motiv, mithin als Kategorie des Abfalls, die Anziehung als zentripetale Kategorie der Verflochtenheit mit den trotz des Abfalls, im Sein des Abfalls enthaltenen Ideen. »Die Geschichte ist ein Epos, im Geiste Gottes gedichtet; seine zwei Hauptpartien sind: die, welche den Ausgang der Menschheit von ihrem Centro bis zur höchsten Entfernung von ihm darstellt, die andere, welche die Rückkehr«; und Schelling teilt weiter mit: »Jene Seite ist gleichsam die Ilias, diese die Odyssee der Geschichte«; das heißt: »In jener war die Richtung zentrifugal, in dieser wird sie zentripetal« (Werke VI, Philosophie und Religion, S. 57). Aber daneben wieder, in den späteren Schriften Schellings, enthält Materie außer dem abfallenden doch auch das zusammenziehende als verdunkelndes Wesen, mithin gerade die zentripetale Attraktion; ja in den »Weltaltern« (1815) dreht sich gesamte Wertnegativität des Abfalls oder des »Neins in der Gottheit« um: gerade »als Nein ist die Gottheit ein an sich ziehendes Feuer« (Werke VIII, S. 299), mithin Attraktion, und die »harte Bedeckung« des realen Materiellseins wichtigste Vorbedingung der Lichtfrucht. So macht letzterdings nicht die Repulsivkraft (wie in den ersten »Ideen« Schellings), sondern umgekehrt die Attraktionskraft das Reale an der Materie: »Ein jeder erkennt an, daß die Kraft der Zusammenziehung der eigentlich wirkende Anfang jedes Dinges ist. Nicht von dem Leichtentfalteten, sondern vom Verschlossenen, das nur mit Widerstreben sich zur Entfaltung entschließt, wird die größte Herrlichkeit der Entwicklung erwartet. Nur jene uralte heilige Kraft des Seins wollen viele nicht anerkennen und möchten sie gleich von Anfang verbannen, ehe sie in sich selbst überwunden der Liebe nachgibt« (l. c., S. 344). Hier also bemerkt man jene helleren Lichter wieder, welche auch die körperliche Materie – obzwar sie »das dunkelste aller Dinge«, »die Negation der Evidenz« geworden ist – in Einleuchtung zurückzuführen suchen; freilich in eine archaisch-mystische. Nun gehört »die Lehre vom Ursprung der Materie ... mit zu den höchsten Geheimnissen der Philosophie« (Werke VI, S. 47); werden diese »Geheimnisse« auch immer wieder mit der alten orphischen oder Sündenfalls-Mythologie behoben (Fall, Schuld, Leib, Kerker): so ist der Glaube an Natur als versteinerte Zauberstadt des *Menschen* doch ebenso stark. Schellings Materie bleibt somnambulisch und redet in Steinzungen; »Wunder der Geschichte, Rätsel des Altertums, die Unwissenheit verwarf, wird Natur uns aufschließen« (Werke VII, S. 247). Diese ist nicht nur die *Ilias* des Geistes, sondern vordeutender Zeichen voll oder verschlossene Mantik der Geschichte: »Die Natur ist das erste oder alte Testament, da die Dinge noch außer dem Centro und daher unter dem Gesetze sind. Der Mensch ist der Anfang des neuen Bundes, durch welchen als Mittler ... Gott (nach der letzten Scheidung) auch die Natur annimmt und sie zu *sich* macht. Der Mensch ist also der Erlöser der Natur, auf den alle Vorbilder derselben zielen. Das Wort, das im Menschen erfüllt wird, ist in der Natur als ein dunkles, prophetisches (noch nicht völlig ausgesprochenes) Wort. Daher die Vorbedeutungen, die in ihr selbst keine Auslegung haben und erst durch den Menschen erklärt werden ... Wir haben eine ältere Offenbarung als jede geschriebene, die Natur. Diese enthält Vorbilder, die noch kein Mensch gedeutet hat, während die der geschriebenen ihre *Erfüllung* und Auslegung längst erhalten haben« (Werke VII, S. 411, 415). Hinzuzufügen wäre: nicht nur die Auslegung steht noch aus, sondern ebenso die Erfüllung; die Natur ist nicht nur Vorgeschichte der den Menschen bereits gewordenen Geschichte. Das materielle Universum ist nicht nur eine Sphinx, die sich, wie die des Oedipus, in den Abgrund stürzt, nachdem man ihr Rätsel durch das Wort *Mensch* gelöst hat; das war so bei Hegel. Sondern die »ewig schaffende Urkraft der Welt, die alle Dinge aus sich selbst erzeugt und werktätig hervorbringt« (Werke VII, S. 293) ist mitsamt ihrem Leib und mitsamt ihrer Materie auch beim spätesten und transzendentesten Schelling historisch noch nicht abgegolten. Auch die »Krisis des jüngsten Tags« scheidet Materie nicht völlig als Phlegma aus, im Gegenteil: der Apokalyptiker Schelling hofft, »daß die ganze Innenwelt, wie sie ursprünglich sein sollte, in der *Außenwelt äußerlich sichtbar* dargestellt werde«. Er will selbst das Ende der Dinge nicht »völlig von der Natur sich losgerissen denken, während es doch schlechterdings notwendig ist, daß, nachdem die Natur sich für den Menschen getrübt hat und ihm undurchsichtig geworden, auch sie in einem künftigen Zustand ihm sich verkläre, Äußeres und Inneres einst in Einklang gesetzt ...« (Werke, 2. Abt., IV, Philosophie der Offenbarung, S. 221). Bei alldem freilich bleibt auch in Schellings so beschaffener letzter Naturfeier die Materie eine Kruste der Idee, nicht ihr Substrat. Trotzdem hofft die Darstellung gezeigt zu haben, und weiter zu zeigen, daß streckenweise auch im spekulativen Idealismus (sofern er ein ebenso objektiver geworden ist) die Materie keineswegs quantité négligeable ist oder bloße Kruste, deren Wahrheit wäre, keine zu haben. Sie gilt hier als der produzierende Anstoß des Etwasseins und hat – in der bisherigen Entwicklung der Natur – ihren Lohn noch nicht dahin.

Das Ding an sich

Ein Gehen, das erst nur mit sich anzufangen schien, kam im
Draußen am weitesten. Das Denken bei *Hegel* sieht seiner eigenen Bewegung zugleich als einer in lauter abgehaltener Weite
zu. Wieder zwar wird vom Ich her begonnen, aber so, daß ihm
auf der Stelle ein Gegenstand zugeordnet ist. Auch setzt das Ich
durchaus niedrig ein, nicht hoch und mit einem Mal schaffend;
ebenso ist seine ihm entsprechende Sache anfangs klein, ein bloßes *Dieses,* das ein bloßer Dieser meint. Doch beide ziehen sich
aneinander groß, Inneres und Äußeres stehen in ihrem Wahren
jederzeit gleich und steigen nur miteinander, dialektisch, auf. Es
ist dem Wahren wichtig, daß »der Mensch selbst dabei sein
müsse«; es ist ihm ebenso wichtig, daß das Ich objektiv werde
und die Notwendigkeit seines Inhalts fortschreitend begreife.
Durch diese Herabsetzung des kahlen, noch unaufgeschlossenen
Inhalts an den Anfang des Wissens verändert sich nun sehr be-
deutsam, bis zur völligen Rangumkehr, der Begriff des *Dings
an sich.* Es wird als das Leerste, Einfachste und Bekannteste von
der Welt genommen, es wird weiterhin der *bestimmungslosen*
Materie gleichgesetzt. Rein logisch entspricht das Ding an sich
dem bloßen Für-uns oder leeren Ich; daß etwas bloß an sich
gegeben sei, bedeutet nach Hegel, daß es bloß für uns gegeben,
also noch nicht für sich ist. »Das Ding an sich drückt den Gegenstand aus, insofern von allem, was er für das Bewußtsein ist,
von allen Gefühlsbestimmungen wie von allen bestimmten Gedanken desselben abstrahiert wird. Es ist leicht zu sehen, was
übrig bleibt, – das völlige Abstraktum, das ganz Leere, bestimmt nur noch als Jenseits ... Ebenso einfach aber ist die Reflexion, daß dies caput mortuum selber nur das Produkt des
Denkens ist, eben des zur reinen Abstraktion fortgegangenen
Denkens, des leeren Ich, das diese leere Identität seiner selbst
sich zum Gegenstande macht ... Man muß sich hiernach nur
wundern, so oft wiederholt gelesen zu haben, man wisse nicht,
was das Ding an sich sei; und es ist nichts leichter als dies zu

wissen« (Enzyklopädie § 44). Das Ding an sich, weit davon entfernt, letzte Bestimmung zu sein, gerät also an den Anfang oder es wird zu einem relativ untergeordneten Moment der Entwicklung. In der Logik des Seins (als der einfachen Beziehung auf sich selbst) ist es unmittelbares, einfaches Insichsein. In der Logik des Wesens (als des durch Negation mit sich selbst vermittelten Seins) ist das Ding an sich existierendes, das heißt nicht mehr unmittelbares, sondern begründetes Sein. Hier wohnt man sogar der Entstehung dieser Gestalt bei; sie bildet und begrenzt sich »als die abstrakte Reflexion-in-sich, an der gegen die Reflexion-in-anderes und gegen die unterschiedenen Bedingungen überhaupt als an der leeren *Grundlage* derselben festgehalten wird« (Enz. § 124). Das Ding an sich grenzt derart an die Reflexion-in-anderes, die es zur *Materie* macht, zur einen, allgemeinen, zunächst ebenfalls bestimmungslosen. »Diese eine, bestimmungslose Materie ist auch dasselbe wie das Ding an sich, nur dieses als in sich ganz abstraktes, jene als an sich auch für anderes, zunächst für die Form seiendes« (Enz. § 128). Logik des Wesens ist – als eine des mittelbaren, des durch Anderes auf sich bezogenen, reflektierten Seins – überhaupt eine solche dauernder Beziehungs-, Reflexions-Bestimmungen. Daher eben zerfällt von hier ab das Sein in Materie und Form, Inneres und Äußeres, Ding und Eigenschaft, Kraft und Äußerung; so aber, daß keines ohne das andere besteht, das Wesen allemal zugleich Erscheinung ist. Das Ding ist auf dieser Stufe gleichgültig, so wie sein Stoff unbewegt und unbestimmt bleibt. Denn hier ist uns ein Etwas nur erst als bloß unmittelbar gegeben und so noch aller vermittelt bestimmten Merkmale ledig.

Subjekt und Substanz

Nun aber soll der Weg ins Draußen und was auf ihm erscheint gerade als vermittelt begriffen werden. Ja das Dinghafte selber konnte sich sehr leicht als bloß Veräußerlichtes darbieten, wenn es nicht auch mit dem Ichhaften vermittelt wurde. Sehr früh hatte Hegel bereits die falsche Ablösung vom Selbst oder die Verdinglichung durchschaut: und das richtete sich nicht sowohl gegen die Materie als gegen den hoch an den Anfang gelegten

Gott. In seinen ersten Schriften finden sich bereits Stellen, die Feuerbach vorwegnehmen: »Außer früheren Versuchen blieb es unseren Tagen vorbehalten, die Schätze, die an den Himmel verschleudert worden sind, als Eigentum der Menschen, wenigstens in der Theorie zu vindizieren – aber welches Zeitalter wird die Kraft haben, dieses Recht geltend zu machen und sich in den Besitz zu setzen?« Gegen Gott in der absoluten Höhe richtete sich damals Hegels Bedürfnis der Subjektvermittlung; die Phänomenologie schritt in dieser Richtung weiter. Sie richtete sich sowohl gegen den Empirismus, der fertig gegebene Tatsachen nimmt, wie gegen sein anders fertiges Gegenteil: die intellektuelle Anschauung Schellings; sofern diese mit dem Absoluten einsetzt »wie aus der Pistole geschossen«, ebenfalls ohne Vermittlung zwischen den Subjekt-Objekt-Polen. Hegel bestimmt das Wahre statt dessen als Nacheinander oder dialektischen Prozeß; und zwar zwischen dem Ich, das ebensosehr das Nicht-Ich, dem Nicht-Ich, das ebensosehr das Ich in sich hat. Derart die berühmte Wendung in der Phänomenologie: »Es kommt alles darauf an, das Wahre nicht als Substanz, sondern ebensosehr als Subjekt aufzufassen und auszudrücken« (Werke II, S. 14). Damit tritt die Substanz aus dem ungegliederten Absolutum der Schellingschen Gleichheit und Einheit mit sich selbst heraus, gibt sich ihre Unterscheidungen immanent-dialektisch, nicht nur äußerlich vom denkenden Individuum her. Die Subjekt-Objekt-Verbindung geschieht in der Phänomenologie als dauernde Subjekt-Objekt-Vermittlung zwischen den einzelnen Stufen des Bewußtseins und den dazu jeweiligen Stadien der objektiven Geschichtswelt, Welt; wobei das Subjekt ebenso sein Objekt hervorruft, das daraus folgende Objekt das Subjekt zu seiner nächsten Stufe verändert. Subjekt-Objekt-Dialektik wird also in der Sache als die Sache selber begriffen: »Die lebendige Substanz ist ... das Sein, welches in Wahrheit Subjekt oder, was dasselbe heißt, welches in Wahrheit wirklich ist, nur insofern sie die Bewegung des Sichselbstsetzens oder die Vermittlung des Sichanderswerdens mit sich selbst ist. Sie ist als Subjekt die reine einfache Negativität, eben dadurch die Entzweiung des Einfachen oder die entgegensetzende Verdopplung, welche wieder die Negation dieser gleichgültigen

Verschiedenheit und ihres Gegensatzes ist: nur diese sich wiederherstellende Gleichheit oder die Reflexion im Anderssein in sich selbst – nicht eine ursprüngliche Einheit als solche oder unmittelbar als solche ist das Wahre« (Werke II, S. 15). Die Subjekt-Substanz-Beziehung ist bei Hegel freilich weiter als die Subjekt-Objekt-Beziehung; die Substanz Hegels übergreift die Subjekt-Objekt-Beziehung (weshalb sie eben auch als Subjekt aufgefaßt und ausgedrückt werden kann). Doch indem Hegels Substanz ebensosehr das Prinzip der absoluten Notwendigkeit ist, im historisch gegebenen, vor allem durch den Spinozismus der Substanz gegebenen Sinn, ist sie allerdings auch Objektivität, fundierender Zusammenhalt der Objekte, schließlich auch höchstes Objekt selbst. Derart kann Subjekt-Substanz-Beziehung im Verlauf der gesamten Hegelschen Dialektik der Subjekt-Objekt-Beziehung promiscue sein. Hegel selbst variiert die Substanz-Beziehung sogar noch weitergehend, um mittels dieser Grundform dialektischer Totalität jede Zerreißung wieder zusammenzufassen: »Solche groß Entgegengesetzte ... hat die Bildung verschiedener Zeiten in verschiedenen Formen aufgestellt, und der Verstand an ihnen sich abgemüht. Die Gegensätze, die sonst unter der Form von Geist und Materie, Seele und Leib, Glauben und Verstand, Freiheit und Notwendigkeit ... bedeutend waren ..., sind im Fortgang der Bildung in die Form der Gegensätze von Vernunft und Sinnlichkeit, Intelligenz und Natur ..., von absoluter Subjektivität und absoluter Objektivität übergegangen« (Werke I, S. 174). Indem Hegel solche festgewordenen Gegensätze – also auch den zwischen Geist und Materie – durch höchste Lebendigkeit der Totalität aufheben will, ist die Konsequenz unabweisbar: Materie wird zu einem Moment des Geistes, aber auch Geist zu einem Moment der – dialektischen – Materie. Es kommt Hegel hierbei an auf die »Menschwerdung der Substanz« (wie denn der christologische Ursprung und Hintergrund in Hegels gesamter Dialektik nirgends vergessen werden darf). Ohne diese beständige Subjektwerdung bleibt selbst der christlich eingekehrte Geist unentfaltet: »seine Wahrheit ist, nicht nur die Substanz der Gemeinde oder das Ansich derselben zu sein, ... sondern wirkliches Selbst zu werden, sich in sich zu reflektieren und Subjekt sein« (Werke II, S. 574). Und bevor dies alles geschieht, ist Hegels Substanz genau so leer wie das Subjekt, das noch kein Fürsichsein hat; als noch unvermittelte, prozeßhaft noch unausgeschüttete ist sie gleichfalls nur ein Ansich, Substanz an sich. So kann Hegel sagen: »Die Substanz ist das noch unentwickelte Ansich oder der Grund und Begriff in seiner noch unbewegten Einfachheit, also die Innerlichkeit oder das Selbst des Geistes, das noch nicht da ist ... Die Zeit erscheint daher als das Schicksal und die Notwendigkeit des Geistes, der nicht in sich vollendet ist, die Notwendigkeit, ... die Unmittelbarkeit des Ansich ... in Bewegung zu setzen oder umgekehrt, das Ansich als das Innerliche genommen, das was erst innerlich ist, zu realisieren und zu offenbaren, – das heißt, es der Gewißheit seiner selbst zu vindizieren ... Diese Substanz aber, die der Geist ist, ist das Werden seiner zu dem, was er an sich ist; und erst als dies in sich reflektierende Werden ist er an sich in Wahrheit der Geist. Er ist an sich die Bewegung, die das Erkennen ist, – die Verwandlung jenes Ansichs in das Fürsich, der Substanz in das Subjekt, des Gegenstandes des Bewußtseins in Gegenstand des Selbstbewußtseins ... Sie ist der in sich zurückgehende Kreis, der seinen Anfang voraussetzt und ihn nur im Ende erreicht« (Werke II, S. 604 f.). Näher nun zum Prozeß dieser Vermittlung selber, so hat Hegel das verobjektivierte Subjekt auch als Keim und Anlage angegeben, mithin als etwas, das noch nicht da ist, wohl aber im Vorexistierenden als sozusagen möglich angeht. Hegels Philosophie ist zwar auf den Begriff des Möglichen nicht gut zu sprechen: »Insbesondere muß in der Philosophie von dem Aufzeigen, daß etwas möglich oder daß auch noch etwas anderes möglich und daß etwas, wie man es auch ausdrückt, denkbar sei, nicht die Rede sein« (Enz. § 143). Aber Hegel kennt, demungeachtet, auch eine nicht so formale Möglichkeit, und diese eben ist nicht mehr »Reflexion-in-sich nur als die abstrakte Identität, daß etwas sich in sich nicht widerspreche«, sondern »das (inhaltsvolle) Ansichsein der realen Wirklichkeit«. So sehr Hegel auch hier den Unterschied zwischen realer Möglichkeit und realer Wirklichkeit auf einen scheinbaren herabdrücken will: Möglichkeit bleibt ihm die Grundlage in jeder Wirklichkeit. So ist »die unmittelbare Wirklichkeit nicht durch eine voraussetzende Reflexion bestimmt, Bedingung zu sein, sondern es ist gesetzt, daß sie selbst die Möglichkeit ist« (Werke IV, S. 210). Viel farbiger, als dies der Großen Logik zusteht, bezeichnet Hegels Philosophie der Geschichte diese Substanz an sich, zieht zugleich – was hier so wichtig – wohlbekannte Aristotelische Begriffe herbei; wohlbekannt eben als Begriffe der *Materie*. »Hier ist nur anzudeuten, daß der Geist von seiner unendlichen Möglichkeit, aber nur Möglichkeit anfängt, die seinen absoluten Gehalt als in sich enthält . . ., als Keim, als Trieb in sich hat. Ebenso weist wenigstens reflektierter Weise die Möglichkeit auf ein solches hin, das wirklich werden soll, und näher ist die aristotelische dynamis auch potentia, Kraft und Macht« (Werke IX, S. 55). Was hier bestimmt ist, »die Rinde der Natürlichkeit, Sinnlichkeit und Fremdheit seiner selbst zu durchbrechen und zum Lichte des Bewußtseins, das ist zu sich selbst zu kommen«, ist gewiß nicht die Substanz als Materie, sondern im Gegenteil, als Geist. Aber die Relativität dieser Gegensätze bei Hegel erweist sich darin, daß gerade die Begriffe Möglichkeit und Sehnsucht – diese Grundbegriffe der Aristotelischen Materie – dem Ansich der Substanz zugeschrieben werden. Ja in der Einleitung zur Geschichte der Philosophie identifiziert Hegel sogar seinen Entwicklungsbegriff mit dem hylo-logistischen des Aristoteles: »Um zu fassen, was Entwicklung ist, müssen zweierlei Zustände unterschieden werden; der eine ist das, was als Anlage, Vermögen, das Ansichsein, potentia, δύναμις bekannt ist. Die zweite Bestimmung ist das Fürsichsein, die Wirklichkeit (actus, ἐνέργεια) . . . das Ansich regiert den Verlauf« (Werke XIII, S. 33 f.). Auf so merkwürdige Weise kommt das alte ὑποκείμενον der Substanz der alten δύναμις (potentia, Anlage) der Materie nahe. Freilich nirgends, auch nicht wider Willen, der mechanischen Materie; diese eben bleibt Hegel das abstrakte Einerlei, das dem ebenso abstrakten Ich des leeren Verstandes zugeordnet ist. Oder sie bleibt – naturphilosophisch, wie sogleich zu sehen sein wird – genau die »Rinde der Natürlichkeit, Sinnlichkeit und Fremdheit«, die der Geist zu durchbrechen hat. Und doch nicht ganz: sobald in Hegels Geschichte der Philosophie französischer Materialismus erscheint, gewinnt auch er, trotz der Mechanik, aufreizende Züge der Substanz. Hegel ehrt an ihm den »Fanatismus des abstrakten Gedankens«, ja sogar »die Idee einer allgemeinen konkreten Einheit« – gerade als die angenommen *eine* Materie in allen Fruchtbarkeiten der Natur. Daneben allerdings sagt Hegel wieder, im gleichen Zusammenhang, vom materialistischen Gedanken: »Als Materie also, als deren Gegenständlichkeit ist das absolute Wesen bestimmt durch den Begriff, der allen Inhalt und Bestimmung zerstört und nur dies Allgemeine zu seinem Gegenstande hat. Es ist der Begriff, der sich nur zerschlagend verhält, nicht wieder sich ausbildet aus dieser Materie oder reinem Denken oder reiner Substantialität heraus« (Werke XV, S. 509). Immerhin geht Hegels Immanenz an der Materie betroffen vorüber, wie an einem Gott, der nur von außen stößt, kalt.

Äther des Anfangs

Das Ansich nun geht einen nächtlichen Weg außer sich, um das Licht zu finden. Dabei erscheint der reine Geist, bevor er naturhaft anders wird, in einer für ihn ganz eigentümlichen Gestalt. Nämlich in einer durchaus nicht geistigen, mehr materiellen von Anfang an; und das hebt gerade auf der höchsten Höhe des rein logischen Ansich an, im Begriff seines Umschlags. Wir meinen den Begriff des *Äthers*; dies Wesen hat zwar in den späteren Schriften Hegels keinen oder nur beiläufigen Platz, desto wichtiger aber tritt es im frühesten System auf. Dort füllt es auch genau die Lücke aus (wenigstens bildhaft), die zwischen der höchsten logischen Idee und dem Sturz ihres naturhaften Anders- und Außersichseins besteht. Das Jenenser Heft der Naturphilosophie (1801/02) erklärt schlechtweg: »Die Idee als das in seinen Begriff zurückgegangene Dasein, kann nun die absolute Materie oder Äther genannt werden«. Die absolute Materie, dieser Weltdunst des Geistes ist beim frühen Hegel »als absolute Allgemeinheit der Natur überhaupt das Wesen des Lebens«, ist »die in sich selbst geschlossene und lebendige Natur«; so begründet sie, noch ganz in der Weise Brunos, die Einheit des Universums. Zugleich freilich mythologisiert Hegel Kant-Laplace mit einer Phantastik, die dieser Kosmogonie nicht an der Wiege gesungen worden war, und die fast wie aus dem

Tollhaus klingt; aus dem Tollhaus, versteht sich, einer wogenden Genialität und ihres selber weltbildenden Chaos. Nämlich, um das Anderswerden des Äthergeistes oder die erste natürliche Gestalt zu gewinnen, statuiert Hegel »das Sprechen des Äthers mit sich selbst« (das Subjekt, das spricht, der Inhalt, der gesprochen wird, der Raum, in den hinein gesprochen wird, wohin das Gesprochene klingt, ist alles noch dasselbe – Äther). Hegel nennt dies Sprechen die erste *Kontraktion,* ihr erstes Erzeugnis aber ist der zu anderem unbezogene und starr leuchtende Punkt – der *Fixstern.* »Diese Kontraktion der Gediegenheit ist das erste Moment des negativen Eins, des Punkts ... Das Eins des Sterns und seine Quantität sind das erste schrankenlose, unartikulierte Wort des Äthers, eine formale Sprache, die so ohne Bedeutung ist ... Indem der Punkt und seine Quantität dieser formale Ausdruck der Unendlichkeit sind, so sind sie ohne lebendiges Verhältnis, dessen Seele die nicht gleichgültige Einheit ist; und sie sind Selbst-Sonnen, nicht Sonnen füreinander, und ohne Bewegung. Sie können die Totalität des Verhältnisses nur wie ein System geometrischer Figuren, und das Zahlensystem als Sternbilder, deren Punkte geordnete Entfernungen gegeneinander haben, darstellen. Sie sind ein unbewegtes Gemälde, ein formales Modell, das in stummen Hieroglyphen eine ewige Vergangenheit repräsentiert, welche nur im Erkennen dieser Schrift ihre Gegenwart und ihr Leben hat« (Jenenser Logik, Metaphysik und Naturphilosophie, Meiner, S. 200 f.). Die Erde, die von diesem Himmel herabgeronnen, hat ihn bei Hegel allerdings nicht mehr über sich, sondern hinter sich; die riesige Punktierschrift zeigt keine unverstandene Materie, keine Symbole eines noch außerhistorischen Inhalts, sondern hier stottert der gestirnte Himmel als Anfänger lediglich Anfänge. Hegels Äther ist auch nicht die unbewegte Höhenqualität dieses Begriffs in der Dichtung (»Und duftend schwebt der Äther ohne Wolken«, sagt Goethes Nausikaafragment vom sizilianischen Weltraum); er ist erst recht nicht, was Hegel später – völlig ohne Materie – als »reinen Äther des Gedankens« preist. Vielmehr hat dies Wesen, trotz »seiner einfachen, sich nur auf sich selbst beziehenden Unendlichkeit«, durchaus auch den Anfang des Andersseins in sich. Der Äther ist »das Auflösen von allem, die reine einfache Negativität, die flüssige, und untrübbare Durchsichtigkeit«. Aber sein Ansich ist bei aller Zurückgegangenheit ins reine Sein doch ebenso »die schwangere Materie, welche als absolute Bewegung in sich die Gärung ist, die, ihrer selbst als aller Wahrheit gewiß, in dieser freien Selbständigkeit der Momente, die sie in ihr erhalten haben, in sich und sich gleich bleibt«. So ist das Ätherwesen als auf dem Horizont zwischen ontologischer Logik und Naturphilosophie gelegen, gleichfalls doppelsinnig: »es ist der absolute Geist als Unendlichkeit ... und das Andere desselben: es ist die Natur« (l. c., S. 186). Vermutbar ist, daß die Gleichung Sein = Nichts am Doppelgesicht dieses Äthers zuerst aufgetaucht ist und hier ihren bildhaften (unverlorenen) Ursprung hat. Hegel vertauscht die Momente des Äthers sogleich: »Es sei, daß man ihr Sein Tag nennen wollte, so sind sie ebenso unmittelbar das Nichts dieses Seins oder absolute Nacht, – oder wäre ihr Sein das Dunkle, so wäre ihr Nichts, die Unendlichkeit, ebenso absolut heller, durchsichtiger Tag« (l. c., S. 199). Jean Paul spricht einmal vom Anblick des Himmels, wenn er sein Blau verliert, das heißt, wenn der Mensch sich so hoch erhebt, daß das Blau dunkler und dunkler, daß es endlich schwarz wird. Der Mensch hat dann die Höhe erreicht, wo ihn »nur noch der Riese der Nacht mit einem einzigen feurigen Auge ansieht«; dies Auge ist die Sonne. Hegels Äther ist diesem zeitgenössischen Geniebild mehr als benachbart, besonders in der unheimlichen Personalunion von höchster Nacht und höchstem Tag. Mit Absicht wurde hier Hegels Phantasmagorie de prima materia ausführlicher ausgebreitet; aus denselben Gründen, aus denen sie der Herausgeber der Hegelschen Naturphilosophie seinerzeit ausgelassen hat, ungleich so vielen anderen Zusätzen zur Enzyklopädie. Der Herausgeber, Michelet, verneinte zwar nicht die Phantasmagorie, wohl aber, obwohl er Linkshegelianer war, die Gleichsetzung des einfachen absoluten Geistes mit absoluter Materie; eben diese Gleichsetzung macht aber den materiellen Urgedanken zur Hegelschen Gleichsetzung von Sein = Nichts kenntlich. Nie wieder hat Hegel so mysteriös, aber auch nie wieder so rühmlich von seiner ersten Materie gesprochen; als dem inneren Wesen der Welt. Das daraus folgende Fixsternsystem wird zwar mißhandelt, mathematische Physik ist so weit, als hätte es nie dergleichen gegeben, ja der sprechende Äther, die Materie mit der Schöpfungszunge – solche Gebilde erinnern genau an Irrenzeichnungen, sie sind eine Art materialismus furialis. Doch bei alldem läßt der frühe Hegel als Lehrsatz vortreten: Der absolute Geist ist an sich, auf der Höhe seines Ansich absolute Materie; das ist das auffallende Tor dieser Naturphilosophie. Brausender Äther und »schwangere Materie, welche als absolute Bewegung in sich die Gärung ist«, sind hier das unerschlossene Ansich, ja das bleibend Allgemeine, das in der Welt sich aufschließt.

Übergang in die Natur

Danach geht der schwere Weg weiter, um ein noch wildes Draußen alldessen zu bestehen. Zuvor aber die Frage: Wie kommt es, daß der erste, der ätherische Stoff überhaupt mit seinem nachfolgenden Außersich schwanger ist? Mit anderen Worten, im Hinblick auf die spätere Fassung des Ur-Ansich, wo das Ätherische leider ganz pneumatisch wird, nämlich Geist vor Erschaffung der Dinge: Was ist darin der Anstoß zum Außersich-Werden? ja wie kommt es, daß schon der Ätherstoff selber, wie gar erst ein Pneuma von der höchsten Höhe des vorweltlichen Ansich, von der sogenannt absoluten Idee zu dem gar nicht nur idealen Außersich-Niveau eines Famulus Welt abspringen kann, der schließlich noch froh ist, wenn er Regenwürmer findet? Das reine Pneuma, in Hegels späterer »Logik«, erklärt am wenigsten, wieso es zur Welt kommt, wieso dies überwiegende Famulusgebiet, diese Anderheit Natur, die eben auch aus Regenwürmern und nicht nur aus Erdgeist besteht, die Fülle der Gesichte ante rem stören kann. Der Anstoß ist überhaupt dem Hegelschen Denken unerreichbar; ein *rein logisches* Ansich schlägt niemals zum Außersich um oder »entläßt sich zur Natur«. Hegel spricht zwar von einem Trieb, einer Sehnsucht des Geistes, zu sich zu kommen, mithin einem gar nicht so Gedankenhaften, von der Natur als einem wilden Durchgang, aber rein logischer Fortgang hat das eigentlich Willenshafte, Anstoßende ebensowenig in sich wie das Faktische der realen

Inhalte; er muß sich beides leihen. Die Anleihe ergänzt und verbessert zwar die apriorische Konstruktion und gewährt den Anschein, als wäre die Welt wirklich nur ein Gedanke. Das Geliehene aber – das thelisch gärende wie das empirisch Angetroffene – ist dem Panlogismus selber fremd und in ihm (wie Spinozas System zeigt) ein fremdes Element. Der reine Panlogismus erklärt weder das Daß-Sein noch die treibende Unruhe noch die zeiträumliche Differenzierung der Welt. Hier hakten deshalb die entscheidendsten Einwände gegen Hegel ein, sie reichen, mit freilich sehr verschiedenem Akzent, von Schelling bis – Marx. Selbst der Hegelianer Rosenkranz (in seinen dauernd lesenswerten Erläuterungen zur Enzyklopädie) meint sarkastisch: »Der Kristall ist nicht unlogisch, aber die logischen Bestimmungen, die ihm inhärieren, machen ihn nicht zum Kristall. Zum Quarzkristall wird er nur durch die Kieselsäure, die aus keiner logischen Kategorie herauszupressen ist.« Weit mächtiger griff Schellings Einwand: Hegel überschätze die Idee, wenn er meine, daß von ihrer Logik, die es mit dem Rationalen zu tun habe, auf gleichem Wege zu dem Wirklichen fortzuschreiten sei. Vielmehr zerfalle das System der Philosophie in zwei Teile: in den negativen des Nicht-nicht-zu-denkenden oder die logische Konstruktion des logischen Was-Wesens; in den positiven Teil des Seinmüssenden oder die historisch-empirische Erzählung vom Realisierenden des intensiven nicht-logischen Daß-Faktors. Das war beim mittleren wie späten Schelling mit einer mehr als fremdartigen, ja noch reaktionären Mythologie durchsetzt, fällt jedoch mit seiner Verteufelung, gar Schwermut des »Ungrunds« und dessen chaotischer »Freiheit« nicht zusammen. Also, der Übergang vom absoluten Geist zur Natur gelingt bei Hegel nicht; denn das Ansich, das ihn tatsächlich bewerkstelligt und sich auf den Weg des Prozesses begibt, ist eben kein Korrelat des leeren Denkens, wie Hegel behauptet, sondern des stoßenden Willens. In Hegels Panlogismus ist der Übergang zur Natur ein unbegreiflicher Sturz, ein »Abfall von der Idee«, dem ebendeshalb beim Panlogiker Hegel die Beschimpfungen nicht fehlen. Da Natur nun überwiegend in der Materie steht oder bestenfalls deren Blüten in sich begreift, so dehnt sich die Beschimpfung – als das schlechte Gewissen des

Panlogismus – von hier aus auch gerade auf die Materie aus. Denn Materie erscheint nun, im gekommenen Rayon des Außersichseins, lediglich als die Idee im Moment des Außereinander, und sie ist nicht nur dem erkennenden Geist äußerlich, sondern sich selbst. Die Natur ist die pure Nacht der Differenz, die, wenn auch mit wachsender Morgenröte, dem Fürsichsein des Geistes erst entgegengeht: »Wir wissen, daß das Natürliche räumlich und zeitlich ist . . . daß alles Natürliche ins Unendliche außereinander ist; daß ferner die Materie, diese allgemeine Grundlage aller daseienden Gestaltungen der Natur, nicht bloß uns Widerstand leistet, außer unserem Geiste besteht, sondern gegen sich selber sich auseinander hält, in konkrete Punkte, in materielle Atome sich trennt, aus denen sie zusammengesetzt ist. Die Unterschiede, zu welchen der Begriff der Natur sich entfaltet, sind mehr oder weniger gegeneinander selbständige Existenzen; durch ihre ursprüngliche Einheit stehen sie zwar miteinander in Beziehung, sodaß keine ohne die andere begriffen werden kann; aber diese Beziehung ist ihnen eine in höherem oder geringerem Grad äußerliche. Wir sagen daher mit Recht, *daß in der Natur nicht die Freiheit, sondern die Notwendigkeit herrsche;* denn diese letztere ist eben, in ihrer eigentlichen Bedeutung, die nur innerliche und deshalb auch nur äußerliche Beziehung gegeneinander selbständiger Existenzen« (Enz. § 381, Zusatz). Wieder erscheint hier die Vielheit, diesmal mit dem Äußerlichen der Materie verbunden und an ihm haftend; an anderen Stellen spricht Hegel von der »Ohnmacht der Natur, ihre Bestimmungen anders als abstrakt, das heißt äußerlich zu halten«. An beidem ist die Materie zwar nicht ausschließlich schuldig, im Gegenteil, sie ist ja die »ursprüngliche Einheit«, durch welche die selbständigen Existenzen miteinander in Beziehung stehen. Doch ist die Ohnmacht der Natur, den Begriff in seiner Ausführung festzuhalten, ersichtlich den Störungen nicht fern, die selbst Aristoteles der Materie zugeschrieben hatte; bei Aristoteles hemmt die Materie, wenigstens durch ihre Nebenursachen, den zweckmäßigen Ausbau der Formen, bei Hegel steht das Außersichsein insgesamt diesem Ausbau im Wege. Auch die Notwendigkeit begrenzt hier die Störung nicht, im Gegenteil, sie schließt sie ein:

natürliche Notwendigkeit und Zufälligkeit sind bei Hegel durchgehende Wechselbegriffe der Äußerlichkeit. Hegel schreibt bereits aufs Portal der Naturphilosophie deren Negatives: Natur ist »der unaufgelöste Widerspruch. Ihre Eigentümlichkeit ist das Gesetztsein, das Negative, wie die Alten die Materie überhaupt als das non-ens gefaßt haben ... Wenn aber die geistige (!) Zufälligkeit, die Willkür, bis zum Bösen fortgeht, so ist dies selbst noch ein unendlich Höheres als das gesetzmäßige Wandeln der Gestirne oder als die Unschuld der Pflanze; denn was sich so verwirrt, ist noch Geist« (Enz. § 248). Im Naturgebäude selber bildet Materie allerdings stets den Fußboden, eben die »ursprüngliche Einheit« aller Beziehungen, freilich immer auch als bloß abstrakte Einheit der Natur, als die Idee in ihrem Außersichsein. Soweit also Hegels deteriorierende Einschätzung und Darstellung der Materie in statu nascendi ex idea; nun aber im *Fortgang*, wo es sich nicht mehr um die Materie *im Übergang von der Idee zur Natur* handelt, sondern um die in der so geborenen Natur selber, folgt bei Hegel eine *desto bedeutsamer aufsteigende Biographie* das Materie-Geistes von seiner Schwere zu seinem Licht, bis hin zum immer noch naturhaften starting point des Lebens. Auf einem anderen Blatt, nicht nur mit reinem Geist ante rem, sondern mit Weltgeist überschrieben, steht folglich die geglückte Ausbreitung des Äther-Pneuma in die bei Hegel behandelten Organisationsformen des Geistes, als wäre er Materie, die Herausentwicklung der unbestimmten Materie zum Pantheon innerer Gestalten. Mit dem Aufstieg Schwere-Licht-Leben folgt Hegel den Natursphären Schellings, unter Streichung der allzu vielen Analogien; unablässige Freiheit der dialektischen Übergänge greift Platz. Das Ansich tritt nun, in Hegels ausgeführter Naturphilosophie, erst als noch abstraktes Außereinander vor, als Raum und Zeit, aber beides ineinander übergehend, mithin als Bewegung. Nichts anderes aber ist die mechanische Materie, sie erfüllt nicht etwa den Raum von außen her, sondern indem Bewegung ist, bewegt sich unweigerlich ein Etwas. Hier bereits hat der Satz statt: »Wie es keine Bewegung ohne Materie gibt, so auch keine Materie ohne Bewegung. Die Bewegung ist der Prozeß, das Übergehen von Zeit und Raum und umgekehrt, die

Materie dagegen die Beziehung von Raum und Zeit, als ruhende Identität« (Werke VII¹, S. 67). An diesen Anfang legt Hegel zugleich die wohlbekannte Attraktion und Repulsion, nachdem er dieselben Begriffe in ihrem logischen Ansich bereits als Ausschließen und ebenso Zusammenkommen von qualitativen Einheiten behandelt hatte. Als Grundkräfte der Materie treten sie nicht mehr so entschieden auf wie bei Kant; ihre Polarität hat auch nicht den symbolisch-dualistischen Zauber wie bei Schelling (Hegels Dialektik ist ja niemals eine der bloßen Einheit über polaren Zweiheiten, sondern der immer wieder zerbrechenden Einheit selbst). Repulsion und Attraktion sind nach Hegel »nicht als selbständig oder als Kräfte für sich zu nehmen; die Materie resultiert aus ihnen nur als Begriffsmomenten, aber ist das Vorausgesetzte für ihre Erscheinung« (Enz. § 262). Vorzüglich die *Schwere als erste genauere Bestimmung der Materie* »ist von der bloßen Attraktion wesentlich zu unterscheiden. Diese (die Attraktion) ist überhaupt nur das Aufheben des Außereinanderseins und gibt bloße Kontinuität. Hingegen die Schwere ist die Reduktion der auseinanderseienden, ebenso kontinuierlichen Besonderheit zur Einheit als negativer Beziehung auf sich, ... einer (jedoch noch ganz abstrakten) Subjektivität. Die Schwere setzt erstmals also einen Mittelpunkt, und das Streben nach demselben ist der Materie immanent; dieser Mittelpunkt freilich liegt noch außerhalb ihrer, letzthin in der gestalteten Sonne. Die Schwere ist sozusagen das Bekenntnis der Nichtigkeit des Außersichseins der Materie in ihrem Fürsichsein, ihrer Unselbständigkeit, ihres Widerspruchs. Man kann auch sagen, die Schwere ist das Insichsein der Materie, in diesem Sinne, daß eben sofern sie noch nicht Mittelpunkt, Subjektivität an ihr selbst ist, sie noch unbestimmt, unentwickelt, unaufgeschlossen ist, die Form noch nicht materiell ist« (Enz. § 262). Die *zweite, höhere Bestimmung der Materie aber ist das Licht*; es ist der Umschlag des dumpfen Insichseins, es leuchtet daher nicht in der abstrakt-mechanischen Materie, sondern erst in der individuell-qualifizierten. Verglichen mit dem Licht ist die Schwere der Materie das Finstere; das Licht ist die »erste qualifizierte Materie oder ihr existierendes allgemeines Selbst«. Die schwere Materie war noch die des Drucks oder Widerstands: das Licht aber »bringt uns in den allgemeinen Zusammenhang; alles ist dadurch, daß es im Lichte ist, auf theoretische, widerstandslose Weise für uns . . . Die Materie ist schwer, insofern sie die Einheit als Ort erst sucht; das Licht ist aber die Materie, die sich gefunden hat« (Werke VII¹, S. 131, 140). Daher nennt Hegel das Licht auch »unkörperliche, ja immaterielle Materie«; wie die Gotik den Stein plastisch auflöste und die Mauer mit immer mehr Fenstern durchschlug, so treibt es romantische Naturphilosophie hier mit dem ganzen Weltgebäude. Es mehrt sich die Vernichtung der materiellen Grundlage daher sehr rasch, drängt zu einer Art natürlicher Transsubstanziation. Der chemische Prozeß bildet den Übergang zu dieser *dritten Bestimmung der materiellen Natur*, zu *der des Lebens*. Hier ist die Materie so hoch qualifiziert, daß sie keine mehr ist; sie wird immer weiter zum Mittel herabgesetzt, zum Mittel der organischen Zwecke der Natur. Das Fürsichsein der Natur – in der Schwere noch dumpf strebend und verschlossen, im Licht gewichtlose Durchsichtigkeit – triumphiert im Selbstzweck des organischen Körpers; dieser ist »die triumphierende Individualität, die sich als Prozeß in allen Besonderheiten hervorbringende und erhaltende Einheit« (Werke VII¹, S. 424). Bereits im Feuer zuckte dieser Übergang, ja die Metalle, wenn sie angeschlagen werden, deuten ihn bereits an; sie haben Klang, wenn auch noch nicht Stimme. Es ist das die »mechanische Seelenhaftigkeit« des Klangs, die, zur Musik verwendet, den menschlichen Gesang fast homogen unterstützt. Die Kristalle wiederum eröffnen unzweideutige, von innen her anschließende Gestalt, es enthüllt sich an ihnen, bei Refraktion, geradezu eine »innere Damastweberei der Natur«. In der Pflanze dann überwindet sich die Schwere, sie sucht das Licht; im Tier aber – trotz seines vom Naturlauf noch abhängigen, daher unsicheren, angstvollen und unglücklichen Daseins – hat das Licht sich selbst gefunden. Die Materie also wird in dieser Gotisierung der Natur bis zum Verschwinden immateriell; als lebendige ist sie bereits der Vorspuk zur »allgemeinen Immaterielllität der Natur«, zur Seele. Raum und Zeit stehen am Anfang der Hegelschen Natur; der Mensch, als die aus der Natur losgerungene, selbstbewußt-vernünftige Individualität, an ihrem Ende. Der »Fortschritt im Bewußtsein der Freiheit«, dieser Aufklärungssatz ist in seiner Anwendung auf die natürliche Entwicklungsgeschichte verblüffend antimaterialistisch geworden; eben kraft der panlogistischen Anlage des Hegelschen Systems und des daraus resultierenden Naturhasses, des Hasses aufs unableitbare Anders- und Außersichsein. Der eine sich höchst qualifizierende, schließlich des ganzen Lebens volle Materie, ob auch in Hegels Paradox einer »immateriellen Materie«, nicht weiter beibehält, sondern sie auf gleichgültige und mechanische wieder herabdrückt. So findet sich denn – nach soviel Aufgeben der »ursprünglichen Einheit« aller Beziehungen – leider schließlich der erzidealistische Satz: »Der Geist ist die existierende Wahrheit der Materie, daß die Materie selbst keine Wahrheit hat« (Enz. § 389). Das Fürsichwerden (Aufschließen) der Materie wird terminologisch zu Geist umgetauft; als welches freilich die Unmöglichkeit der panlogistischen Daseins- und Inhaltssetzungen verhüllt. Allerdings spricht Hegel hier selber von der »souveränen Undankbarkeit« des Geistes, »dasjenige, durch welches er vermittelt scheint, aufzuheben, zu mediatisieren, zu einem nur durch ihn Bestehenden herabzusetzen und sich auf diese Weise vollkommen selbständig zu machen« (Werke VII¹, S. 23). Daher denn schließlich Hegels Lob der französischen Materialisten, ob auch noch so relativiert: »Dennoch muß man in dem Materialismus das begeisterungsvolle Streben anerkennen, über den, zweierlei Welten als gleich substanziell und wahr annehmenden Dualismus hinauszugehen, diese Zerreißung des ursprünglich Einen aufzuheben« (Werke VII², S. 54). Wo immer der Ursprung nicht als Geist, sondern von vornherein als Kraft, Intensität, Bewegung der Materie, Materie der Bewegung begriffen wird, erscheint Materie gar nicht als Anderssein, als finstere Differenz, sondern eben als Ausdruck der – Substanz. Als Ausdruck in vielen Graden und Stufen, in inadäquaten und wachsend adäquaten Objektivierungen, deren keine aus dem materiellen Antrieb und materiellen Inhalt herausfällt. Gerade Hegel, in seinem Kampf gegen Dualismus, hat das Lebensmeer der Materie überreich ausgebreitet; trotz des terminologischen Dualismus und trotz der idealistischen Schranke, die ihn verhinderte, auch Wolkenbildungen als aus dem Meere steigend zu erkennen, auch die Dialektik des Geistes als eine des immer weiter lichtbaren und gelichteten Gehalts von Materie auszuzeichnen. Weit über das von Hegel zugegebene organische Leben der Materie hinaus, weit in die von Hegel kulturell verfolgten Stoff-Form-Beziehungen der bildenden Kunst und noch in den »Äther der Dichtung« hinein.

Umschlag Quantität-Qualität

Auf dem Weg aus Trübem draußen zu seinem Licht hin muß noch einmal verweilt werden. Und zwar an den Stellen, wo das Außersich ganz materiell in ein Inneres umschlägt, ohne deshalb schon Geist zu werden. So bei der berühmten *Knotenlinie von Maßverhältnissen,* auch als Umschlag wachsender Quantität in Qualität bekannt. Hegel erlangt dadurch Platz für den Begriff des Neuen: »Alle Geburt und Tod sind, statt eine fortgesetzte Allmählichkeit zu sein, vielmehr ein Abbrechen derselben und der Sprung aus quantitativer Veränderung in qualitative« (Werke III, S. 450). Nimmt nun dadurch, daß nicht Größen zu weiteren Größen wachsen, sondern ein qualitativ Anderes entsteht, Materie ab? Offenbar nur dann, wenn Materie ausschließlich mit dem Quantum gleichgesetzt wird, nicht aber, sobald sie auch als qualitative eine bleibt. Ebenso verweigert sich nur die träge Materie dem Neuen, das heißt eine, der als wesentlichste »Eigenschaft« die Trägheit eingeschrieben ist, gemäß der Newtonschen Formel: Ein isolierter Körper beharrt in Ruhe oder gleichförmiger Bewegung. Hegel aber setzt diese »Eigenschaft« als vollkommen äußerlich, sie entspricht der »Endlichkeit des Körpers, seinem Begriffe nicht gemäß zu sein«, sie gilt überhaupt nur vom abstrakten, vom »selbstlosen Körper« (Enz. § 264). An den »individuellen Körpern« dagegen kennt Hegel »Richtungsänderung« durchaus, eine immanent beginnende, welche Härte, Schmelzbarkeit, Farbe und so fort ganz ungleichförmig sich verändern läßt. Besonders aber sind auch die mechanischen Grundbestimmungen des abstrakten Körpers nie rein quantitativ; mit Ausnahme der allerersten Raum-Zeit-Verhältnisse. Bereits die Schwere, die erste Sättigung des Körpers, stellt ein Quale gegen das bloße Raum-Zeit-

Verhältnis dar (wenn auch kein aus Quantität umgeschlagenes). Die außerordentliche Feier des Lichts hat überhaupt nur Platz, wo das Quantum gänzlich verlassen ist, ja nicht einmal zugrunde liegt (daher Hegels Zustimmung zu Goethes Farbenlehre, sein Kampf gegen Newtons »Barbarei«, gegen die »Vorstellung, daß auch beim Lichte nach der schlechtesten Reflexionsform, der Zusammensetzung, gegriffen worden ist«). Wie immer es sich mit der Wahrheit der qualitativen Naturphilosophie verhält: das Quantitative fällt hier mit dem Umkreis der mechanischen Materie nicht ganz zusammen; einerseits ist Licht bereits qualitativ. Andrerseits, was den eigentlichen Qualitäts-Umschlag angeht, findet sich Quantitatives bei Hegel in allen Gebieten, ja gerade in den sogenannten immateriellen. So in der Zahlenreihe, in musikalischen Verhältnissen, chemischen Verbindungen, im Maß der Tugenden und Laster, im Größenverhältnis der Staaten. Weder also ist mechanische Materie ausschließlich ein Quantum, noch das Quantum ausschließlich mechanische Materie; weder nimmt mit dem Qualitäts-Umschlag, mit Qualität überhaupt notwendig Materie ab, noch ist das Hervorbrechen des Quale aus dem Quantum (in sowieso schon idealen Gebieten) ein Sieg des Idealismus über den Materialismus. Hegel sieht vielmehr schon einen Sieg des Quale, wenn Wasser durch Temperaturänderung sprunghaft seinen Aggregatzustand verändert, ohnehin wird Materie bei Hegel als Schwere, gar als Licht, gar als Farberscheinung oder chemischer Prozeß wachsend selber der Qualitäten voll; sie ist bei Hegel der dialektischen Qualifizierung durchaus fähig und würdig. Der Grund also, weshalb dennoch keine dialektisch-qualifizierte Materie usque ad finem zugelassen wurde, lag daher nicht – wie der törichte Mechanismus meinte – in Hegels Qualitätslehre; diese ist vielmehr, als dialektische des Umschlags, eine Voraussetzung für jeden weiteren, jeden nichtmechanischen Materialismus. Entscheidend für Hegels Verdrängung der Materie bleibt vielmehr der idealistische Ausgangspunkt, nämlich die Unmöglichkeit, reale Materie so leicht aus Gedankenbestimmungen zu konstruieren wie die Bildungen des Geistes, die scheinbar freischwebenden und ebenso scheinbar von Haus aus idealistischen. Desto lehrreicher darum, daß auch in diesen angeblich entronnenen Bildungen Materie immer wieder auftritt und Schlachten liefert. Gewiß nicht die mechanische Materie, doch die grundlegende Gewalt wirtschaftlicher Bedürfnisse, die Veränderung der Produktions- und Austauschweise, kurz das ganze, obzwar nicht nur »grobmaterielle« Ensemble, das den Unterbau ausmacht und im Überbau seinen dadurch determinierten Reflex hat. Immerhin hat Hegel in der Sphäre des »objektiven Geistes«, das heißt in Staats- und Gesellschaftssachen Materielles insoweit eingefügt, daß er Gesellschaft, vor allem bürgerliche Gesellschaft, ihre materielle Ökonomie und sogar Technik von seinem hochidealen Staat, dem sogenannt »präsenten Gott auf Erden«, sowohl unterschieden wie grundhaft mit ihm verbunden hat. Auch in noch höheren Sphären als denen des objektiven Geistes tritt Materie beiseite, doch nicht verschweigbarer eigener Art wieder vor, nämlich in Kunst und Religion, also im »absoluten Geist« dieses Systems; und es ist die *Materie der in sich verschlossenen Geistnatur.* Hegels *Ästhetik* setzt sie doppelt, ja dreifach: einmal als Naturschönheit, sodann als symbolische Form, sodann als Konkretion der symbolischen Form in der Architektur. Das Naturschöne wird wiederum unten gehalten, es drückt das Schöne nur in scheinhafter und ihm äußerlicher Erscheinung aus. Natur ist auch ästhetisch kein Runenberg, keine versteinerte Zauberstadt, sondern »mangelhafte Schönheit«, die vom Kunstschönen nicht nur völlig aufgelöst, sondern ebenso völlig überboten wird; doch immerhin, es meldet sich als ein Schönes. Freilich die Kunst erst erhebt sich über die »Dürftigkeit und Prosa der Natur« und zwar als Wirklichkeit des Ideals; erst ihre »ideelle Subjektivität« vermag die materielle Anspielung zu befreien und »das Äußerliche reinem Begriffe gemäß zu machen« (Werke X[1], S. 196). Doch auch dem Kunstschönen liegt Materie zugrunde, zunächst in der Symbolform, sodann, diese konkreszierend, im Steinwesen der Architektur. Die Symbolform eben ist dasselbe wie Überwiegen des Stoffs über die Form, der Sinnlichkeit über den in ihr ringenden Geist. Das macht sowohl ihr Brüten aus, den dumpf antönenden Urlaut (auf dem beständigen Sprung zum Geist) wie die Zweideutigkeit dieses unausgeglichenen Bedeutens von Geistformen, Sphinxformen im Überwiegen des Stoffs. In der Tat geben daher die Ägypter den Mittelpunkt für die symbolische Kunstform ab: »Ägypten ist das Land des Symbols, das sich die geistige Aufgabe der Selbstentzifferung des Geistes stellt, ohne wirklich hinzugelangen« (Werke X¹, S. 456). Es ist das Land des lautlosen Rätsels, das »Reich des Todes und des Unsichtbaren, das hier die Bedeutung ausmacht«, und seine Konkretion ist die Architektur, freilich nicht nur die ägyptische. Sondern Architektur überhaupt ist ein bloßes »Suchen der wahren Angemessenheit« und muß in der »Äußerlichkeit von Inhalt und Darstellungsweise« sich genügen: »Das Material dieser ersten Kunst ist das an sich selbst Ungeistige, die schwere und nur nach den Gesetzen der Schwere gestaltbare Materie; ihre Form die Gebilde der äußeren Natur, regelmäßig und symmetrisch zu einem bloß äußeren Reflex des Geistes zur Totalität eines Kunstwerks verbunden« (Werke X², S. 257). Ganz ähnlich reproduziert auch Hegels *Religionsphilosophie* Materie als Ägypten, kurz vor dem Aufgang des Geistes; die ägyptische Religion ist ebendeshalb die des Rätsels. Die Schwere ist darin, welche alles Leben wieder zurückfordert: »Die Pyramide ist ein Kristall für sich, in dem ein Toter haust«; doch die Inschrift des Tempels der Göttin zu Sais schließt ebenso mit der Ankündigung des Lichts: »Die Frucht meines Leibes ist Helios« (Werke XI, S. 376). Bei dieser Schwere und diesem Licht sind so dieselben Stadienbestimmungen wie in der Naturphilosophie und das schließliche Verlassen beider durch den Menschen, als dem erst von Ödipus gelösten Geheimnis der Sphinx. In seiner Philosophie der Geschichte drückt Hegel dies Ineinander der ägyptischen Naturreligion mit zwei merkwürdigen Erinnerungen aus: »Ein Stoiker lernte die ägyptische Religion näher kennen und erklärte sie für Materialismus; den Gegensatz davon machten die alexandrinischen Philosophen, welche alles als Symbole einer geistigen Bedeutung nahmen und zwar so, daß diese Religion reiner Idealismus gewesen sei« (Werke IX, S. 217). Hegel hat mit diesem Entgegengesetzten seine eigene Naturphilosophie bezeichnet und seine Geistesphilosophie wenigstens insofern, als selbst die griechische Welt – die Auflösung des ägyptischen Rätsels, die Geburtsstätte der Philosophie, das höchste Fürsichsein des absoluten Geistes – ihre Wahrheit mit den Kategorien des materiellen Seins beginnt. Wie die Kunst und Religion, so fängt auch Philosophie mit dem Ansich des verschlossenen Geistes an, also mit Wasser, Luft und dergleichen; auch die Tat der Philosophen ist dies, »daß sie das an sich Vernünftige aus dem Schachte des Geistes, worin es zunächst nur als Substanz, als inneres Wesen ist, zu Tag gebracht, in das Bewußtsein, in das Wissen befördert haben, – ein sukzessives Erwachen« (Werke XIII, S. 52). Überall also liegt Materie (das variierte Spiegelbild ihrer naturhaften Äußerlichkeit) den Geistesbildungen als Anfang zugrunde; überall aber auch macht sich der Fortschritt als ein Fortschreiten von ihr in geisthafte Subjektivität, als »sukzessives Erwachen« zur immateriellen Vernunft heraus. Was der Natur als solcher angehört, liegt in ganzer Linie hinter dem Geist zurück; er selber hat zum eigenen den gesamten erledigten Gehalt der Natur. Weit mehr als bei Schelling liegt die Materie unten und schließlich draußen; auch fehlt der Rückbezug, gar Parallelismus des Geistes zur Naturgestaltung, wie ebenfalls oft bei Schelling und nicht nur bei dem des Identitätssystems. Dafür freilich unterliegt Hegel durchaus nicht der Verführung eines philosophisch erneuerten Astralmythos, das heißt die menschliche Geschichte wird nicht zum Spiegel- oder Symbolbild eines kalendarisch gegebenen Winters oder Frühlings, gar eines vorgegebenen Sternstands mediatisiert; – das ist die Lichtseite an Hegels schattenreicher Mediatisierung der Natur. Schelling war hier, in seiner Philosophie der Kunst, so weit gegangen, daß selbst die Musik ihre Wahrheit an Planeten und Kometen erfahren sollte, also wieder in der Sphärenharmonie landete, und Kunst insgesamt das Universum nachsprach; denn »alle Potenzen der Natur und ideellen Welt kehren hier – nun in der höchsten (sc. Potenz) – wieder, und es wird ganz klar, wie Philosophie der Kunst Konstruktion des Universums in der Form der Kunst sei« (Schelling, Werke V, S. 487). Davon ist Hegels Menschenstolz weit entfernt: tanta molis erat humanam condere gentem, sagt seine Geschichtsphilosophie, in humanistischer Verschiebung des berühmten Fazit der Vergilschen Äneis. Und die Frucht dieser Mühe, die menschliche Kultur, ging nicht mehr zu Naturgöttern zurück; die Sonne wurde zu einem Attribut Apollos, der murmelnde

Quell zu einem Element der Musen und nicht umgekehrt. Zweifellos wurde dies Kulturpathos teuer bezahlt, eben mit dem Verlust der Materie oder – was aufs Selbe herauskommt – mit der Verblassung ihrer entwickelteren Gestalten zu lauter Geistgestalten an und für sich. Daher überall dieselbe Stelle, wo der Zimmermann das Loch gelassen, nämlich die Verdünnung und Vernichtung der Materie, wodurch die Subjektivität auszieht und in sich zieht; daher die Beharrlichkeit dieser – hundertfach variierten – Spiritualisierung und nicht nur Qualifizierung von Materie. Auch fehlt Astralmythos trotz allem nicht ganz, nämlich als Pathos der begriffenen Notwendigkeit, als Unterwerfung unter die kontemplierten Schicksalssterne der Geschichte, als amor fati intellectualis historisch-fatalistischer Ordnung. Aber wiederum: gar vieles, was Hegel Substanz, selbst manches, was er Subjekt nennt, ist umgetaufte, unkenntlich gemachte, auch unerkannte Materie. Daher ist dem Marxismus nicht nur und ausschließlich die dialektische Methode an Hegel wichtig und an Hegels Werken nicht nur die Phänomenologie und die Logik (als die Grundexempel dieser Methode), Engels fand auch noch in der Hegelschen Naturphilosophie entscheidende Wahrheiten des dialektischen Materialismus; gerade in ihr, die zu seiner Zeit vergessen war und heute noch dem normalen Hegelianer eine Verlegenheit ist. Auch Hegels Ästhetik besteht nicht nur aus Spiritualisierungen, aus lauter Abschied der »Form« vom »Stoff«, des »absoluten Geistes« vom »sinnlichen Scheinen der Idee«. Und die Religionsphilosophie? – so sagt Hegel, nicht das sei den Griechen, ihrer Kunst und Mythologie vorzuwerfen, daß sie ihre Götter zu sehr, sondern daß sie sie zu wenig vermenschlicht haben, und demgemäß ist der gesamte absolute Geist, den er in der Religion zur Vorstellung werden läßt, zum Schrecken der Orthodoxen nicht in einem Himmel über der Welt ansässig, vielmehr der Welt-Geist selber, anthropologisch, nicht transzendent kulminierend.

Nochmals Subjekt-Substanz und Qualifizierung

Kein anderer geistiger Weg stieß je so stark auf das, was auf ihm nicht wuchs. Es war die Welt unter ihm und darum her, gedanklich abbildbar, doch ohne des Gedankens Blässe. Hegels Geist ging gerade ins sinnlich-Besondere, und dieses galt nicht etwa als bloßes Beispiel für ein Allgemeines, sondern dessen noch so sublimiert auftretender Begriff sollte einzig wieder ein Allgemeines des Besonderen sein. Und weiter, mit diesem Allgemeinen war nicht das mechanisch-statische gemeint; die mechanische Stoffhuberei ist ja auch außerhalb Hegels zu purem Aufkläricht abgestanden. Gerade der dialektische Hegel hat dazu mitverholfen, daß der Stoff als statischer Klotz Materielles nicht erschöpfe. Lenin sagt: »Hegel schlägt jeden Materialismus, nur nicht den dialektischen«; denn diesen, ist hinzuzufügen, hat er selbst ermöglicht. Und die Schwierigkeiten des Hegelschen Kopfwesens sind mit dem »auf die Füße Stellen« des Kopfwesens auch noch nicht ganz erledigt. Hegels zwei diesbezügliche Grundlehren – Subjekt-Objekt-Objekt-Subjekt-Beziehung und Qualifizierung des Quantitativen – gingen in den dialektischen Materialismus ein, ihre idealistische Hülle fiel ab. Schwierigkeiten bestehen hier: die idealistische Hülle, der materialistische Kern sind nicht getrennt wie bei einer Nuß, sie sind vielfach noch verwachsen. Die Schwierigkeit wird durch die Praxis erleichtert, worin die zwei Grundlehren marxistisch stehen und arbeiten. Besonders die *erste* Grundlehre, die *Subjekt-Objekt-Objekt-Subjekt-Beziehung* hat ihren Kern bereits hergegeben, er ist der arbeitende Mensch und die Verwandlung, die auch an ihm durch sein verwandeltes Arbeitsobjekt geschieht. Bei Hegel freilich, idealistisch, stellt sich das Subjekt noch als pures Denken dar. Auch das Selbst der Welt ist Trieb des Geistes nach seinem *Begriff,* als dem einzigen Anundfürsichsein, kein anderes Triebwerk setzt hier den realen Prozeß in Bewegung und unterhält ihn. »Volksgeister« machen die Geschichte, nacheinander vortretend wie die Stimmen einer Fuge, der Begriff ist Demiurg, oder die Individuen holen zwar, wie Hegel sagt, dem Weltgeist die Kastanien aus dem Feuer, doch wahrer Demiurg von allem soll überall der sich gegenständlich machende, sich mit sich letzthin zusammenschließende Logos bleiben. Den zusätzlichen Intensitätsfaktor im einfach realen Vorgang entdeckt zu haben, ja, was Dialektik angeht, den »stoßenden Widerspruch« im nicht nur rein-logischen, das war die

Tat von Marx, und genau mit ihr hat er Hegels Panlogismus auf die Füße gestellt. Das ist, sowohl auf das Voluntaristische wie auf das Realistische des wirksam wirkenden Gehens und des Kopfwesens als Mittel dazu, nicht als Inhalt. Statt des hypostasierten Denkens erschien die menschliche Arbeit, statt der Dialektik der Gedanken die Dialektik der Produktivkräfte und schließlich so, ganz unkontemplativ, Dialektik als Algebra der Revolution. Übergänge zum wirklichen Subjekt fehlen bei Hegel zwar durchaus nicht, der Subjektbezug der Substanz holt ein Stück Himmel auf die Erde, doch die Erde selber bleibt, gleich dem menschlichen Subjekt, dennoch eine Intellektualwelt, und die Materie bleibt, ob auch schwierig, darin angesiedelt. Immerhin gäbe es ohne Hegels Subjekt-Objekt-Beziehung keine Entdeckung der menschlichen Arbeitsbeziehungen als Wurzel aller gesellschaftlichen Dinge, also gerade keinen *historisch*-dialektischen Materialismus. Nicht so ganz hat die *zweite* Grundlehre: die *Qualifizierung des Quantitativen*, die Naturphilosophie der Qualitäten, ihre Wirklichkeit bereits herausgestellt. Gewiß, der berühmte Umschlag der Quantität hat bei Hegel bereits ein dialektisch-materialistisches Gesicht, ja die Engels'sche Schrift »Dialektik der Natur« schließt sogar ziemlich treu an die physikalisch-chemisch-organisch gestuften Qualitätssprünge der Hegelschen Naturphilosophie an. Doch ist der Materialismus des alten Stils gewiß dem Quantum verschworener als der Qualität; sicher machen deren neu entspringende physikalische, chemische, organische, nun erst ökonomische »starting points«, wie Engels sagt, unter den nur mechanisch bleibenden Körpern des üblichen Materialismus einen enormen Fremdkörper aus. Doch die eigentliche *Stufung von Qualitätsbestimmungen und Qualitätssphären* bleibt selbst im *dialektischen* Materialismus eine Crux. Der Materialismus ist von Haus aus quantitativ, so bei Demokrit, so wieder – als Leugnung der »sekundären Qualitäten« (Licht, Ton, Wärme) – in der Neuzeit. Indem nun der dialektische Materialismus sich nicht nur an Demokrit orientiert, sondern eben an Hegel, dadurch zugleich an Aristoteles, kurz an Denkern der Qualität und ihres entwicklungsgeschichtlichen Stufenbaus, entsteht, wie hier oft bemerkt, ein Ineinander von Prinzipien. Demokrit und Aristoteles-Hegel lassen aber sich nicht ohne weiteres synthetisieren; das eine ist Materialismus der Quantität, das andere dieses, was Hegel »Idealismus der Lebendigkeit« nennt. Das Ineinander ist desto vertrackter, als Demokrit zwar mechanisch-statisch, gegen Hegel zwar mindere Wahrheit, aber, zum Unterschied von Aristoteles-Hegel, immerhin – Materialismus ist. Die Schwierigkeit wird durch Hegel selber etwas erleichtert, indem er sehr oft als Substanz oder auch Geist behandelt, was sowohl seiner Herkunft wie seiner Konkretheit nach dialektisch entwickelte Materie ist. Umgekehrt drängt die, sage man: seltsame Darbietung der Qualitäten in der romantischen Naturphilosophie, zu der doch, malgré lui, auch die Hegelsche gehört, vieles davon in bloße Hülle um sonstige Fülle ab. Hier geht Hegels Idealismus weit hinter gewisse, als haltbar anerkannte Grundbegriffe der mechanischen Naturansicht zurück, und doch ist schwer auszumachen, wo eine materialistische Dialektik der Natur (als welche selbstverständlich nicht nur eine formalisierte, gar eine der bloß mechanischen Bewegungsgesetze ist) Hegel durch Demokritismus oder umgekehrt diesen durch Hegel korrigiert. In Hegels Materie ist nicht nur der Fluß, sondern ein wahrer Flußgott des Werdens, das heißt eine Art Religionsphilosophie der Qualifizierung (so in der Feier des Lichts). Dies Zugleich von Veraltetem und Bedeutendem, Rückständigem und Unabgegoltenem, macht die qualitative Naturlehre zu einem ganz einzigartigen Problemkomplex. Ist doch das Fragezeichen in diesem Gebiet der Materie nicht nur ein methodisches, sondern ein objekthaftes: ein Ausdruck der Natur-Ungelöstheit selber. Dies Fragezeichen signalisiert dann die objektive Ungelöstheit der in und mit uns tätigen wie der anorganischen Welt-Materie, aber auch ihre positiv während *Offenheit* und damit deren Zukunftscharakter in unabgeschlossener, objektiv-realer *Möglichkeit*. Indes eben: der Zeitmodus Zukunft und die ihn fundierende Zentralkategorie objektiv-reale Möglichkeit, diese beiden Latenzen nach vorn, sind bei Hegel nicht aufgegriffen worden. Dafür aber gibt es, in der Vorrede zur Phänomenologie des Geistes, immerhin die bedeutsame, ob auch von Hegel nicht weiter verfolgte Zukunfts-, ja Noch-Nicht-Notierung: »Der Leichtsinn wie die Langeweile, die im Bestehenden einrei-

ßen, die unbestimmte Ahnung eines Unbekannten sind Vorboten, daß etwas anderes im Anzuge ist. Dies allmähliche Zer-
bröckeln, das die Physiognomie des Ganzen nicht veränderte,
wird durch den Aufgang unterbrochen, der, ein Blitz, in einem
Male das Gebilde der neuen Welt hinstellt« (Werke II, S. 18).
So ist eine Latenz, in Hegels System der Entwicklung, selber als
latente; gerade das Neue, das, wie Hegel an gleicher Stelle sagt,
mit einem qualitativen Sprung aus dem Alten dialektisch *fortlaufend* geboren wird, wäre ja keines und könnte keines sein,
wenn es im ganzen seine Zukunft abgedankt hätte und sozusagen nur in der bereits geschehenen Vergangenheit angebrochen,
von ihr umschlossen wäre. Umschlossen von einem bereits Fer-
tiggemachten, statt nicht nur Mittel zu einer danach eintretenden Gewordenheit zu sein, sondern eben immer wieder Durchbruch. Wie er das Gewordene durchschlägt, weil im wirklichen
Novum das durchaus noch ungewordene Ultimum impliziert
ist, ja die Dialektik selber ihren letzten Anlaß zum Widerspruch
eben aus dem noch Ungelungenen in der Gewordenheit verlangt.

Hochzeit Dialektik-Materie

So ist der ganze Weg einer des Umschlagens, das staffelt ihn bis
zuletzt. Der Stoff hört damit völlig auf, ein starrer zu sein, auch
wenn das Medium, wodurch das erkannt wird, bei Hegel pau-
senlos Geist und nichts anderes als Geist heißt. Doch eben die
Dialektik kam dadurch zum Begriff Materie und dieser kam
endlich zu ihr, genauer, im historisch-dialektischen Materialismus wurde diese glückliche Begegnung besiegelt, den Idealisten
eine Torheit, marxistischen Materialisten vielleicht allzu sehr
eine Selbstverständlichkeit. Erst Hegel aber gab zu dieser Begegnung die Prämissen, wie bekannt, und Marx zog daraus den
Schluß, der alles andere als ein Ende ist: Dialektik, auf die Füße
gestellt, ist keine Selbstunterhaltung des Weltgeistes, sondern
die Gangart der Materie, vorzüglich der im menschlichen Arbeitsprozeß befindlichen. So kam die große Sachverbundenheit
von historischer Dialektik und materialistischer Erkenntnis, desto bemerkenswerter, als solche Union ihren beiden Gliedern ja

keineswegs an der Wiege gesungen war. Die Dialektik fand sich bis dahin, sieht man von Heraklit ab, ausschließlich bei Idealisten, bei Platon, Proklos, Abälard, Nikolaus von Cusa, Jakob Böhme, Fichte, vollends bei Hegel; der Materialismus dagegen gab sich bis Marx fast ausschließlich als physisch-statisch, selbst dort, wo er sich als natürliche Entwicklungsgeschichte darbot, doch auch dann mit ewig-ehernen Gesetzen. *Dialektischer* Materialismus wird statt dessen die glücklichste wie realistischste Hochzeit, gerade indem die Materie nach und über ihren physikalischen Daseinsformen nicht idealistisch verduftet, sondern ökonomisch-technisch die Schlüsselstellung in ihr selbst und zu ihr selbst erst recht einnimmt und behauptet. Gegen das mechanistische Nivellement der Natur erhebt sich die qualitative Stufung, dergestalt, daß die höhere Stufe die frühere berichtigt und die Wahrheit der früheren darstellt. Statt des ausschließlich physikalischen Materialismus ist auf diese Weise die ganze Unterbau-Überbau-Relation des ökonomisch-historischen Materialismus überhaupt erst möglich; das heißt, es gab, statt der totalen Reduktion auf Atome und Atomverbindungen, auch menschliche Wirtschaft und Gesellschaft als materielles Verhältnis – auf höherer, relativ selbständiger Stufe. Es gab Materie, die nicht in der Natur stecken blieb, die immer neue Bewußtseinsblüten ihres Subjekt-Substanz-Verhältnisses trieb, ja, die sich im ökonomisch-historischen Menschsubjekt überhaupt deutlich als Subjekt des Prozesses erfaßte. Um zu diesem Menschsubjekt, gleichsam als einer natura supernaturans, zu gelangen, bedarf es noch nicht eines »inneren Verklärungspunkts« der Materie, wie Schelling das in den »Weltaltern« nennt. Es genügt der organisch, dann psychisch neue Startpunkt einer qualitativ neuen Daseinsform, des energetisch-materiellen Hypokeimenon, ein Ausscheren aus der immer nur stetig und gleichmäßig fortschreitenden Zahlenreihe. Ohne daß dadurch jedoch jenes ganz andere Feld von Nicht-Materiellem einträte, das der Idealismus dualistisch als sein liebstes Kind hat, der Materialismus als sein immer wieder auf die Füße zu stellendes. Das Bewußtsein insgesamt, auch Geist genannt, mithin die geschehende Selbstreflexion der materiellen Vorgänge macht bei alldem zwar eine Crux im Materialismus, doch indem diese

Crux die problemlos gewesene Selbstzufriedenheit des mechanistisch gebliebenen Materialismus sprengt, wird sie dem dialektischen eine Bereicherung seiner ohnehin mit Sprung und schwieriger Offenheit beladenen Welt. Die Prozeßrealität der Materie – als dialektische Entwicklung ihrer objektiv-realen Möglichkeit – ist jedenfalls entdeckt und im historisch-dialektischen Materialismus unverlierbar erkannt. »Wer verlangt«, sagt Hegel unverdrossen, an allen Orten, noch in der Ästhetik, »wer verlangt, daß nichts existiere, was in sich einen Widerspruch als Identität entgegengesetzter trägt, der fordert zugleich, daß nichts Lebendiges existiere. Denn die Kraft des Lebens und mehr noch die Kraft des Geistes besteht darin, den Widerspruch in sich zu setzen, zu ertragen und zu überwinden. Dieses Setzen und Auflösen des Widerspruchs von ideeller Einheit und realem Außereinander der Glieder macht den steten Prozeß des Lebens aus, und das Leben ist nur als *Prozeß*. Der Lebensprozeß umfaßt die gedoppelte Tätigkeit: einerseits stets die Realunterschiede aller Glieder und Bestimmtheiten des Organismus zur sinnlichen Existenz zu bringen, andererseits aber, wenn sie in selbständiger Besonderung erstarren und gegeneinander zu festen Unterschieden sich abschließen wollen, an ihnen ihre allgemeine Idealität, welche ihre Belebung ist, geltend zu machen« (Werke X¹, S. 155 f.). Dies eben nennt Hegel, zusammenfassend, den »Idealismus der Lebendigkeit«, freilich hat er die Materie dann wieder, als wäre keine dialektische Qualifizierung an ihr begonnen, auf mechanischen Anfang zurückgedrängt. Wurde aber die Dialektik ganz an der Materie, das ist an der Prozeß-Materie erfaßt, dann erschien nicht »Idealismus der Lebendigkeit«, sondern ein neuer Materialismus mit dem Puls dialektischer Lebendigkeit.

MATERIE ALS KEIM DES MENSCHEN; ALS BRANDMAUER GEGEN DÄMONEN UND ALS ZUKÜNFTIGER KRISTALL
(Oken, Baader)

Was sich als unser Leib entwickelt, muß vorher angelegt gewesen sein. Auch ist er am wenigsten an einem Tag erbaut worden und die Tiere fingen früher damit an. *Oken* (Zeitgenosse Schellings) wollte derart aufspüren, hat diese Aufwicklung versucht, den Leib und seinen Stoff von Anfang gleichsam mitzumachen. Da wurde der Mensch von vornherein in dem Stoff vorausgesetzt, Stück für Stück sozusagen setzte er sich aus dessen Teilen, nacheinander, zusammen. Oken hat viel phantasiert, mit eiligen, mit billig überraschenden Analogien war er weit freigebiger als Schelling, unbedenklich füllte er empirische Lücken durch Einfälle aus, oft durch Schrullen. Aber derselbe Mann hat am energischsten natürliche Entwicklungsgeschichte und nichts als diese betrieben; »Urschleim« und »Bläschen« (Protoplasma und Zellen) hat er herausspekuliert, er setzte auf Äther und Meer als unsere Geburtsorte. Der Urzustand des alten Sauerteigs ist freilich seltsam genug, nämlich das Zero, die völlig unbestimmte Null. Sogleich aber ist sie polar, tritt als Plus und Minus auseinander, Zeit entsteht, Raum, die feurige Ätherkugel, aus ihr die vier Elemente, aus diesen – in immer reicherer Verbindung – Mineral, dann Pflanze, dann Tier. Das immer wiederholte Setzen der Dinge ist Zeit, die stehengebliebene Zeit ist Raum, der Punkt, Zero, nun als ausgedehnt gedacht, ist die Weltsphäre. Diese, als durch Bewegung entstanden, läuft selber im Kreis: »Gott ist eine rotierende Kugel, die Welt der rotierende Gott« (Lehrbuch der Naturphilosophie, 1831, S. 30). Ersichtlich hat Oken hier die Kant-Laplacesche Hypothese zum Mythos zurückverwandelt, mindestens mit ionischem Pantheismus ausgeziert. Das alles nennt Oken Mathesis, ihr folgt die eigentliche Hylogenie, das heißt die Entstehungslehre des Äthers aus dem raumhaftseienden Gott. Es ist dies ein Akt der Schöpfung, nicht aber der Erschaffung; denn Gott schöpft die Welt lediglich aus sich selbst. Auch geht Okens Gott völlig in den Äther der Welt ein: »Der Äther ist die erste Realwerdung Gottes, die ewige Position desselben. Er ist die erste Materie der Schöpfung; alles ist mithin aus ihm entstanden, er ist ... der göttliche Leib« (l. c., S. 35 f.). Und wie Oken ausdrücklich anmerkt, mitten in der kuriosen »Hylogenie« (über den Kellern aus Nichts): »Der Äther oder die Materie ist das universale Substrat der Natur, und es existiert nichts, was nicht materiell wäre« (l. c., § 136). Dreifach ist der Akt der Schöpfung: »Gott in sich seiend ist Schwere, handelnd, oder aus sich heraustretend Licht, beides zugleich oder in sich zurückkehrend Wärme« (l. c., S. 43). Haben sich aus der Feuerkugel der Wärme nun Sonnen und Planeten gebildet, so entsteht durch Urzeugung das organische Leben und zwar aus dem Meer, aus der weichen Kohlenstoffmasse des »Ur- oder Meerschleims«. Die organisch gewordene Materie schlägt als Pflanze zur Blüte aus, das Tier ist die selbstbewegliche Blüte, vor allem aber repräsentieren die Tierklassen die einzelnen Sinne, in denen die Welt sich empfindet. So ist die Schnecke das Tasttier, der Vogel das Hörtier, erst das Säugetier ist »Allsinntier« geworden, und der Mensch das höchste, indem er sich selbst erkennt. Er ist das alle Organe und Gestaltungen zusammenfassende Wesen; das Tierreich ist lediglich der teilweise erscheinende Mensch, der zerstückte und anatomierte. Die Zusammenfassung geht noch weiter: »Der Mensch sieht alles, das ganze Universum, während die Tiere nur einzelne Teile desselben ... ansehen können, wodurch sie ihre Vorstellungen nie zur Einheit bringen« (l. c., S. 489). An dieser Stelle vollzieht Okens qualitatives Denken eine merkwürdige, doch nicht unwichtige Umordnung der primären und sekundären Eigenschaften, der Sinnesempfindung und ihres physischen Korrelats. Dies Korrelat wird nicht geleugnet, doch ebensowenig das Wirkliche seiner subjektiven qualitativen Empfindung; beides ist wirklich, das Außen wie das Innen, der Stoff wie die Druckempfindung. Oken nennt das Außen oder Universum »die vorbildliche Urwelt«, das Sinnbewußtsein dieses Universums die »ebenbildliche Nachwelt«; die Urwelt setzt sich in der Nachwelt qualitativ fort. So wird die Kohäsion zum Tastsinn, die Elektrizität zum Geruchssinn; das Ohr hört die Metalle, im Auge sieht sich die ganze Welt. »Wie das Selbstbewußtsein nicht verschieden ist vom Consensus des Leibs, ...

ebenso ist der Sinn der Consensus mit der Welt, indem das eine Tier, das wir Universum nennen, an den Tieren sein Hirn hat« (Über das Universum, S. 9 ff.). Okens Wendung kehrt bei Fechner später wieder, erkenntnistheoretisch auch bei Lotze; wichtig an ihr ist, daß der naive Realismus, welcher die Welt nimmt, wie sie sinnlich erscheint, keineswegs naiv bleibt, sondern geradezu ein triumphierender wird. Die Sinnesqualitäten verhalten sich zum physischen Korrelat wie »das Gehirn zur Haut«; ebenso bleiben umgekehrt, bei dem heidnischen Naturalisten Oken, Gehirn, Seele, Geist durchaus an die Haut gebunden: »Geist ist nur die im Ebenbild bewegte Natur«. Der Mensch faßt die Selbstoffenbarung des Urstoffs zusammen, die Natur will, kann und kennt nichts Höheres. Die bestimmungslose Null war ihr Eingang, der Mensch ist ihr Ausgang, doch einer, der den Kreis nirgends verläßt. Im Schädel wiederholt sich die Kugelform des Alls, im Menschen ist das Fleisch Gott und Gott Fleisch geworden.

Ganz anders wühlte ein raunendes Ich das Draußen aus sich heraus, heimlich überall. Suchte das Draußen von dessen eigenem Drinnen her zu lesen, freilich ebenso von obenher ihm zu Leibe gehend. Das neuere cogito ergo sum wird hier umgekehrt, mit keinem menschlichen Subjekt als erkenntnistheoretischem Anfang. Der Mensch weiß bei *Baader* nur soweit von sich und allem, als Gott von ihm weiß, so wird unser wie alles Sein zunächst passiv gesetzt: nicht cogito, sondern cogitor, ergo cogito et sum. Mit diesem Satz ist das Grundmotiv der neueren rationalistischen Philosophie wieder aufgegeben, dieses, daß der Mensch einen Gegenstand nur insoweit erkenne, als er ihn erzeugt hat. Baader nähert sich dagegen der vorkapitalistischen, ja von hoch herab herkommenden Auffassung; in dem cogitor, ergo cogito et sum ist die indische Lehre: nur wen Atman wählt, von dem wird begriffen, ist die Paulinische: der Mensch erkennt, gleichwie er von Gott erkannt wird. Oken war der zuende gelebte junge Schelling, aber Baader ist der intensivierte alte, und ein Anderes dazu: christliche Kabbala. Zwar hat im Cogitor der Mensch gleich einer Sonne über den Kreaturen aufzugehen, aber er kann das nur, weil er ihnen zur Offenbarung Gottes als der höchsten Sonne verhilft. Dennoch, ja eben deshalb will Baader durchaus Einfluß des Menschen, ob auch auf dem Umweg von oben herab, um ihn aufs Erkannte weiterzuleiten. Folgerichtig von hier aus der Wiedereinbau aller Naturkenntnis und Technik in *Magie*; Mittler ist der gläubige Mensch. »Die wahre Macht über die Natur entspricht der der Seele über den Leib«, das ist, Schwere und Trägheit sind ein Bann, der wird nur geistig gelöst. Selbstverständlich sieht sich Alchymie hier geehrt und symbolisiert, noch entschiedener als bei Schelling: »Nur der wiedergeborene Mensch, der Christ, sagten die alten Alchymisten, kann Gold machen aus Steinen. Nur dieser wiedergeborene Mensch bringt überall, wo er hintritt, den Sabbath der Natur, dem Menschen und selbst, wenn man so sagen darf, der leidenden Gottheit« (Werke XV, 1851, S. 202 ff.). Das nicht als langsam vermittelnder Prozeß der Vergeistigung, wie bei Schelling und Hegel, wie im entwicklungsgeschichtlichen Pantheismus; dieser verwechselt vielmehr, nach Baader, die Natur mit dem Bann ihrer materiellen Seinsweise und den Bann überdies mit einem keimenden Gott. Daher kann die Blüte mehr »Silberblick des Ewigen« sein als die entwickelte Frucht; Baader verweist hier auf Böhmes Gleichnis der Blüte und Blume als »der lieblichen Konjunktion der Ewigkeit mit der Zeit« – es sind flüchtige Momente der Ewigkeit, Sprünge und nicht notwendig Wachstümer. »Weil das Reich dieser Welt nur eine Zeit ist, in welcher der Fluch (Gegenwartsflüchtigkeit), so geht diese paradiesische Eigenschaft mit ihrer Signatur bald dahin und transmutiert sich in das Korn« (Werke VII, S. 141 f.). Das ist die Poesie des jähen Sprungs ohne Vorboten, statt der Prosa des Prozesses, Pathos der erinnerten Jugend, die im Korn der Reife nicht alles hielt, was sie versprach. Doch gerade deshalb ein Gefühl der unvergessenen Antizipationen statt des alles aufarbeitenden pantheistischen Prozesses: »Und wenn diese Zeit nur der Winter der Ewigkeit ist, so vermag doch der Mensch, gleich einem verständigen Gärtner, auch mitten in diesem eisigen Winter wenigstens einzelne, wenn auch nur flüchtige und schnell sich wieder schließende Blüten der Ewigkeit hervorzurufen: jenen Paradieseszustand der Natur hiermit außer sich antizipierend, den er bereits in sich bleibender antizipierte« (Werke II, S. 121). Aber niemand hört die Natur und kann auch nur das Raunen ihrer Deutungen vernehmen, vor allem durch ihr Chiffriertes lesen, wenn nicht auch das darin unvordenklich Bedeutete mit uralter Lesekunst des Gewordenen mitbedacht wird. Das alles eben muß bei Baader im Zusammenhang mit seiner rezipierten Kabbala verstanden werden, hier mit ihrer »Gematria«, das heißt mit ihrer versuchten Schriftlehre der Natur insgesamt, als einer stummverschlossenen, in Chiffren aufblitzenden. Die Naturchiffer war ja auch ein Barockproblem; von Böhmes mythischen Signaturen reicht es hinauf bis zur Leibnizschen Characteristica universalis; von da ging es wieder ins Naturmythische zurück bei Novalis, Schelling (»die Natur ist ein uralter Autor«) und eben – besonders zentral – bei Baader. »Gerade in der taubstummen Region, der materiellen Natur«, sagt Baader, »bedarf der Mensch der Rede Gottes«: diese aber ist figürlich angezeigt. »Es hat seinen guten Grund, daß alles, was wir an der äußeren Natur sehen, schon Schrift an uns, sohin eine Art Zeichensprache ist, welcher indes das Wesentlichste, die Pronunziation fehlt, die dem Menschen schlechterdings anderswoher gekommen und gegeben sein müßte. Das Bestreben der meisten Naturforscher geht nun nicht dahin, diese richtige Aussprache zu finden, sondern sie begnügen sich mit der Beobachtung und Beschreibung der stummen Lettern« (Werke II, S. 129). Was also nicht mechanisch erklärbar sein soll, sondern vom »Griffel Gottes« in die Materie geschrieben, das erscheint in dieser nur verschlossen wie sie selbst: »Eine Natur wie diese materielle, welche sich nicht selbst zu offenbaren vermag, sondern nur offenbart wird, [kann] höchstens nur eine der Deutung bedürftige Hieroglyphenschrift (nicht Wortschrift) des schaffenden Worts an den Menschen sein« (Werke I, S. 130). Zwei Chiffrarten gibt Baader vor allem an: die der Klangfiguren und die der Sternbilder. Die Chladnischen Klangfiguren (im Staub auf einer angestrichenen Glasplatte sichtbar werdenden Tonschwingungen) stehen hier ersichtlich für mehr, nämlich für jene deutliche kristallinische, organische, ästhetische Gestalt. »Als ein gleichsam von seinem Material abgeschiedener, materiefrei gewordener Geist [beweist] der Klang sofort seine Meisterschaft über dieses Material damit . . ., daß er selber als Klangfigur sich zugebildet oder

vielmehr als vestigium seines Scheidens oder Ausgangs zurück-
läßt. Welches vestigium das unlebhafte Bild dessen ist, was der
Geist lebhaft und flüchtig in sich und mit sich fortträgt, und mit
welchem er, als gleichsam mit einer Siegesbeute, seine Geburts-
und Werkstätte verläßt. Denn es ist für die gesamte physische
und psychische Morphologie der Satz festzuhalten, daß der
Geist nicht im Eingang, sondern im Ausgang sich als plastisch
signiert« (Werke XIII, S. 234). Nicht nur die Architektur also
ist geronnene Musik, sondern der Klang ist vorher schon flüssige
Architektur, ja alle Gestalten der Welt sind aus dem entsprechenden, in sie hineingesprochenen Klang geboren und ihm
hermeneutisch verpflichtet. Die zweite Chiffer ist die Konstella-
tionsschrift am Himmel, damit zusammenhängend liefert Baader auch eine eigentümliche, nämlich graphierende Theorie der
Bewegung: »Alles Bewegen ist Figurbeschreiben, und diese
himmlischen Naturen schreiben, weil sie nicht sprechen können
. . . bekanntlich betrachteten oder erkannten die Alten alle Gestalten der Elementarkörper als eine Sternenschrift« (Werke II,
S. 396). Die Materie ist an dieser Stelle Baaders nicht Wachs
von vornherein, worauf der Formsiegel sich aufträgt, sondern
helfender, verhelfender Bildstoff, in den der Geist sich erst ein-
zeichnet, indem er aus seinem bloßen Wehen, dem Tönen heraustritt. Der Bildstoff oder das Stoffbild der Schriftlehre ist hier
ein bleibendes Ausdrucksmedium des Wesens, keine bloße vor-
läufige, uneigentliche, abfallende Hülle.

Was nun folgt, ist so noch nie in eines Menschen Kopf gewesen.
Anfänge davon sind nur um 1800 bei St. Martin, dem französischen Magus, der ja deshalb auch le philosophe inconnu heißt,
kamen aber über den Einfall nicht hinaus. Und das Seltsame
betrifft gerade die *Materie*: Baader hat sie mit einem neuen, in
ihrer ganzen langen Geschichte ungehörten Begriff bedacht.
Der Begriff ist mythologisch von oben bis unten, indes schon
deshalb bemerkenswert, weil hier zum ersten Mal, in Baaders
Zubereitung, die Materie dem Idealismus keine – Verlegenheit
ist. Freilich um den Preis, daß Himmel und Hölle in Bewegung
gesetzt wurden, um die Materie sozusagen evident zu machen,
um sie zu konstruieren. Nicht mehr aus lauter Mathematik wie

bei Kant, sondern, mit völlig bizarrem »Axiom«: aus Gottes Mitleid mit dem gefallenen Menschen. Damit kommt auch ein anderer Aspekt auf die Materie als der oben angegebene eines Bildstoffs, in den und durch den ein sogenanntes göttliches Tönen hindurchgehen sollte, sich in den materiellen Gestalten gleich Chladnischen Klangfiguren inkarnierend. Das cogitor, ergo cogito et sum, Baaders erkenntnistheoretischer Grundsatz, wendet sich, in dem zweiten Aspekt, nun anders auf das idealistisch schwierigste Sum oder Esse an, aufs materielle. Ein göttliches Cogitari alles Seins bleibt, doch was Materie angeht, als ein Denken, Bedenken plus Mitleid. Das rational Unableitbare der Materie soll nun aus dem Sündenfall kommen, und an die Stelle eines göttlichen Figurentönens in der Stoffwelt tritt nun eine die Schlange bannende, rein erbarmungsreiche »Hylosophie«. Doch bevor solches entwickelt werde, ist eine Erinnerung fällig an die *kabbalistische* Lehre von der Materie, im Buch Sohar; denn Baaders Lehre baut ihr Neues auf diesem phantastischen Grund. Erst durch die Schlange, erzählt die Kabbala, kam der Stoff in die Welt, erst nach ihrem Fall wurden die ersten Menschen mit Häuten, also dem Leib bekleidet. Auf diesem Leib aber liegt außerdem die Unreinlichkeit (Tuman), welche nichts anderes als der Giftstoff ist, den die Schlange auf das Weib geschleudert hat. Ja die ganze Welt mit ihren Lüsten ist in die Haut der Schlange eingekleidet, sogar die menschliche Seele und der Geist; vermöge dieses Schlangengewands, das der Mensch mit zur Welt bringt, hat der Satan einen beständigen Griff oder Anhang an den Menschen. Andererseits sprechen die Kabbalisten von mehreren anderen Welten, welche der gegenwärtigen vorausgegangen, aber wieder untergegangen, weil der Mensch darin noch nicht vorgekommen sei. Ursache des Untergangs der letzten vorigen Welt ist der Aufruhr der Engel, jetzt erst wurde der Mensch geschaffen, als einzig gottebenbildliches Wesen, die Ruinen der eingestürzten Welt wurden der Ort der bösen Geister. Derart interpretiert der Sohar die Bibelstelle von den sieben edomitischen Königen, die vor den Königen Israels regiert haben und gestorben sind, aber nicht total vernichtet: sie sanken vielmehr unters Joch der Materie. Die Könige Edoms (Edom steht allemal als der Gegner Israels) wurden in die Räume der eingestürzten »Schalenwelt« als in ihren Körper eingeschlossen; in die Finsternis des völlig erloschenen Lichts oder des Nichts-als-Materie unterhalb der materiellen Natur. Baader nun – mit dem Satz: »Nicht bloß das Heil, auch die Wissenschaft kommt von den Juden« – hat die Materie mit dieser mythologischen Abart jüdischer Wissenschaft in eine dritte Beziehung gesetzt, jenseits der Unreinlichkeit und des Ruinenreichs. Das Stichwort gab St. Martin mit dem Satz: »La matière fut créée afin que le mal ne puisse prendre nature«; jedoch völlig einzigartig ist Baaders Ausführung. Er entwickelt des Genaueren folgende Hylosophie: Der gefallene Mensch wäre unendlich abwärts gefallen, wenn sein Sturz durch Hilfe von oben nicht aufgehalten worden wäre. Aber so erging Gnade vor Recht und zwar durch das Zeitlich-Räumlich-Werden, das ist Materiellwerden der Welt. *Negativ* bleibt in der Hylosophie: Zeit und Raum sind selber vom Fall erfüllt; die Zeit ist Auflösung wie der Raum Hohlheit, Zentrumslosigkeit. »Ganz so wie im Zeitlichen das Immer der Ewigkeit, ganz so ist im Räumlichen ihr Überall negiert und zerfallen«; beide sind ein fixiertes Herausgeratensein aus der Ewigkeit. Dasselbe gilt von der materiellen Schwere: wie schwer nur das ist, was von seinem zeugenden Prinzip sich getrennt hat, wie nur dem der sittlichen Bestimmung entleerten Menschen diese als Last erscheint, so besteht das Wesen der Materie wie des drückenden Gesetzes in einer Dislokation, einem Herausgetretensein aus der Mitte. Baader geht noch weiter, er bemerkt, »daß die Spannung und Gewalttätigkeit, welche ... alle Gebilde dieser äußeren Natur entstehen und fortbestehen macht (das Ausscheidungs-, Isolierungs- und Fliehbestreben ihrer Elemente), hinreichendes Licht über die innere Veranlassung sowohl des Entstehens als des Fortbestehens dieser Materie gibt, und daß, da das einende Prinzip überall nur als eine ihr äußere Gewalt sich kundgibt, ihr Dasein selbst nur durch einen Heraustritt aus der Region der Liebe und inneren Einheit begreiflich wird. *Die Ketten und Gefängnisse lassen mit Recht auf einen Gefangenen, und dieser auf ein Verbrechen schließen*« (Werke IV, S. 16). Daher denn, wie bei Schelling, »der Schleier der Schwermut über der Natur«, und aus dem gleichen Grund des Abfalls;

und weiter aber bei Schelling: »Durch alle Schönheiten der Natur hindurch vernimmt der Mensch bald leiser, bald lauter jene melancholische Wehklage derselben über den Witwenschleier, den sie aus Schuld des Menschen tragen muß« (Schelling, Werke II, S. 120). Indes das *Positive* in Baaders Hylosophie, nämlich die Milderung der Strafe, das Aufhalten des Höllensturzes, ist bereits im zeit-räumlichen Bestand dieser Welt selber. Hier eben erging göttliches Mitleid: Die Zeit ist Aufschiebung des Gerichtfeuers, der Raum Aufhaltung des Höllenfeuers, die Materie gar Brandmauer, Ringmauer gegen den Tartarus. Nichts anderes, meint Baader, bedeutet das Sechstagewerk der mosaischen Schöpfungsgeschichte oder die Gründung der Erde: indem Gott sie schwebend über dem Abgrund erhält, verhindert er, daß die Welt völlig falle, sich völlig »tartarisiere«. Gott fixiert den Fall in der materiellen Zeiträumlichkeit; die Schöpfung der Materie ist, wie Baader mit beispiellosem Ausdruck sagte, ein Akt der »Detartarisation«. Der Abgrund aber schimmert durch: »In der Tat müssen wir es der Barmherzigkeit Gottes verdanken, daß selber durch die schöne liebliche Außen- oder Lichtseite der materiellen Natur dieses ihr finsteres Radikal (Wurzel) uns verborgen hält« (Werke VI, S. 115). Desgleichen sieht Baader eben den Kern der Materie jederzeit als Gift, als umhüllten Wurm, Schlangenstich (und bezeichnend waren im demagogenriecherischen Zeitalter der Restauration auch nicht nur Vulkanausbrüche unter den »fürchterlichen Kräften« des folgenden Zitats gemeint): »Jene fürchterlichen Kräfte, die, wenn sie nicht immer niedergehalten und dienend gemacht würden, die ganze äußere Schöpfung zertrümmern würden, lassen schließen, daß in der Materie ein zerstörendes Prinzip wohnt, welches der weltrichtende Blick nicht zu ertragen vermag. Wegen dieser Gefahr, die in der Materie verborgen ist, hat mit Recht die Kirche bei jedem Genuß, bei jedem Mahl das Gebet angeordnet« (Werke XIII, S. 154). Bei so viel Antitartarus wäre zu fragen, warum nicht auch beim Koitus ein Gebet, doch hat die Kirche immerhin für ihre Priester den Zölibat eingeführt, damit sie kein Gebet zu sprechen brauchen. Zum anderen, immer wieder, das Gefängnisbild der Welt betreffend, durchs unvordenkliche Schuldgefühl gesehen: »nur ein ungeheures Verbrechen (minder ein Abfall als eine Empörung gegen die Einheit) konnte diese materielle Manifestation (als Krisis, Hemmungs- und Restaurationsanstalt) veranlassen, und nur die Fortdauer dieses Verbrechens macht den Fortbestand oder die Forterzeugung dieser Materie begreiflich« (Werke II, S. 490). Dieses Motiv erscheint hier also im Entstehungsgrund der Materie insgesamt als Unterbietung, Motivationsgrund des Weltstoffs durch unvordenkliche Schuld und Hölle. Doch eben auch, nie zu vergessen, das Positive liegt ebenfalls in der *Materie als abriegelndem Schutz, als »Hemmungs- und Restaurationsanstalt«*, als dem Ätnamassiv, das Zeus über die Titanen stürzte, als dem Sintflut-Wasser über Sodom und Gomorrha, damit dieses sich nicht über die ganze Erde ausbreite. Nach dem Fall drohten die bösen Geister sich die Natur zu unterwerfen, um sie durch den Menschen zu beherrschen; die Sintflut, der Ätnasturz, das ganze Pufferreich der Materie hat so das Böse nicht nur zur Strafe, sondern aus Erbarmen, aus Mitleid Gottes mit dem Menschen in die Unterwelt verschlossen. »Dem Zerfallen der Kreatur in sich steuert die Materie, indem sie eine zwar äußerliche, doch reale Einheit darbietet und so der korporeisierten Kreatur zum Bleiben (Beleibung) oder zur Subsistenz hilft, hindert sie die völlige Abymation, und wenn man mit der Hl. Schrift als erste Materie das Wasser nimmt, so kann dieses mit Recht als die Träne der Natur und der Liebe Gottes bezeichnet werden, welche den Weltbrand löscht«. Weiter mit einem anderen, noch mythologischeren Bild: »In dieser ganzen Scheinzeit ist es nur der Mensch, der den verderbten Wesen offen ist, ... die äußere Natur kann also betrachtet werden als ein furchtbarer und mächtiger Schild, durch welchen der Schöpfer dem Vater der Lüge immer den Mund verschlossen hält, damit die Gotteslästerung sich nicht ausspreche« (Werke II, S. 88). Die Materie ist also nicht, wie Gnosis und Kabbala annehmen, das Böse schlechthin oder durch und durch, sondern umgekehrt: gegen das Böse ist sie als Hülle geschaffen, ja ihr Schutz soll noch dies letzthin Positive, Gnadenzeit, Gnadenraum, Material der Bewährung bieten (eine Kategorie, die der Materie sonst sicher an keiner theologischen Wiege gesungen wurde). »So muß man von dem materiellen (zeitlichen) Produkt oder Wesen sagen, daß selbes unmittelbar erst eines anderen Produktes wegen da ist, zu welchem es sich wie eine Bauhütte oder Werkstätte zu dem herzustellenden Gebäude verhält.« Baader betont hier gegen die Fixierung des gegenwärtigen materiellen Naturzustandes, »daß die Materialisierung dieser nicht intelligenten Natur nur eine besondere Weise ihres Seins ist und zwar eine *Nichtnormalität* desselben, welche durch die Unnormalität der mit dieser Natur verbundenen intelligenten Wesen veranlaßt oder hervorgerufen wird und den doppelten Zweck hat, sowohl jener Unnormalität zu wehren, als zu ihrer Restauration behilflich zu sein, für welchen Dienst des Eitlen (wie Paulus sagt) diese Natur auch ihre eigene Integrität gleichsam als Lohn sich verdient« (Werke VIII, S. 288). Die Wiederherstellung ist die Aufhebung von Zeit, Raum und Schwere, mithin die Verklärung der Natur oder die ewige »Übermaterie«. Die irdische Materie aber vergeht durchaus, ist schon jetzt keineswegs unzerstörbar, sondern »in einer beständigen Fluxion begriffen und also kein Augenblick in der Zeit, in welchem nicht Materie aus Immateriellem (sc. dynamische oder psychische Faktoren) neu entsteht, und wieder vergeht, ... nur daß dieses Hypermaterielle nicht für ein Hypernatürliches zu nehmen ist. Diese beständige Fluxion als beständige radikale Auflösung der Materie in Immaterielles, so wie ihr beständiges Neuentstehen aus letzterem gleicht sich aus, und diese Ausgleichung hat zu dem falschen Schluß ihres Beharrens Veranlassung gegeben« (Werke IV, S. 401 f.). Überraschend freilich bleibt der Begriff einer Übermaterie, sogar am ewigen Wesen; durch diesen sehr unirdischen, hoch transzendent gemeinten Begriff gerade sucht sich Baader vom – Materialismus abzugrenzen. Denn dessen Grundirrtum ist nach Baader »die Vereinerleiung der Materie mit der Natur«; so wie der Grundirrtum des Spiritualismus »die Leugnung der (verklärten) Materie, Natur, Leiblichkeit am ewigen Wesen« ist. Die Zeit als unvergängliche Gegenwart (Immer), der Raum als unausgedehntes Überall, die Materie mit ausgetilgtem Schuldkern und aufgehobener Schwere (Last): darin sieht Baader das himmlische Jerusalem. Welches nichts anderes ist als neuer Himmel und neue Erde, mithin die *verklärte Natur,* gleichsam Materie in der Form eines völlig integren eschatologischen Kristalls. Mittler hierzu bleibt, wie bemerkt, einzig der erneuerte Mensch: »Denn wirklich sollte der Mensch der offene Punkt (Gottesleiter) in der Schöpfung in einem noch höheren Sinne sein, als dieses die Sonne ist. Wenn er folglich wieder ein solcher wird, wenn das höhere Leben frei und ungehemmt wieder in ihm aufgeht, so ist es wohl begreiflich, wie jede niedrigere Natur, die in die Beleuchtungs- und Wirkungssphäre dieses wieder geöffneten Sonnenwesens tritt, insofern auch ihr eigenes, bis dahin verschlossenes, weil dieses Sonnenblicks entbehrendes Leben aufschließen wird, und wie also der Mensch, jenem Orpheus in der Fabel gleich (dieser Orpheus stillte das Ixionsrad), Harmonie und Segen auch in der niedrigeren Natur um sich verbreiten und wenigstens in seiner Privatsphäre jenen Naturzustand (als Metamorphose) gleichsam antizipieren wird, dessen allgemeine Herstellung die Ethik in der Idee des höchsten Gutes apodiktisch fordert« (Werke V, S. 32 f.). Baader wird bis zuletzt, bis zur Apokalypse, der Versicherung dieser »wahren Technik« nicht müde: »Erwägt man ..., daß der Fluch in die Natur (Erde) mit und durch jenen im Menschen zugleich eintrat, so wird man es auch nicht befremdend, wohl aber erfreulich finden, wie der irdische Wiederbringungsprozeß mit jenem im Menschen völlig gleiche Momente durchläuft, und wie sich also beide Prozesse ineinander spiegeln; denn der *Mensch und die Erde mit ihren Heimlichkeiten liegen im gleichen Fluch und Tod verschlossen und bedürfen einerlei Wiederbringung«* (Werke II, S. 122). Die Klangfigur einer letzten Naturleiblichkeit aber bleibt: »Zum Begriff der realen Freiheit gehört auch die Naturfreiheit, welche nicht Naturlosigkeit ist, sondern *Besitznahme der Natur,* weil die Naturfreiheit des Geistes auf seine Natur zurück wirkt, diese zur verklärten Leiblichkeit vollendend und sie hiermit aus der Unruhe ihrer sechs Tagewerke (Gestalten) in die Ruhe (den Sabbath) einführend« (Werke VIII, S. 292). Soweit Baader; mit Überlegung wurde er breiter zitiert, um die Vergessenheit dieser doch durchaus philosophischen Stimme von Patmos zu unterbrechen. Baader ist der deutsche philosophe inconnu (ein Titel, der zuerst ja St. Martin verliehen wurde); er ist aber zuweilen auch ein Philosoph des Unbekannten selbst, im fragwürdigen wie nachdenklichen Sinn des Worts. Das »Horizontproblem« der Natur ist rebus sic stantibus noch müßig, noch müßiger, nämlich gänzlich träge ist aber, sich seine Riegel nochmals zu verriegeln. Da gibt es bei Baader dauernde Theologumena mit noch mythologisch-großen Worten, nach denen »dieses ganze Schöpfungsall der Schauplatz der Herrlichkeit der Kinder Gottes und ihr Erbe werden solle« (Werke IX, S. 83). Wird dergleichen aus der Transzendenz herausgebracht, ohne aufzuhören, immanent zu transzendieren, so sieht sich hier – der Intension nach – das δυνάμει ὄν der Materie, ihre latente Möglichkeit zur allermenschlichsten Feierlichkeit staunenswert erweitert.

33   MATERIE ALS VORDERGRUND UND SCHLAF
          (Schopenhauer; Bergson; E. v. Hartmann)

Das wollende Ich könnte dem sinnlichen Draußen näher stehen als das denkende. Hat doch das Wollen einen Trieb in sich, oft sogar einen sinnlich genannten, und der nimmt mindestens den sinnlichen Stoff leichter auf als der Geist. Trotzdem ist dem nicht ohne weiteres so, die Materie ist den Voluntaristen zwar sichtlich näher als den Geistigen, aber die Voluntaristen kommen ihr darum doch nicht immer mit offenen Armen entgegen. Um so weniger, wenn, wie bei *Schopenhauer*, ein erkenntnistheoretisch-idealistischer Blick der metaphysischen Allwillenslehre zugeordnet wird. Dergestalt daß Materie sowohl als Schein der Vorstellung herabgesetzt wird und derart nicht zum Wesen gehört, wie sie andererseits metaphysisch durchaus mit dem Willenswesen, auch seinen nicht so scheinhaften Objektivierungen verschränkt ist. Wird die Materie vor dem ersten Blick nichtig, nämlich bloß scheinhaft, so wird sie von dem zweiten, dem metaphysisch-voluntaristischen Aspekt, als Triebfleisch, Willensleib gefaßt. Hat aber der Stoff im voluntaristischen Zentralblick sowohl mehr wie leichter Platz als in der erkenntnistheoretisch-idealistischen Vorstellung, so sieht Schopenhauers Zentralblick doch nur indirekt auf Stoff, zentral auf Wille, Weltwille. Die Bedeutung, die Schopenhauer hier dem

Wort Wille gibt, hat fast nichts mehr mit der üblichen gemein, die auf Tatkraft geht, gar auf moralischen Willen im Kantischen Sinn. Der Verneiner des Willens gab diesem den – auch sprachlich neuen – Sinn einer passiven Wildheit, einer personlosen Getriebenheit, einer schlechthin allgemeinen Gier; die Materie kam darin mehr als eine Grunderscheinung des Willens vor, doch immerhin als diese.

Was nun Schopenhauers *erkenntnistheoretische* Behandlung des Stoffs angeht, so wird er ein kategorienhaftes Gewebe, diesfalls ein kausales. Er ist »durch und durch nichts als Kausalität . . . Ihr Sein nämlich ist ihr Wirken: kein anderes Sein derselben ist auch nur zu denken möglich« (Werke, Grisebach, I, S. 39). Indem dies Wirken in der Zeit beharrt und den Raum erfüllt, ist es ebenso das Bleibende, das Substrat des Geschehens, ja dessen Substanz (eine Kategorie, die Schopenhauer sonst, außerhalb der Kausalität, als »Trugbild« verwirft): »Es gibt nur eine Materie, und alle verschiedenen Stoffe derselben sind verschiedene Zustände derselben: als solche heißt sie Substanz« (Werke II, Beilage zu S. 62). Die näheren Bestimmungen dieser Substanz lassen sich freilich mit der Materie als »objektivierter Verstandesform der Kausalität« nur schwer vereinen. Einerseits ist Materie lauter Wirken (Schopenhauer zieht dazu sowohl die Aristotelische ἐνέργεια wie Kants dynamische Theorie heran); andererseits ist sie, als Substrat, das »absolut Träge, Untätige, Formlose, Eigenschaftslose, welches jedoch der Träger aller Formen, Eigenschaften und Wirkungen ist« (Werke II, S. 358). Soviel über Materie im Vordergrund, als bloße Vorstellung; es sind vieldeutige Bestimmungen, und es sind, da ja noch die Welt als Wille besteht, nicht die einzigen, gar, wie bemerkt, die zentralen. Doch bevor diese erscheinen, finde noch die berühmte Attacke Platz, welche Schopenhauer – eben von der Welt als Vorstellung aus – gegen den Materialismus unternommen hat. Der transzendentale Idealismus erscheint Schopenhauer als der Weisheit, mindestens als der Erkenntnistheorie letzter Schluß; Kant wird hierbei durch Berkeley interpretiert, das heißt der Satz: kein Objekt ohne Subjekt wird Berkeleys Satz: this esse is percipi gleichgesetzt. Von dieser vermeintlich hohen Warte aus erscheint dann freilich der gesamte objektive Materialismus als Naivität, als kritisch längst überwundene. Wegen des Erfolgs, den Schopenhauers Attacke bis zu den Tagen des sogenannten Empiriokritizismus erzielt hat, sei sie in extenso hierhergesetzt. Sie ist das Original jeder idealistischen »Kritik« an der Materie, besonders auch der Materie als Prius der Seele, des Geistes, des Überbaus. Schopenhauer führt aus: »Am konsequentesten und am weitesten durchzuführen ist das objektive Verfahren, wenn es als eigentlicher Materialismus auftritt. Dieser setzt die Materie, und Zeit und Raum mit ihr, als schlechthin bestehend und überspringt die Beziehung auf das Subjekt, in welcher dies alles doch allein da ist. Er ergreift ferner das Gesetz der Kausalität zum Leitfaden, an dem er fortschreiten will, es nehmend als an sich bestehende Ordnung der Dinge, veritas aeterna; folglich den Verstand überspringend, in welchem und für welchen allein Kausalität ist. Nun sucht er den ersten, einfachsten Zustand der Materie zu finden und dann aus ihm alle anderen zu entwickeln, aufsteigend vom bloßen Mechanismus zum Chemismus, zur Polarität, Vegetation, Animalität; und gesetzt, dies gelänge, so wäre das letzte Glied der Kette die tierische Sensibilität, das Erkennen: welches folglich jetzt als eine bloße Modifikation der Materie, ein durch Kausalität herbeigeführter Zustand derselben, aufträte. Wären wir nun dem Materialismus, mit anschaulichen Vorstellungen bis dahin gefolgt; so würden wir, auf seinem Gipfel mit ihm angelangt, eine plötzliche Anwandlung des unauslöschlichen Lachens der Olympier spüren, indem wir, wie aus einem Traum erwachend, mit einem Male innewürden, daß sein letztes, so mühsam herbeigeführtes Resultat, das Erkennen, schon beim allerersten Ausgangspunkt, der Materie, als unumgängliche Bedingung vorausgesetzt war ... So enthüllte sich unerwartet die enorme petitio principii: denn plötzlich zeigt sich das letzte Glied als den Anhaltspunkt, an welchem schon das erste hing, die Kette als Kreis; der Materialist gliche dem Freiherrn von Münchhausen, der, zu Pferde im Wasser schwimmend, mit den Beinen das Pferd, sich selbst aber an seinem nach vorne übergeschlagenen Zopf in die Höhe zieht. Demnach besteht die Grundabsurdität des Materialismus darin, daß er vom Objektiven ausgeht, ein Objektives zum letzten Erklärungsgrund nimmt, sei nun dieses die Materie in abstracto, wie sie nur gedacht wird, oder die schon in die Form eingegangene, empirisch gegebene, also der Stoff, etwa die chemischen Grundstoffe, nebst ihren nächsten Verbindungen. Dergleichen nimmt er als an sich und absolut existierend, um daraus die organische Natur und zuletzt das erkennende Subjekt hervorgehen zu lassen und diese dadurch vollständig zu erklären; – während in Wahrheit alles Objektive, schon als solches, durch das erkennende Subjekt, mit den Formen seines Erkennens, auf mannigfaltige Weise bedingt ist und sie zur Voraussetzung hat, mithin ganz verschwindet, wenn man das Subjekt wegdenkt« (Werke I, S. 62 f.). Derart also wäre, meint Schopenhauer von Seiten seines rein erkenntnistheoretisch-idealistischen Ausgangspunktes her, Materialismus nichts anderes als »die Philosophie des bei seiner Rechnung sich selbst vergessenden Subjekts«, die echte Aporie im Materialismus als einem rein mechanischen betreffend, dessen Welt, wie Chesterton sagt, unendlich groß sein will und dabei so klein ist, daß nicht einmal ein menschlicher Kopf darin Platz hat. Kein Zweifel jedoch, daß Schopenhauer mit dem Münchhausen-Bild selber sich gefährlich vergriffen hat; denn das Bild zeugt gerade gegen seine idealistische Gebrauchsanwendung. Der am eigenen Zopf sich aus dem Sumpf befördernde Aufschneider ist eben der subjektive Idealismus; genau für diesen und nur für diesen trifft Schopenhauers Gleichnis zu. Wogegen es der objektive Materialist und nur dieser ist, welcher statt des eigenen Zopfs einen Anhaltspunkt außerhalb seiner sucht und benutzt, um zu sich zu gelangen, um aufs feste Land zu gelangen.

Bezeichnenderweise führt Schopenhauer selber, *nach* seiner Welt als Vorstellung, die *Welt als Wille* vor und zwar eine höchst objektive. Was also Schopenhauers andere Seite, die *zentrale Willensmetaphysik* angeht, da gibt es sehr viel Materialismus, sogar der Intellekt erscheint, genau in der belachten Weise, zuletzt als Frucht, ja ganz ausgesprochen als »Gehirnphänomen«. Die Willenswelt steigt durchaus vom Mechanismus über Chemismus, Animalität und dergleichen zum Bewußtsein auf; die Stufen dieses Aufstiegs aber heißen – ganz ohne Bezug zum Subjekt – »Objektitäten« oder »Objektivationen« des Willens. Hier kehrt auch Materie wieder, eine *zweite Materie*, sozusagen, vom bloßen Kausalitätsschein verschieden. Statt des »bloß Formellen der Vorstellung« wird Materie hier zum Kern der Sache, statt des abstrakten Begriffs sogar zur Anschauung. Eben zur Anschauung des Willens: »Zähne, Schlund und Darmkanal sind der objektivierte Hunger; die Genitalien der objektivierte Geschlechtstrieb« (Werke I, S. 161). Und ganz deutlich, vom Leib auf allen Stoff bezogen: »Demzufolge ist die Materie dasjenige, wodurch der Wille, der das innere Wesen der Dinge ausmacht, in die Wahrnehmung tritt, anschaulich, sichtbar wird. In diesem Sinn ist also die Materie die bloße *Sichtbarkeit des Willens* oder das Band der Welt als Wille mit der Welt als Vorstellung ... Was daher in der Erscheinung, das heißt für die Vorstellung, Materie ist, das ist an sich selbst Wille« (Werke II, S. 360 ff.). Materie ist an dieser Stelle nicht das Ding an sich, durchaus nicht; sie gehört auch als dessen »Sichtbarkeit« immer noch der Erscheinungswelt an, unterworfen den Formen der Erscheinung. Doch Übergänge zum Ding an sich (Weltwillen) bestehen; Materie und Wille entsprechen sich im Charakter der Einheit, Ganzheit, Substanz, Unzerstörbarkeit. So ergibt sich: Wenn das Ding an sich in der Selbsterfahrung, nur unter dem dünnen Schleier der Zeit verborgen, als Wille erscheint, so erscheint dieser in der äußeren Erfahrung, mit Zeit, Raum und Kausalität tingiert, als Materie, *differenziert* aber ist diese Materie in den Stufen der Willenswelt, eben in den natürlichen *Objektivationen des Willens*. Schopenhauer nennt jede materielle Darstellung des Weltwillens, sofern sie in allgemeiner Gattung geschieht, Objektivation; andererseits sollen diese Objektivationen, indem und sofern sie Objekte der Kunst sind, sogar dasselbe sein wie die platonischen Ideen. Ihr Realitätsgrad ist undeutlich, desto überraschender dann wieder das behauptete oder zugegebene Vorkommen von Materie auch in dieser Schicht, jenseits der Kausalität. Materie ist hier »das Bindeglied zwischen der Idee und dem principio individuationis, welches die Form der Erkenntnis des Individuums oder der Satz vom Grund ist« (Werke I, S. 286). Andererseits aber stellt Materie, ihren allgemeinsten, das heißt mechanischen Qualitäten nach, die unterste oder schwächste Objektivität des Willens dar; solche untersten Ideen sind: Schwere, Kohäsion, Starrheit,

Flüssigkeit, Reaktion gegen das Licht und so fort. Zugleich aber erhält die Materie bei dem Aufstieg ihrer Objektivationen, das heißt beim Eintritt in die organische Stufe, vorzüglich in die der Tiere und Menschen ein neues Amt: sie hört auf, bloße Sichtbarkeit des Willens zu sein, sie wird *Material* des Willens. Genauer, sie wird das Fleisch, das das fressende Tier, als Objektivation des stärkeren Willens, der gefressenen des schwächeren Willens entreißt, und um das hier aller Streit geht. Einverleibte Materie fundiert das Übereinander der Willensobjektivationen oder die Hierarchie der Entsetzlichkeit, Schildkröten werden von wilden Hunden ausgeweidet und Tiger fressen hernach die wilden Hunde. Freilich tritt die unterjochte Materie auch am starken Sieger im Tod wieder hervor; dieser macht, von hier aus gesehen, den bloßen Pyrrhussieg der Unterjochung, Assimilation kenntlich. Erst recht aber zeigt sich in dem durch Überwältigung entstandenen Stufenbau die Leerheit des Willens selbst: denn da außer ihm nichts existiert, so zerreißt der Wolf, der das Lamm zerreißt und dessen Materie frißt, allemal sich selbst, in bloßer Entzweiung des Einen Willens. Hier wird die Überraschung groß: *Materie und Wille rücken endgültig zusammen*; denn es ist eben ja Wille, den der Wille in Gestalt von Materie frißt, immer der gleiche, der Eine Wille, ohne Täuschung der Vielheit, der verschiedenen Individuationen, wo nicht gar der Objektivationen. Schon oben, als die Materie in ihrer Stellung zwischen der Vorstellungs- und der Willenswelt betrachtet worden war, wurden Einheit, Ganzheit, Substanz, Unzerstörbarkeit als die Charaktere bezeichnet, welche bei Schopenhauer die »Sichtbarkeit des Willens« mit diesem selbst gemeinsam hat; trotzdem war die Materie an dieser Stelle noch nicht gleich Ding an sich. Zu den erwähnten mehr formalen Gemeinsamkeiten tritt nun, an der jetzigen Stelle, eine inhaltliche; diese macht die Materie dem Willen gleich, wo nicht identisch, entfernt die kontemplative Schranke zwischen Sichtbarkeit des Willens und dem Inhalt der Sichtbarkeit. Wenn zwar die Materie der Nährboden der immer höheren Objektivationen ist (man kann sagen: der Scherbenberg gefressener Materie ist den Objektivationen ihr Piedestal), so ist sie der zentral-metaphysischen Hauptsache nach fressender Wille und gefressene Materie zugleich; eine Gleichheit, ja Identität, welche Schopenhauer ganz unverhohlen, im Spätwerk »Parerga«, auch so wiedergibt: »Der Wille, als das Ding an sich, ist der *gemeinsame Stoff* aller Wesen, das durchgängige Element der Dinge« (Werke V, S. 632). Von daher also, letzthin, die Nähe des Schopenhauerschen Willens zu zwei besonderen Bestimmungen, wie sie die Materie im Lauf ihrer Begriffsgeschichte gefunden hat: zur überwiegend noch schlafenden Monade, sodann vor allem zum Aristotelischen appetitus. Beide Kategorien (Schopenhauer wendet ohnedies genug Kategorien auf sein »metakategorisches Ding an sich« an), beide Kategorien heben Materie als ausschließliches Vorstellungsphänomen endgültig auf; Materie wird hauptsächlich *Schlaf* und *appetitus,* also unbewußter Wille. Der Schlaf darf freilich bei Schopenhauer nicht nur anorganisch verstanden werden, wie bei Leibniz, allein schon der Terminus Wille zum Leben würde dem widersprechen. Ja nicht nur die Exempla des heillosen Willens stammen bei Schopenhauer fast ausschließlich aus der Welt des Organischen, vielmehr, vor allem auch: der Wille erlangt erst dann seine volle Kenntlichkeit, wenn er sich auf seiner höchsten organischen Stufe, im Menschen, »das Licht des Bewußtseins angezündet hat«. Um so den Weg und das Befriedigungsmaterial seiner Begierde nicht mehr instinktiv, sondern im hellen Licht des Mittags zu sehen. Das alles führt zwar Schopenhauer völlig aus jeder mechanistischen Auffassung der Materie heraus, aber die Schwierigkeit ist erst recht dann geblieben, wieso plötzlich doch ein Münchhausen am eigenen Zopf aus dem wenn nicht mechanistischen, so doch organischen Sumpf sich herauszieht, dergestalt daß der Materialist nach Schopenhauer, »wenn er redlich zuwerke gehen will«, die ursprünglichen Kräfte nicht leugnen und auf rein mechanische zurückführen darf; sondern er muß »die den gegebenen Materien, das heißt den Stoffen, inhärierenden Qualitäten, samt den in diesen sich äußernden Naturkräften, und endlich auch die Lebenskraft, als unergründliche qualitas occulta der Materie unerklärt dastehen lassen und von ihnen ausgehen« (Werke II, S. 368 f.). Indes eben: der Sprung von den organischen Qualitäten zu denen des Bewußtseins wird auch bei einem Schopenhauerschen Lebens-

kraft-Materialismus nicht geringer als bei einem bloß orga-
nisch-mechanischen, obwohl Schopenhauer kraft des Willens in
seiner Materie, das heißt kraft dieser doch von Haus aus anthropomorphen Bestimmung des Dings an sich ein anderes Medium zum Licht des Bewußtseins und seines Hervorgangs aus
Schlaf und appetitus proponiert, als dies im rein quantitativen,
total qualitätsfremden mechanischen Materialismus möglich ist.
Wie gar erst, wenn der Wille nicht nur das Licht des Bewußtseins sich ansteckt, sondern darin und dadurch das völlige Gegenteil seiner sich anstecken soll, eben die Verneinung des Willens zum Leben; wirklich, das ist ein Kunststück, vor dem die
bloße Bewußtseins-Crux materialistischer Art zu einem homogenen Kinderspiel würde. Diese Crux jedenfalls hat Schopenhauers Willensmaterie mit nicht so viel Leichtigkeit beiseite geschafft, wie es der Spott über Münchhausens Zopf vorher versprach und das sogar mit homerischem Gelächter. Das Licht
des Bewußtseins und gar die dadurch mögliche Willenswende
bis zu seiner vollen Selbstaufhebung und Weltvernichtung, als
dem erlangten Paradies des Nirwana-Nichts, dieser Sprung
auch aus dem Bewußtsein selber heraus bleibt im Schopenhauerschen Nichts-Materialismus der letzten Stufe, eben der des
radikal verneinbaren Willens, erst recht ein Rätsel. Jedenfalls
kommt Materie an diesem Ende in nichts mehr vor, der Wille
ist des Teufels und Materie mit ihm nicht viel besseres, mit
Ausnahme der ja nicht mitgelebten, sondern gesehenen Objektivationen in materieller Sichtbarkeit, die das Objekt der Kunst
sind und so bereits ein Palliativ darstellen, doch keineswegs eine
Erlösung vom Weltleid. Der Primat des Willens zum Leben ist
und bleibt im Nirwana gänzlich abgeläutet, gar kosmische Materie ist völlig abgemeldet. Materie als Sichtbarkeit des Willens
zum Leben oder Wille zum Leben als Materie der Sichtbarkeit
erscheinen von hier aus endgültig wie die Seiten derselben Medaille, und es gibt keine Materie des Nichts. Mit der einzigen
Ausnahme freilich, daß Schopenhauer zur Beschreibung Nirwa-
nas nicht nur buddhistisch vom Verwehen und Verlöschen
spricht, sondern von »gänzlicher Meeresstille des Gemüts«, und
diese Meeresstille selber ist noch ein Phänomen aus dieser
materiellen Welt, ja sogar dies Bild, dieser Ausdruck (γαλήνη)

findet sich zur Bezeichnung letzter Heiterkeit bei Demokrit, mitten in dessen wenig idealistischer Philosophie und Welt.

Es ist das Recht großer Denker, ungestraft große Fehler machen zu dürfen. Dieses Sinns zitiert Schopenhauer Voltaire und wendet den Satz auf Kant an. Die »Fehler« des Denkers Schopenhauer gehören nicht hierher, der statische Katzenjammer dieser Philosophie, wohl aber der falsche Reichtum, womit hier, wie ersichtlich geworden, Materie ausgestattet wird. Sie ist nacheinander kausales Wirken, träges Substrat, Sichtbarkeit des Willens, Material des Willens, das er dem schwächeren entreißt, der alleine Wille selbst, dann wieder bloßes caput mortuum. Nachwirkend aus Schopenhauers Materieauffassung war zweierlei: Materie als kausal-dynamischer Vordergrund und als Schlaf des Willens, so wurde sie bei Bergson eingeschlafenes caput mortuum, bei Eduard von Hartmann aber Dynamik-Gleichgewicht. Dies Verschiedene breitet sich also bei selbst höchst verschiedenen, auch zeitlich weit voneinander entfernten »Willens«-Metaphysikern aus. Beide sind, wie gesagt, an sich unvergleichbar, nicht zuletzt sind die Zeiten andere: die Zeit des Vollbarts, worin Hartmann wunderliches halbes Epigonentum trieb, freilich auch kühne Verbindungen und Systematik; die Zeit des Straußschen Unternehmerschwungs, des Impressionismus, der Sezession, worin Bergson blühte, mit dem Erlebnis Nietzsche zwischen sich und Schopenhauer. Trotzdem arbeitet in beiden Schopenhauers Willensmetaphysik weiter, mit der entsprechenden Einreihung der Materie (als Schein, als caput mortuum). *Bergson* wendete den Willen ins bejahend Dionysische, *E. v. Hartmann* verband ihn, besonders lehrreich in der Kategorienlehre, mit Hegel.

Mit einem neuen, überaus lebhaften Zug setzt der erste ein. *Bergson* lehrt durchaus pulsendes zeitliches Fließen, es gibt darin kein bloßes Nacheinander, diese Art Zeit ist keine, sondern nur Abklatsch des Raums, sie reiht auseinander liegende gleichartige Momente auf. Der wirklich (das heißt »unmittelbar«) gegebene Zustand ist strömende Dauer, worin Früher und Später, statt eine Reihe zu bilden, sich allemal durchdringen. Reine Dauer ist die Form, welche die Folge unserer Bewußtseinsvorgänge annimmt, wenn unser Ich sich dem »Leben« überläßt. Metrische Zeit dagegen und erst recht deren Modell, den quantitativen Raum, gibt es nur für den lebensfernen »Verstand«. Alles Verstandesdenken ist Raumdenken, auf praktisches Handeln in der Körperwelt gerichtet und darauf begrenzt. Es zerlegt und fixiert, es ist von Haus aus geometrisch und mechanisch, folglich trifft es draußen dasselbe teilbar-starre Wesen an – die mechanische Materie. Der Verstand faßt das Draußen lediglich nach dieser toten »Außenseite«, er kennzeichnet einzig den »geometrischen Ballast«, den das Materielle, ja bereits das Dinghafte im wirklichen Leben darstellt. Ja, der Verstand entstammt bei Bergson derselben »Entspannung« des Lebens, die der Materie selber ihr schlafhaft-schweres Dasein gibt; Wirklichkeit ist weder hier, im mathematischen Gedanken, noch dort, im quantitativen Gegenstand. Der mathematisch-physische Begriff gibt lediglich Fiktionen oder »Symbole«, er erreicht die metalogische, die allemal meta-physische Wirklichkeit nicht. Das gelingt erst der »Intuition«, das ist der Selbsteinkehr des Geistes in seine schöpferische Freiheit, in den gesetzfreien, materiefreien Lebensstrom, den élan vital, der ihr entspricht. All das ist bekannt genug geworden, spricht es doch die Abkehr der Bourgeoisie vom Materialismus so glatt als glänzend aus. Naturwissenschaft überhaupt wird verlassen, sie ist nicht einmal mehr eine besondere Art Wahrheit, neben der historischen, sondern überhaupt keine. Dilthey hatte die Loslösung einer »historisch-verstehenden«, auch wertenden Vernunft von der bloß kausal-erklärenden, naturwissenschaftlichen verlangt und gefeiert; Bergson aber feiert den Abschied von der Materie wie einen Abschied vom Winter, wie ein falsches Frühlingsfest. Und doch nicht ganz ein falsches; denn eben im élan vital wollte wieder Jugend sprechen gegen Herkommen und Gesetz sezessionierend, späte Nora, das Wunderbare suchend, Hedda Gabler, mit Weinlaub im Haar. Dieser bürgerliche, aber ausbrechenwollende, durchbrennende Johannistrieb, öfter ununterscheidbar mit naturalistisch-sozialistischen Einflüssen tingiert, hielt Bergson sowohl liberal als auch diesesfalls reaktionär ziemlich unbrauchbar. Obwohl die bloße Intuition schließlich jede Art von Materialismus unmöglich machte, am meisten eine nicht nur kausal-genetische, sondern eben ökonomisch-materialistische Geschichtsauffassung, dialektisch-materialistische Weltauffassung. Statt dessen wird Materie bei Bergson immer mehr einem bloßen statischen Gedächtnis gleichgesetzt, worin nichts Neues geschieht. Sie sinkt zur Erloschenheit jeder *tension*, das ist zur bloßen *Ex-tension*, zum Abhang und schließlichen Abgrund des Wärmetodes, woraus *l'élan original de la vie* sich immer wieder herausarbeiten muß: »Toutes nos analyses nous montrent en effet dans la vie un effort pour remonter la pente que la matière descend« (L'évolution créatrice, p. 267). Entsprechend »antimaterialistisch«, das heißt gegen »Schlacke« und »Schwere« gerichtet, das Gleichnis des Feuerwerks aus dem Lebenszentrum, »d'où les mondes jailliraient comme les fusées d'un immense bouquet, – pourvu toutefois que je ne donne pas ce centre pour une *chose*, mais pour une continuité de jaillissement« (l. c., p. 270). Da ist nicht verwunderlich, daß der materielle Boden, die bloße »Schlacke der Rakete« nicht mehr viel zu melden hat. Bergson nimmt von diesem caput mortuum selbstverständlich die ganze organische Natur aus, sie ist ja die Regel, und das Tote unterbricht sie nur, wenn auch in großer Masse. Ja Bergson betont nicht nur eine selbständige Lebenskraft, sondern auch ein selbständiges Seelenleben, ohne überall notwendige oder gar lückenlose anatomische Grundlage. Das Gehirn ist danach nicht Träger, noch weniger Produzent der Seele, sondern ihr bloßes Werkzeug, wodurch die Seele materielle Reize empfängt und in die Materie handelnd eingreift. Das ist mehr, als Aristoteles und Thomas zusammengenommen der Seele an Selbständigkeit zugewiesen haben; denn diesen war sie durchaus Entelechie des Leibs, also der Materie notwendig verhaftet, forma inhaerens und keineswegs forma separata. Dafür fehlen die Bezüge zu Schelling nicht, wenigstens in der Lehre vom organischen Prius, vom anorganischen Residuum; diese Bezüge wären wichtig, wenn sie nicht auf Kosten der Materie, der schlechthin tot erklärten Materie geschähen. Und was den Elan des Feuerwerks selber angeht, so wäre er ohne Schopenhauers Willen zum Leben nicht; denn Schopenhauer rückte ganz anders als Schelling den appetitus ins Zentrum. L'élan vital unterscheidet sich aber von Schopenhauers Willen nicht nur durch das Bejahte und Dionysische; er überbietet ihn auch dadurch, daß er – von den données immédiates de la conscience her – durchaus Bewußtsein bleibt, ja höchstes ist. Schlaf kommt der Materie zu, nicht mehr dem Willen; Materie also, obwohl sie nichts als Entspannung des Lebens ist, wird diesem (gerade weil er höchstes Bewußtsein ist) doch wieder entgegengesetzt. Hauptunterschied des élan vital vom Willen zum Leben wird schließlich freilich nicht nur das Bejahte daran, das Dionysische, sondern ein schöpferisches *Moment des Neuen;* an diesem Punkt ist das Schöpferische und Novum bei Bergson selber hinzugetragen. Schopenhauers Wille war so statisch wie irgendein entronnener Geist oder eine mathematische Wahrheit; er war insofern gar kein »Wille« im heftigen, unberechenbaren Sinn des Wortes. Bergsons Elan dagegen ist das Prinzip der Überraschung selbst: er ist jeden Augenblick jeder Richtungsänderung fähig; er spottet der Kausalität, die von einem Anfang her determiniert; er spottet jedoch ebenso der Finalität, deren fixer Zweck die Richtung der »Realisierung« determinieren möchte. Beide, Ursache wie Zweck, sind mechanistisch und der Flüssigkeit fern, die Bergson meint: »l'être vivant est surtout un lieu de passage, et ... l'essentiel de la vie tient dans le mouvement qui la transmet« (L'évolution créatrice, p. 139). Ein kleiner Schritt von hier, wie es scheint, zu den flüssig-dialektischen Begriffen; nur: der Schritt bleibt Schein, er geschieht in der Luft, im bloßen Lebensschäumen, in ewigem Feuerwerk. Bergsons Versuch, das Sein in Bewegung zu denken, zeigt, daß es keinen mehr geben kann außerhalb der dialektischen Materie; dasselbe übrigens gilt vom Problem des Schöpferischen, des Neuen. In Wahrheit ist lauter Bewegung still, lauter Überraschung langweilig, lauter Ziellosigkeit das engste und tyrannischste Ziel. Elan vital jenseits der Materie, die er durcharbeitet, ohne greifbaren Gehalt, den er artikuliert, ist ein Künstler ohne Kunstwerk. Gebrauchte Bergson nicht ein Zerrbild von der Materie als Gegenpol zum Leben, so hätte er für diesen seinen élan vital – als bloße Freiheit der Freiheit, Leben des Lebens, Novum des Novum – gar keine genuine Bestimmung aus ihm selber; denn nur in Negation zur Materie vermag er sich auszusagen. Bergson kämpft scheinbar für die Entdinglichung; doch eben indem er in den starren Gegensätzen: »Materie« – Leben, Verstand – Intuition, Automatismus – Freiheit und dergleichen dachte, blieb sein lehrreicher, ja mahnender Vital-Ausbruch selber in Verdinglichung und Fixation. Die Materie ist ihm ein für allemal die mechanische, das »Leben« ist ein begriffsmechanisches Fixum par excellence, mit unwandelbarer Wandelbarkeit, ewig verdinglichter Entdinglichung. Vor allem aber ist das Neue (da Bergson ihm die Materie entzieht und eine dialektische nicht einmal dem Namen nach kennt) nirgends wirklich neu, nämlich inhaltlich; es bleibt eine rasende Einöde. Trotzdem erscheint eine nicht-mechanische Materie auch in der schöpferischen Entwicklung, wenigstens in ihrem, wenn man so sagen darf, schöpferischen Raum. Denn das ganze Feuerwerk wäre nicht, und der Pfeil des élan vital flöge nicht einmal ins Leere, wäre hier nicht der Riesenraum einer ausgelassen-vorhandenen Materie geblieben, der Materie – Brunos. Bergson wirkt als Zeichen, wie arm die bloß mechanistisch gefaßte Materie ist, aber wie leer die vitale, gar psychische Energie, die er feiert, wenn sie nicht ihre eigene unverdinglichte Materie als Problem wie Halt in sich, vor sich hat.

Der zweite, der hier zu behandeln ist, folgt keinem lebhaften Zug, eher einem erleidenden. Das Wollen bei *Hartmann* merkt sich erst, wenn es draußen an ein ihm entgegengesetztes anderes anstößt. Es kann also innen, als einsam versenktes Ich sich seiner durchaus nicht bewußt werden; der Kern der Sache, ihr formierender Antrieb wird nicht intuitiv erlebt, er wird allemal nur aus den Wirkungen, die er ins erlebende Bewußtsein hereinschickt, induktiv erschlossen. Der Antrieb ist Wille, das Formierende Vorstellung, beide aber sollen »geistartig« sein, der Wille nicht weniger als die ihn logisch formierende Vorstellung. Da hat nun die Materie wieder sehr geringen Platz und überhaupt keinen des Gegensatzes zum Geist; denn es gibt nichts als Geist, wenn auch doppelt, thetisch-logisch ausgefertigten. Hier ist nicht der Ort, um das unbekannt gewordene Hartmannsche System auch nur andeutend in Erinnerung zu rufen; obwohl das nötig wäre, weil der Epigone E. v. Hartmann nicht damit erschöpft ist, daß er Wille und Vorstellung, die Erzfeinde Schopenhauer und Hegel miteinander verheiratet hat. Nur soviel: Das Sein besteht in Hartmanns *Philosophie des Unbewußten* (1869) und vor allem in der bedeutenden *Kategorienlehre* (1897), zu der sie sich entwickelt hat, aus den zwei Komponenten: Wille (Trieb, Spannung, Unbegrenztheit, Intensität, Setzung des leeren Daß) und Vorstellung (Idee, Logos, Begrenztheit, Ursprung des Wie und Was, der kategorialen Differenzierung und Formung, des reichen logischen Inhalts). Der Wille hat sich grundlos erhoben, das ist der »Urzufall«, auch »Fauxpas« der Weltentstehung; die Idee, welche durch den Willen mit in die Welt hineingerissen wurde, formiert diese als entwicklungsgeschichtlichen, vom Logos der Kategorien durchwirkten und geleiteten Prozeß, mit dem Ziel, die Weltinitiative wieder rückgängig zu machen und den Willen ins Nichts der Unruhe wieder zurückzuführen. Wille und Vorstellung sind die zwei Glieder in jedem kategorialen Verhältnis (alle bisherige Kategorienlehre hatte die Kategorien lediglich als logische Gebilde betrachtet); diese »Zweiseitentheorie« der Kategorien erklärt nach Hartmann überhaupt erst die kategoriale Differenzierung (statt der absoluten Identität, worin reiner Logos an und für sich beharren müßte). Schopenhauer freilich hat das Unlogische so übersteigert, daß »die Entstehung sowohl des subjektiv Logischen als auch der streckenweise logischen Abläufe in der objektiv realen Sphäre unerklärlich bleibt. Der Panlogismus Hegels dagegen kann aus seiner Logik des sich selbst bestimmenden Begriffs weder das sinnliche Dieses noch die Vielheit der Exemplare, in denen ein Begriff existiert, noch die Zufälligkeit der Abweichung der Existenz vom Begriff, noch die Bewegung, in die der Begriff gerät, noch den Umschlag der logischen Idee in ihr Anderssein noch das zeitlich-räumliche Auseinanderfallen der Momente der Idee bei diesem Umschlag, noch überhaupt die existierende Realität neben und außer der logischen Idealität erklären« (System der Philosophie im Grundriß IV, S. 61). Hartmann glaubt diese Erklärungen eben mittels der Hochzeit Schopenhauer–Hegel bewerkstelligen zu können (wobei ihm übrigens Hegels Dialektik nicht im mindesten wichtig oder überhaupt diskutierbar erscheint). Ersichtlich bleibt diese Einführung des »thelischen Prinzips« (wenn auch eines völlig mythologisierten) gerade in die Kategorienlehre höchst bemerkenswert, die bislang ausschließlich logisch behandelte. Wille und Vorstellung sind nun übergriffen von einer »unpersönlichen, absolut unbewußten Substanz«; der Wille ist, wie bereits bemerkt, genauso geistartig wie die Vorstellung, beide sind die weltlich verbundenen, vorweltlich getrennten Attribute dieser Substanz. Wo freilich steht nun, um derart vorbereitet zum Thema *Materie* zu kommen, diese selber in soviel, ob auch thelisch-energetisch vermehrtem Idealismus? Hartmann unterscheidet in seiner Kategorienlehre *Stoff* und *Materie*; beide sind geistig, »durch und durch Kategorialgespinste«, beide aber haben in der jeweils subjektiven, dann objektiven Sphäre der Kategorien einen verschiedenen Ort und die Materie selber, im Unterschied zum Stoff, einen geprägt objektiv-realen. Eine gewiß nicht unbedeutende Unterscheidung trotz des Lockeschen darin, sekundäre und primäre Qualitäten betreffend und die ersten objektiv-real ausscheidend. Ausscheidend in der zwiespältigen Art, daß zwar durch die Relativierung des bloß subjektiv-idealen Stoffhaften der billige, vulgäre Materiebegriff, der der Putzfrau, abgeschieden wurde, damit aber auch der qualitative, wie er in der ganz unvulgären Goethischen Farbenlehre erscheint im Unterschied von der Newtonschen, sofern und soweit sie ausschließlich auf quantitative Verhältnisse und Unterschiede von Schwingungen im objektiv-realen Feld sich bezieht. Der sinnliche *Stoff*, also auch der statische Klotz des Vulgärmaterialismus kommt hier jedenfalls einzig in der subjektiv-idealen Sphäre vor, ist »nur die räumlich ausgebreitete Empfindungsqualität selbst« (Kategorienlehre, S. 146). Er erscheint starr, passiv, leblos und ist es auch, doch eben ausschließlich als sinnlicher Stoff, zum Unterschied von der objektiv-realen Materie; seine Starrheit und Leblosigkeit beruht darauf, daß er lediglich die nach außen projizierte und angeschaute Empfindung ist. Hartmann parallelisiert sogar das Ich mit diesem Stoff, sofern beide nichts anderes darstellen als subjektiv-ideale Substanzbilder, denen keine objektive Wirklichkeit entspricht. »In beiden wird nur ein kleiner Teil des Dings an sich widergespiegelt, während der größere Teil unbewußt bleibt. In beiden wird nur die individuelle Einheit höherer Ordnung reflektiert, aber ihre Zusammensetzung aus einer

Vielheit von Individuen niederer Ordnung unterdrückt« (l. c., S. 511). Ersichtlich steht also der Stoff, etwa als Leib, nicht im Gegensatz zum Ich, als der sogenannten Seele, dieser Schnitt ist nach Hartmann falsch tranchiert. Das Ich wie der Stoff liegen beide noch innerhalb der subjektiv-idealen Seinssphäre, und der wirkliche Gegensatz: nämlich der zwischen Wille und Vorstellung, geht quer durch Ich wie Stoff, quer durch die subjektive wie ebenso durch die objektive Sphäre. Denn auch die *Materie*, im Unterschied zum Stoff kein sinnliches, sondern ein objektiv-reales Phänomen, steht in keinem Gegensatz zum Geist, der sie, in seinen beiden Attributen, vielmehr durchaus umfaßt. Mit anderen Worten, mit solchen aus der Schule Hartmanns, ist die Materie »dem Wesen nach dasselbe, was unsere eigene Psyche ist, nämlich Einheit von unbewußtem Willen und bewußter Vorstellung« (vgl. Drews, Das Ich als Grundproblem der Metaphysik, S. 263). Ich und Stoff, Materie und Geistiges sind also nicht prinzipiell verschieden; wohl aber trennt Hartmann, wie bemerkt, den Stoff entschieden von der Materie (wenn auch nur durch die verschiedene Kategorialsphäre, die verschiedene Wirklichkeit ihres Erscheinens). Es ist diese Trennung ein kleines Novum in der Geschichte des Materiebegriffs: »Während der Stoff den subjektiv idealen Raum durch sein bloßes Sein ohne jedes Wirken erfüllt, erfüllt die Materie den objektiv realen Raum gar nicht durch ihr Sein, sondern nur durch ihr Wirken, das ihn erst setzt. Während der Stoff ein völlig passives caput mortuum der Abstraktion ist, erweist sich die Materie als durch und durch aktiv. Der Stoff ist als solcher schlechthin kraftlos, und etwaige Kräfte müssen erst als Accidentien zu ihm hinzukommen, die Materie ist schlechthin stofflos, aber durch und durch Kraft, sie ist nichts als eine Konstellation von Kräften oder ein Dynamidensystem ... Der Stoff ist in sich homogen und stetig, die Materie ist in sich nicht homogen und ihrer Zusammensetzung nach unstetig, weil man beim Übergang von einem Atom zum anderen in ihr die größten Unterschiede der Kraftwirkung durchläuft. Trotzdem kann die Materie die homogene und stetige Erscheinung des Stoffes im wahrnehmenden Bewußtsein hervorrufen, weil diese Unstetigkeit ihrer Zusammensetzung nach molekulare Entfernungen betrifft, die sich der gesonderten Wahrnehmung entziehen, in größeren Abständen aber, wo sie wahrnehmbar werden, sich gleichmäßig wiederholen« (l. c., S. 510). Kurz, der Stoff ist die bewußtseinsimmanente Erscheinung dessen, was als bewußtseinstranszendentes Ding an sich die Materie ist. Zugleich ist diese ein durch und durch dynamisches Gebilde (Hartmann möchte hier die Kantische Auffassung von der Materie mit den ersten Anfängen der Elektronentheorie verbinden); Materie ist »ein System von Atomkräften mit bestimmtem Gleichgewichtszustand«. Metaphysisch sind diese Atomkräfte für Hartmann selbstverständlich Willensäußerungen; ist der Stoff »die subjektive Erscheinung der Materie«, so ist diese selbst »die objektive Erscheinung der Naturkräfte, die an sich unbewußte Willenskräfte sind«. Und doch nicht nur Willenskräfte, nicht ausschließlich; denn es gibt nirgends Willen ohne Vorstellung, die Zweiseitentheorie der Welt gilt auch hier, auf ihrer »niedersten Stufe, das heißt Basis«. Wie der Stoff, obwohl er ein bloßes Empfindungsphänomen des passiven, affizierten Willens darstellt, dennoch das Logische der Raumbeziehung in sich hat, so ist das aktive Willensphänomen der Materie von lauter höheren Kategorialfunktionen durchzogen und determiniert: vom gesetzhaften Logos der Mechanik. Dieser mechanische Logos ist – wie bei einem Neovitalisten und bei einem Finalisten des Weltprozesses selbstverständlich – nicht der einzige, die physikalisch-chemische Materie also nur Basis. Der Hartmann der »Philosophie des Unbewußten« hatte sich »anheischig gemacht, den ganzen Materialismus in sein System aufzunehmen«; unter der großspurigen Voraussetzung, daß Materialismus in den wichtigeren Partien des Systems ohnehin überwölbt und wesenlos sei: derart ist Hartmann Neovitalist (und sozusagen der erste, lange vor Boutroux, Bergson, Driesch). Das Zweckhafte ist eine der Kausalität nicht nur ebenbürtige, sondern übergeordnete Kategorie, die Kausalität selber kommt zweimal vor: als »mechanisch-isotrop geschlossene« und als »psychophysisch übergehende und allotrope« Kausalität. Letztere schlägt einen gewissen Übergang: »Nicht daß die mechanistische Weltanschauung Grenzen hat, sondern nur, wo sie liegen, ist heute noch fraglich ... Daß auch in der organischen Natur alles natürlich, kausal und gesetzmäßig zugeht, bezweifelt niemand; wohl aber ist man bedenklich geworden, ob die kausalen Zusammenhänge sich in mechanischen erschöpfen, ob die Kausalität die Teleologie ausschließt oder nicht vielmehr einschließt, und ob die organischen Naturgesetze nichts weiter sind als sekundäre Resultate aus dem Zusammenwirken unorganischer Naturgesetze« (Das Problem des Lebens, 1906, S. 377 f.). Hartmann lehrt statt dessen »Eigengesetzlichkeit der Lebensvorgänge«, der mechanischen Gesetzlichkeit durch ein »höheres dynamisch-logisches Prinzip übergelagert«, also auch den bloß »materiierenden Naturkräften« und ihrem Produkt, der Materie. »Die reaktive Kraftäußerung der nicht-materiierenden Kraft (so des Lebens) greift als Bildungstrieb, Reflexwirkung, Naturheilkraft und so weiter in die physischen Vorgänge ein, sodaß die Ergebnisse als Selbsterhaltungsakte in die objektiv reale Erscheinung treten« (Das Problem des Lebens, S. 430). Die Finalität macht hier ersichtlich der Materie, der völlig physikalisch fixierten, ein Ende; die Lebenskraft soll hier übermaterielle Selbstgestaltung, Selbsterhaltung sein. Ebenso läßt Hartmanns höchste Kategorie: Substanzialität, die bloße Basisbestimmung Materie durchaus hinter sich; sein Unbewußtes – als zentrales Charakteristikum der Substanz – setzt er nicht nur so sehr geistig, sondern auch so hoch, so sehr als Absolutum selbst, daß es mit keiner Materie sich berührt. Das Unbewußte ist dem Bewußtsein nicht untergeordnet wie die Materie dem Leben, sondern es ist der Weltgrund selbst, alles umfassend, einschließlich seiner Bewußtseinsepisoden und noch aller sich darin reflektierenden Kategorialfunktionen. Echte Substanz findet sich dergestalt bei Hartmann nur in der »metaphysischen Sphäre«, nicht in der objektiv realen und ihrer Materie. Immerhin hat Hartmann mit dem *Pathos des Unbewußten*, dieser höchsten Fassung des Schlafs, Akzente verwendet, die bisher *eher auf der Materie lagen als auf dem Geist*. Hartmann benutzt sozusagen – mit dem Unbewußten – einen Reiz der Materie, einen romantisch vorhandenen, wenn auch romantisch nicht ausgeführten, um seinen »absoluten Geist« damit zu schmücken. Eine seit Descartes mögliche, in Schopenhauer greifbar gewordene Bestimmung der Materie brach damit durch, doch sie wurde an einen ganz anderen Ort versetzt, eben ins Hinterweltliche einer urgeistigen Substanz. Dies Unbewußte ist freilich dicke Nacht und erst recht Mythologie; es fehlt ihm völlig die Dämmerung noch nicht bewußter, gar in der Materie (Substanz) schlafender »Möglichkeiten«. Auch ist dies Unbewußte von der Materie, aus der es romantisch herkommt, völlig abgehoben worden und auf einen hintergründigen Urgeist appliziert. Bei alldem trägt man aus Hartmann als Lohn davon: erstens die kategorial einbezogene Fassung eines »thelischen Prinzips« (abgesehen von dessen nur pessimistischer Rolle); zweitens die Statuierung eines Unbewußten nicht nur unter, sondern rings um das Bewußtsein, zum Unterschied von der, wie Hartmann meint, bloßen »Bewußtseinsphilosophie seit Descartes«.

34   SINNLICHKEIT ALS DAS EINZIG WAHRE,
DER MATERIELLE MENSCH
(Czolbe, Feuerbach)

Das überreizte Denken dankte hier ab. Leider nicht nur als überreiztes und als Spiel in der Luft. Sondern fast insgesamt fiel es als philosophisches aus, sobald es, erneut materialistisch, den Boden berühren wollte. Deutschland holte die kapitalistische Entwicklung der Westländer in verblüffend kurzer Zeit ein; philosophisch aber hatte sein arrivierendes Bürgertum fast nichts mehr zu sagen. Von 1850 bis 1860 hatte sich die rheinisch-westfälische Kohlenförderung ums Dreifache, die Produktion von Roheisen ums Fünffache gesteigert, die technischen Produktivkräfte und dem entsprechend die Naturwissenschaften stiegen ungeahnt. Nüchterne Beobachtung, zuverlässige Berechnung, auch positivistische Gründerzeit breitete sich aus. Die liberale Opposition war einschließlich Religionshaß in der deutschen Bourgeoisie bis zur Reichsgründung noch echt, stellenweise hitzig. Was aber nun aus der Synthesis von Opposition und Naturwissenschaft entstand, philosophisch entstand, dies Kind achtbarster Eltern, war beklagenswert. Trotz seiner materialistischen Züge und wegen ihrer, indem sie vulgär geworden waren, nicht nur Aufklärricht aus der Aufklärung, sondern (wie Engels sagte) Abspülicht aus dem Aufklärricht. So erschienen als Stoffhuber die Ludwig Büchner, Vogt und Moleschott, Wanderapostel eines vulgarisierten, rein mechanisch gebliebenen Materialismus. Moleschott besaß noch Reste philosophischer Bildung; doch auch er erklärte auf der Göttinger Naturforscherversammlung 1854: wie das Bein seine Gehmuskeln, so habe das Gehirn seine Denkmuskeln, und wie der Urin eine Ausscheidung der Nieren, sei der Gedanke nichts anderes als eine Ausscheidung des Gehirns. Der Philosoph Lotze brach hier zwar in den denkwürdigen Zwischenruf aus: Höre man Kollegen Moleschott reden, so könne man fast glauben, es wäre so; indes wenn Lotze einige Lacher für sich hatte, so Moleschott die philosophische Unbildung seiner Zeit. Lange Jahre nachher hat Karl Stumpf auf dem Münchener Psychologen-Kongreß 1896 die mechanische »Reduktion« des Bewußtseins auf die Hirnrinde, mithin den angeblich bloßen Nebeneffekt, bestenfalls Parallelismus der seelischen Vorgänge so ironisiert: »Die Organismen leben und handeln, die Menschen gründen Staaten, schreiben Gedichte, halten sogar Psychologen-Kongresse, getrieben durch physische Kräfte, genau so, als ob gar kein Denken, Fühlen und Wollen existierte. Ja man könnte, wie es soeben doch geschieht, über das Bewußtsein sprechen, auch wenn es gar keines gäbe.« Der »philosophische« Hauptvertreter des trivial-mechanischen Materialismus war freilich nicht Moleschott, sondern Dühring, derselbe, den Engels unsterblich gemacht wie eine Fliege im Bernstein. Dieser »Wirklichkeitsphilosoph«, wie er sich nannte, bestimmte ganz unverhohlen: »Das Sein überhaupt fällt mit dem materiellen und *mechanischen Sein* zusammen« (Cursus der Philosophie 1875, S. 62), wobei Materie nicht einmal eine sie verändernde Geschichte haben soll, sondern »den sich selbst gleichen Träger aller Veränderungen vorstellt« (l. c., S. 73). Derart ist dieser Träger nicht weniger »allgemein« als sich selber überall statisch gleich: »Die allgemeine Materie ... hat das zeitliche Differenzenspiel (!) nicht zur Voraussetzung und kann insofern von keinem Entstehen und Vergehen berührt werden« (l. c., S. 66). Dührings arrogante und erstarrte Banalität, in einem Feld, wo hundert Jahre vorher die Schlachten der Aufklärung geschlagen worden waren, ist lehrreich abschreckend; sie zeigt, wie epigonal abgesunkener mechanischer Materialismus nach Hegel, ohne Dialektik und Hegel aussieht. Solcher Materialismus ist eine abstrakte Totgeburt geworden; seine »allgemeine« Materie ist, wie Engels sagt, so real wie Obst im allgemeinen (statt der Äpfel, Birnen, Aprikosen). Ungeachtet dessen war immerhin noch eine materialistische Überlieferung tüchtigerer Art aufgegriffen worden, genährt und eingekleidet vom bürgerlich-liberal überkommenen Kampf gegen Kirche und Jenseiterei. Das sowohl sittlich wie epikurisch zugleich motiviert oder auch nur garniert; so bei *Czolbe,* der ein gewisses erfrischtes, nämlich diesseitiges Lust-, ja Haltungsmotiv in den banalen Materialismus brachte. Dieses meint, daß es »anständiger« sei, sich mit dieser Welt zu begnügen, als eine zweite, übersinnliche zu erträumen. Nicht nur wissenschaftliche, sondern ebenso sittliche, ja hauptsächlich sittliche Gründe zwängen zum Materialismus. Der sei Ehrensache, die Zeit unmündiger Träumerei sei vorüber. Nach Czolbe ist jede sittliche Handlung erst dann sittlich, wenn es keinerlei Jenseits mit strafendem, gar belohnendem Gott, sondern nur materielles Diesseits gibt. Czolbes atheistisches Motiv ist männlich, jedoch nicht spartanisch, sondern noch genießend, steht einem epikurischen Leben von allen, für alle höchst gönnerisch gegenüber. Solches schließt auch jeden Traum von einem erst zu verändernden Diesseits aus, das schon besitzende Grundgebot bleibt: Begnüge Dich mit der gegebenen irdischen Welt. Alle Unzufriedenheit mit ihr scheint für Czolbe nur aus der Annahme einer zweiten, übersinnlichen Welt zu stammen, und aus der Entwertung, die diese dem irdischen Stoffleben schafft. Wobei das Stoffleben noch allerhand heitere Züge hinzuerhielt, eben die des Lustgewinns im Diesseits, ohne pfäffischen Triebverzicht, ob auch als Lust eines bloßen Rentnerlebens, das das angeblich schon als solches hübsche Diesseits wie eine gelungene Speise sich zu Gemüte führt.

Der Mensch ist, was er ißt, dieser Satz klingt nun freilich ähnlich. Aber das Wort Mensch steht darin, mit Bedeutung, und wenn zwei dasselbe sagen, ist es nicht dasselbe. Der scheinbar allzu einfache, ja besonders vulgär-materialistische Satz stammt von Feuerbach, nicht von Moleschott, und es ist darin ein anderes Subjekt als bloßer Druck und Stoß. *Feuerbach* war der letzte bürgerliche Materialist von Format; »mein erster Gedanke«, sagte er, »war Gott, mein zweiter die Natur, mein dritter und letzter ist der Mensch«. Öfter zu allgemein im Begriff, doch äußerst bestimmt und durchschlagend im Grundgedanken hat Feuerbach den ersten Übergang von Hegel zum Materialismus bewerkstelligt. Schon dadurch unterscheidet er sich vom mechanischen Abklatsch seiner Zeit, von einem Materialismus, der sich höchstens an Darwin erneuert hatte (ohne selbst hier sprunghafte Mutationen zu begreifen). Ausgang nun bilden auch beim Eß-Satz die Sinne, sie allein gewähren zweifelsfreies Wissen. Aber die Sinnlichkeit wird sogleich weiter gefaßt, gewollt verschwommene Anklänge an alles »Farbenvolle« und »Lebenswarme« geraten herein. Wo der Geist insgesamt dürr geworden war und als Dürre schlechthin verschrieen wurde, verband sich das Sensuelle sehr leicht mit mehr, mit dem Kult des Fleisches. Und nicht nur mit der irdischen Liebe, sondern eben aufgrund der starken Menschbetonung mit Sympathie schlechthin. Feuerbach benutzt jeden Doppelsinn oder Mehrsinn der Empfindung: »Das Sein ist ein Geheimnis der Anschauung, der Empfindung, der Liebe«. Dem Sensualismus sind derart keine Grenzen gesetzt: »Wir fühlen nicht nur Steine und Hölzer, wir fühlen auch Gefühle, indem wir die Hände oder Lippen eines fühlenden Wesens drücken; wir vernehmen durch die Ohren nicht nur das Rauschen des Wassers, und das Säuseln der Blätter, sondern auch die Seelenvolle Stimme der Liebe und Weisheit; wir sehen nicht nur Spiegelflächen und Farbengespenster, wir blicken auch in den Blick der Menschen ... Alles ist darum sinnlich wahrnehmbar, wenn auch nicht unmittelbar, so doch mittelbar, wenn auch nicht mit den pöbelhaften, rohen, doch mit den gebildeten Sinnen, wenn auch nicht mit den Augen des Anatomen oder Chemikers, doch mit den Augen des Philosophen« (Grundsätze der Philosophie der Zukunft, 1849, § 42; Werke (Bolin-Jodel) II, S. 304). Im Sinnlichen lebt (mit neuer Äquivokation) zugleich der Trieb und zwar der nach allgemeiner Glückseligkeit, das Wollen des eigenen, das Mitwollen des fremden Glücks. Glück selber ist nichts anderes als »mangelloses, gesundes, normales Leben«; Marx sprach hier freilich von Feuerbachs »schwülem Liebestau«, auch in bezug auf das »allgemein Menschliche« und seine wahllose Umarmung. Eindeutig sensuell-materialistisch aber der Satz, das »wahre Verhältnis vom Denken zum Sein« betreffend: »Das Sein ist Subjekt, das Denken Prädikat« (Werke II, S. 239). So werden auch viele Elemente des bisher klassischen Materialismus versammelt: Vorrang der Sinne (des Leibs), Pathos des Glücks. Es kommt noch das dritte klassische Element: die Befreiung von der Transzendenz; und das nun spezifisch Feuerbachisch, genau als starke Menschbetonung, das ist nicht nur als naturwissenschaftliche, sondern als »*anthropologische* Kritik der Religion«. Hier wird Feuerbach bedeutend, er brachte, wenn kein völlig neues Prinzip, so ein erstmals zentral gestelltes. Der Mensch wird von Feuerbach als Maß aller Dinge gefeiert und zugleich als Ursprung jener religiösen Nicht-Dinge (Nicht-Realitäten), die die menschliche Sehnsucht einem imaginären Jenseits geliehen hat. Physiologische Psychologie soll der Schlüssel sein zur Genesis der Religion, Anthropologie der Schlüssel zum religiösen Inhalt (soweit er humanistisch beerbbar ist). »Die neue Philosophie macht den Menschen mit Einschluß der Natur, als der Basis des Menschen, zum alleinigen, universalen und höchsten Gegenstand der Philosophie – die Anthropologie also mit Einschluß der Physiologie zur Universalwissenschaft« (Werke II, S. 315). Zunächst zwar blüht hier wieder nur Liebesethik auf, Emanzipation des Fleischs vom Geist, wie im Jungen Deutschland beliebt: »Das Geheimnis des Lebens ist die Sinnlichkeit, und die Basis der Sittlichkeit selber ist der Geschlechtsunterschied. Das Weib ist das lebendige Kompendium der Moralphilosophie, und sein Bauch der Tempel der Liebe.« Wieder verschränkt sich diese Anbetung des Stoffs (in seiner lieblichst-lüsternen Gestalt) mit einer altruistischen Liebesreligion, einem optimistischen Anti-Hobbes, einem »homo homini deus«. Ja im Menschbegriff Feuerbachs kulminieren alle seine Allgemeinheiten und Äquivokationen, so setzte hier – bevor auf dem erreichten Grund weiter zu bauen war – die Feuerbachkritik von Marx und Engels ein; eine dankerfüllte Kritik selbstverständlich, doch überlegen scharfe. Marx, in seinen »Thesen über Feuerbach«, hatte bereits dessen »Sinnlichkeit« als eine rein betrachtende, theoretische kritisiert, als eine, der das Verändern der Welt genau so fern liegt wie dem abstrakten Denken. Vor allem aber vermißt Marx an Feuerbachs »wirklichem Menschen« eben die Wirklichkeit; der Mensch bleibt hier teils ein isoliertes Individuum (wie es nur in der bürgerlichen Gesellschaft sich findet), teils erscheint er als bloße Gattung, das ist »als innere, stumme, die vielen Individuen bloß *natürlich* verbindende Allgemeinheit« (These VI). Indem Feuerbach auch hier auf dem Standpunkt der sinnlichen »Unmittelbarkeit« verharrt, bleibt er tatsächlich im Reich der Abstraktion, im selben Reich, das er doch verlassen wollte; daher seine Allgemeinheiten über »menschliches Wesen« schlechthin, daher seine Mythologie einer bloßen menschlichen Gattung. Feuerbach, sagt Engels, »klammert sich gewaltsam an die Natur und an den Menschen; aber Natur und Mensch bleiben bei ihm bloß Worte . . . Vom Feuerbachschen abstrakten Menschen kommt man aber nur zu den wirklichen lebendigen Menschen, wenn man sie in der Geschichte handelnd betrachtet«. Dieses aber, Geschichte, Sozialgeschichte, blieb außerhalb des Feuerbachschen abstrakten Humanismus; folglich auch das menschliche Wesen in seiner nicht nur natürlichen Gattungshaftigkeit, in jener Wirklichkeit, die Marx kurz und bündig umreißt als »das Ensemble der gesellschaftlichen Verhältnisse«. Trotzdem wird ja dieses Ensemble gerade bei Marx nicht im mindesten als konkretes Fixum genommen oder auch nur dergestalt, daß in diesem sozialen Ensemble, sogar gegen dasselbe nicht das menschliche und so allein kanonische Ensemble gültig wäre. Nun hat Marx doch nicht ohne Feuerbachsches statuiert und ermahnt: »Wenn der Mensch von den Umständen gebildet wird, so muß man die Umstände menschlich bilden.« Aber selbst das unverwirklicht, das sozusagen normativ und moralisch Menschliche, das jedes Ensemble gesellschaftlicher Verhältnisse überbietet, selbst diese dauernde Anwesenheit des Feuerbachschen Humanismus im marxistischen wurde durch Marx konkreter berichtigt. Nicht einfach sozialhistorisch, wohl aber dialektisch; denn steht der Mensch, wie bei Feuerbach, als normatives Absolutum, dann kehrt in ihm genau der fixe Dogmatismus wieder, den bisher die transzendenten Mächte innehatten. Nicht die Unbestimmtheit ist dabei die Gefahr; denn diese kann hier eine sachliche sein, eine Unbestimmtheit des Gegenstands, der normativen Velleität, der vorläufigen Allgemeinheit, worin der dunkle Drang auf seinem rechten Wege sich noch bewegen mag. Einem non liquet der noch so unzureichend gelungenen *menschlichen Materie* entsprechend, der ja noch kein Sprung aus dem Reich der Notwendigkeit in ihr Reich der Freiheit geworden ist. Wohl aber ist die undialektische Verabsolutierung des Menschlichen eine Gefahr, die Fernhaltung des *dialektischen* Maßstabs vom *humanistischen* Maß aller Dinge. Auch das Normative, auch das »Göttliche im Menschen«, wie Feuerbach zu sagen liebt, hat seine Geschichtsphilosophie; sie ist desto dringender, als Feuerbachs normativer Humanismus eben in der bürgerlichen Gesellschaft beschlossen bleibt, in den Grenzen, die auch ihrem wohlmeinendsten »Ideal« gesetzt sind. Andererseits aber eröffnete Feuerbachs anthropologischer Einsatz das früheste kritische Programm bei Marx, samt seiner Sprengkraft gegen Selbstentfremdung, wie sie zuerst auch an der Religion, dann erst an der Ware entwickelt wurde; Marx sagt so: »Radikal sein heißt eine Sache an der Wurzel fassen, die Wurzel für den Menschen ist aber der Mensch selbst«. Feuerbachs Arbeit bestand darin, die religiöse Selbstentfremdung, die Verdoppelung der Welt in eine religiös-phantastische und eine wirkliche zu durchschauen und die erstere auf die letztere reduzieren zu wollen. Hat er die Arbeit nicht zu Ende geführt, hat er die weltliche Grundlage dieser Verdoppelung nicht selber analysiert und die Entäußerung, die Entfremdung in der »wirklichen Welt« nicht selber ökonomisch erfaßt, so gab er doch den Fingerzeig, und Marxismus wäre nicht ohne Feuerbachs erste Reduktion. Ihr Prinzip ist bekannt: Götter und Gott sind verdinglichte, zum Fetisch gewordene Wunschbilder. Was der Mensch nicht ist, aber zu sein wünscht, stellt er sich in seinen Göttern als seiend vor, sie sind der in der Phantasie befriedigte Glückseligkeitstrieb des Menschen; oder wie Marx in seiner »Kritik der Hegelschen Rechtsphilosophie« das ausdrückt: die Religion »ist die phantastische Verwirklichung des menschlichen Wesens, weil das menschliche Wesen hier keine wahre Wirklichkeit besitzt«.

Statt Vernunft in der Religion nachzuweisen, soll der Philosoph bei Feuerbach deren Unvernunft durchschauen, er verwandelt die Menschen »aus Theologen zu Anthropologen, aus Theophilen zu Philanthropen, aus Kandidaten des Jenseits zu Studenten des Diesseits«. Doch ist die Entzauberung, welche aus der Theorie der imaginären Wunscherfüllung folgt, nicht nur negativ gemeint; im Gegenteil, sie geschieht auch, damit das religiös Gewünschte irdisch durchbreche. So heißt es bei Feuerbach gerade im »Wesen des Christentums«, Kapitel 2: »Ich verneine das phantastische Scheinwesen der Religion und Theologie nur, um das wirkliche Wesen des Menschen zu bejahen«. Feuerbachs Atheismus fehlt das Nichts – als Negativität, er vermeidet sie bewußt: »Der Atheismus verneint nur das vom Menschen abstrahierte, das phantastische, durch die Einbildungskraft verselbständigte Wesen des Menschen, welches aber Gott genannt wird, und will an seine Stelle das wirkliche Wesen des Menschen setzen«. Atheismus ist also in Wahrheit bejahend, jedoch »der Theismus . . . ist in Wahrheit verneinend; er verneint die Natur, die Welt und die Menschheit« (Vorlesungen über Religion, No. 30). Feuerbach verhält sich also nicht nur zynisch zur Religion, sondern in gewisser Art, nota bene was ihre helleren, humanen Züge angeht, erbend. Er selber betont die immer nähere Selbstvergottung im Prozeß der Illusionen, den anthropologischen *Inhalts*-Unterschied zwischen Christentum und Naturreligion: »Das Wesen der christlichen Religion ist Gemüt, Christus die Allmacht der Subjektivität, das von allen Banden und Gesetzen der Natur befreite Herz«. Feuerbach zitiert dieser Art den Satz Sebastian Francks, Gott sei ein unaussprechlicher Seufzer im Grund der Seelen gelegen; und nennt das – nicht nur vom Seufzer, sondern vom Grund der Seelen betroffen – »den merkwürdigsten, tiefsten und wahrsten Ausspruch der deutschen Mystik« (Wesen des Christentums, Kapitel 13). Einige Zeitgenossen Feuerbachs sahen diesen Bogen von der Entmythologisierung zur Mystik, und sie erstaunten über das unabgeschlossene Paradox. Gottfried Keller reflektiert im Grünen Heinrich (Kapitel: Der gefrorene Christ) diesen Effekt der »Anthropologisierung« sehr lehrreich. Da erscheint zwar Feuerbach durchaus als Atheist, der das

Übersinnliche auf seinen egoistisch-materiellen Ursprung gebracht hat, wenn auch in betörender Sprache; er erscheint, wie
er »gleich einem Zaubervogel, der in einsamem Busch sitzt, den
Gott aus der Brust von Tausenden wegsang«. Doch unmittelbar danach verschränkt sich mit dem Atheisten Feuerbach der
Mystiker Angelus Silesius, mit dem »Schwungvollen Philosophen« der »Kräftige Gottesschauer«; tertium comparationis
bei beiden ist »der Mensch in Ewigkeit«. So eng also verbindet
sich hier, in keineswegs zufälliger oder lediglich mißverständli-
cher Weise, anthropologische Kritik der Religion mit mysti-
scher Anthropologie der Religion; so nahe auch ein allgemein-
menschliches Fixum, wie Feuerbach es abstrahierte, mit der
ebenso allgemeinen »Ewigkeit im Menschen«. Aber freilich ist
dies Fixum für Feuerbach, obwohl es besteht, doch noch nicht
erschöpft, ist überdies noch unverwirklicht. »Der Glaube an
das Jenseits ist der Glaube an die Freiheit der Subjektivität von
den Schranken der Natur – folglich der Glaube des Menschen
an sich selbst.« So wies das phantastische Jenseits für Feuerbach
auf die Entbehrungen, doch ebenso auf die Hoffnungsfülle im
menschlich-materiellen Diesseits. Ein Materialismus also, ganz
verschieden von dem mechanisch gewordenen, dem das Weltall
und seine Materie zwar einerseits unendlich groß war, doch andererseits so klein, daß nicht einmal ein menschlicher Kopf
darin Platz hatte; dieser Mangel ist nun bei Feuerbach mehr als
irgendwo bisher verlassen.

35   BÜRGERLICHE AUFLÖSUNGEN
        DER MECHANISCHEN MATERIE
             (Mach; F. A. Lange)

Auch sonst drehte man auf Mensch und Ich um, aber verdächtig
anders. Da wurde nicht darauf geachtet, den Stoff mit dem
menschlichen zu vermehren, ihn in den Menschen hineinzutrei-
ben. Sondern idealistische Auflösung war erwünscht; das Bürgertum, einmal an der Macht, wollte statt des materialistischen
Denkens, des gar noch proletarisch brauchbaren, etwas Besseres, Vornehmeres für sich. Da es nur mechanische Materie

kannte, so glaubte es mit der mechanischen alle Materie aufgelöst oder wenigstens eingegrenzt. Zunächst sperrte der Bezug
aufs Ich dieses völlig in sich ein, nicht nur stofflos, sondern geradezu weltlos werdend. So bei *Schuppe,* der für viele dergleichen steht: übers Bewußtsein und das darin unmittelbar Gegebene darf nicht hinausgeschritten werden. Alles Bewußte ist
aber jederzeit nur ein »mir Bewußtes«, ein aufs eigene Ich Bezogenes; das allein ist gewiß. Folglich macht der streng unmittelbare Standpunkt solipsistisch: es gibt nichts als mein Ich und
das in ihm unmittelbar Erscheinende. Dergleichen blieb dann
freilich etwas weniger solipsistisch, also weniger närrisch, wenn
es sich auf Berkeley berief, auf dessen Satz: Esse ist Percipi, auf
die primäre Selbstverständlichkeit, daß alles draußen Wahrgenommene zunächst unter der allgemeinsten Bedingung steht,
wahrgenommen zu werden. Von hier ging der extrem sensuali-
stische und doch nun ganz unmaterialistisch sich wendende
Weg zu Ziehen, Avenarius, Mach. Das Ich, im Sinn von Berkeleys Geist (mind), gaben sie preis, aber den »Sparren« Materie
desgleichen, im selben agnostizistischen Bausch und Bogen. Die
Welt, sagt *Mach,* ist eine Masse von Empfindungen, die im und
als Ich nur stärker zusammenhängen, im und als Dingkörper
sich nur in einem gewissen Gleichgewicht befinden. Es gibt
nichts als »Empfindungen« oder besser, neutraler: »Elemente«;
diese (Farben, Töne, Wärmen, Räume, Zeiten) sind bald einer
Ichreihe, bald einer Körperreihe bequemer zuordenbar. Sind
aber weder einem Ich noch einem Ding, Körper, Stoff substantiell verbunden; Machs Phänomenalismus, Hume überbietend,
hebt Materie und Individuum, Objekt und Subjekt gleich groß-
zügig auf. »Eine Farbe ist ein physikalisches Objekt, sobald wir
zum Beispiel auf ihre Abhängigkeit von der beleuchtenden
Lichtquelle (anderen Farben, Wärmen, Räumen und so weiter) achten. Achten wir aber auf ihre Abhängigkeit von der
Netzhaut, so ist sie ein psychologisches Objekt, eine Empfindung. Nicht der *Stoff,* sondern die *Untersuchungsrichtung* ist in
beiden Gebieten verschieden« (Analyse der Empfindungen,
1900, S. 14). Ein gewissermaßen objektiv Konstantes liegt dem
Ich- und Körperbezug freilich ebenfalls zugrunde, eben ein
dichterer Zusammenhang der Elemente hier, ein relativer

Gleichgewichtszustand dort. Aber das eine fundiert kein Ich, das andere erst recht keine Materie: »Nicht die Körper erzeugen Empfindungen, sondern Elementenkomplexe (Empfindungskomplexe) bilden die Körper. Erscheinen dem Physiker die Körper als das Bleibende, Wirkliche, die ›Elemente‹ hingegen als ihr flüchtiger vorübergehender Schein, so beachtet er nicht, daß alle ›Körper‹ nur Gedankensymbole für Elementenkomplexe (Empfindungskomplexe) sind« (l. c., S. 23). Auf diese Art sind Mensch und Materie gleichmäßig untergegangen, in purem »empiriokritizistischem« Idealismus. Da überdies Kausalität als eine bloße anthropomorphe »Introjektion« beseitigt wird und von ihr bei Mach nichts übrig bleibt als die mathematisch-funktionale Beziehung (ändert sich x, so ändert sich y und umgekehrt): so hat sogar das Gesetz, nicht nur die Substanz des Materialismus ausgespielt (von Dialektik, die Mach nicht kennt, zu schweigen). Und als Folge ergibt sich: Da nichts real ist als die Erlebniswirklichkeit der »Elemente«, da jede Verwendung von »Gedankensymbolen« über ihren bloß denkökonomischen Gebrauch hinaus die Grenzen der Wissenschaft introjizierend überschreitet, da es kein Jenseits der sinnlichen Erscheinung gibt und geben kann: so ist für Mach (der sogar das Atom ein bloßes Gedankensymbol nennt) die Materie insgesamt Schein und der Materialismus – Metaphysik. »Genau« solche Metaphysik wie der christliche Jenseitsglaube (gegen den der Materialismus dann einen bloßen Bruderkampf führt), wie der Glaube der Australneger an Geister und Dämonen. Hat Engels Dühring heimgeleuchtet, so hat Lenin auf die Berkeley-Gefahr des Machismus, selbst für Austromarxisten hingewiesen; hatte der plumpe Dühring zuviel »Wahrheiten letzter Instanz« und darunter nur keine dialektische, so hat der überkritizistische Mach überhaupt nur Erscheinungen als letzte Instanz und darunter keine materialistische. Und der Neopositivismus, wie er ja dem Empiriokritizismus sich nachher anschloß, hat gerade noch gefehlt, nun lauter »Anpassung an (fixe) Tatsachen«. Da wird denn der sinnenhafte Befund gänzlich zur allein »reinen Erfahrung«, auch noch zu einer angeblich ideologiefreien gestempelt und alles Wahre darauf beschränkt. Hierzu nicht stimmige Gedanken, vorab die revolutionären, mit Materie im Tornister, fliegen nun sämtlich von Bord; was nicht tautologisch ist im mathematischen Sinn und im empiristischen nicht konform mit dem, »was der Fall ist«, gilt hier durch die Bank als spekulativ. Dialektisches Denken, Probleme des Prozesses, seines Wegs, gar Ziels, gar die Frage nach der Materie dieses Prozesses: alle Eulen solcher Minerva wurden dem Neopositivisten völlig grau und noch weniger als das, nämlich meaningless. –

Es gibt auch feinere Art, von dem Stoff bürgerlich Abschied zu nehmen. So neukantianisch, deutlich in F. A. *Langes* »Geschichte des Materialismus« (1866), die ihn als naturwissenschaftlich allein gültig anerkennt. Doch darüber erhob sich, schroff und stofffrei, der »Standpunkt des Ideals«, des nichts durchbohrenden, erhaben schwebenden. Einzigartig spiegelt sich in dieser Trennung die Unfähigkeit der Bourgeoisie, ihre mechanistische Wirklichkeit zu ertragen, und die noch größere Unfähigkeit, sie dem »Ideal« gemäß zu gestalten. Einzigartig auch verband sich hier die Trennung von mechanischem Alltag und Plüsch der guten Stube mit dem Kantischen Dualismus von realer Notwendigkeit und intelligibler Freiheit. Beginnende Furcht der Bourgeoisie vor dem Materialismus des Proletariats lieferte – noch nicht bei Lange, wohl aber bei den späteren Neukantianern – den deutlichen Anlaß. Der Dualismus zwischen idealem Wert und materieller Wirklichkeit wurde bei ihnen bequem, die eine Seite hat zwar alle schönen Ideale, doch keine reale Wahrheit, die andere alle reale Wahrheit, doch nicht den schönen Zug des Ideals. Ohne schon so bequem zu werden, trennt Lange immerhin Mechanik und Ideal folgendermaßen: »Jede Verfälschung der Wirklichkeit greift die Grundlagen unserer geistigen Existenz an. Gegenüber metaphysischen Erdichtungen, welche sich anmaßen, in das Wesen der Natur einzudringen und aus bloßen Begriffen zu bestimmen, ist daher der Materialismus als Gegengewicht eine Wohltat. Auch müssen alle Philosopheme, welche die Tendenz haben, nur Wirkliches gelten zu lassen, notwendig nach dem Materialismus hin gravitieren. Dafür fehlen diesem die Beziehungen zu den höchsten Funktionen des freien Menschengeistes. Er ist, abgesehen von seiner theoretischen Unzulänglichkeit, arm an Anregungen, steril für Kunst und Wissenschaft, indifferent oder zum Egoismus neigend in den Beziehungen des Menschen zum Menschen. Kaum vermag er den Ring seines Systems zu schließen, ohne beim Idealismus eine Anleihe zu machen« (Geschichte des Materialismus, Reclam, S. 516). Lange selber fürchtete zwar die revolutionären Konsequenzen des Materialismus noch nicht, im Gegenteil, er wünschte von Herzen die Heraufkunft einer neuen sozialen Welt; nur: er sah, beim mechanischen Materialismus stehenbleibend, die Antriebe zu dieser Heraufkunft ausschließlich in einem abstrakten, stofffreien, irrealen Sollen. »Den Sieg über den zersplitternden Egoismus und die ertötende Kälte des Herzens wird nur ein großes Ideal erringen, welches wie ein Fremdling aus der anderen Welt unter die staunenden Völker tritt und mit der Forderung des Unmöglichen die Wirklichkeit aus ihren Angeln reißt« (l. c., S. 529). Hatte selbst Feuerbach bekundet: rückwärts stimme er den Materialisten vollkommen bei, aber nicht vorwärts, so überrascht die kupierte oder abgebrochene Materie Langes nicht, der Materialismus unten, der Idealismus oben. Feuerbach aber hatte mit seinem Idealismus nach vorwärts eine berechtigte Unzufriedenheit mit dem rein naturwissenschaftlich orientierten Materialismus ausgesprochen. Er hatte das Bedürfnis nach einem noch Unvorhandenen: nach historisch-sozialwissenschaftlichem Materialismus ausgesprochen und diesen, ihm unbekannten, nicht etwa – wie Lange – abgelehnt. Feuerbach, beim abstrakten Menschen in einer abstrakten Natur verharrend, hat den Durchbruch nur nicht gefunden, ihn jedoch intendiert und nahegelegt, Lange dagegen betrachtet die Feuerbachsche Hervorhebung des Menschen als einen Zug der Hegelschen Philosophie, der damit übernommenen »Begriffsdichtung«, die Feuerbach »von den eigentlichen Materialisten trennt«. Umgekehrt sieht Marx (in den »Ökonomisch-philosophischen Manuskripten«) gerade hier »die Gründung des *wahren Materialismus* und der reellen Wissenschaft, indem Feuerbach das gesellschaftliche Verhältnis ›des Menschen zum Menschen‹ ... zum Grundprinzip der Theorie macht«. Erst recht hat der Sozialismus bei Marx »keine Ideale zu verwirklichen, sondern einzig die vorhandenen Tendenzen der Gesellschaft in Freiheit zu setzen«; eine materialistische Erweiterung allerdings, die den bloßen mechanischen Materialismus, den Lange einzig kennt, ebenso weit hinter sich läßt, wie sie ihn mit den Begriffen »Tendenz«, »In Freiheit setzen« sprengt. Auch der Marburger Neukantianismus, der Lange noch nahestand und bürgerlich-fortschrittliche, sozial-philanthropische Züge sich zu bewahren wußte, machte vom Nichtsprengen keine Ausnahme. Ja seine Fetischisierung der »transzendentalen Funktion«, die erz-idealistische, entfernte die Materie sogar aus der Natur, wieviel mehr aus der »Idee der Gesellschaft«. Vor lauter Transzendentalem soll hier schon die sinnliche Gegebenheit eine Art Schandfleck des Denkens sein, der durch weitere Bestimmung erst entfernt werden muß; die Materie ist eine bloße Vorläufigkeit in diesen Bestimmungen. Hatte bereits Lange die Materie zu einem Rest herabgesetzt (»der unbegriffene oder unbegreifliche Rest unserer Analyse ist stets der Stoff«), so genießt der Stoff bei *Cohen* nicht einmal die Ehre eines solchen Dings an sich auf Abbruch. Wissenschaftliche Naturerkenntnis sei nur freischwebende Gesetzesrelation, zeige im Fall Materie also deren Aufhebung durch wägbare Masse oder meßbare Energie. Erst recht Cohens Ethik kennt keinen Menschen als triebhafte Gegebenheit, sie »hört« nicht auf den Menschen als bedürftiges Naturwesen, sondern »verhört« ihn unter der Zweckidee einer reinen Rechtsgesellschaft, damit er als Person gelte; und das erst nennt er das »anthropologisch Reale«. Die »ins Riesenhafte gewachsene Tauschwirtschaft« (materielle Verhältnisse also) ist diesem Idealismus lediglich ein Stein des Anstoßes, nicht ein möglicher Anstoß selbst, der materialistisch zu erforschen und zu verändern wäre, statt ihn nur idealistisch zu verwerfen. Die Bourgeoisie, der Entzauberung überdrüssig und sie fürchtend, übersteigerte entweder die »Aufklärung« so weit, daß alles zu Schein wurde, auch die Materie. Oder sie griff gar dasjenige, wogegen die Aufklärung gerade vorgegangen war, nämlich die Verteufelung der Materie, halbwegs auf, indem sie die Materie, wenn auch nicht als Anti-Wert, so doch als Wertfremdheit, Wertlosigkeit setzte. Die überkritische, nämlich empiriokritizistische »Aufklärung«, mit Materie als Schein, findet sich bei Mach und weiter; das Abdrehen der Materie zu Hemmung und

Sterilisierung der Idealfunktionen des Menschengeistes, zum Nicht-Wert ihrer Gegebenheit findet sich von Lange bis Cohen und weiter. Im bloßen Ideal-Sozialismus, soweit er von Marburg her beeinflußt war, erlangt auch das Wort »Unterbau« nur einen herabsetzenden Sinn, einen der Untergeordnetheit. Nicht das Nüchterne, Solide der Basiserforschung wurde betont, erst recht nicht das Detektivische oder die Wissenschaft von des Pudels Kern. Dabei geht bei Cohen freilich ein Pathos durchgängiger ratio nicht verloren, diesesfalls gerade von einem rein vernunfthaften Idealbegriff her, als einem auch völlig unmythisch seinwollenden. Das macht ihn nun nicht nur gegen den sinnlichen, allzu sinnlichen Restbestand empfindlich, als den er Materie fälschlich definiert, sondern auf nicht unwichtig beisteuernde Weise gegen alle eventuell noch mythischen Restbestände in Begriffen von der – Materie selber. So wäre von diesen Epigonen der »Vernünftigkeit« etwas zu erfahren, wenn es sich gerade um noch archaische, also mythische Verschwägerungen handelt; wie sie etwa gewittert werden könnten in der Liaison »Notwendigkeit«-Materie bei Demokrit. Cohen behandelt zwar den Begriff Ananke = Notwendigkeit (zusammen übrigens mit der Tyche = Zufälligkeit), als wäre er rein rational entsprungen und ausgemacht mythosfrei. Aber die Notwendigkeit, Ananke, könnte ja auch vorrationale Wurzeln haben, als wäre sie eine mutterrechtliche Göttin gewesen. Wenn Cohen immerhin empfindlich war gegen alles »Neuheidentum« und einen radikalen Gegensatz zwischen archaischem Mythos und messianischer »Religion der Vernunft« behauptete, dann wäre von hier ein Beitrag zur Notierung von möglicherweise noch Vorrationalem selbst in materialistischen Überlieferungen denkbar gewesen, das in petto einer so sehr nichtmythisch seinwollenden Vernunft. Doch die Auflösung des Materierangs war ja dem späten Bürgertum wichtiger, es galt zuletzt vor allem den Marxisten die Grundlage zu entziehen, auf der sie fußten. Daher soll denn der Materieglaube nicht nur, wie vordem, keinen Sinn fürs Höhere insgesamt haben, sondern ausgerechnet keinen fürs sozialistisch Höhere. In Cohens Einleitung zu seiner Neuherausgabe von Lange (S. 112) nennt er den Materialismus »den unversöhnlichsten Widerspruch zum

Sozialismus« und dekretiert: »Mit diesem falschen Schlagwort, das nur zur Übertrumpfung der widerstreitenden Parteien seine agitatorische Bedeutung haben mag, kommt nicht nur ein Affekt (!) in die Gesinnungsrichtung der Kämpfer, der sie in der Beurteilung der Gegner und der Weltlage überhaupt verbittern und verwirren (!) muß; sondern es droht darin die schwerste Schädigung, die einer Partei der Zukunft drohen kann: die, ihres eigenen Prinzips verlustig zu gehen und so unrettbar in Selbstauflösung zu verschwinden. Der Sozialismus ist im Recht, sofern er im Idealismus der Ethik begründet ist. Und der Idealismus der Ethik hat ihn begründet, aber er setzt sich ins Unrecht, in das Unrecht des prinzipiellen Widerspruchs, sobald er zum Wortführer des Materialismus wird.« Damit wäre also die bürgerliche Begegnung des philosophischen Idealismus mit dem Materiebegriff zur Ruhe gekommen; weder Existenzialismus noch Strukturalismus haben zum Thema Materie Nennenswertes geäußert; ersterer nicht wegen seines überwiegend introvertierenden Charakters, letzterer nicht trotz der alten engen Verbindung von »Form«, »Figur«, »Gestalt« mit deren »Substrat«, dem Stoff. Auf einem anderen Blatt steht, wie man sehen wird, die energetische Formulierung durch die moderne Physik, wonach statt eines Stoffsubstrats völlig unanschauliche Energiefelder mit Feldgleichungen bleiben und die Korpuskulartheorie neben der Wellentheorie höchstens in der Optik rein rechnerisch angewandt wird. Auf jeden Fall aber ging der Aufweichung des Stoffbegriffs die rein operative, das heißt bloß denkökonomische Herabsetzung jeder naturwissenschaftlichen Erkenntnis zu einem bloßen Zurechtlegen bequem vorher. Alles Esse wurde bei Mach und so fort zu einem bloßen Beobachtetwerden, an dem, gar hinter dem kein Stoff eines inhaltlichen Begriffs, gar Begriff eines Stoffs steht.

ÜBERGANG /
MARXISTISCH EINGELEITETE PRÄZISION
DER EIGENTLICH MATERIALISTISCHEN CRUX:
APORIE SEIN – BEWUSSTSEIN, ANTINOMIE
QUANTITÄT – QUALITÄT
(Marx, Engels, Lenin)

Der Bürger ist wendig und steckt noch fest. Er ist wie ein Fisch im Zuber, kommt über den starren Rahmen nicht hinaus. Ja auch wo ein Rahmen gar nicht besteht, im eigentlichen Fluß der Dinge, wird er gesetzt, hart aufeinander stoßen die Sachen, ihr Gegensatz ist ihr Ende und ihr Stillstand. Dialektisches Denken ist hier verlorengegangen, und wird es erinnert, dann ausschließlich als eine Form des Denkens allein. Nicht als Bewegung des Daseins selber, wie Marx sie ökonomisch-historisch, im ganzen materiellen Sauerteig nachgewiesen hat. Marxistische Dialektik bedeutet seitdem: der Widerspruch ist nicht nur eine Form des Denkens, sondern unabhängig vom Denken in der Materie gegeben, das heißt die Bewegung der Materie erfolgt objektiv dialektisch. Der materialistische Dialektiker legt in die Welt nicht etwas hinein, was nur in seinem Denken ist, sondern er erfaßt mittels der Sinnesorgane und des Denkens den Widerspruch des Keims zur Hülle, der Produktivkräfte zur überalterten Produktionsform, den Umschlag der Quantität zur Qualität und dergleichen mehr. Es sind das Verhältnisse, von denen der alte Materialismus, als kontemplativer und statischer, wenig oder nichts wahrnehmen konnte. *Engels* findet daher die schärfsten Worte gegen den banalen Aufguß La Mettries in einer Zeit, die Hegel erfahren, aber vergessen hatte; gegen die Vogt, Büchner und Moleschott, gegen den »plattesten Abspülicht des deutschen Aufklärichts«, wie Engels ja im Anti-Dühring sagt. Auch kritisiert er nicht nur die ephemeren Schriften eines Dühring, kritisiert wird vor allem die statische Schematik eines Materialismus ohne Hegel. Zwanzig Jahre vor dem Anti-Dühring bemerkte Engels bereits (in der Rezension »Zur Kritik der praktischen Ökonomie«): »Hegel war verschollen, es entwickelte sich der neue naturwissenschaftliche Materialismus, der sich von dem des achtzehnten Jahrhunderts theoretisch fast gar nicht unterscheidet und meist nur das reichere naturwissenschaftliche, namentlich chemische und physiologische Material voraus hat. Bis zur äußersten Plattitüde reproduziert finden wir die borniert Philisterdenkweise der vorkantischen Zeit bei Büchner und Vogt, und selbst Moleschott, der auf Feuerbach schwört, reitet sich jeden Augenblick auf höchst ergötzliche Weise zwischen den allereinfachsten Kategorien fest. Der steife Karrengaul des bürgerlichen Alltagsverstandes stockt natürlich verlegen vor dem Graben, der Wesen von Erscheinung, Ursache von Wirkung trennt; wenn man aber auf das sehr kupierte Terrain des abstrakten Denkens par force jagen geht, so muß man eben keine Karrengäule reiten.« Desto lebhafter lag Marx wie Engels daran, ihren Materialismus, als einen historischen und nicht nur physikalischen, von der verschlissenen Statik zu unterscheiden; auch von Feuerbach. Die Unterscheidung vom *Idealismus* ist ja ohnehin klar (trotz des »subjektiven Faktors«, der sich gerade im nicht-kontemplativen, nicht nur objektivistischen Materialismus findet). Engels spitzt in seinem »Ludwig Feuerbach« diese Unterscheidung etwas zu vereinfachend, doch polemisch scharf zu, nämlich auf die Frage: »Was ist das Ursprüngliche, der Geist oder die Natur?« *Erkenntnistheoretisch*, sozusagen, ist hier ein jeder Materialist, der sich entschließt, »die wirkliche Welt – Natur und Geschichte – so aufzufassen, wie sie sich selbst einem jeden gibt, der ohne vorgefaßte idealistische Schrullen an sie herantritt«. *Kosmologisch*, gleichsam, wird der Unterschied zwischen Idealisten und Materialisten folgendermaßen dargestellt: »Diejenigen, die die Ursprünglichkeit des Geistes gegenüber der Natur behaupteten, also in letzter Instanz eine Weltschöpfung irgendeiner Art annehmen..., bildeten das Lager des Idealismus. Die anderen, die die Natur als das Ursprüngliche ansehen, gehören zu den verschiedenen Schulen des Materialismus«. Entscheidend aber wird, sich nicht nur den Unterschieden vom Idealismus zuzuwenden, sondern denen *innerhalb des Materialismus selber*, besonders dem Novum der menschhistorischen, der bewußten Materie. Engels stimmt Feuerbach zu, »daß der bloß naturwissenschaftliche Materialismus zwar die ›Grundlage des Gebäudes des menschlichen Wissens ist, aber nicht das Gebäude selbst‹. Denn wir leben nicht nur in der Natur, sondern auch in der menschlichen Gesellschaft, und auch diese hat ihre Entwicklungsgeschichte und ihre Wissenschaft nicht minder als die Natur. Es handelt sich also darum, die Wissenschaft von der menschlichen Gesellschaft ... mit der materialistischen Grundlage in Einklang zu bringen und auf ihr zu rekonstruieren«. Dabei aber werden die »idealen Strömungen« oder »idealen Mächte« (seelische Beweggründe, gar Begeisterung für menschliche Vervollkommnung, Moralität) nicht etwa geleugnet, – im Sinn des banalen Materialismus oder gar des bestialischen, wie der Philister ihn versteht. Was die idealistischen Beweggründe angeht, so verweist Engels auf die französischen Enzyklopädisten: »Wenn irgend jemand der ›Begeisterung für Wahrheit und Recht‹ – die Phrase im guten Sinne genommen – das ganze Leben weihte, so war es zum Beispiel Diderot.« Was aber die Beweggründe im weniger idealen, im ideologischen Sinne angeht, so werden auch sie nicht geleugnet, denn »alles, was die Menschen in Bewegung setzt, muß durch ihren Kopf hindurch«. Nur fragt es sich – und diese Frage hat sich der alte Materialismus nie vorgelegt –: »welche treibenden Kräfte wieder hinter diesen Beweggründen stehen, welche geschichtlichen Ursachen es sind, die sich in den Köpfen der Handelnden zu solchen Beweggründen formen«. Diese Ursachen, als gesellschaftliche, sind aus dem Novum einer historischen – nicht mehr physikalischen – Materie, haben nur innerhalb der menschhistorischen den Rang einer »letzten Instanz«. Den Rang eines ökonomisch-technischen Letztelements und der dialektischen Wechselwirkung dieses Elements mit den ideologischen Reflexen seines Überbaus. Damit ist die Dürre des physikalischen Materialismus ebenso verlassen wie die stupide Total-Reduktion auf nichts als Atombewegungen letzthin, wie lediglich mechanische – statt entwicklungsgeschichtlich-dialektische – Gesetzlichkeit der Materie. Ein Stück Reichtum der Materie ist wiedergewonnen, auf völlig neue Art; das (notwendig gewesene) Verlustprinzip, das totale Reduktionsprinzip des Mechanismus ist aus ihrem Begriff wieder ausgeschieden. Entscheidend sind in diesem Zusammenhang die Worte des frühen *Marx* über die Lebensgeschichte der bürgerlichen Materie, vielmehr über ihre Jugendbestimmungen bei Bacon: all das ist wichtig, was er an diesen Bestimmungen als solche der – Materie anerkennt. Marx schreibt in der »Heiligen Familie«, nachdem er Bacon als englischen Materialisten gefeiert hatte: »Unter den der Materie eingeborenen Eigenschaften ist die Bewegung die erste und vorzüglichste, nicht nur als mechanische und mathematische Bewegung, sondern mehr als Trieb, Lebensgeist, Spannkraft, als Qual – um den Ausdruck Jakob Böhmes zu gebrauchen – der Materie« (sc. bei Böhme hängt »Qual« mit »Quellen«, schließlich mit »Qualität« zusammen). »In Bacon, als seinem ersten Schöpfer, birgt der Materialismus noch auf eine naive Weise die Keime einer allseitigen Entwicklung in sich. Die Materie lacht in poetisch-sinnlichem Glanze den ganzen Menschen an ... In seiner Fortentwicklung wird der Materialismus einseitig. Hobbes ist der Systematiker des baconischen Materialismus. Die Sinnlichkeit verliert ihre Blume und wird zur abstrakten Sinnlichkeit des Geometers ... Der Materialismus wird menschenfeindlich ... Er tritt auf als Verstandeswesen, aber er entwickelt auch die rücksichtslose Konsequenz des Verstands« (Die Heilige Familie, Marx-Engels-Gesamtausgabe I 3, S. 304 f.). Marx identifiziert hier auch Materialismus mit »realem Humanismus«, denn die Materie der Geschichte ist der Mensch, keineswegs mehr mechanisches oder mathematisches Wesen. »Wenn der Mensch aus der Sinnenwelt und der Erfahrung in der Sinnenwelt alle Kenntnis ... sich bildet, so kommt es also darauf an, die empirische Welt so einzurichten, daß er das wahrhaft Menschliche in ihr erfährt, sich angewöhnt, daß er sich als Mensch erfährt ... Wenn der Mensch von den Umständen gebildet wird, so muß man die Umstände menschlich bilden« (l. c., S. 307 f.). Beziehung von Menschen zu Menschen und zur Natur – das und nichts anderes ist bei Marx die spezifische Materie der Geschichte; sie erhebt sich auf der physisch-organischen Basis, doch sie fällt durchaus nicht mit ihr zusammen. Gerade die Betonung dieses Spezifikums ist Marxens Radikalismus; eben: »Radikal sein«, sagt Marx in der Einleitung zur Kritik der Hegelschen Rechtsphilosophie, »heißt eine Sache an der Wurzel fassen. Die Wurzel für den Menschen ist aber der Mensch selbst« – der gesellschaftlich wirkliche wie der gesellschaftlich noch nicht verwirklichte. Damit aber tritt ein völlig neues (wenn auch bei den Enzyklopädisten stets impliziert gemeintes) Substrat des Materialismus auf den Plan: das Substrat der menschlichen Bewegung, der menschlichen Tätigkeit. Nicht mehr das angeschaute Objekt der Physik, sondern das Objekt des tätig-menschlichen Subjekts, das ist der menschlichen Arbeit. Das undeutliche Subjekt der physischen *Bewegung* erhebt sich zum deutlichen Subjekt der menschlichen *Arbeit*; die Dialektik der Natur springt über in die Dialektik der menschlichen Geschichte; Leben wie Denken sind Bewegungsformen einer höher qualifizierten Materie und der Geist kein total Anderes, gar dualistisch Entgegengesetztes, sondern deren »höchste Blüte«.

Es erhellt, daß der Stoff hier sehr verschieden vorkommt. Ja, nur als verschieden und immer nur mit seinen besonderen Bewegungen verbunden. Ist die jeweilige Bewegungsform des Stoffs erkannt, so ist dieser selbst erkannt; es gibt für Engels keinen Stoff ohne Bewegung und seine dadurch entstehenden Besonderheiten, es gibt keine Materie als solche, schlecht allgemein. Lenin scheint zwar einen Begriff von »Materie überhaupt« anzuerkennen, aber dies nur im erkenntnistheoretischen, nicht im konkreten Sinn. Der allgemeine Begriff Materie bedeutet hier »nichts anderes als: die objektive, unabhängig vom Bewußtsein existierende und von ihm abgebildete Realität« (Materialismus und Empiriokritizismus, Werke XIII, S. 262). Eben weil dies »die einzige ›Eigenschaft‹ der Materie, an deren Anerkennung der philosophische Materialismus geknüpft ist«, ist der Materialist auf keine allgemeine Daseinsweise seines Objekts festgeschworen. Seine Materie verschwindet auch dann nicht, wenn sie aus Elektrizität besteht, sie verschwindet erst recht nicht im Sprung vom mechanischen zum organischen, zum ökonomischen Dasein. Derart bemerkte ja Engels gegen Begriffsrealisten wie vor allem gegen jede quantitativ-mechanische Allgemeinheit: »Die Materie als solche ist eine reine Gedankenschöpfung oder Abstraktion ... Wenn die Naturwissenschaft darauf ausgeht, die einheitliche Materie als solche aufzusuchen, die qualitativen Unterschiede auf bloß quantitative Verschiedenheiten der Zusammensetzung identischer kleinster Teilchen zu reduzieren, so tut sie dasselbe, wie

wenn sie statt Kirschen, Birnen, Äpfel das Obst als solches . . .
zu sehen verlangt« (Noten zum Anti-Dühring, M.-E.-G. I,
Sonderausgabe, S. 473). Die Abstraktion des Warendenkens,
das alle sinnliche Verschiedenheit der Dinge quantifiziert und
eingeebnet hat, und die Abstraktion des homogenen Mechanismus sind also eine und dieselbe. Engels zieht das quantifizierende Warendenken von der Materie wieder ab, das heißt: die
Daseinsformen der materiellen Bewegung, also die Daseinsformen der bewegten Materie werden wieder konkret verschieden
– trotz der atomistischen Basis. »Bewegung im Weltraum . . .,
Molekularschwingung als Wärme, elektrische Spannung, magnetische Polarisation, chemische Zersetzung und Verbindung,
organisches Leben bis zu seinem höchsten Produkt, dem Denken hinauf« (M.-E.-G. I, Sonderausgabe, S. 403 f.) – es ist eine
qualitative Hierarchie, keine Einebnung auf Klötzchen-Mate-
rie. Es ist eine Hierarchie, worin der Sprung von der Quantität
zur Qualität Platz hat und vor allem das relativ neue Dasein
organischer Zellen, dann ökonomischer Subjekte als eigener,
wie Engels sagt, »starting points«. Dieser dialektisch-prozes-
suale Materialismus kennt die Kluft zwischen mechanischen
und organischen, organischen und psychischen Vorgängen
durchaus, aber er stirbt daran nicht, im Gegenteil. Daß das Bewußtsein aus stofflichen Bewegungen nicht erklärbar ist – diese
berühmte »Widerlegung« des Materialismus ist für Engels nur
eine des mechanischen; die Dialektik pariert sie sofort, ja macht
sie sich zunutze. Engels selber greift die Diskrepanz in seiner
»Dialektik der Natur« auf: »Wir werden sicher das Denken
einmal experimentell auf molekulare und chemische Bewegungen im Gehirn ›reduzieren‹; ist aber damit das Wesen des Denkens erschöpft?« (M.-E.-G. I, Sonderausgabe, S. 618). Die Anführungszeichen um das Wort »reduzieren« hätte kein Dubois-
Reymond mit seinem »Ignoramus et ignorabimus« ironischer
setzen können, die Frage selber kein Spiritualist triumphaler,
dennoch kommt bei Engels weder ein Ignorabimus heraus noch
gar eine Jenseiterei. Engels verurteilt schärfer als sämtliche Ag-
nostiker »die Wut, alles auf mechanische Bewegung zu reduzieren – wodurch der spezifische Charakter der anderen Bewegungsformen verwischt wird«; dafür aber setzt er gewiß keinen

in Adam eingeblasenen transzendenten Odem, sondern er vertraut der Materie (einer anderen freilich als derjenigen »des Geometers«), er setzt die Dialektik des immanenten Sprungs. Bewegung wird Veränderung, schon deshalb kann der Materie die Quantität nicht dauernd wesentlich sein, weil diese zur Qualität umschlägt und zu »höheren Bewegungsformen«. Derart statuiert Engels keine Anti-Physik, nicht einmal eine Anti-Biochemie, wohl aber eine Entwicklungsgeschichte der Materie, bei der kein Stein auf dem anderen bleibt und zuletzt überhaupt kein Stein: »Wenn ich die Physik die Mechanik der Moleküle, die Chemie die Physik der Atome und weiterhin die Biologie die Chemie der Eiweiße nenne, so will ich damit den Übergang der einen dieser Wissenschaften in die andere, also den Unterschied, die Diskretion beider ausdrücken. Weiter zu gehen, die Chemie als ebenfalls eine Art Mechanik auszudrücken, erscheint mir unstatthaft ... Bewegung ist nicht bloß Ortsveränderung« (Noten zum Anti-Dühring, S. 470 f.). Boutroux, der französische Neovitalist, hat eine solche Stufentrennung gerade als Todesstreich gegen den Materialismus vorzunehmen versucht (und N. Hartmann machte das mit seiner Überordnung verschiedener sich tragender Seinsschichten etwas materiefreundlicher nach). Boutroux hat acht »Gruppen von Naturgesetzen« oder »Hauptstufen des Daseins« unterschieden, deren jede irreduzible Bestandteile enthält, deren jede die nächste Stufe vorbereitet, doch die schöpferische Kraft ist in allen diesen Seinssphären übereinander eine getrennte. Engels aber hat gerade in dieser Stufenreihe vermittelnde Dialektik, dialektischen Materialismus angesiedelt; er lehrt ebenfalls Stufen, durchaus, doch die schöpferische Kraft ist ihnen letzthin ungetrennt immanent, ja der letzte sprengende Faktor ist gerade der immanenteste, nämlich der subjektive Faktor des Proletariats. Das macht: der dialektische Materialist hat sich vom Boden der alten Mechanistik kräftiger abgestoßen als der Spiritualist, indem er eine Dialektik auch im Anorganischen vertrat; er hat sich überall dem Elan der Materie verbündet, dem Sprengpulver in der *dialektischen* Materie. Dabei ist der Realitätsgrad selber innerhalb des vorbewußten und außerbewußten Seins für Engels selber ein Problem; zwar ist ihm eine organische Verbindung selbstverständlich genau so real wie eine anorganische, jedoch sind die Scheidungen von Engels nicht immer eindeutig, wenn es sich um das Realitätsproblem des *Bewußtseinszustandes* handelt im Verhältnis zu seiner leiblichen Grundlage oder gar der jeweiligen *Ideologien* im Verhältnis zu ihrer ökonomisch-gesellschaftlichen Grundlage. Zuweilen wird gar der Realitätsgrad von Ideologien (und nicht nur solcher aus ausschließlich falschem, gar betrügerischem Bewußtsein) völlig geleugnet, mindestens auf ein Minimum herabgesetzt; Marx spricht dann von bloßen dunstigen Wolkenreflexen am Himmel, zum Unterschied von eben den allein realen materiellen Produktionsverhältnissen hier unten. Auf der anderen Seite aber kann bei Engels wie bei Marx Ideologie, nämlich als revolutionäre, so wenig passiver Reflex und so real sein, daß Wechselwirkung zwischen diesem Überbau und seinem Unterbau besteht. »Es ist nicht«, sagt Engels, »daß die ökonomische Lage *Ursache allein aktiv* ist und alles andere nur passive Wirkung. Sondern es ist Wechselwirkung auf Grundlage der *in letzter Instanz* stets sich durchsetzenden ökonomischen Notwendigkeit.« Das gerät später zur Stalinschen Formel, daß der Überbau politisch-revolutionären Bewußtseins den Unterbau des neuen ökonomischen Seins, aus dessen Tendenz er entsprungen ist, entfesselnd aktiviert. Beispiele dafür sind die der französischen Revolution vorhergehenden Enzyklopädisten, die der Oktoberrevolution vorhergehenden marxistischen Theoretiker selber. Dennoch besteht hier, eben was den Realitätsgrad, vor allem auch die besondere materielle Qualität der im Bewußtsein sich reflektierenden Materie angeht, noch eine *Aporie,* und was Umschlag von Quantität in Qualität überhaupt angeht, noch oder bereits eine *Antinomie* (vgl. des näheren über diese Aporie, das heißt über die Unwegsamkeit, schwierige Wegsamkeit zwischen Sein – Bewußtsein und über die davon umschlossene, durch den dialektischen Umschlag bereits präzisierbare Antinomie: Quantität – Qualität das Kapitel 46 dieses Buchs). Der dialektische Sprung vom Atom zur Zelle, von einem physischen Quantum zu einem organischen Quale ist via Aminosäure nicht schwer nachdenkbar, aber freilich von der Zelle zum Gedanken, von einem noch so organisch gewordenen Quantum zu einem psychisch sich selbst reflektierenden Quale schwierig, dergestalt daß, auch wenn man in einem Gehirn umhergehen könnte wie in einer Mühle, man nicht darauf käme, daß hier Gedanken erzeugt werden. Und die elektrischen Schwingungen in der Hirnrinde sind von einem Geniephänomen innerhalb des Gedankenreichs noch weit entfernt, der große Zwischenraum zwischen beiden ist noch längst nicht vermittelt. Ja, die Anderheit dessen, was nach und durch den Sprung von organischem Sein zum Bewußtsein noch materielles Substrat genannt wird, erscheint so groß und das Wort Materie ist populär derart nur mit üblich-Stofflichem tingiert, daß für die Umsetzung materieller Vorgänge im Kopf, für diese sublimere Art Materie auch eine andere terminologische Bezeichnung hätte gebraucht werden können, ebenso immanent, versteht sich. Zweifellos, im Ökonomischen wird ohne alle terminologische Skrupel von materieller Produktions- und Austauschweise gesprochen, hier klingt alles Materielle reinlich, obwohl es gewiß nicht nur aus einem Ensemble von Rohstoffen und Maschinerie besteht. Jedoch bei der radikalen Erweiterung des Materiebegriffs vom mechanischen Klotz und auch noch vom blühenden Fleisch weg auf den Liebesinhalt Romeos und Julias, auf die letzten Quartette Beethovens und ihre Aussage und andere ähnlich hochliegende Exempla bleibt auch den nicht-vulgären Materialisten freilich kein Erdenrest zu tragen peinlich; denn sie setzen hier, bei der Umsetzung des Materiellen ins Ideelle, aus beidem gemischte, versuchend gemischte Zwischenglieder der Vermittlung ein. Es wäre also vorerst zu sagen, daß eine eigene Terminologisierung des psychisch-anthropologischen Agenssubstrats und seiner neuen Potenz gar nicht so dringend ist, indem diese marxistisch ja gerade nicht mit der physisch-organisch materiellen Daseinsweise zusammenfällt. Ohnehin unterscheiden die Epitheta »historisch« und »dialektisch« im historisch-dialektischen Materialismus diesen gründlich vom mechanisch-statischen, das mindestens unvulgär genug. So eben konnte gerade Marx den Ausdruck »realer Humanismus«, den er in seiner Jugendzeit für das Anliegen der ökonomischen Geschichtsauffassung verwandte, gegen die handfestere und durchaus welthaltige Bestimmung »Materialismus« auswechseln. Und was die Aporie letzthin angeht, so sei hier eine lehrreiche, wenn man will sogar trostreiche Überraschung angefügt, wie sie ausgerechnet vom ärgsten Idealismus herkommt, der nicht schlecht genug von der Materie denken konnte, diesen Terminus und seinen Inhalt aber gerade an der höchsten Geiststelle wiederkehren ließ. So, wie erinnerlich, bei Plotin: Hier bestand keine Denkschwierigkeit, den Stoff, obwohl er in der unteren Welt als das Urböse schlechthin ausgegeben wurde, doch als ὕλη νοετή (intelligente Materie) ganz hoch droben bei der göttlichen Usia anders zu etablieren. Es gibt bei Plotin auch dort eine Materie, welche die höchsten Ideen aufnehme und für jede das Substrat sei; so bilde sie einen intelligenten Kosmos, von dem der irdische ein Abbild sei. Für Plotin bestand also keine Denkschwierigkeit, wenigstens seiner direkt geistigen Materie geisthaftes Leben zuzuschreiben, ja das ist ihm ausgesprochenermaßen sogar eine Denknotwendigkeit, weil sonst, ohne dieses himmlische Urbild von Stoff-Form-Verbindung, auch keine abbildlich-irdische Materie existieren könne. Item, der Materialist braucht in der Anfechtung durch Aporie nicht päpstlicher als der Papst zu sein und nicht skrupulöser als der Spiritualist eine »geistige Materie« zu scheuen, als wäre sie ein Sidroxylon, ein hölzernes Eisen; statt mit Engels den Geist als »höchste Blüte« dieses Eisens zu erkennen. Besonderes Gewicht mußte Engels, in diesem Hauptgebiet des Idealismus, allerdings darauf legen, daß dem Bewußtsein die aus sich selbst entspringende oder vom Himmel gefallene Autonomie entzogen wurde, auch der Schein einer selbständigen Geschichte der Staatsverfassungen, der Rechtssysteme, der ideologischen Vorstellungen auf jedem Sondergebiet. Die materialistische Geschichtsauffassung unterschätzt die Realität des ideologischen Bewußtseins durchaus nicht, weder des falschen noch gar des echten. Es ist eine kinetische Realität, denn sonst könnte es mit den Vorgängen des Unterbaus nicht in Wechselwirkung treten; und es ist ebenso eine latente, denn sonst könnte die Theorie nicht »zur materiellen Gewalt werden, sobald sie die Massen ergreift«. Dabei blieb das schwierige Problem hier noch unangetastet, welcher Realitätsrang hier dem Überbauraum und seinen Sondergebieten im Verhältnis zueinander zukommt. Dazu ist auch der »starting point« des ideologischen Sondergebiets selber und seiner Realität nicht bereits deutlich ausgezeichnet noch gar der »starting point« des »kulturellen Überschusses« oder Erbsubstrats einer Ideologie, etwa der griechischen (der Fortwirkung und Nachreife ihrer in späteren Zeiten, obwohl doch der Unterbau dieser Ideologie gänzlich verschwunden ist). Weniger auch ist der »starting point« der Ideologie des revolutionären Proletariats behandelt, die den Übergang (den durchaus noch nicht wirklichen) aus dem Reich der Notwendigkeit ins Reich der Freiheit antizipiert und dadurch betreibt. Desto kräftiger wird die *spezifische Materie der Freiheit* von der mechanischen der Notwendigkeit abgehoben; Dialektik überhaupt ist die Theorie-Praxis der materiellen Freiheit, folglich die Algebra der Revolution. Im mechanischen Materialismus war alles ebenso blind notwendig wie ebendeshalb von ungefähr; denn mechanische Notwendigkeit und Zufall sind Wechselbegriffe. Wie im Würfelspiel von ungefähr alle Sechse zu werfen sind, so war es bei La Mettrie auch möglich, daß sich durch Zufall, von selbst, im Rahmen unermeßlicher Zeit, die Atome auch einmal zu einem Apollo konfigurieren können. Der dialektische Materialismus dagegen lehnt solche Art von Kausaldeterminismus ab: »Die Zufälligkeit ist . . . hier nicht aus der Notwendigkeit erklärt, die Notwendigkeit ist vielmehr heruntergebracht auf die Erzeugung von bloß Zufälligem« (Engels, Dialektik der Natur, Sonderausgabe, S. 658). Engels setzt statt dieser abstrakten die »innere oder dialektische« Notwendigkeit; dergestalt »daß in der Natur dieselben dialektischen Bewegungsgesetze im Gewirr der zahllosen Veränderungen sich durchsetzen, die auch in der Geschichte die scheinbare Zufälligkeit der Ereignisse beherrschen« (Anti-Dühring, M.-E.-G. I, Sonderausgabe, S. 11). Dabei wird mit der Erkenntnis dieser dialektischen Notwendigkeit die blinde, undurchschaute der Mechanik und ebenso des »sozialen Schicksals« aufgehoben: die dialektisch *erkannte* Notwendigkeit ist für Engels dasselbe wie die dialektische und *folglich der Hebel zur Freiheit.* »Die eigne Vergesellschaftung der Menschen, die ihnen bisher als von Natur und Geschichte oktroyiert gegenüberstand, wird jetzt ihre eigene freie Tat . . . Erst von da ab werden die Menschen ihre Geschichte mit vollem Bewußtsein selbst machen, erst von da an werden die von ihnen in Bewegung gesetzten gesellschaftlichen Ursachen vorwiegend und in stets steigendem Maße auch die von ihnen gewollten Wirkungen haben. Es ist der Sprung der Menschheit aus dem Reich der Notwendigkeit in das Reich der Freiheit« (l. c., S. 294 f.). Das ist, wie Lenin sagt, als Theorie-Praxis die »saltovitale Methode« des dialektischen Materialismus; in ihrem Gefolge kommt zweifellos nicht nur die Durchschauung (Interpretation), sondern die wachsende Aufhebung (Veränderung) auch der dialektischen Notwendigkeit als einer – Notwendigkeit. »In Wahrheit«, sagt Engels (Dialektik der Natur, Moskau 1935, S. 654), »... ist es die Natur der Materie, zur Entwicklung denkender Wesen fortzuschreiten, und dies geschieht daher auch notwendig immer, wo die Bedingungen ... dazu vorhanden.« In Wahrheit wird also auch die letzte Bewegungsform der Materie, der Sprung ins Reich der Freiheit, die Notwendigkeit der Vorstufe nicht mehr über sich haben. Es sei denn, das Denken der »Materie nach vorwärts« begreift in wahrhaft ultimativer Instanz auch die anorganische Vorstufe nicht nur als Vorstufe, sondern darüber hinaus als einen gerade die menschlich gelungene Freiheitswelt umgreifenden Kosmos in unabgeschlossener, mit der menschlichen wie erst recht mit seiner eigenen Freiheit vermittelten Latenz. Dies erst und nicht nur das Reich der menschlichen Freiheit erschüfe dann die noch gänzlich ausstehende Daseinsweise der »letzten Materie«. Damit erst wäre auch das Reich der Freiheit aus menschlich, allzu menschlichem Lokalpatriotismus entlassen, und die Entropie wäre gerade physisch, gerade der materialistischen Weisheit nicht ihr falsch letzter, nämlich ergebnisloser Schluß.

ZUM KÄLTESTROM-WÄRMESTROM
IN NATURBILDERN

37

OFFENE KRISE

Der bürgerliche Tag geht dem Ende zu. Mit ihm die gewisse Helle, welche er auf seine Dinge fallen ließ. Begriffe ändern ihren Sinn, wie das Kapital ihn braucht. Nur naturwissenschaftlich hat die schmierige Trübe noch keinen Platz; denn Granaten lassen sich nicht mit Blubo füllen. Die Schärfe des Begriffs hat hier noch Schonzeit, dafür aber kam, der allgemeinen Börsenlage gemäß, ein Begriff, der sich wenig mehr zu erkennen zutraut. Er beschränkt sich aufs bloße Beschreiben beobachteter Vorgänge, er will rechnerisch nur darstellen, was jeweils der Fall, nicht erkennen, was wirklich ist. Daneben aber auch wurde der Begriff elastisch, offen, viele neue Erfahrung hat in ihm Platz. Die starre Auffassung weicht, im Kleinen wie im Großen wird der Stoff des Geschehens widersprüchlicher zurechtgelegt, ganz formal gedacht, und aufgelöst, doch energetisch. So spiegelt sich eine schwankende Zeit auch im Ausdruck der scheinbar zeitfernsten Gegenstände, der physischen. Diese drängen, durch ihr zerbrochenes bisheriges Bild, mit immer neuen Zügen an.

»VERSCHWUNDENE«, FORMALISIERTE,
ABER AUCH ENERGETISCH GEFASSTE
MATERIE IN DER GEGENWÄRTIGEN PHYSIK,
FORMALISMUS UND DIALEKTIK

Bemerkung: Wenn einige Einflüsse des bürgerlichen Zerfalls auf formalistische Begriffsbildungen und auf Auskreisung möglicher qualitativer Naturinhalte philosophisch notiert werden, so ist davon unberührt, daß vor allem in der Quantenphysik ein eigener, bisher unentdeckt gebliebener Sektor der Natur bedeutet und erforscht wird und seine Bestätigung nicht nur durch eintreffende Vorausberechnungen, sondern ebenso durch subatomare Industriepraxis technischer Art gefunden hat. Im Zusammenhang der bisherigen Materiebestimmungen hat die neue Physik als eine der Energetik gerade philosophisch Bedeutung, indem sie jede statische Darstellung der Materie (sei es als einer Summe von Stoffklötzchen, sei es auch als eines anders statischen Äthers) allein schon mittels einer durchgehend elektromagnetischen Feldtheorie aufhob. Wider jeden rein formalistischen oder das Formalistische wieder neu verdinglichenden Ansatz wurde dadurch sogar ein neuer Zugang zur Dialektik für das philosophische Durchdenken des Energetischen in the long run eröffnet. Darum ist es keine Einmengung, durchaus nicht, in einzelwissenschaftlich-physikalische Forschung, wenn man, bei Betonung ihrer und des durch sie derart erweiterten Blicks auf einen vorhandenen eigenen Natursektor, das trotz allem auch *qualitativ* Strukturierte der Natur nicht so sehr ausspielt als kenntlich macht, philosophisch im Gewissen hält. Hier gibt es allein schon jenes »Charakteristische«, das nicht nur ästhetisch, sondern vor allem geographisch und neuerdings ökologisch als Landschaft, weiter als Gruppierung von Landschaftscharakteren, mithin durchaus qualitativ ausgezeichnet wird. Kurz, es gibt eine ununterschlagbare Fülle heimatlos gewordener Gegenstände und Inhalte der Natur, die bereits in dem nur mechanischen und extrem in dem rein formalistischen approach an die Natur offensichtlich nicht unterkommen. Das muß philosophisch notiert werden, auch gemäß dem Satz Alexander von Humboldts: »Jeder Erdstrich bietet die Wunder fortschreitender Gestaltung und Gliederung nach wiederkehrenden oder leise abweichenden Typen dar« (Kosmos II, Cotta S. 53). Bis hin zu dem, in diesem Zusammenhang freilich hochübertriebenen Satz aus poetischer Gegend, eine Landkarte, auf der das Land Utopia fehle, verdiene keinen Blick.

Sieg der Elektrodynamik

Mit Druck, Stoß und ähnlichem geht es nicht weiter. Auch nicht mit festen Klötzchen und der unveränderlichen Masse, auf die

die Kräfte wirken. Lange genug hat man selbst so feine, nicht anfaßbare Erscheinungen wie das Licht mechanisch erklärt, nämlich nach Art des rüttelnden Schalls. Das wurde untunlich, je weiter man gerade ins Novum der *strahlenden* Materie eindrang, der elektrischen zunächst. Unangefochten galt lange, was das Licht angeht, die Huygens'sche Annahme, wonach der leuchtende Körper den umgebenden Äther so in Schwingungen versetzt wie eine Stimmgabel die umgebende Luft. Dieser undulatorischen stand die emanatistische Hypothese Newtons gegenüber, wonach das Licht aus einem feinen gewichtlosen Stoff besteht, den die Lichtquellen aussenden. Aber beiden Hypothesen ist ein gewisser sinnfälliger Charakter gemeinsam, eine Übertragung mechanischer Bewegungsvorgänge aus der uns bekannten Welt auf höchst unbekannte Gebiete. Gesiegt hat schließlich die Wellenhypothese von Huygens: wie der Schall eine longitudinale Wellenbewegung der Luft, so ist das Licht eine transversale Wellenbewegung des sogenannten Äthers. Widersprüche zeigten sich bereits hier, sie hingen mit dem merkwürdigen Doppelbegriff des postulierten Äthers zusammen. Dieser mußte, als physikalischer Äther, so hart sein wie Stahl: denn nur dann war er elastisch genug, um Wellen von Lichtgeschwindigkeit fortpflanzen zu können. Andererseits mußte er, als astronomischer Äther, das allerdünnste und feinste Medium vorstellen; denn nur so war es möglich, daß die Planeten (die außer dem Licht auch noch da sind) im Äther ohne allen erzeugten »Ätherwind«, ohne erkennbare Minderung ihrer Geschwindigkeit, mithin ohne Reibung rotieren. Der Ätherbegriff war derart doppelt gesetzt, sowohl von der mechanischen Lichttheorie wie von Newtons Bezugssystem. In letzterem unterbaute er, als im Ganzen ruhend, Newtons Begriff des absoluten Raums durch eine (freilich stets hypothetisch angenommene) physische Wirklichkeit. Für den Äther der Schwingungslehre, den eigentlich physikalischen, aber blieb wichtig: transversale Wellen überhaupt gibt es nicht im Innern von Gasen oder Flüssigkeiten, nur in starren Körpern; die »Lichtluft« mußte also, um diese Wellen zu tragen und zu übermitteln, sich verhalten als ein starrer Block. Da kam durch Faradays Entdeckung der Induktionselektrizität (und ihrer Folgen) in den Äther ein neuer Begriff. Die Analogie des Lichts mit dem Schall wurde aufgegeben, des Äthers mit der Luft, ja mit mechanischer Materie überhaupt und ihren festen, flüssigen, gasförmigen Aggregatszuständen. Faraday hatte die ganz neuartigen Begriffe eines elektrischen und magnetischen Kraftfeldes gebracht; das erzeugte magnetische Kraftfeld ist ein sogenanntes Wirbelfeld, das heißt, in heutiger Sprache ausgedrückt: um jedes bewegte Elektron schlingen sich geschlossene magnetische Kraftlinien. Maxwells berühmte Differentialgleichungen sind die konzentrierte Darstellung dieser magnetisch-elektrischen Kraftlinien und ihrer Verknüpfung, ja sie nahmen in den siebziger Jahren, wo sie aufgestellt wurden, bereits das gesamte Bild der heutigen Elektrodynamik vorweg. Die Newtonsche Fernwirkung wurde durch Nahwirkung, das Integralgesetz durch das Differentialgesetz ersetzt. Seit der glänzenden experimentellen Bestätigung der elektromagnetischen Lichttheorie durch Heinrich Hertz steht fest: das Licht ist elektromagnetischer Natur, die Optik ist kein Spezialfall der Mechanik, sondern der Elektrodynamik und ihres nicht aus Körperchen, sondern aus Wellen gebildeten Feldes. Damit aber droht nicht nur die Analogie des Äthers mit mechanischer Materie zu verschwinden, sondern Materie überhaupt; die Vorgänge im induzierenden Zwischenfeld erscheinen immateriell im Vergleich mit denen an der Sende- oder Empfangsstelle. In den erhitzten Atomen eines rotglühenden Körpers kreisen Elektronen im Rhythmus von vierhundert Billionen um den Kern; diese Bewegung verursacht die Ausbreitung elektromagnetischer Wellen, die mit Lichtgeschwindigkeit den »materiefreien Raum« nach allen Seiten im gleichen Rhythmus durchlaufen. Solche Wellen regen dann erst wieder die Elektronen des Körpers, auf den sie treffen, zu gleichem Rhythmus an und erzeugen alle die bekannten Erscheinungen der Spiegelung, Brechung, Farbenzerstreuung, Interferenz und Beugung. Genau also wie nach den Maxwellschen Gleichungen magnetische Felder im Raum entstehen, ohne daß dort Magnete sind, genauso könnten auch elektrische Felder im Raum sich bilden, ohne daß dort Elektronen sind (diese ohnedies bereits dynamisch aufgelöste Materie). Der Raum des elektrischen Feldes ist zwar nicht leer geworden, das elektrische Feld duldet keinen leeren Raum, auch war Materie- oder Ätherlosigkeit der elektromagnetischen Lichttheorie nicht an der Wiege gesungen worden. Faraday, der Begründer der Feldtheorie, konnte sich dies Feld noch gar nicht anders denn als materiell denken, sein ausgesprochener Grundsatz war: »Es gibt keine Kraftwirkung in die Ferne ohne Vermittlung des Zwischenstoffs«, und sein Begriff der Kraftlinien suchte gerade zwischen den aufeinander einwirkenden Körpern einen materiell-kontinuierlichen Zusammenhang neuer Art herzustellen. Aber im ausgereiften Feldbild ist diese Ätherfreundschaft jedenfalls geschwunden; die elektrischen und magnetischen Kräfte, welche die Maxwellschen Gleichungen als Funktionen der Raumkoordinaten und der Zeit angeben, enthalten nicht nur keine direkten Angaben über Bewegungen des Äthers, sondern sie haben überhaupt keine Beziehung zum Ätherzustand in beliebig kleinen Volumenelementen. So wird hier der Äther ein geometrisches Abstraktum, er entkleidet sich seines physischen Charakters, und es bleibt, wie Hermann Weyl die Elektrodynamik nach dieser Seite interpretiert, vom Äther »nichts weiter zurück, denn der absolute Raum als Medium der elektromagnetischen Feldzustände« (Philosophie der Mathematik und Naturwissenschaft, S. 143). Derart bereitete sich – unterstützt durch den Dualismus zwischen Mechanik und Elektrodynamik, zwischen Masse und Ladung – das Feldgeschrei: »Die Materie ist verschwunden«.

An ihre Stelle trat die Kraft, vielmehr als punkthaft Geladene an sich. Das Zeichen, unter dem die dynamische Auffassung vollends siegte, heißt Elektron. Verbindet man einen positiven Pol mit Kupferblech, einen negativen mit Platinblech und taucht man das Ganze in Wasser, das durch etwas Schwefelsäure leitfähig gemacht worden ist, dann geht nicht nur der Strom hindurch, sondern auch Kupferatome wandern hinüber. Zugleich aber zeigt sich, daß auch der elektrische Strom aus Teilen besteht, die mit den Metallatomen hinüberwandern; beim Kupfer sind es zwei, beim Aluminium drei, beim Zinn vier Einheiten, niemals aber Bruchteile davon. Helmholtz bereits hat diese Vorgänge bei der Elektrolyse durch atomistische Beschaffenheit der Elektrizität erklärt; es gibt elektrische Elementarladungen, später nannte man sie Elektronen. Aber auch ohne die Krücke metallischer Leiter wandern die Elektronen: sie fliegen im Blitz (und bringen die getroffenen Luftmoleküle zum Glühen), in den Kathodenstrahlbüscheln der Geißlerschen Röhre, in den β-Strahlen beim radioaktiven Zerfall. Die Atome selber erwiesen sich elektrischer Natur, es sind unkompakte Bauwerke aus lauter elektrischen Spannungen und Elektronen. Der elementare »Baustein« der Welt erwies sich als weit davon entfernt, ein Stein zu sein; besonders die Radioaktivität machte unter Atomen die Strahlung heimisch. Wird durch radioaktiven Zerfall Materie zertrümmert, so wird Energie frei, die gebundene Materie zerstrahlt, umgekehrt erscheint Materie als »zusammengedrängte Energie«. Das Elektron selbst wird definiert als »Energieknoten« und seine Masse rührt größtenteils von dem mitgeführten elektromagnetischen Feld her. Aber noch von ganz anderer Seite wurde die Materie in eine Art ruinöse Abhängigkeit von der Energie gebracht, nämlich relativitätstheoretisch. Einstein hat zwar in seinen frühen *optischen* Untersuchungen eine Art neuer Stoffe gesetzt und zwar gerade in die Lichtwelle: die sogenannten Photone oder Lichtkörperchen, die die Geschoßwirkung des Lichts zu erklären hatten. Aber für den *Relativitätstheoretiker* Einstein besteht ein Stoffbegriff mindestens nicht mehr als Substanz; konträr: Masse (als frühere unveränderliche Grundeigenschaft des Stoffes) wird eine bloße Variable der Geschwindigkeit, mit der Zunahme der Geschwindigkeit wächst die Masse, letztere ist keine unveränderliche Größe mehr. Die Masse der einzelnen Stoffe kann sich ändern, sie erleichtert sich mit abnehmender, sie hemmt mit steigender Geschwindigkeit; die beiden physikalischen Größen Masse und Geschwindigkeit (Energie) sind äquivalent, jedes Massenquantum ist daher einem Energiequantum zugeordnet, jede Energie dem – Gravitationsgesetz unterworfen. Ein Raum voll Wärme- und Lichtstrahlen ist träger und schwerer als ohne diese; das heißt eben, Strahlung ist aufgelöste, im Raum verteilte Masse, Masse ist Zusammenballung von Energie, verdichtetes Licht. Die Materie der Weltkörper (der heißen Fixsterne) wandelt sich fast unerschöpflich in Licht um, umgekehrt kann das Licht vielleicht wieder zu Materie sich konzentrieren – Nernst nennt die Welt eine »Insel aus Schießbaumwolle«, sie ist jedenfalls hochgeladen. Kurz: die gesamte moderne Physik ist auf dem Weg zu einer Art Elektrifizierung der Materie, auf einem physikalisch großartigen Weg – mit dem freilich einseitigen und philosophisch nicht begründeten Nebeneffekt, daß dadurch die Materie überhaupt zu verschwinden scheint. Und das nicht nur erkenntnistheoretisch wie im nominalistischen Positivismus schon vorher, sondern trotz der Auflösung auch noch des Quantitativen zu einem bloßen In-Beziehung-Stehen doch immerhin so, daß ein energetisches In-Beziehung-Stehen die verlorene Substanz bevölkern will. Es verschwindet damit wenigstens die *mechanische* Materie samt dem noch statisch gehaltenen Bild eines die Wellen tragenden Äthers; Weyl formulierte die Sachlage so: »Da das elektromagnetische Feld offenbar einerlei Wesens ist mit dem Strukturfeld, das ja unter anderem die Gravitationserscheinungen verursacht, so ist jetzt Äther ein Synonym von Feld geworden, im Sinne des vereinigten elektromagnetischen und Strukturfeldes« (l. c., S. 143). Das Elektron wie die materielle Masse als Variable der Geschwindigkeit erweisen die Materie als fließend, als Prozeß aus Prozessen, die mit anderen in enger Wechselwirkung stehen. Nicht die Materie ist verschwunden, wie der abstrakte Formalismus es nahelegt und mit dem bloßen In-Beziehung-Stehen allerdings behauptet, sondern es ist ungeheures Material geliefert zu ihrem immer noch ausstehenden dialektisch-physikalischen Begriff. Die Bewegung bleibt die Daseinsweise des Stoffs und ist ohne diesen Bewegung von – Nichts.

Quantentheorie und Atommodelle

Lange war auch die strahlende Kraft als gleichmäßig fließend gedacht worden. Als »Strom«, der fast selber körperhaft, jedenfalls dicht und unaufhörlich läuft. *Planck* stellte experimentell fest: Licht (strahlende Energie) wird vom strahlenden Körper nicht stetig abgegeben, sondern stückweise, ruckweise; der Strom fließt gleichsam in Tropfen. Er wird unterbrochen gesendet und ebenso absorbiert, in unteilbar kleinen energetischen Mengen. Diese elementaren Wirkungs-Mengen nennt

Planck Quanten; der Energiegehalt des strahlenden und absorbierenden Körpers kann sich also nur um solche Quanten, ruckweise, vermehren oder vermindern. Im ganzen Spektralgebiet, von dem weichsten Infralicht bis zum härtesten Ultralicht der Röntgen- und Höhenstrahlen, geschieht immer nur quantenhafter Energieaustausch, das heißt: Atome senden und empfangen nicht Energie beliebiger Größe und kontinuierlich, sondern lediglich bestimmte Quanten und diskontinuierlich. Galt bisher das undialektische Dogma: natura non facit saltus, so bemerkt Planck hierzu, auf Grund seiner thermodynamischen Forschungen: »Die Natur scheint in der Tat Sprünge zu machen und zwar solche von höchst sonderbarer Art« (Physikalische Rundblicke, S. 72). Über das historische Novum dieser Erkenntnis (innerhalb der Physik) ließ Planck in seiner Nobelpreisrede keinen Zweifel übrig: »Entweder war das Wirkungsquantum nur eine fiktive Größe ... oder aber der Ableitung des Strahlungsgesetzes lag ein wirklich physikalischer Gedanke zugrunde; dann mußte das Wirkungsquantum in der Physik eine fundamentale Rolle spielen, dann kündigte sich mit ihm etwas ganz Neues, bis dahin Unerhörtes an, das berufen schien, unser physikalisches Denken, welches seit der Begründung der Infinitesimalrechnung durch Leibniz und Newton sich auf der Annahme der Stetigkeit aller ursächlichen Zusammenhänge aufbaut, von Grund aus umzugestalten« (Die Entstehung und bisherige Entwicklung der Quantentheorie, S. 17). Der Energietransport ist also durchaus intermittierend, er besteht aus Energieatomen sozusagen, die durch die natürliche Konstante des Wirkungsquantums charakterisiert werden. Die Quantentheorie ist die Grundlage der gesamten neueren Atomphysik geworden; jeder atomare Vorgang ist einer des Übergangs von einem Quantenzustand in den anderen. Einstein selber, der nicht nur makrokosmisch denkt, hat 1907 bereits die Quantenlehre aufs Licht angewandt und dem Licht dadurch eine völlig neue – Partikelnatur zurückgewonnen. Gerade aus der reinsten Energielehre kam, so überraschender- wie lehrreicherweise, diese neue Körperchenlehre, das heißt dieser schöpferische Rückgriff von Huygens auf Newton, von der Wellen- auf die Korpuskulartheorie. Einstein nahm an, daß die ausgestrahlten Lichtquanten nach der Ausstrahlung dauernd zusammenbleiben; das Licht pflanzt sich dann nicht in Wellen fort, sondern in Quanten von bestimmter Energiegröße. Diese Quanten bezeichnete Einstein als Lichtkörperchen oder Photone, die atomistische Struktur der »Wirkung« derart zu wirklichen Energieatomen, zu unteilbaren Strahlungsquanten verdichtend. Die Photonen sind in der Lichtwelle, was die Elektronen in der (allgemeineren) Materiewelle, nämlich ein Körnchen alter materialistischer Ländereien im Meer der neuen Elektrodynamik. Es verwandeln sich nicht minder Elektronen und Positronen in Licht, also in Photonen; trotzdem freilich bleibt zwischen beiden Letztelementen noch ein Unterschied, ein äußerst merkwürdiger, der nämlich, daß es den Photonen an Ruhemasse fehlt. Das Licht verdankt seine Masse lediglich der Geschwindigkeit seiner Bewegung, die Materieteilchen dagegen, obwohl ihre Masse mit der Geschwindigkeit wächst, haben neben der bewegten doch noch eine Ruhemasse, deren Betrag nicht von der Geschwindigkeit, sondern lediglich vom Energieinhalt des Körpers abhängt. Auch ist der »Lichtstoff« – dieser mögliche Anfangsstoff der Welt – ganz ungeheuerlich klein; Photone stellen die geringst vorhandene Energie-Massengröße dar; trotzdem ist die Impulswirkung dieser Photonen erwiesen und zwar beim Austritt wie besonders beim Aufprall von Licht (Compton-Effekt): Lichtgeschosse werden beim Auftreffen auf ganze Atome mit dem gleichen Wert des Impulses reflektiert, wie ein Ball von der Wand; aber auch beim Auftreffen auf locker gebundene Elektronen werden diese aus der Bahn geschleudert, wie Billardkugeln. Die Realität der Lichtquanten (als körperhafter, mindestens körperähnlicher Partikel) ist also am Phänomen des Lichtdrucks eindeutig erwiesen. Anders freilich verhält sich das Licht in den Phänomenen seiner Beugung, Interferenz und dergleichen, das heißt beim Durchgang durch einen engen Spalt. Hier und während seiner Fortpflanzung überhaupt (bis zum Moment seines Aufpralls) verhält es sich durchaus nicht körperhaft, sondern durchaus und ohne Rest als elektromagnetische Welle. So daß die Lichttheorie (und, wie der nächste Absatz zeigen wird, die nach ihrer Analogie gearbeitete Wellentheorie der Materie insgesamt) einen Doppelcharakter aufweist, der sich – mutatis mutandis – der Widersprüchlichkeit der alten Äthertheorie durchaus zur Seite stellen kann. Soweit das Licht sich fortpflanzt, verhält es sich als Welle, soweit es auftrifft, als Korpuskel – freilich als unstarres, immer auf dem Sprung, sich ins Wellenfeld aufzulösen oder aus ihm zurückzukehren. Die Lichtquantentheorie fand ihre großartigste Anwendung in der allgemeinen Wellen- und Elektronentheorie überhaupt; die Photonen wurden Leuchtraketen fürs Studium des Atombaus.

Es war die strahlende Welle, welche auch weiterhin Rätsel aufgab und zwar grundlegende. Denn sie rückte ins Atom selbst und machte dieses, das lange so schiere und unteilbare, zum verworrensten Tummelplatz. Alle Atome erscheinen nun als zusammengesetzt aus zwei verschieden schweren, entgegengesetzt geladenen Urstoffen: dem positiv geladenen Kern (Proton) und dem 1800 mal leichteren Elektron mit gleich großer, nur negativer Ladung. Der Wasserstoff als das leichteste Element, mit der Zahl 1 im periodischen System, hat im »Innern« nur 1 Proton und demgemäß auf der Oberfläche nur 1 Elektron, das die positive Kernladung ausgleicht. Aber von Element zu Element wächst die positive Kernladung und damit die Zahl der Außenelektronen um eine Einheit bis zum schwersten Element, dem Uran. Auch der Kern ist bei den schweren Elementen kompliziert zusammengesetzt; vor allem sind die Kerne der schwersten Elemente aus sich selber unbeständig, zerplatzen unter Aussendung von Elektronen oder β-Teilchen großer Geschwindigkeit. *Rutherford* gelang 1919 die erste Kernzertrümmerung, damit Atomverwandlung; er führte Stickstoff in Wasserstoff über, später sind noch bei vielen anderen Elementen solche Umwandlungen gelungen. Rutherford stellte auch das erste »Atommodell« auf, eben das oben beschriebene, in Analogie mit dem Planetensystem; es war aus sehr genauen radioaktiven Messungen erwachsen. Aber dies Modell weist große Schwierigkeiten auf; denn die Elektronen, die wie Planeten um den Atomkern kreisen, sind zum Unterschied von den Planeten elektrisch geladen, sie müssen daher im Takt ihres Umlaufs elektromagnetische Wellen aussenden, sie müßten folglich nicht nur dauernd leuchten, sondern durch diese Lichtausstrahlung stetig Energie verlieren. Nun leuchten aber die Atome durchaus nicht dauernd, sie werden auch nicht energieärmer im Ausmaß der geforderten Ausstrahlung; denn sonst könnte kein Atom lange bestehen, seine Elektronen müßten sich bei abnehmender Energie nach sehr kurzer Zeit spiralförmig in den Kern stürzen. Aber das Rutherfordsche Modell wurde trotzdem nicht aufgegeben, sondern verbessert, das heißt gewisse ihm innewohnende Voraussetzungen der klassischen Physik wurden eliminiert, um es mit der Erfahrung besser in Einklang zu bringen. Diese Arbeit leistete *Bohr*; er hat zuerst Einsteins Hypothese der Lichtquanten in die Atomphysik eingeführt. Die Hypothese schien tauglich, das (mittels der klassischen Physik ganz unerklärbare) Rätsel des inneren Atombaus zugleich zu lösen. So entstand das Bohrsche Modell, es begrenzte die Energiebeträge im Atom auf bestimmte Quanten und derart (da die Anzahl und Weite der Kreisbahnen von der Anzahl und Größe der Energiebeträge abhängt) die möglichen Bahnen der Elektronen um den Kern. Durch das Einführen der unklassischen Quantenbedingung wurden aus den vielen klassisch möglichen Bahnen einige dieser Bedingung entsprechende herausgehoben, nämlich diejenigen, in denen das Elektron, im Gegensatz zur klassischen Annahme, strahlungsfrei, folglich ohne Energieverlust rotieren könne. Bohrs Grundgedanke war derart: unter den unendlich vielen möglichen Bahnen sind im elektromagnetischen Atomsystem nur diejenigen ausgezeichnet, von denen die Plancksche Quantenbedingung gilt. Im Fall einer Störung können die Elektronen also nicht in eine beliebige andere Kreisbahn übergehen, sondern nur in eine quantentheoretisch erlaubte: dieser Übergang ist folglich ein Sprung, und nur bei diesem Sprung – von einer Quantenbahn zur anderen – senden die Elektronen Strahlen aus. Aber auch Bohrs Modell erwies sich experimentell als unvollständig, es erläuterte vollkommen das einfache System von Energiestufen, das der Wasserstoff darstellt, doch es versagte bei Anwendung auf die Struktur höherwertiger Atome; bereits für das dem Wasserstoff folgende Element, das Helium, reichen die Bohrschen Prinzipien nicht mehr aus. Damit freilich wurde die schöne, wenigstens relative und halb noch anschauliche Analogie des Atombaus mit dem Planetensystem selber relativiert. Auch die Übertragung des dem Newtonschen Gesetz entsprechenden Coulombschen Anziehungsgesetzes auf Kern und Elektron hat sich trotz anfänglicher Erfolge als undurchführbar erwiesen. Diese Analogie hatte zuletzt noch die Zusatzhypothese einer Drehung der Elektronen um sich selbst, eines sogenannten Elektronendralls möglich gemacht, auch diese Achsendrehung, im planetarischen Sinn, fällt. Ja die Analogie zwischen dem Kleinsten und dem Größten, zwischen der atomaren Mikrowelt und dem astronomischen Makrokosmos stellte sich insgesamt als brüchig heraus: die Atomwelt und die makrokosmische fallen in der modernen Physik als unvergleichbar auseinander. Das ganze anschauliche Wesen stimmt im Mikrokosmos noch weniger als im Makrokosmos (der immerhin, trotz nicht-euklidischer Geometrie und Relativitätstheorie, noch mit Körpern rechnet). Rutherfords, Bohrs Atommodelle sprechen von »Elektronenbahnen« und meinen lediglich Zustände der Elektronen, die durch Quantenzahlen bestimmt werden, durch eine Grundkonstante, eben das Plancksche elementare Wirkungsquantum h, das in der gesamten Makrophysik nicht vorkommt. Da überrascht es nicht, daß das Körperhafte – als letzter Rest der mechanischen Physik – auch hier aufgegeben wurde, daß das Elektron (das bei Bohr noch als Körperchen angesehen wird) völlig vor der Welle abdankt. Und nicht einmal die Welle im halbwegs anschaulichen Sinn bleibt in den späteren Atommodellen, denen de Broglies, Heisenbergs, Schrödingers erhalten (wenn auch die »Wellenmechanik« Schrödingers noch die relativ sinnfälligste geblieben ist). Welle bedeutet in der elektromagnetischen Physik schlechterdings nichts anderes mehr als eine durch die Schwingung des Elektrons verursachte Verzerrung des elektrischen Feldes, wodurch die elektrischen Spannungen außer Gleichgewicht geraten. Die Anleihen aus der mesokosmischen Anschauungswelt (welche übrigens auch in den Begriffen Schwingung, Spannung, Verzerrung vorliegen) werden bei der immer weitergehenden Elektrifizierung der Atommaterie bloße Ausdrucksmittel; mit anderen Worten: verstanden wird in den rein elektromagnetischen Atombegriffen, welche hinter Bohr aufgetreten sind, unter Welle lediglich eine periodische Veränderung der elektromagnetischen Feldstärke. Dergestalt ersetzte *de Broglie* die Kreise, besser Ellipsen der Bohrschen Elektronenbahn durch Wellen, das heißt: den korpuskularen Teilchen wurden Eigenschaften des Lichts beigelegt, Frequenz und Amplitude. Aber nicht nur die Bahn der Elektronen ist nach de Broglie wellenhaft, sondern in diesem Atommodell bestehen die Elektronen selber aus Schwingungen, sie sind keine geladenen Massenpunkte, sondern eine dauernd ihre ganze Bahn erfüllende Welle. Dadurch wurden genau die Ursachen für die erlaubten Bahnen im Bohrschen Modell aufgestellt; denn wenn jedem Elektron eine bestimmte Wellenlänge zukommt, so kann seine gesamte Wellenlinie nicht auf jedem Radius laufen, sondern nur auf bestimmtem, wo sie geschlossen Platz hat. Die Daseinsweise der Elektromaterie ist nach de Broglie also gleichzeitige Welle auf der gesamten Elektronenbahn; eine phantastische Annahme. Und dennoch hat sich das »Wellenkorpuskel« oder die »Korpuskularwelle« zum Teil experimentell bestätigt; das an Kathodenstrahlen. Bestehen die kleinsten Materieteilchen wirklich als Wellen allein, so müßten sie sich verhalten wie Licht; sie müßten also – durch enge Gitter geschickt – abgebeugt werden, beim Zusammentreffen eines »Wellenbergs« mit einem »Wellental« sich auslöschen. In der Tat zeigten die Elektronen des Kathodenstrahls – im Durchgang durch Kristallgitter – solche Beugungsbilder, solche Interferenz; es zeigte sich sogar, in anderen Versuchen, daß nicht nur Elektronen, sondern ganze Moleküle, wie Wasserstoff und Helium, gebeugt werden können. Auch de Broglies Atommodell spiegelt erst von ferne und unzureichend das atomare Geschehen; das sonderbare Elektron, das auf jedem Punkt seiner Bahn zugleich sein kann, das als Welle längs der ganzen Bahn verteilt ist, hat seine Einseitigkeiten. De Broglie gibt überhaupt mehr ein Elektronen- als ein Atommodell, es beschränkt sich auf die Umlaufslinie. Es läßt den ganzen Raum, der den Kern umgibt, außer Acht, es stellt die Kraft, die gerade der elektrisch geladene Kern auf die Ladung der Elektronenwelle ausübt, nicht in Rechnung. Immerhin stellt dies Modell einen bisherigen Endpunkt in der Reihe der Rutherford-Bohrschen Intuitionen dar; einen Endpunkt auch in der von Heisenberg bereits »klassisch« genannten Quantenphysik. Und in all diesen Anwendungen der Quantentheorie auf atomare Vorgänge steckt eine gewisse Konkretisierung ihres unstetigen, ruckhaften Wesens. Denn wenn Planck zeigte, daß die Strahlungsenergie zeitlich wie dem Quantum nach nur in Portionen abgegeben wird, so entdeckt diese Vorstellung eine Art Atomistik der Aktion. Es ist immer wieder das elementare Wirkungsquantum h, das, wie jede experimentelle Korrektur der Atommodelle gezeigt hat, in allen Elementarvorgängen der unbelebten Natur mitspielt. Danach wären also Materie und elektrische Ladung eben deshalb atomistisch geteilt, weil die »Wirkung« quantenhaft geteilt ist. Die Atome sind dann keine von Anfang an gesetzten Wesen, sondern sind durch die Unterbrechung gesetzt, worin jeder Vorgang verläuft. Wie aber, wenn überhaupt keine Atome und Elektronen in irgendeinem Partikelsinn übrig bleiben, wenn die weitere Deutung der atomaren Vorgänge bei einer Art Schwingen-an-sich anlangt? – das gerade ist der Fall bei den letzten vorliegenden Atommodellen, vielmehr: bei den reinen Wellengleichungen, wie sie von *Heisenberg,* sodann von *Schrödinger* ausgebildet worden sind. Die Schwierigkeit war, daß das Elektron nicht eigentlich eine Bahn bestreicht, als bewegter Kraftpunkt, sondern gleichzeitig »auf seiner ganzen Bahn wie verwischt erscheint«. Heisenberg interpretierte diese Erscheinung durch die sogenannte Unschärfebeziehung oder Unsicherheits-Relation, das heißt: für die subatomaren Elemente sind Ort und Impuls nicht gleichzeitig scharf bestimmbar. Raumzeitliche Lokalisierung und energetische Beschreibung eines Elektrons können nicht zugleich mit genauer kausaler Zuordnung gegeben werden, ja letztere ist, worüber man allerdings, nach dem späteren Heisenberg, noch nicht ganz entscheiden kann, in der Sache selbst nicht gegeben. Daher ist der Aufenthalt der Elektronen in der Atomhülle jeweils nur statistisch, im Bild einer »Wahrscheinlichkeitswelle« angebbar; das heißt: Gleichungen, die formal Verallgemeinerungen der gewöhnlichen Wellengleichungen sind, geben die Wahrscheinlichkeit an, mit der ein Elektron an einer betrachteten Raumstelle anzutreffen ist. Die Welle selbst ist ein bloßes Symbol für Hebung und Senkung der Wahrscheinlichkeit des Eintreffens von Elektronen geworden; der Begriff der Bahn fällt gänzlich, er erklärt nichts mehr. Nicht anders als Heisenberg hat auch Schrödinger die klassisch-mechanischen Grundbegriffe der räumlichen Lagerung und des Impulses von Körpern aufgegeben. Aber: das Partikel oder Korpuskel selbst ist im Objekt der Schrödingerschen Wellengleichung nicht (oder nicht so ganz) gefallen. Scheinbar allerdings löst gerade Schrödinger die Korpuskeln in Wellen auf, während Heisenberg, indem er lediglich mathematische Wahrscheinlichkeitswellen lehrt, bloße Wellensymbole, den Begriff eines körperlichen Etwas wenigstens freistellt. Aber sofern Schrödinger, anders als Heisenberg, die Welle als real setzt, rettet er doch zugleich das Korpuskel; denn letzteres kehrt im Begriff der »stehenden Welle« (das heißt der in sich zurückreflektierten) wieder. Die Korpuskeln werden hier aufgelöst und neu bestimmt als »elektrische Ladungswolken«; die Ladung ist an den »Wellenknoten« mit geringster, an den »Wellenbäuchen« mit stärkster Intensität verteilt. Auch die Korpuskeln der Kathodenstrahlen (wo elektrische Ladungen nicht schwingen, sondern auf kleinste Räume verteilt sind) werden in Schrödingers Modell als eine Überlagerung vieler Wellen zu erklären versucht. Die körperhaften Elektronen des Kathodenstrahlbündels sind danach ein »Wellenpaket«, das heißt eine relativ konstante Übereinanderlagerung mehrerer Wellen von verschiedener Wellenlänge. Im Gegensatz zum Bohrschen Atommodell ist das Wellenmodell Schrödingers kein auf eine Ebene noch projizierbares, sondern ein besonders vieldimensionales (wodurch auch hier die Analogie zum Planetensystem aufgegeben ist). Und zwar ein vieldimensionales aus ebensoviel »Dreidimensionen«, als ein Atom Elektronen enthält. Das Wasserstoffatom mit seinem einen Elektron ist noch im einfach dreidimensionalen Raum denkbar; das Helium als Atom mit zwei Elektronen dagegen geschieht bereits in einem sechsfach ausgedehnten Raum – und so fort bis zu immer höher dimensionierten Räumen, bis zu den kompliziertesten »Konfigurationsräumen« am atomaren Saum unserer Wirklichkeit. Dunkel freilich bleibt auch hier, wieso eine Welle an jeder Stelle Körperwirkungen ausüben kann, und wieso sich andererseits Körper nicht strahlenförmig, sondern wie Wellen fortpflanzen. Dunkel bleibt vor allem die hiermit ausgedrückte *Doppelnatur* der physischen Materie (wie auch des

Lichts), das heißt des Etwas, das Welle und Korpuskel zugleich ist. Das Unerwartete, ja Unheimliche eben ist immer wieder: Elektronen verhalten sich nicht nur als Korpuskeln, sondern – beim Durchgang durch Kristallgitter – auch völlig analog den Lichtwellen: mit Beugung, Interferenz und so fort. Licht und Materie verhalten sich aber als Körper, indem sie Energie, Impuls austauschen, und sie verhalten sich in ihrer raumzeitlichen Ausbreitung als Wellen – die Letztelemente des Lichts wie der Materie, die Photonen wie die Elektronen haben beides: Wellen- und Partikelcharakter. Diese Charaktere ergänzen sich, sie lassen sich gemäß den Planck-de Brieglieschen Beziehungen jederzeit ineinander überführen, das »Wellenkorpuskel« alterniert mit der »Korpuskelwelle«. Ja *Eddington* läßt diese Letztelemente nicht einmal alternieren, dergestalt daß ein Elektron als Körper aus der Kathodenstrahlröhre fliege, in engen Ritzen oder im Umkreis eines einfangenden Atoms zur Materiewelle werde, beim Zusammenstoß mit einem Atom aber wieder zum Körper gerate. Sondern Eddington bestimmt die Elektronen als Wellen und Körperpartikel zugleich, er nennt sie »Wellikel« – die Energie der Elektronen und die Frequenz der Materiewellen gehen ineinander über und auf. Die Atomtheorie auf Planck-de Brioglischer Grundlage gipfelt also in zwei Grundlehren, die über die »verschwundene Materie« hinwegtrösten, ja zu zeigen imstande sind, daß nur die mechanische Auffassung der Materie verschwunden ist. Die erste Lehre lautet: Jeder atomare Vorgang ist sprunghafter Übergang von einem Quantenzustand in den anderen; die zweite: Wellen und Körperpartikel sind Wechselbegriffe, deren objekthaftes Korrelat sich offenbar dialektisch verhält.

Mikro- und Makrowelt in zerbrochener Fassung ihrer

Die anschaulich gegebenen Dinge gaben lange das Maß für alle übrigen her. Sie wurden naturwissenschaftlich außerordentlich umgerechnet, rein quantitativ gemacht, aber damit schien auch genug getan. Das atomare Geschehen erschien als verkleinerte, das kosmische als vergrößerte Ausgabe der Vorgänge in der mittleren Welt; einheitlich regierte deren klassische Mechanik.

Jetzt dagegen geht es am unteren wie auch am oberen Saum unserer Wirklichkeit außerordentlich verschieden her, nämlich unklassisch. Die Welt der klassischen Mechanik gilt hier auch nicht mehr etwa als ein breites Land zwischen zwei abnormen Saumgürteln, sondern umgekehrt; sie ist zu einem bloßen Grenzfall der Quantenmechanik geworden. Zu einem Grenzfall der mittleren Dimension, worin die Plancksche Konstante und auch die Heisenbergsche Unschärfebeziehung nur deshalb vernachlässigt werden können, weil beider Größen für die gegebene Mittelwelt zu geringfügig sind. Die Gesamtwelt zerspringt also in drei Schichten: in die atomare vorzüglich Plancks, in die mittlere Galilei-Newtons, in die makrokosmische vorzüglich Einsteins oder der Relativitätstheorie. Jede dieser Schichten hat eine eigene Physik; was zunächst die Schicht des *Atomaren* angeht, so ist sie, im Unterschied zu den anderen, wesentlich quantentheoretisch bestimmt. Besonders bekannt geworden ist, daß innerhalb dieser Atomwelt und ihrer Vorgänge der Kausalbegriff nicht mehr statthaben soll. Heisenberg setzte statt dessen, wie erinnerlich, bloße Wahrscheinlichkeit, gedacht unter dem Bild der Welle (Wahrscheinlichkeitswellen); der Ablauf atomarer Vorgänge unterliegt stets der sogenannten Unschärfebeziehung oder Ungenauigkeits-Relation. Sie bedeutet, wie hier nochmals definierbar: quantenmechanisch können die Größenpaare Raum und Zeit einerseits, Energie und Impuls andererseits nicht gleichzeitig scharf angegeben werden. Das hat zunächst einen in der Schranke des Experiments gegebenen Grund: denn soll der Ort eines Elektrons genau bestimmt werden, so muß es beleuchtet werden; die Beleuchtung ändert aber die Bahn des Elektrons, das Meßmittel beeinflußt sein Objekt. Doch hindert nicht nur diese Schranke, sondern da für Heisenberg überhaupt nur das Meßbare existiert, so beziehen sich raumzeitliche Lokalisierung und energetische Beschreibung auf zwei verschiedene Ebenen der mikrokosmischen Wirklichkeit selber. Will man also quantenphysikalisch die möglichen Energiezustände des Moleküls berechnen, so muß man auf die raumzeitliche Bestimmung der Elektronen verzichten und sich mit statistischen Angaben über deren wahrscheinliche Verteilung begnügen. Es bleibt derart nur die Wahl: entweder verfolgt man die Partikel rein ablaufshaft genau in Raum und Zeit, dann sind ihre Energie und ihr Impuls nur ungenau bestimmt; oder man operiert mit streng kausal festgelegter Relation: Energie-Impuls, dann wird die raumzeitliche Anordnung der Elektronen unbestimmt. Bloß das durchschnittliche Schicksal vieler Partikel ist, nach Heisenberg, wenigstens statistisch festgelegt, das Schicksal eines einzelnen Partikels dagegen bleibt völlig undeterminiert, es kann nur unter gleich wahrscheinlichen Orten wählen, ja unter Umständen sogar gegen die Wahrscheinlichkeit seinen Ort beziehen. Zur Unsicherheitsrelation kommt überdies, als akausales Moment, noch die Vieldimensioniertheit des Atomraums, besonders in Schrödingers Fassung. Bereits die Ausbreitung des Lichts verlangt, damit sie geschehen kann, eine bestimmte Dimensionenzahl, nämlich eine ungerade (nur in einem Raum ungerader Dimensionenzahl tritt beim Auslöschen einer Kerze in deren Umkreis Dunkelheit ein). Gilt das, gemäß der n-dimensional übertragenen Wellengleichung des Lichts, freilich für sämtliche ungerade Dimensionszahlen, für 5 oder 111 so gut wie für 3, und ist der Kausalnexus an diesem sonderbaren Gesetz der Wirkungsausbreitung nur erst von ferne beteiligt, so ist doch, wo immer Wirkung als eine lückenlos kausale auftritt, die dreidimensionale Welt besonders ausgezeichnet, ja »Bedingung« der Kausalität schlechthin. Wie auch Reichenbach unzweideutig anmerkt, ist die Dimensionszahl 3 objektiv die einzige, welche eine stetige Kausalordnung des Geschehens ermöglicht. Nun sind aber die meisten subatomaren Vorgänge nicht in den dreidimensionalen Koordinatenraum eingebettet, sondern in den höherdimensionierten Parameterraum; folglich lockert sich auch von hier aus der kausale Determinismus der einzelnen Massenpunkte. Ausnahmsloser kausaler Determinismus in allen Teilen der Welt war der Grundglaube der klassischen Physik; Laplace, von der klassischen Voraussetzung her, hatte sogar gelehrt: »Ein Geist, der für einen Augenblick alle Kräfte kennte, welche die Natur beleben, und die gegenseitige Lage aller Wesenheiten, aus denen sie besteht, müßte, wenn er umfassend genug wäre, um alle diese Daten der mathematischen Analyse unterwerfen zu können, in der selben Formel die Bewegung der größten Himmelskörper und des leichtesten Atoms begreifen, nichts wäre ungewiß für ihn, und Zukunft wie Vergangenheit lägen seinem Auge offen.« Die Allwissenheit dieses Laplaceschen Geistes, die Erhöhung des mechanistischen Naturforschers zum Rang des (geleugneten) Gottes, wenigstens der Allwissenheit nach, – das resultiert aus dem Schicksalsglauben der klassischen Physik, aus dem Glauben an den streng notwendigen Kausalablauf des Weltgeschehens. Solchen Glaubens ungeachtet war dem physikalischen Determinismus allerdings schon früher der unaufhebbare Rest »Zufall« entgegengehalten worden. Man hatte die Beschränkung auf bloße Wahrscheinlichkeit aus der Unendlichkeit des Weltalls begründet, aus der Unmöglichkeit, den Einfluß des gesamten unendlichen Universums in irgendeinem Teilsystem mit zu fixieren. Wichtiger aber noch als diese Offenheit gegen das Unendlich-Ferne ist die Unendlichkeit nach innen geworden, die gegen die Atome und ihre Quantenrätsel hin. Daher dekretiert Heisenberg (mit ihm Born, teilweise auch Schrödinger) kraft der Unbestimmtheitsrelation: »Weil alle Experimente den Gesetzen der Quantenmechanik unterworfen sind, so wird durch die Quantenmechanik die Ungültigkeit des Kausalgesetzes definitiv festgestellt.« (Der Laplacesche Geist könnte also seine Rechenarbeit gar nicht beginnen, da er nicht einmal für einen einzigen Massenpunkt, geschweige denn für alle, die anfängliche Lage und Geschwindigkeit genau wüßte). Allerdings blieb diese radikale Leistung des Kausalgesetzes für den Quantenbereich nicht unbestritten; Laue und, nach einigem Schwanken, Schrödinger wollen statt dessen nur theoretisch die Restbegriffe der klassischen Physik ausmerzen. »Die heutige Quantenmechanik«, bemerkt Schrödinger entscheidend (»Die Naturwissenschaften«, 1934, Heft 31), »begeht den Fehler, daß sie die Begriffe der klassischen Punktmechanik, wie Energie, Impuls, Ort ... aufrechterhält«. Damit sei in der Quantenmechanik der Verzicht auf Kausalität arbeitshypothetisch wohl ratsam, darüber hinaus brauche man aber das Kausalprinzip selber nicht aufzugeben, das heißt: die Schwierigkeiten der Messungen, die Probleme der Wechselwirkungen zwischen dem Beobachter (Mikroskop plus Lichtquant) und dem Objekt (Elektron) dürfen nicht dahin ausgedehnt werden, daß die Unsicherheits-Relation nun für alle Ewigkeit in den Dingen selbst liege und gar noch auf den Makrokosmos ausdehnbar sei. Über die Physik hinaus ist zu sagen, die bisherige physikalische Fassung der Kausalität ist nicht deren Einzige; lückenloser Zwang ist nicht dasselbe wie durchgehende Verursachung. Denn wenn dem Kausalgesetz die lückenlose Determinierung aller Zukunft wesentlich wäre, dann gäbe es in historischen Wissenschaften schon längst keine Kausalität. Hier genügt vielmehr, daß jeder Wirkung eine Ursache vorhergehe; es ist weder »denknotwendig«, daß diese Ursache – im ganzen Umfang ihrer Bewegungsgröße, gar ihres Inhalts – selber als durch frühere Ursachen bestimmt nachgewiesen sei, lückenlos stetig, noch daß die ihr folgende Wirkung nichts enthalte, als was schon in der Ursache war. Freiheit des Willens, in begrenzten Maßen, besteht historisch schon längst, ebenso geschieht und entwickelt sich in der Geschichte Neues, das heißt Wirkung mit einem Inhalt, der in der Ursache nur keimartig enthalten war. Trotzdem gibt es in der Geschichte Kausalität, ja gerade die ökonomisch determinierende Geschichtsauffassung vereint Kausalerklärung mit dialektisch sprunghafter, dialektisch vermehrender Entwicklung. Und was die Mikrophysik angeht, so ist auch hier Kausalität lange nicht in dem Maße aufgehoben, wie Heisenberg das zuerst annahm. Sie besteht gerade als weniger indeterministisches Gegenstück zur historischen Kausalität weiter, sie gestattet aus einem mit gewisser Unschärfe bekannten Zustand wenigstens eine Wahrscheinlichkeitsvorhersage der Zukunft, ohne deshalb, wie in der Geschichte, das Risiko eines mißlich prophetischen Geschäfts zu übernehmen. Immerhin sind durch die Heisenbergsche Berichtigung (sie steckte in nuce schon im relativ freien Fall der Atome bei Epikur) die Zeiten des Laplace vorüber, die Rechenansätze über einer total mechanisierten Natur. Die Atomphysik gehorcht dem nicht, ihre quantentheoretische Gesetzlichkeit ist eine statistische und eine der Intermittenz.

Am andern ungewohnten Saum treten nun nicht die kleinsten, sondern die größten Maße vor. Bezüge zur atomaren Schicht fehlen dort, weit draußen nun im Makrokosmischen, zwar gewiß nicht, vierdimensionale Ordnungen raumzeitlicher

Einheit verbinden beide. Auch hat Dirac durch die relativistische Wellengleichung des Elektrons eine erste festere Brücke zwischen der Quantentheorie und Relativitätstheorie geschlagen. Auch hat Eddington, beim Problem der Abwanderung der Spiralnebel, ein Grenzland zwischen beiden Theorien betreten, Formeln der Wellenmechanik und der Relativitätstheorie kombinierend. Doch eine Vereinigung der beiden großen Strukturlehren ist bisher noch nicht ganz gelungen, auch deshalb nicht, weil sich die Relativitätstheorie durch weit größere Klarheit und Geschlossenheit, durch eine ganz neue Art kosmischer Harmonie von der Quantentheorie unterscheidet. Bekannt wurde, daß es nicht mehr möglich ist, einen Vorgang in den Augenblick seiner Wahrnehmung zu setzen, als sei die Zeit des Beobachters eine allgemeine und überall gleiche. Bekannt ist ferner, daß Einstein den nichteuklidischen Raum, die Riemannsche Mannigfaltigkeit als Schauplatz der kosmischen Vorgänge ausgezeichnet hat; diesem unstetigen, unhomogenen und gekrümmten Raum fügte er die Zeit (Vergangenheit – Zukunft) als vierte Dimension hinzu. Die Welt der klassischen Physik war eine in Raum und Zeit getrennte und eine euklidische, die für alle Beobachter in den gleichen anschaulichen Raum und dieselbe gleichmäßig ablaufende Zeit zerfiel. Die Welt der relativitätstheoretischen Physik dagegen ist eine der Raumzeitunion und eine nichteuklidische, die bei Aufspaltung durch verschiedene Beobachter verschiedene Raum- und Zeitperspektiven liefert; die Ganzheit von Raum und Zeit ist die Konstanz der Lichtgeschwindigkeit, der größten, die eine Geschwindigkeit überhaupt haben kann. Absolute Bewegung, absoluter Raum verschwinden als Unbegriffe; der Maßschnitt verläuft nicht mehr zwischen Ruhe und Bewegung, sondern zwischen gleichförmiger Translation und Bewegung. Weit konkreter als diese spezielle Relativitätstheorie ist die allgemeine geworden, obwohl sie noch viel weniger durch Daten gesichert ist als die spezielle. Während erstere rein das Phänomen der Bewegung berücksichtigt (unter Absehung von Masse, Schwerfeld), führte letztere, indem sie die Schwerkraft in ein vierdimensionales Kontinuum eintrug, zu einer bis in alle Einzelheiten ausgebildeten Theorie der Gravitation. Riemann hatte seinen nichteuklidischen (unhomogenen) Raum als ein wechselvoll Physisches gesetzt, auf das materielle Kräfte wirken. Dieser Raum gehört nicht zur ruhevollen, homogenen Form der Erscheinungen, sondern zum wechselvollen materiellen Geschehen; er liegt nicht in »geometrischer« Starre den Kräften der Materie zugrunde oder thront über ihnen, sondern steht in kausaler Abhängigkeit von den materiellen Bewegungen, wird von ihren Kräften hervorgebracht und wirkt auf sie zurück. Die eigentlich physikalische Fruchtbarkeit dieses Raumgedankens erwies sich, als Einstein aus der Gleichheit von schwerer und träger Masse ableitete, daß die Gravitation auf die Seite der Trägheit gehört, diese selbst aber keine starre Beschaffenheit der Welt darstellt. In den Erscheinungen der Gravitation bekundet das »Trägheitsfeld« vielmehr seine Veränderungsfähigkeit und zugleich seine Abhängigkeit von der Verteilung der Materie. Die Einsteinwelt ist zwar in ihrem Ganzen statisch, doch das nur aufgrund eines labilen Gleichgewichts; so wird geradezu involviert, daß dieses Universum zugleich vollkommen labil ist. Es ist so haargenau ausgewogen, daß es bei der geringsten Störung umkippt in einen Zustand immer wachsender Zusammenziehung oder immer wachsender Ausdehnung (letzterer Zustand ist – sofern die Abwanderung der Spiralnebel sich bestätigt – offenbar jetzt im Schwange). In summa aber: die Gesetzmäßigkeiten makrokosmischen Ausmaßes sind durchaus andere als die mesokosmischen auf der Erde und bis jetzt auch andere als die mikrokosmischen in der Atomwelt. Wenigstens nach den Lehren der jetzigen dreigeteilten Physik wie verwirrend erst, werden in den *Mesokosmos* (zwischen dem Unteren, dem Atomaren und dem Oberen, dem astronomisch-Makrokosmischen) noch die organischen und sozialen Gesetze hereingenommen. Der Raum ist zu einer den Kräften der Materie gegenüber nachgiebigen Wesenheit geworden; und die Kräfte der Materie – als ob sie selber eine dreifache wäre – schaffen den drei Welten ganz verschiedene »Verhältnisse«. Die mittlere Welt blüht als Blume (oder auch Anti-Blume) zwischen zwei Abgründen; die untere Welt ist undurchsichtigste Intermittenz, die obere Projektion einer außermenschlichen Raum-Zeit-Union. Reflexe spätbürgerlicher Auflösung gibt es im bloß formalistisch Bleibenden hier genug, und viele bedeutende neue Physiker sind naturphilosophisch ins Inhaltsproblem von alldem leider nicht gleich weit vorgedrungen, aber ihr Thema blieb: wachsende »Elektrisierung« der Materie in nicht mehr euklidisch gebannter *Energetik*. Dazu Heisenberg zuletzt: »Vielleicht die wichtigste Folge des Relativitätsprinzips ist die Äquivalenz von Masse und Energie ... Jede Energie bringt also Masse mit sich; aber selbst eine nach normalen Begriffen sehr große Energie trägt nur sehr wenig zur Masse bei, und das ist der Grund, warum die Verbindung zwischen Masse und Energie nicht früher beobachtet worden ist. Die zwei Gesetze von der Erhaltung der Masse und der Erhaltung der Energie verlieren ihre getrennte Gültigkeit und werden zu einem einzigen Gesetz vereinigt, das man das Gesetz von der Erhaltung der Energie oder Masse nennen kann ... Heutzutage kann man an vielen Experimenten unmittelbar sehen, wie Elementarteilchen aus kinetischer Energie gezeugt werden und wie solche Teilchen wieder verschwinden können, indem sie sich in Strahlungen umwandeln.« Weiter: »In der ganzen Periode von den Mathematikern der Antike bis zum 19. Jahrhundert war die Euklidische Geometrie als selbstverständlich angesehen worden ... Die Geometrie, die in der allgemeinen Relativitätstheorie erörtert wurde, bezog sich nicht auf den dreidimensionalen Raum allein, sondern auf die vierdimensionale Gesamtheit von Raum und Zeit.« (Heisenberg, Physik und Philosophie, 1959, S. 94 ff.) Die Zeit allerdings, die die nichteuklidische Physik mit dem Raum in Union bringt, ist nicht eben die schöpferische Zeit der Geschichte und ihres Prozesses, doch: sowohl die Gleichung Masse = Energie, wie auch die Erklärung des Lichts aus der stoßweisen Abgabe von Strahlungsquanten könnten sich einmal energetisch-dialektischen Folgerungen wohl öffnen – ein Panta rhei und ein Ex interruptione lux, auch in der neuen Physik.

Fazit 1: Bürgerliche Krise und physikalische Erfahrung

Mancher Blick hier ist noch ebenso ungewiß wie neu. Zusammen eben mit unserer schwankenden Zeit, auch mit dem elastischen Sinn für Ungewohntes. Zunächst freilich scheint bürgerliche Gesellschaft nicht einzuwirken, weder als einstürzende noch als zwischenraumhafte, weder als eine der Fäulnis noch des möglichen Übergangs. Der Anlaß der physikalischen Umwälzung, sagen einige, ist nicht Denkkrise, sondern lediglich neu gewonnene Beobachtung; und das stimmt weithin – *unmittelbar* betrachtet sieht manches in der Tat danach aus. Am 14. Dezember 1900, das Wasser der bürgerlichen Zukunft hatte damals noch Balken, veröffentlichte Planck eine gewiß rein sachliche, vom Objekt bestimmte Rechnung über die Energie, die ein erhitzter Körper aussendet. Es zeigte sich: die ausgesandte Energie ist veränderlich mit der Temperatur, und jede Lichtsorte liefert einen anderen Beitrag zur Gesamtintensität der ausgesandten Strahlung. Es gelang nun nicht, die dabei angestellten Messungen auch richtig zu berechnen, das heißt, sie mit den Voraussetzungen zu diesen Berechnungen, der Wärmetheorie, der elektromagnetischen Lichttheorie, in Einklang zu bringen. Nur das infrarote Licht, mit kleiner Frequenz, verhielt sich wie zu erwarten war, die höher frequenten Lichtarten dagegen verhielten sich ganz anders, bestätigten die bisherige Strahlungstheorie nicht. Rein aufgrund solcher experimenteller Beobachtung war also Planck veranlaßt, die bisherige Theorie zu verändern: Licht wird nicht stetig gesendet und absorbiert, sondern unstetig, brockenweise, in Quanten. Beobachtung und nicht irgendein ideologischer Reflex gaben den unmittelbaren Anstoß zur Quantentheorie. Nicht anders gewann Einstein seine Physik – physikalisch; überflüssig zu sagen: ihr nachkriegshafter, allzu vulgärer »Erfolg«, das heißt ihr banales Mißverständnis, als ob alles eben, wie der Geldwert, nur relativ sei, im Sinn der Inflation, das selbstredend war an der Wiege, in statu nascendi der Relativitätstheorie nicht gesungen worden. Plancks, Einsteins Physik entsprangen, wie selbstverständlich, ihrer Sache selbst: objektiv neuen Daten des Fernrohrs und Mikroskops, einzelnen, kleinen, sozusagen zufällig beobachteten Tatsachen der Natur. Und zu diesen wieder kehrt die Theorie, um sich bestätigt zu sehen, zurück, »soziologisch« gewiß erst allgemein möglich gemacht, aber keineswegs damit erschöpft. Da ist die objektive Rotverschiebung der Spektrallinien im Schwerfeld der Himmelskörper, da ist die objektive Drehung der Planeten-Ellipsen selber um die Sonne: das Licht strahlte jederzeit quantenhaft, unterlag jederzeit der Rotverschiebung, wenn es sich der Anziehung der Sonne entzog, lange vor dem ökonomisch bestimmten Zeitpunkt dieser Entdeckungen. Genauso sind die Körper lange vor Galilei, lange vor dem Nivellierungsinteresse der frühbürgerlichen Gesellschaft gleich schnell gefallen. Der Anteil der objektiven Welt an ihren Erkenntnissen ist gerade Materialisten so selbstverständlich, daß von hier aus keine Natur in die Naturwissenschaften eingebracht zu werden braucht. Nur die Idealisten (gerade diejenigen also, die ökonomische Ideologieforschung bekämpfen) sind geneigt, das Sein totaliter aus dem Denken abzuleiten (vorausgesetzt freilich, daß das Denken nicht selber wieder aus einem – ökonomischen – Sein abgeleitet werde). Dasjenige an der naturwissenschaftlichen Erfahrung, was die Erfahrungs-*Inhalte* ausmacht, fällt mit der Zeitlage gewiß nicht zusammen, es liegt so gut wie gänzlich auf der physisch objekthaften, nicht auf der historisch-soziologisch subjekthaften Seite. *Ein Anderes* freilich ist die Frage: weshalb denn physikalische Erfahrungen und die Theorien, die ihnen entsprechen, etwa erst um 1900 oder, was Galilei anlangt, um 1600 gemacht worden sind. Auch die Instrumente zu den Beobachtungen der atomaren Feinstruktur, der Einsteineffekte waren vorhanden; doch diese photographischen Platten, Prismen, Mikroskope, Fernrohre und so fort wurden nicht im heutigen Sinn dirigiert. Also kommen zur Erfahrung, als der unmittelbaren Quelle physikalischer Umwälzungen, noch ganz andere, *mittelbare* Bedingungen hinzu, sie gehören zur *historischen Vermittlung*. Bedingungen ökonomisch-historischer Art, das heißt einer veränderten Beziehung vom Menschen zum Menschen und zur Natur. Den Primat der Erfahrung oder, wie man auch sagt, des Gegebenen zugestanden, so ist das Erfahrene doch allemal von Menschen erfahren, das Gegebene wird doch allemal Subjekten gegeben, ja es muß von ihnen angenommen werden, damit es ein Gegebenes sei. Zweifellos tritt Erfahrung nicht nur isoliert, nicht nur von der Objektseite her auf, es kommt ihr vielmehr ein Organ entgegen, und dieses Organ ist historisch veränderlich. Es ist, je nach seiner ideologischen Bereitschaft, für bestimmte Erfahrungen

empfindlich, für andere nicht; es versperrt sich gewisse Erfahrbarkeiten oder es sucht sie, mit der Wünschelrute einer geneig-
ten Theorie, eigens auf. Galileis Mechanik, der Blick auf den
schwingenden Kronleuchter im Dom von Pisa, die kopernikanische Theorie, die Welt Newtons – das alles konnte erst mit
einem kapitalistisch nahegelegten Funktions-, nicht mit einem
ständischen Gattungsbegriff dargestellt werden. Die Bewegung
lief aus der Wirtschaft in die Physik; der alles quantifizierende
Kalkül spiegelte die Art der kapitalistischen Ratio wider, die
mathematische Dynamik gelang erst, als, wie Marx sagt, alles
Ständische und Stehende verdampfte. Die gleiche Abhängigkeit
mit Erschütterung besteht erst recht heute: bestimmte Erfahrungen werden nur gemacht, beobachtet und theoretisch aus-
gewertet, nachdem ideologisch soviel Festes, das im Wege war,
sich verunsichert sieht; gleiches gilt für die jähen Denkmodelle,
jenseits euklidischer Gewohnheit und auch noch aus der bisherigen Zahlreihe ausscherend. Bestimmte Schwierigkeiten, die
nachdem zur Relativitätstheorie führten, waren schon der klassischen Mechanik bekannt, wo es sich um sehr große Geschwindigkeiten handelte. Doch der sprengende Erfahrungsinhalt
blieb damals unbeachtet, führte jedenfalls zu keiner Erschütterung in der Physik, wirkte höchstens wie Außenseiter im Weltbild der damaligen bürgerlichen Gesellschaft. Am Beginn ihrer
stand der Kalkül einer homogenen Bewegung, die infinitesimale
Berechenbarkeit aller Bahnen, die Gleichsetzung der Materie
mit träger und unveränderlicher Masse. Am Ende der bürgerlichen Gesellschaft, in ihrer alles relativierenden, völlig entfrem-
denden, inhaltslos machenden Krise springt trotz wie wegen
des Leerlaufs ihrer wachsenden Dynamik eine Oberfläche des
bisherigen Weltbilds. Dreiteilung der physischen Welt, Aufgabe
der Stetigkeit und Unveränderlichkeit, hier sind Vorstöße,
worin die bisherigen dreidimensionalen Fugen krachen. Allemal war die Beobachtung, gar das Experiment eine Frage an die
Natur, ohne die Frage erging keine Antwort, und eben die Gesellschaft, die diese Fragen an die Natur stellt, hat sich geändert, mit ihr der Raum des Erfahrbaren, der hörbaren Antwort. Er ist ein Hohlraum geworden, nämlich ein eingestürztes
Haus, durch dessen Spalten ungeahnt frische Außenwelt ein-

dringt. Auch eine Lust ist gekommen, Antworten zu hören, die früher weder gefragt noch erwünscht, auch nur diskutierbar waren, man denke an den verschwundenen Baustein Atom, an das Paradox eines ebenso endlichen wie unendlichen, nämlich gekrümmten Weltalls. So eng ist der Zusammenhang der unstetigen Quantenwelt, der nichteuklidischen Relativitäts- und Feldtheorie mit der bürgerlichen Lockerung und Begriffskrise. So genau auch bleibt dieser Zusammenhang ein noch innerbürgerlicher, daß die neue Physik, als etablierte, trotz ihres »Umsturzes«, gerade die Fragen meidet, die in ihrer Energetik doch mitangelegt sind und die zu wirklichem Umsturz führen könnten, nämlich dialektischem. Auch dieses Minus bestätigt die Abhängigkeit der Erfahrung von der Zeit, die erfahren will oder auch nicht. Sehr gern dagegen mochte eine völlig kalkülhaft gewordene, inhaltsfremde Gesellschaft erfahren, daß die Materie überhaupt verschwunden sei; doch dieser Wunsch wird nicht erfüllt.

Fazit 2: Relativismus, Formalismus und das Etwas, das schwingt

Und nicht auch, als ob es den Forschern sonst sehr wohl zumute wäre. Viele ihrer, wenn nicht die meisten achten zwar die Beobachtungen über alles, kaum aber deren versuchte Zurechtlegung. Sie sind positivistisch, das heißt erschrocken vor dem Umsturz des alten Denkens und falsch bescheiden. So sagt Heisenberg: »Es handelt sich nur darum, zu unseren Empfindungen Zeichen zuzuordnen, die mit wechselnder Erfahrung selber wechseln.« Weiter: »Die moderne Atomphysik handelt nicht vom Wesen und Bau der Atome, sondern von den Vorgängen, die wir beim Beobachten der Atome wahrnehmen.« Wirklich beobachtet werden nur Frequenzen von Spektrallinien und ihre Intensitäten, nicht aber Bahnen und Umlaufzeiten von Elektronen. Wahrheit ist lediglich »Eindeutigkeit der Zuordnung«: mit dieser Formel des Neumachisten und Logistikers Schlick stimmen Heisenberg, auch Bohr völlig überein. Je höher die Unanschaulichkeit steigt, je komplizierter die mathematische Sprache gerät, mittels derer das Beobachtete zurechtgelegt wird, je unvorstellbarer Atomkern und n-dimensionaler Raum aussehen (das heißt eben: nicht aussehen), desto skeptischer entwertet sich die Theorie dieser Unanschaulichkeit zum bloßen »Bild«, »Symbol«, »Denkmodell«, »Gedankending«. Bohr spricht von einem »tiefgehenden Versagen der raumzeitlichen Bilder, mittels welcher man bisher die Naturerscheinungen zu beschreiben versuchte«, und setzt die Forderung anders angepaßter »Bilder«, die später auch weggelegt werden können. Heisenberg hat zur mathematischen Darstellung von Atomvorgängen eine »Matrizenmechanik« ausgebildet, die die Bohrsche Forderung erfüllt. Das Unanschauliche geht hierbei immer weiter, von Weyl, Eddington und anderen werden die kompliziertesten Instrumente der Analyse: Variationsrechnung und Invariantentheorie in physikalisch-astronomischen Dienst gestellt. Dergleichen bringt eine solche Unruhe in die Theoriebildung selber, daß deren nicht mehr ganz Ernstzunehmendes, also die positivistisch nur zurechtlegende Abwertung auch wie rettende Zuflucht erscheinen mag. Immer neue Denkverbesserungen werden nötig, immer neue Schwierigkeiten tauchen auf, die ehedem so einfach erscheinende atomistische Unterwelt zeigt Rätsel an Kompliziertheit, ganz unten beim sozusagen einfachsten Mann aus diesem Volk, daß Shakespeare dagegen noch wie eine Klippschule dreinsieht, während dem puren Atomforscher der Kopf brummt, der realistische, der abbildliche Ehrgeiz leicht vergeht. Auch der kritische, das heißt ideologie-kritisch geschulte Realist stellt die Frage: ist hier Jugendlichkeit unter der Maske späten Wusts oder Wust einer vergehenden Welt unter der Maske der Jugendlichkeit; ist hier überwiegend Ausdruck gesellschaftlicher Kompliziertheit, wie im vorigen Fazit gesagt wurde, oder aber ist auch die physische Welt an sich selbst dermaßen schwierig diffus und kompliziert? Ein spanischer König aus dem 15. Jahrhundert verlor fast den Thron, als er nach Kenntnisnahme des immer schwieriger sich darbietenden ptolemäischen Systems bekundete: er hätte, an Stelle des lieben Gottes, die Welt einfacher eingerichtet: – gilt diese Reserve, mutatis mutandis, nicht auch nach Kenntnisnahme der verschiedenen Atommodelle? Steht die neue Physik nicht genauso am Ende der bürgerlichen Gesellschaft wie das ptolemäische System am Ende der feudalständischen, und haben die kühn-komplizierten »Epizyklen« (Schleifen) der damaligen Planetenbahnen nicht manche Ähnlichkeit mit den Flicken und Neuheiten auf dem alten reißenden Rock von heute? Heisenbergs Matrizenmechanik wie Schrödingers Wellenmechanik haben beide das Gute, daß sie ohne die klassischen Grundbegriffe, ohne räumliche Lagerung und den Impuls von Körpern auskommen: aber um welchen Preis doch ist die sogenannte neue »Einfachheit«, die neue »Eleganz« der Rechnungen erkauft. Ist es also nicht möglich, daß auch hier durch eine neue kopernikanische Wendung sui generis die vielen theoretischen Epizyklen mindestens einmal reduziert werden können, indem sie überdies von möglichen Reflexen bloß spätbürgerlich-gesellschaftlicher Kompliziertheit befreit? Und ist die Frage nicht berechtigt, welche Kategorien eben für Shakespeare oder Michelangelo übrigbleiben oder nötig werden, wenn bereits die atomistische Grundlage Matrizen oder n-dimensionale »Konfigurationsräume« in Anspruch nimmt? Oder gilt die umgekehrte Annahme, daß gerade die Anfänge und Grundlagen der Welt noch objektiv zu alogisch, gleichsam zu dumm sind, um konkret verstehbar zu sein; daß ebendeshalb maßlose, nichts-betreffende Kompliziertheit am unerwachten Objekt sich abmüht? Der positivistisch abstrakte Idealismus wäre dann hier, allerdings nur hier, gar keiner, sondern sozusagen realistischer Ausdruck eines konkreten Fast-Nichts; mit anderen Worten: das Etwas, das in Atomen schwingt, wäre dann an sich selber noch zu viel Sub-Sein, um adäquat erkannt zu werden. Daher die Kompliziertheiten bodenloser Umschreibungen, daher ein Agnostizismus, aber aus Schwäche des Objekts, der erst biologisch, soziologisch und gar an Objekten wie Michelangelo sich hebt. Jedenfalls ist das neue physikalische Sein nicht dieses, worin der Mensch lebt und woran sich ihm seine Kategorien gebildet haben. Die neu andrängende Materie ist aus einer verschobenen, einer verrückten Welt, aus einer außerhalb des bisher mesokosmischen menschlichen Arbeitsradius gerückten und total unmenschlichen, so daß dann, paradoxester Weise, ein Stück physikalischer Idealismus gerade – realistisch diskutierbar wäre, nicht nur aus Gründen der Gesellschaftskritik, sondern der »Randnatur« selbst. Seltsame Folgerungen und große Seltsamkeiten insgesamt; doch eben durch sie fände der positivistische Rekurs auf bloße Denkmodelle, obwohl er grundsätzlich falsch ist, auch objekthaft streckenweise und vorläufig eine Erklärung. Nicht verständlich aber wird durch sie die Bescheidenheit, wenn sie in total gemeinte Anmaßung übergeht, wenn sie die alten Ladenhüter Machs in toto mobilisiert. Dann entsteht der Positivismus als letztes Wort schlechthin, als Geisteshaltung for ever; er macht den Kompliziertheiten der neuesten Physik ein gutes Gewissen, nämlich gar keines. Er verwertet ihnen gegenüber gleichsam ein Faustwort, die Absage Fausts an seine Instrumente: »Zwar euer Bart ist kraus, doch hebt ihr nicht die Riegel«; indes er verwertet die visionäre Absage auf mephistophelische Weise. Aus der Selbstverständlichkeit, daß die Denkformen einer bestimmten Epoche der Physik auf neu erschienene Phänomene unanwendbar sind, aus temporärem Modellwechsel machen die Positivisten absoluten. Der Schöpfer der Quantentheorie lehnt immerhin einen rein denkökonomischen Inzest, einen ab ovo anschauungsfremden, usque ad finem realitätslosen Formalismus in der Physik ab, Planck verlangt in seiner Wissenschaft Setzung und Bestimmung von Realität (am deutlichsten in der Schrift: Positivismus und reale Außenwelt, 1931). Es kann diese Realität – abgesehen natürlich vom Wust spätbürgerlicher Faltenwürfe oder Altersfalten des Begriffs – es kann diese Realität auch deshalb so kompliziert sich darstellen, weil sie, wie bemerkt, an sich selbst noch schwach oder unbestimmt kategorisiert ist und deshalb besonders schwieriger Denkanstrengungen, besonders verwickelter oder outrierter Abbildungsmühen bedarf. Erst eine Physik, deren gesellschaftliche Grundlage in Ordnung ist, wird auch hier nach dem Rechten sehen; ganz andere als bloß die gewohnten »raumzeitlichen Bilder« werden zur Erforschung der dialektischen Anfänge aufgegeben werden müssen. Planck blieb heute schon dem Mut der realistischen Erkenntnis treu; er entwertet eine Denkarbeit nicht, die so viele bisherige physikalische Begriffe von Raum und Zeit, Materie und Kausalität, Struktur und Größe des Universums über den Haufen geworfen hat. Heisenberg reduzierte die physikalische Erkenntnis auf Zuordnung von Zeichen zu Empfindungen, Planck dagegen fordert: »Die Physik hat nicht Erlebnisse zu beschreiben, sondern die Außenwelt zu erkennen«, und weiter, ganz im Sinne eines kritischen Realismus: »Die beiden Sätze: ›es gibt eine reale, von uns unabhängige Außenwelt‹ und: ›die reale Außenwelt ist nicht unmittelbar erkennbar‹ bilden zusammen den Angelpunkt der ganzen physikalischen Wissenschaft«. Die Außenwelt ist freilich auch für Planck zentral inhaltlich nicht erkennbar, denn nur das Meßbare existiert ihm. Hier freilich wieder ist die alte Schranke der quantitativen Wissenschaft, das Erbe von dreihundert Jahren Kalkül. Auch in realistischer Vertretung zeigt die innerhalb ihres Sektors geltende, gültige Physik, zeigt ihr immer abstrakterer mathematischer Apparat das rein formale Verhalten ihres völlig entqualifizierten Inhalts, noch weit über das subatomare X hinaus. Wobei auch bei realistischer Setzung deren Stoff, gerade die physische Materie also bis zur Unkenntlichkeit formalisiert und nicht nur, wie rechtens, energetisiert worden ist.

Wie ungewiß diese Setzung, ergibt sich immer wieder, sobald nach ihrem Etwas gefragt wird. Es ist dieses, was in Wellen schwingt, vielmehr: auf das Gleichungen und Denkbilder von Art einer Welle angewandt werden. Das Etwas selbst ist nicht findbar, Stoff ist es nicht, denn gerade die Stoffteilchen, die Elektronen, sollen ja aus Wellen bestehen. Und nicht einmal die Welle ist letzthin eine, sondern ein bloßes Bild für die gehobene oder gesenkte Wahrscheinlichkeit, an einem Ort Elektronen zu treffen oder nicht. Auch die *Masse* im alt-materiellen Sinn ist erledigt, sie »zerstrahlt«, sie geht bei der Umwandlung einfacher Atome in höhere zum Teil verloren, wird als Energie frei. Materielle Masse kann sich in Strahlung verwandeln, entweder durch den Prozeß der Bildung komplexer Atome (zum Beispiel der Entstehung von Helium aus Wasserstoff) oder bei der gegenseitigen Vernichtung von Elektronen und Protonen. Eddington sagt unverhohlen: »Wenn die gesamte Konstitutionsenergie der Materie frei wird, muß die Materie verschwinden«. Andererseits hat der Einsteinbezug der Masse zur Geschwindigkeit (Energie) die Masse immerhin zu einem dynamischen Verhältnis gemacht, wonach ein helles und warmes Zimmer auch mehr wiegt als ein dunkles und kaltes. Anders gesagt: wird der Energieinhalt eines Körpers durch Erwärmung oder Licht erhöht, so steigt proportional seine träge und schwere Masse. Galilei bereits hatte die Masse durch das Impulsgesetz als dynamischen Koeffizienten eingeführt (die Masse ist der dynamische Koeffizient, gemäß welchem die Trägheit der ablenkenden Kraft widersteht); freilich galt die Masse hier noch als unveränderlich und als ein Quantum der Materie. Dies Substanzielle eben hat sich seit Einsteins Massenformel geändert: die Masse m ist gleich $\frac{m_0}{\sqrt{1 - v^2/c^2}}$ (m_0 ist der »Massenfaktor«, der nicht von der Geschwindigkeit abhängt, c die Lichtgeschwindigkeit, v der Betrag der vorliegenden Geschwindigkeit). Auch der sogenannte Äther, dies alte materielle Immobile, wurde, wie oben auf Seite 322 bereits mitgeteilt, zuletzt für die allgemeine Relativitätstheorie ein bloßes Synonym des Felds. Er hat zwar so etwas wie physischen Charakter nicht ganz eingestandenerweise zurückgewonnen, Elektronen werden sogar als »Zuckungen« eines »Feldäthers« verbildlicht, indes gerade dieses Feld wird nun wieder als bloßes Begriffswesen verdächtigt, als bloßes ideales Schema der Wechselwirkung. »Das wird illustriert«, sagt Eddington (in freilich anderem Zusammenhang) »durch die Theorie der Elektrizität, in welcher wir die Wechselwirkung ersetzen durch die Wechselwirkung eines elektrischen Feldes, das einzig durch sechs Zahlenangaben charakterisiert wird. Auf dieselbe Art ist ein anderer Teil der Wechselwirkung zwischen dem Atom und der übrigen Welt idealisiert zur Wechselwirkung eines metrischen Feldes oder – um ihm seinen gewöhnlichen Namen zu geben – des Raums« (Dehnt sich das Weltall aus?, S. 156). Das Feld jedenfalls, auch wo es als real gedacht wird und dem Äther synonym geworden ist, stellt für die gesamte neue Physik ein massefreies, materiefreies Wesen dar, das nicht mit materiellem Sein zusammenfällt; allein schon deshalb nicht, weil das Feld der Wahrscheinlichkeitswellen diesen als mit Lichtgeschwindigkeit vorauseilend, nicht etwa als tragend gedacht wird. Das ist freilich die Gefahr einer selber sich nur formalistisch verstehen wollenden Energetik, wohlverstanden als einer nur sich und sonst nichts bewegenden Bewegung, womit auch noch das Energetische abstrakt gefaßt wird, was der spätbürgerlichen Ideologie zuletzt noch gut entspräche, sich vom Materialismus abzulösen. »Die energetische Physik«, sagt deshalb Lenin, »ist die Quelle neuer idealistischer Versuche, die Bewegung ohne Materie zu denken, – veranlaßt durch die Zerlegung von bis dahin unzerlegbar gehaltenen Partikeln der Materie und durch die Entdeckung von bis dahin unbekannten Formen der materiellen Bewegung« (Materialismus und Empiriokritizismus, 1927, S. 276). Die »Tätigkeit an sich« wurde transzendental-idealistisch begrüßt bei Hermann Cohen, metaphysisch-voluntaristisch bei E. v. Hartmann; einen besonders banalen Empfang gab ihr Ostwald, um die Jahrhundertwende, mit seiner »konfusen Energetik« (Lenin). »Die Elektrizität«, so resümiert Lenin diesen Nebeneffekt, »wird zum Gehilfen des Idealismus proklamiert, denn sie hat die alte Theorie von der Struktur der Materie zerstört, neue Formen der materiellen Bewegung entdeckt, die den alten so unähnlich ... und ›wundersam‹ sind, daß sich eine Möglichkeit ergibt, eine Interpretation der Natur als einer *immateriellen* (also geistigen, gedanklichen, psychischen) Bewegung einzuschmuggeln« (l. c., S. 286). Der actus purus, der bei Aristoteles und in der Scholastik nur dem lieben Gott zukam, hier ist er aufs Atom gekommen (und nicht einmal mehr auf soviel). Russell interpretiert Heisenbergs und anderer Atomphysik nicht unrichtig, wenn er sagt: »Nach dieser Auffassung besteht die Materie ... lediglich aus Gesetzen über Vorgänge im ›leeren‹ Raum«; und er stimmt ihr zu, indem er zusammenfaßt: »Elektronen und Protonen sind ... nicht der Stoff der physischen Welt; sie sind verwickelte logische Strukturen, die aus Ereignissen ... zusammengesetzt sind« (Russell, Philosophie der Materie, 1929, S. 406). Undurchdringlichkeit und Unzerstörbarkeit haben nur noch formale Geltung, ja sie sind eine Tautologie ex definitione: »Materie an einem Ort ist die Gesamtheit der an diesem Ort befindlichen Ereignisse; folglich kann sich dort kein anderes Ereignis oder Stück Materie befinden ... Man könnte mit dem selben Recht behaupten, daß London undurchdringlich ist, weil niemand außer seinen Einwohnern in dieser Stadt leben kann.« Hat ein anderer Engländer gesagt, Schmutz sei Materie an Stellen, wo sie nicht hingehört, so ist nach Russell Materie, wie ersichtlich, eine Art logisch-energetischer Schaum an Stellen, wo er durchaus hinge-

348

hört. Materie selbst aber geht völlig in Formeln auf, sie wird eine bloße mathematische Invariante. Eddington drückt derart die Unzerstörbarkeit nicht nur mathematisch aus, sondern er identifiziert sie mit einer mathematischen Größe, mit einem bestimmten Tensor, das heißt einem Begriff aus der Vektoranalysis, durch den Spannungen in einem festen Körper durch 9 Zahlenangaben festgelegt sind. Er identifiziert sie mit einer Größe, die die Eigenschaft hat, erhalten zu bleiben, das heißt, wenn der Tensorbetrag innerhalb eines begrenzten Gebiets sich ändert, so muß ein Zu- oder Abfluß über die Grenzen des Gebiets stattgefunden haben. Eddingtons Materie hat derart nur dieses mit ihr »identische« Gesicht: $G_\mu^{\ \nu} - \frac{1}{2} g_\mu^{\ \nu} G$; – ein letzter »Sachinhalt des Materialismus«, wie Russell sagt (l. c., S. 140). Welch ein Hiatus zwischen dieser Identifikationsformel der Materie und etwa der Aristotelischen Inhaltsbestimmung: Materie sei, als Mutterschoß aller Gestalten, das δυνάμει ὄν, das objektivreale In-Möglichkeit-Sein und sein Substrat. Kein Wort selbstverständlich über Eddingtons Definition, sofern sie eine Zahlbestimmung, auch eine innere Angelegenheit mathematischer Naturwissenschaft darstellt. Doch eben, sie will die Natur für uns erschöpfen; Eddington nennt diesen Materie-Zahlbegriff, verständlicherweise, ein rechnerisches »Symbol«, indes die Welt besteht dem Neu-Berkeleyaner aus lauter solchem »Gedankenstoff«. Und: spiritualistische Deutungen dieser immateriellen Materie bleiben nicht aus, womit man bei der letzten Phase angelangt wäre, dem Etwas auszuweichen: beim *Spiritualismus des Feldes*. Die aus Massenpunkten aufgebaute Welt der klassischen Physik, diese große Maschine ist damit ganz abgebrochen, an ihrer Stelle erscheint das formale Verhalten eines formalen und sonst unbekannten, wo nicht inexistenten Inhalts; das »wahrhaft Existierende« ist bei Heisenberg, Eddington, fast auch bei Schrödinger, das »zugrunde liegende Mathematische«. Selbst wo reale Außenwelt gesetzt wird, wie bei Planck, ist das Existierende doch eben das Meßbare; der extra-symbolic der Setzung des Inhalts schließt sich auch hier keine extra-symbolic seiner Bestimmung an. Es überrascht nicht, bei minderen Geistern, gar bei Spiritualisten aus theologisch-philosophischer

Tradition noch viel erstaunlichere Umwege ums Etwas zu finden. Dazu dient, bei A. Wenzl etwa, sowohl die Quanten- wie die Relativitätstheorie, erstere wegen ihrer sonderbaren Wellenlehre, letztere wegen ihres Raum-Zeit-Kontinuums. Beide Male aber wird Metaphysierung dazu benutzt, um gerade dialektisch-materialistischen Konsequenzen auszuweichen: »Die sogenannte Doppelnatur«, sagt Wenzl, »besteht ... nicht darin, daß Licht und Materieteilchen gleichzeitig Korpuskeln und Wellen sind, das widerspräche dem Satz vom Widerspruch, der auch für den Physiker letzte Instanz ist (!)«. Statt dessen erneuert Wenzl für diesen Tatbestand, in freilich unbrauchbarer Weise, das alte scholastische Begriffspaar potentia – actus und zwar im Sinne eines Nacheinander: das Wellenfeld ist ein »Potenzfeld«, das Korpuskel ist seine »Aktualisierung« oder »energetische Inkarnation«. Bedeutend spiritualistischer geht es bei der Deutung des relativitätstheoretischen Kontinuums und des Gravitationsfeldes her: hier wird ein Mathematicum gar »physiognomisch« gedeutet. »Mit dieser materiellen Welt kann man nicht mehr die Vorstellung von etwas Totem verbinden, sie ist ... viel eher eine Welt von Elementargeistern, die in ihren Beziehungen und Ganzheitsbildungen an gewisse Regeln des Geisterreiches gebunden sind, die mathematisch faßbar sind, oder, anders gewendet, eine Welt von niedrigen Geistern, deren wechselseitige Beziehungen sich in mathematischer Form ausdrücken lassen« (Wenzl, Metaphysik der Physik von heute, S. 24 ff.). Überhaupt also kann sich denn die gesamte neuere Physik mit ihrem immer arrivierteren ἀριθμητίζειν τοῦ ἀριθμητίζειν trotz Suchens nach einer umfassenden Weltformel vor veritablem Akosmismus nicht schützen, bestenfalls mit einem Weltgeist, der nur mit sich selber rechnet. Trotzdem aber, zum Schluß, war das *materiell Reale*, das dynamisch »zerstrahlt«, das Körperbewegungen durchs Feld überträgt, doch nicht ganz auszuschalten. Derart greift Weyl, ungeachtet seiner reinen Feldtheorie, zuletzt zu einer »Agenstheorie der Materie«; denn aus der Quantentheorie gewinnt er »immer mehr den Eindruck, daß es aussichtslos ist, die da sich enthüllenden, weitgehend von der ganzen Zahl beherrschten Tatsachen von der reinen Feldtheorie aus zu verstehen. Und die Erfahrung spricht mit großer Deutlichkeit für eine andere Form der Kausalität, als sie in den Rahmen der Feldtheorie paßt, nämlich dafür, daß das Feld sich selbst überlassen in einem homogenen Ruhezustand verharrt und nur durch ein Anderes, die Materie, den ›Geist der Unruh‹, erregt wird«. So erkennt Weyl an: »den tatsächlichen Betrieb der physikalischen Forschung beherrscht nach wie vor der *Dualismus zwischen Materie und Feld*. Ihre Verbindung ist dynamisch: die Materie *erregt* das Feld, das Feld *wirkt* auf die Materie« (l. c., S. 132). Die Materie ist hier also »das felderregende Agens; das Feld, weit davon entfernt, bloße aktive Umgebung ohne materiellen Kern zu sein, ist »ein extensives Medium, das vermöge seiner in den Feldgesetzen zum Ausdruck kommenden Struktur die Wirkung von Körper zu Körper überträgt« (l. c., S. 133). Die »Energieknoten« (Elektronen) in diesem Feld bleiben dauernd erhalten, das Feld ist und bleibt »körnig«. Weyl genügt es derart nicht, das Elektron zu einem bloßen »ideellen, aus dem Feldverlauf konstruierten Energiemittelpunkt« zu machen; vielmehr: das Partikel bleibt, das materielle Etwas und sein Feld sind zugleich wirklich, Dialektik besteht zwischen dem unscharfen »Körnchen« und dem Feldäther. »Es ist«, sagt derart Weyl an anderer Stelle, »es ist die Aufgabe der Feldtheorie zu erklären, warum das Feld eine derart körnige Struktur besitzt, und jene Energieknoten sich im Hin- und Herströmen von Energie und Impuls dauernd erhalten (wenn auch natürlich nicht unveränderlich, so doch mit einem außerordentlich hohen Grad von Genauigkeit), darin besteht das *Problem der Materie*« (Weyl, Raum, Zeit, Materie, 1918, S. 162). Gewiß, der »materielle Punkt« ist verschwunden, »die bisherige zentrale Bedeutung dieses Begriffs muß grundsätzlich geopfert werden« (Planck); das an seiner Stelle physikalisch Existierende sind Wirkungsquanten. Aber damit ist Materie nicht verschwunden, nur eine neue Bewegungsform der Materie ist entdeckt, eine andere als die mechanistische früherer Etappen. Eine Bewegung als Prozeß, bis zum Elementarteilchen herab, bis zum »Wellikel« und seinem beständig fließenden Wechselbezug zwischen Korpuskel- und Feldmaterie. Energetik nicht als Auflösung der Materie, sondern als ein neues Panta rhei, als ihre sich immer wieder umgestaltende Daseinsweise auch außerhalb der menschlichen Geschichte, auch in den bisher so unveränderlich erschienenen Atomelementen der Natur.

Fazit 3: Relativismus und dialektische Materie

Man versteht die Umwege, die der bürgerliche Forscher hier nehmen muß. Sie entstehen aus dem Unwillen, dialektisch zu denken, wie aus der dadurch so bequemen Unwissenheit. Allzu lang auch waren die philosophischen und physikalischen Begriffsbildungen voneinander getrennt. Gar positivistisch erschien Widerspruch ja keineswegs als Zeichen des Wahren, ganz im Gegenteil. Trotz der mannigfachen Übergänge, welche *relativistische* Begriffe, welche vor allem die in der Sache selbst erscheinenden »Widersprüche« nahelegen. Dabei wäre mindestens der Relativismus geeignet, in das starre Denken eine Bresche zu schlagen; trotz seiner agnostischen, seiner erzidealistischen Form. Gewiß, in dieser hat er das Machsche bloße Annahme-Wesen sogar bestärkt, er gab der Mathematisierung einen flachen Hintergrund. Doch das ist nur die eine Funktion dieser Art Erkenntnistheorie, ihre andere ist, wie Lenin richtig ausführt, der Tribut des Lasters an die Tugend, der Relativität an die Dialektik. Wie es »bei Kenntnis der Dialektik« mit dem Relativismus sich verhalte, darüber äußert sich Lenin folgendermaßen: »Die materialistische Dialektik von Marx und Engels schließt unbedingt den Relativismus ein, ... im Sinne der geschichtlichen Bedingtheit der Grenzen der Annäherung unserer Kenntnisse an die Wahrheit« (Materialismus und Empiriokritizismus, 1927, S. 125). Das Gleiche aber gilt auch im Sinn der allemal flüssigen Sach-Wahrheit selber: es gibt nicht nur Relativität der geschichtlichen Erkenntnis, sondern ebenso Erkenntnis der naturdialektischen Relativität. Soll dieser Fortgang vom Relativismus zum Verständnis der Dialektik geschehen, dann muß freilich das subjektiv-idealistische Wesen (diese falsche Bescheidenheit der Theorie) verlassen werden und nicht minder die Annahme eines Fixum, eines Absolutum der physikalischen Wahrheit. Letztere Annahme scheint in der neuen Physik, als einer *dynamischen,* ohnehin eliminiert; sodaß hier wenigstens dem Übergang zur Dialektik nichts im Wege stehen dürfte. Aber die Physik vollzieht ihn nicht oder nur äußerst fragwürdig oder äußerst verklausuliert; trotz der doppelt günstigen Prämissen, des Relativismus hier, der Dynamik-Energetik dort. Zum Teil möglich ist hier freilich auch, wie angegeben, daß die Schwierigkeiten im *derzeitigen Objekt selber* liegen, sowohl indem die subatomaren Agentien sich noch hart an der Grenze zu einem Fast-Nichts befinden, wie indem sie noch kein sich dialektisch so herausmachendes Objekt bilden wie Vorgänge in der organischen Welt, von der historischen ganz zu schweigen. Auch diese Schwierigkeit muß beachtet werden, rebus sic fluentibus; sie unterstützt die Lust bürgerlicher Idealisten, der materialistischen Dialektik auszuweichen. Sie unterstützt den leider immer noch vorhandenen Trieb der bürgerlichen Physik nach geschlossener »Einheitlichkeit« und »Vollkommenheit«, nach »Harmonie« im Sinn Keplers und sprungloser Kalkulierbarkeit im Sinn von Laplace. Bezeichnend, meint zwar Weyl, sei für die neuere Physik das überschwengliche Lob der Veränderlichkeit, das Galilei wider die kristallene Vollkommenheit der antiken Kugelwelt angestrebt habe. Aber stärker als die Beweglichkeit der bürgerlichen Gesellschaft wirkt deren immer noch halbstatisches Kalkulationsinteresse, auch in der Physik, das heißt das Interesse an einem geschlossenen System, das keine Widersprüche aufweist und aus möglichst wenigen einfachen, untereinander verbundenen Prinzipien sich entwickelt. Dagegen kommen die unstetigen Vorgänge der Quantentheorie, die Funktionalisierungen der Relativitätstheorie nicht so leicht auf, sie runden vielmehr aufs neue, die Physik gibt das »Ideal« nicht auf, Kontinuität zu werden. Ihr Geschehen wird Nicht-Geschichte, die Zeit ist völlig mathematisiert, wird lediglich eine Komponente im Raum-Zeit-Kontinuum, die »Richtung« verliert völlig den Sinn von »Tendenz« und abstrahiert sich zu einer Dimension des Kontinuums. So überrascht nicht, daß auch die Erfahrung, welche an Hand der modernen Physik uns zugeführt wird, der Dialektik noch kein einwandfreies Material liefert. Zwar ist wahr, genug und übergenug Vorgänge um uns drängen sich unglatt auf. Aber nicht nur desto freudiger, sondern – aus angegebenen Gründen – desto vorsichtiger müssen sie dialektisch erfaßt und erläutert werden. Widersprüche zwischen Begriffen, zwischen bloßen physikalischen Hilfsbegriffen sind noch nicht, ohne weiteres, Widersprüche in der Sache. Lehrreich ist hier, an die nur reflexiven Unstimmigkeiten zu erinnern, wozu der alte Ätherbegriff Anlaß gegeben hatte. Es waren Unstimmigkeiten (Widersprüche) nicht im Äther selber, sondern zwischen dem Ätherbegriff, wie ihn die Physiker, und dem völlig konträren, wie die Astronomen ihn brauchten. Wie oben (im Abschnitt: Sieg der Elektrodynamik, S. 317 ff.) festgestellt wurde, mußte der physikalische Äther so dicht sein wie Stahl (um Wellen von Lichtgeschwindigkeit fortpflanzen zu können); der astronomische Ätherbegriff dagegen verlangte das feinste Medium (sonst könnten die Himmelskörper nicht ohne Reibung rotieren). Niemand hat verlangt, daß zwischen solchen Widersprüchen jeweiliger Zurechtlegung irgendein dialektisches Vermittlungsverhältnis statthaben soll. Viel weniger methodische, viel sachlicher anmutende Widersprüche sind uns nachher im Verhältnis Welle–Photon, Welle–Elektronpartikel begegnet; Eddington schlichtete vergebens mit dem bloßen Wortverband »Wellikel«. Zweifellos bezeichnet dieses Wort eine sachliche Verlegenheit (die in der sprachlichen sich spiegelt): aber überbringt der Kentauros Wellikel bereits Kunde von *objektiver* Dialektik, unzweideutige Kunde? Kaum; denn sein Erzeuger ist ein Idealist, und der physikalische Idealismus erlaubt seit Mach, Duhem, Poincaré nicht nur ein, sondern zwei, ja gegebenenfalls noch mehr »Modelle« zur Erklärung eines Tatbestands. Zur Erklärung verschiedener Seiten desselben Tatbestands, selbst auf die Gefahr hin, daß die Modelle sich widersprechen. Daher eben ist – trotz aller Übergänge – Vorsicht am Platz, wo immer Ergebnisse der derzeitigen Physik zur dialektischen Verwertung herangezogen werden. Ein Übergang besteht zweifellos, denn aus der Dialektik fällt nichts im Prozeß qua Prozeß heraus, also auch nicht der der Natur. Doch Hauptvorsicht eben, bei dialektischem Gebrauch, steht gar angesichts des modernen physikalischen Zeitbegriffs ins Haus, als eines ganz prozeßfremd gewordenen. Denn wie ist Dialektik überhaupt möglich, wenn – statt der historischen Zeit, statt des eigenständigen, mit dem Zugleich-Raum unverwechselbaren »Felds« des historischen Geschehens – Zeit nur als eine Komponente des Raum-Zeit-Kontinuums gesetzt wird? Worin Vergehen in Vergangenheit, vorab Heraufkommen von Zukunft überhaupt nicht den historischen Variationstopos für Dialektik zur Verfügung haben. Echte, materialistische Dialektik wird nicht in adjecto oder gar mit vorgeschriebenem lip-service aufgetragen, sondern ist wesenhaft Bewegungsform der Sache selbst, der allemal prozessierenden Materie. Nur unter dieser Reserve also kann aus der bis jetzt verwalteten Relativität und Dynamik Naturdialektik weiter ausgeführt werden. Ist diese Reserve bewußt, dann freilich liefert die physikalische Forschung – cum grano salis – dialektisches Beobachtungsmaterial, von dem Hegelianer kaum zu träumen wagten. Es ist ein ganz anderes Material, als es Engels in seiner Naturdialektik zur Verfügung stand; ein durchaus nicht mehr mechanisches. Natura facit saltus – die Quantentheorie sagt es jetzt selbst; das ist Physik des immerhin fortgeschrittensten Bewußtseins. Hört man Weyls philosophierende Beleuchtungen des derzeitigen Theorien-Bestandes, so steht Dialektik tatsächlich vor der Tür. Das heißt: in den – gegebenenfalls ephemeren – Hilfsbegriffen gegenwärtiger Physik und ihren »Widersprüchen« meldet sich ein Widerspruch ohne Anführungszeichen, einer in der Sache. Er steht vor der Tür und ist infolgedessen noch undeutlich, doch er steht im Haus oder vor ihm, und das Tohuwabohu der Hilfsbegriffe kann nicht umhin, auf den zwiespältigen Gast sich vorzubereiten und dialektisch sich zu sammeln. Weyl – nicht eigentlich ein Positivist, sondern er steht mehr Husserl nahe, der Begriffs-Phänomenologie (mit ausgelassener Existenz) – Weyl zeichnet in die »formale Verfassung« seiner Gegenstände immerhin einen Abglanz von Prozessen ein. Sogar in die »reine Feldtheorie«: da sind die Atome und Elektronen »keine letzten unveränderlichen Elemente, an welchen die Naturkräfte nur von außen anpacken, sie hin- und herschiebend; sondern sie selbst sind ... in ihren feinsten Teilen feinen fließenden Veränderungen unterworfen« (Weyl, Raum, Zeit, Materie, S. 162). Die strenge Grenze zwischen der diffusen Feldenergie und derjenigen der Elektronen und Atome ist aufgehoben; es besteht Wechselwirkung zwischen Elektron und

Feld. Ebenso ist das Alternieren zwischen Welle und Partikel (falls diese beiden Begriffe bleiben sollten) dialektisch durchaus kein Rätsel, wie im starren Denken der bürgerlichen Physik, sondern ein Teil der Lösung. Welle und Partikel erscheinen dann nicht als starre Gegensätze, sondern als Wechselmomente, die einander bedingen, ineinander umschlagen. Oder wie Rudas das formuliert: »Die Grenzen des Elektrons ›zerfließen‹, weil es ein Prozeß ist, der mit anderen verwickelten Prozessen in enger Wechselwirkung steht. An Stelle der mechanischen Erklärung treten dialektisch-dynamische Gesetze vom Umschlagen einer Art Bewegung in andere Arten der Bewegung« (Unter dem Banner des Marxismus, 1929, S. 541). Die Partikel sind bei Schrödinger eine Wellengruppe, ein Wellenpaket, und eben dasselbe sind die größeren Körper der klassischen Mechanik, diese halten ihre Wellengruppe wegen der größeren Masse bei der Fortbewegung nur besser zusammen; vielleicht sogar schlägt diese größere Quantität zu einer neuen Qualität um, eben zu der des mesokosmischen Körpers. Sodaß also Wirkungsquantum und Ungenauigkeitsrelation makrophysisch nicht nur wegen ihrer Kleinheit vernachlässigt werden können, sondern real verschwinden; das Wirkungsquantum $h = 6{,}625 \cdot 10^{-27}\ erg\ s$ wird dann nicht nur im Großen, Ganzen, sondern haargenau zu h = o. Die Dialektik hört damit aber nicht auf, sie geht nur zur spezifischen Dialektik auch der klassischen Mechanik über; wie sie bei Hegel und – materialistisch – in Engels' Arbeit »Dialektik der Natur« versucht worden ist. Bis die Materie zu immer entwickelteren Bewegungsformen aufsteigt, zu organischen, ökonomisch-historischen, mit immer qualifizierteren »starting points« einsetzend (Atom, Zelle, homo oeconomicus, homo liber bis hin zum Marx-Chiasmus: Naturalisierung des Menschen – Humanisierung der Natur), und ihre Dialektik eine des Grunds wird, der sich herausmacht, zum Menschen wird.

Fazit 4: Materie der Physik und philosophische

Zweifellos unterbricht das neueste Denken des Stoffs alles bisherige. Es ist von anderer Art, auch deshalb weil die Physiker in keiner philosophischen Überlieferung mehr stehen. Simmel sagte einmal, er verhalte sich zu den neuen physikalischen Ereignissen wie zu Dienstboten, sie seien ihm gleichgültig, aber sie regten ihn auf. Eben diese Reaktion drückt hier, auch bei weggelassenem Vergleich mit Dienstboten, eine gewisse verlegene Verhältnislosigkeit vieler moderner Philosophiebeflissener zu dem aus, was man physikalischen Umsturz nennt. Das hat unter Umständen sogar seinen vertretbaren Grund, sofern man gegen den Formalismus ins Feld führen kann, Begriffe ohne Anschauung seien leer. Sagt doch auch Hermann Weyl von den physikalischen Gesetzen, sc. als den überwiegend formalisierten: »Über das Wesenhafte dieser Wirklichkeit machen sie nichts aus, der Grund der Wirklichkeit wird in ihnen nicht erfaßt« (Raum, Zeit, Materie, S. 227). Der Formalismus einerseits, die riesige Arbeitsteilung der Wissenschaften mit Verlust interdisziplinären Bewußtseins andererseits haben den »Grund der Wirklichkeit« zu einem Schattenbereich werden lassen, worin selbst ein hier und dort physikalisch ausgedrückter Inhalt den philosophisch befragten kaum mehr erkennt. Zwischen der Materie als Energie-Impuls-Tensor und der Materie des mechanischen Materialismus, gar Kants, gar Hegels besteht keine diplomatische Beziehung. Diese Beziehung kann aber interdisziplinär nicht reich genug sein, ja die Frage könnte aufgeworfen werden, ob den verschiedenen Naturwissenschaften (besser: Naturkategorien und Natursphären) der einzelnen Gesellschaften nicht jenseits der Ideologie doch auch ein objektives Korrelat entspräche. Ein Korrelat in verschiedenen »Sektoren« der Gesamtnatur, zuweilen sogar der animistischen Gesellschaft zugänglich, dann der orientalisch-magischen, der antikstatuarischen, der feudal hierarchischen und ihrer »Natur«. Zuletzt erschien die kapitalistisch-mechanische Natur und allerletzt eben die Welt als Relativismus und Labilität als möglicher Objektzustand. Wie immer es sich mit diesem schwierigen Problem verhalte: der »Sektor«, worauf die neueste Physik sich beziehen mag, diese »neueste Schwankungswelt und ihre Krypto-Dialektik«, hat noch keine Gesellschaft hinter sich, außer der zusammenbrechenden alten. Es fehlt ihm auch deshalb der Zusammenhang mit der philosophischen Tradition des *künftigen,* dialektischen Naturbegriffs; es fehlt ihm erst recht die Möglichkeit der *Totalität* eines wahrhaft *konkreten* Naturbegriffs. Obwohl das alles im künftigen »Sektor« Platz haben mag, weil Dialektik der Natur keinen bloßen Sektor mehr bezeichnet und die Materie dieser Dialektik keine mechanische bleibt. Das Elektron als »Zuckung« eines Ätherfelds, die unaufhörliche »Systole und Diastole« eines Feldfluidums – alle diese Bilder umschreiben vielleicht ein Verhalten der physischen Materie, das noch nicht in konkreten Gesichtskreis getreten ist. Hier ist noch nicht die Materie, welche dem gegebenenfalls Positiven ihrer bisherigen philosophischen Umkreisungen gerecht wird. Am wenigsten wird sie der bedeutungsvollsten dieser Umkreisungen gerecht: dem bis heute noch nicht abgegoltenen Begriff der »objektiven Möglichkeit«. Die nur physikalisch separierte Materie ist eine berechnete, eine rein außermenschliche, eine vom unteren und oberen Saum der Wirklichkeit, eine am Saum gehaltene. Es fehlt die aktive Gegenerleuchtung durch die andere, die weitaus konkretere Materie des historischen Materialismus; es fehlt das blühende Stück unseres Mesokosmos (der bezeichnenderweise nur als grober Durchschnittsfall der »klassischen Mechanik« erscheint). Es fehlt in der »anfangenden Materie« selber, als dem Atom, der Begriff einer Keimlage zu den Weiterungen unserer Welt; es fehlt in den riesigen Umschließungen der astronomischen Komplexe das Problem des Aufhörens unserer Welt in der makrokosmischen, das Problem des möglichen Ding-für-uns auch »am Himmel«. An dem ehemals, mythologisch, so stark belasteten; er ist aber, durch die entdeckte »Leere« oder »Unmenschlichkeit«, nicht weniger unheimlich geworden. Selbst noch und gerade eine dialektisch geklärte Materie der Physik wird nicht umhin können, sich mikrokosmisch mit den Tendenzbezügen, makrokosmisch mit den Latenzbezügen der *historischen Materie* zu vermitteln. Dann, wenn »Natur« nicht mehr nur als technisch auszubeutende Umwelt in der Geschichte erscheint, sondern – objektiv – als atomares Alpha wie noch ausstehendes, sozusagen apokalyptisches Omega unserer allemal materiellen Geschichte.

> Der Unsinn, welchen Hegel in seiner Naturphi-
> losophie auftischt, ist so haarsträubend, daß er
> einen Schrei allgemeiner Empörung unter den
> Naturforschern hervorgerufen haben würde,
> wenn sich überhaupt noch irgendeiner derselben
> um die Verrücktheiten dieser philosophischen
> Karikaturen bekümmert hätte.   *Schleiden, 1863*

Hier nimmt ein Kopf die Dinge nicht so, wie sie ihm unparteilich vorkommen. Engels verlangt Bruch mit dem ruhigen gesunden Menschenverstand des Bürgertums und seinen Weiterungen. Hegel war darin sein Lehrer, so fordert er statt des
festen, unflüssigen Denkens ein dialektisches, wie in der Geschichte so in der Natur. Engels betont überraschend stark die
Bedeutung einer philosophischen »Vernunft«, die sich von den
arbeitsteiligen und betriebshaften Daten des empirischen »Verstands« nicht abhandeln läßt. Dieser echte Materialist nimmt
das analytisch-induktive Denken auf, aber zeigt geradezu Verachtung für bürgerliche Empirie, wo sie sich philosophisch, gar
anti-philosophisch macht. Die Materialien von Engels' »Dialektik der Natur« sind teilweise veraltet, waren auch damals nicht
ganz auf der Höhe des naturwissenschaftlichen Standes, trotzdem ist sein umfassender, gleichsam interdisziplinärer Gesichtspunkt höchst modern und fruchtbar. Engels hält in neuer und
konkreter Weise den Anspruch der Hegelschen »Vernunft« gegen den common sense der gemeinen, abstrakten, verdinglichten Welt, zustimmend zitiert er aus Hegels' Enzyklopädie: »Bei
der Erfahrung kommt es darauf an, mit welchem Sinn man an
die Wirklichkeit geht. Ein großer Sinn macht große Erfahrungen und erblickt in dem bunten Spiel der Erscheinungen das,
worauf es ankommt.« Das bloße fixierte Beharren bei Tatsachen dagegen und ihren bloß kausalhaft, also äußerlich erfaß-
ten Gesetzen erscheint Engels als Zeichen des kleinen Sinnes,
des »wissenschaftlichen Kleinhandels und Hausgebrauchs«;
empirisch-kausale Erkenntnis und dialektisch-konkrete »verhalten sich wie niedere und höhere Mathematik«. Ja, Engels'

philosophischen Sinn will so tüchtig unterwegs sein, daß er selbst bei den verrufensten »Naturphantasten«, so bei Oken und seiner entwicklungsgeschichtlichen Vision, einen rationellen Kern findet, der noch nicht ausgeblüht hat. Er dreht sogar, was Phantasterei angeht, den Spieß um und bemerkt, mit Blick auf die Moleschotts, Vogts, Du Bois-Reymonds seiner Zeit, man werde sich schwerlich irren, wenn man die äußersten Grade von Phantasterei, Leichtgläubigkeit und Aberglauben nicht etwa bei derjenigen naturwissenschaftlichen Richtung suche, die, wie die deutsche Naturphilosophie, die objektive Welt in den Rahmen ihres subjektiven Denkens einzuzwingen suchte, sondern vielmehr bei der entgegengesetzten Richtung, die, auf die bloße Erfahrung pochend, das Denken mit souveräner Verachtung behandele und es wirklich in der Gedankenlosigkeit auch am weitesten gebracht habe. Das Beharren auf starrer Empirie nennt Engels, mit nun völlig umgedrehtem Spieß, gar noch »metaphysisch«. Freilich ist der Sinn, der hier dem »Metaphysischen« unterlegt wird, höchst überraschend und ganz ungewohnt; während Engels das Wort »mystisch« gern allzu populär gebraucht, nämlich als vernebelten Blödsinn schlechthin, tauft er das Wort »Metaphysik« reichlich paradox um. Metaphysisch ist ihm nicht so sehr »Okkultes, Theosophisches und Verwandtes« als vielmehr jedes Verdinglichte, Statische, auch schon die hard and fast line der niedrigen Mathematik zum Unterschied von den variablen Größen der höheren, kurz: Metaphysik soll hier der Gegensatz zur Dialektik sein. Das allerdings hat insofern einen leichten Vorangang bei Hegel selber, als dieser das statische Denken wenigstens mit der »vormaligen« Metaphysik, der des siebzehnten und achtzehnten Jahrhunderts, gleichsetzte (Enzyklopädie § 27). Für Hegel jedoch ist dies bloße, hart abtrennende »Verstandesdenken«, zum Unterschied vom dialektisch schwingenden der »Vernunft«, trotz seines populär überall gängigen Vorkommens, selbstredend nicht die Metaphysik schlechthin und diese als Wort und Begriff gerade auch durch Dialektik nicht abgetan. Sonst würde die Vorrede zu Hegels Logik nicht »das sonderbare Schauspiel« beklagen, »ein gebildetes Volk ohne Metaphysik zu sehen«. Folglich will der Dialektiker gerade sie in seiner »logischen

Wissenschaft« betreiben, »welche die eigentliche Metaphysik oder rein spekulative Philosophie ausmacht.« Doch dem sei, wie ihm sein wolle: bei Engels jedenfalls wird, infolge der völligen terminologischen Umtaufe, nun der empiristische Lamettrie ein Metaphysiker, der theosophische Böhme, der spekulative Hegel dagegen sind keine. Bei aller Umstülpung plus Verengerung eines überlieferten Begriffs hat diese Retourkutsche doch zweifellos ihr Gutes. Betont werden so bei Engels gerade wahrhaft große, wirkliche Metaphysiker, indem sie als solche gerade wirkliche Dialektiker waren, gegenüber dem verdinglichten, empiristischen, gar positivistischen »Verstandesdenken«. Genau dieses steht nun als abstrakt und so die wirkliche Erfahrung vergewaltigend da, während das dialektische Denken mit ihr geht, das heißt mit der Selbstbewegung ihres Inhalts. So mitschwingend will der Versuch bei Engels anheben, geht weit zu alten Denkern hinter die Verdinglichung zurück. Die Ludwig Büchner, Moleschott, Vogt seiner Zeit nennt er von daher »Karrikaturen«, »ein Losplatzen der platt materialistischen Popularisation, deren Materialismus den Mangel an Wissenschaft ersetzen sollte« (MEW 20, S. 472). Das und noch Stärkeres ist die Polemik des dialektischen Materialisten gegen die veralteten und verplatteten Affen des längst abgelaufenen, bloß mechanischen Materialismus, auf den sie immer wieder mit ihren Füßen fallen, wenn sie ihn auf die Füße stellen wollen. Ihre Plattheit diskreditiert dadurch das wirkliche Anliegen des Materialismus, nämlich »die Erklärung der Welt durch sich selbst«, aber als »historisch reich bewegter«, zu immer »qualifizierteren Organisationsformen« aufsteigender. Dergleichen ist – wiederum nach einem Hegelschen Ausdruck, jetzt mit neuer Anwendung – nur in einer Nacht, wo alle Katzen grau sind, auf rein mechanisch-physische Stofflichkeit nivellierbar und auch dazu verarmt. Ja, Engels geht – unbeschadet der durchgängigen Materialität der Welt – noch weiter, gerade gegen eine scheinbar materialistische, in Wahrheit begriffsrealistische Gleichmacherei geht er weiter. Denn es gibt bei Engels, wie schon oben (vgl. Kap. 18) gesagt, »Materie überhaupt« überhaupt nicht, es gibt diese so wenig wie es, statt Birnen, Pflaumen, Äpfel und so fort, »Obst überhaupt« gibt oder statt Quecksilber, Eisen, Gold und so fort »Metall überhaupt«. Sie ist vielmehr eben allemal, mit immer frisch einsetzenden »starting points«, »materiellen Bewegungsarten« (die bisher letzte ist der arbeitende Mensch), eine kontinuierliche Diskontinuität, eine dialektisch diskontinuierliche Kontinuität qualitativ verschiedener Materien, aufsteigend von mechanischen, chemischen, organischen zu ökonomisch-historischen. Das also ist der philosophische Tenor in Engels' auch mechanischem, doch nicht mechanisch bleibendem Naturbegriff, in seiner auch quantitativen, doch zu Qualitäten umschlagenden Naturdialektik. Kaum überraschend übrigens, auch von hier aus, daß der alte Engels mit dieser seiner Schrift lange ungedruckter Nachlaß blieb und erst in den zwanziger Jahren herausgegeben wurde (mit einem übrigens von Einstein verfaßten Vorwort). Nicht anders verspätet freilich als der junge Marx mit seinen anders unschematischen »Ökonomisch-philosophischen Manuskripten«; am »Ungereiften« beim frühen Marx, am »Rückfälligen« beim späten Engels liegt es also kaum, eher am »gedankenlosen Volgus à la Vogt«, wie Engels sagt, wenn Jugendschriften wie Alterswerke der marxistischen Klassiker so lange Zeit apokryph blieben, unnützlich zu lesen. Item, Engels' Naturdialektik hat die Bedeutung eines übermechanistischen Feldzugs um des Materialismus willen, eines Feldzugs gegen die bis heute nicht unbeliebte Gleichung: reelles Seifenwasser = Materie, ideelle Seifenblase = Bewußtsein. Waren damals selbst für Virchow Leben und Mechanik völlig eins, so für Engels nicht; wie groß war gar der Mut, Hegel in einer Zeit wichtig zu nehmen, die ihn nur noch als toten Hund behandelte, kein einziges seiner Probleme und Theoreme mehr begriff. Der Engelssche Versuch hat aber auch noch die Mechanik durch den seit Aristoteles größten Theoretiker der Entwicklung gelesen und den Demokrit erst recht.

Dieser Art wurde hier auch das einzelne des Plans entwickelt, vielmehr angedeutet. Sobald sich das Denken überhaupt auf Bewegtes richtet, trifft es Widersprüche leibhaft an. Der platte, fixe Begriff hat sie nicht, weil er unwirklich ist, aber sie sind schon dort, sagt Engels, wo Gerade und Krumm im Unendlichkleinen als gleich gesetzt werden. »Das dialektische Verhältnis« ist »schon in der Differentialrechnung, wo dx unendlich klein, aber doch wirksam und alles macht« (l. c., S. 528). Wie erst, sobald man die Dinge, in ihrer konkreten Bewegung, ihrer Veränderung, ihrem Leben, ihrer wechselseitigen Einwirkung aufeinander beachtet. Der »Anti-Dühring« lehrt die einfachste mechanische Ortsveränderung schon als Widerspruch; denn sie »kann sich nur dadurch vollziehen, daß ein Körper in einem und demselben Zeitmoment an einem Ort und zugleich an einem andern Ort ist«. Machte es die Differenzialrechnung »der Naturwissenschaft erst möglich, Prozesse, nicht nur Zustände mathematisch darzustellen« (l. c., S. 534), so ist die Grundform jeder Bewegung Entzweiung, nämlich »Attraktion und Repulsion«, wie »schon Kant die Materie aufgefaßt hat« (l. c., S. 356). Dies Wechselspiel von Anziehung und Abstoßung (hier verbindet sich bei Engels nicht nur Kant, sondern die Polaritätslehre der romantischen Naturphilosophie mit Physik, übrigens auf noch problematische Weise) – die Wechselwirkung also ist bereits Durchdringung der Gegensätze in der Mechanik. Aber ebenso ist nach Engels von der Bewegung ihr durchgängiger Gegensatz unabtrennbar, nämlich das Gleichgewicht, der Einstand in relativer Ruhe. »Die Möglichkeit temporärer Gleichgewichtszustände ist wesentliche Bedingung der Differenzierung der Materie und damit des Lebens« (l. c., S. 511 f.); am ausgewogensten erscheint der Wechsel zwischen Actio und Ruhe im organischen Haushalt. Aber all diese Durchdringung von Gegensätzen wäre noch keine dialektische, wäre in ihr nicht vor allem der *qualitative Umschlag* quantitativer Verhältnisse, von einem bestimmten Maß ab, wirksam. Der entscheidende Satz lautet hier: »Bewegung ist nicht bloß Ortsveränderung, sie ist auf den übermechanischen Gebieten auch Qualitätsänderung« (l. c., S. 517). Zeigt sich doch bereits innerhalb der Mechanik solcher Umschlag, nicht nur als der von Wasser zu Eis oder Dampf, sondern – viel qualitativer – als Übergang von Reibung in Wärme, in Licht, je nach Zahl und Form der Schwingungen. Engels geht dabei, stellenweise, sogar so weit, Wärme, Licht und dergleichen noch außerhalb ihrer mechanischen Bewegungsgrundlage als »qualitativ-real« zu setzen; denn das mechanische Äquivalent der Wärme enthalte außer der quantitativen »Einheit der Naturkräfte« auch den Nachweis »qualitativer Besonderung dieser Einheit«. Hier eben spezifiziert sich die Aporie, das schwierig Wegsame, ohne Dialektik sogar Unwegsame, vom Sein zum Bewußtsein, es meldet sich im Quantum-Qualitätssprung als besondere Aporie die Antinomie Newton – Goethe (Schwingung – Farbe) mit ungeheurer Ausdehnung auf die Natur und ihre Entwicklung. Auch deshalb ist die Natur noch kein Vorbei, sondern gibt uns auf sie Blickenden und vor allem sich selber zu raten auf. In ihrem noch so unerledigten Riesenfundus von Quantitäten, mit ungeahntem, noch nicht vereiteltem Umschlag in neue vollendende Qualitäten, über deren schon vorhandene Chiffren (Naturschönheit, Naturerhabenheit) weit hinaus. Engels, mit seinem letzthin zirkulär bleibenden Ganzheitsbegriff von Natur (als immerwährendem, immer wiederholtem Kreislauf von Dunstball – Weltentstehung – wiederkehrendem Dunstball) ist solchem apokalyptisch wirkenden Letzt-Umschlag selbstverständlich fern. Doch offensichtlich ist den starting points Licht und Leben (φῶς καὶ ζωή) mit bloßer Wiederkehr der alten Mechanik noch nicht ihre evolutionäre, gar dialektische Grenze gesetzt. Völlig zweifelsfrei aber und sozusagen naturwissenschaftlich geheuer wird nach Engels die Realität von Qualitäten und die Geburt ihrer aus veränderter Quantität in der Chemie. »Man kann die Chemie bezeichnen als die Wissenschaft von den qualitativen Veränderungen der Körper infolge veränderter quantitativer Zusammensetzung« (l. c., S. 351). Die chemischen Eigenschaften der Elemente sind eine periodische Funktion der Atomgewichte, das periodische System der Elemente gewinnt den Ort der Elemente geradezu aus diesen quantitativen Bestimmungen und läßt, genau nach der Hegelschen Umschlagslehre, die spezifische Qualität der Elemente an den »Knotenpunkten des reinen Maßverhältnisses« entspringen. Wie immer es sich – in der Physik – mit »Attraktion und Repulsion« verhalten möge: in der Chemie allerdings, genauer im Mendelejewschen periodischen System schien für Engels Hegel gesiegt zu haben, sie legte ihm so, streckenweise, einen dialektischen Zugang eigens nahe. Noch wichtiger, ja als eigentlicher Anti-Mechanismus erscheint das Umschlagsprinzip in der *Biologie*: Engels zeichnet sie nachdrücklich als »übermechanisches Gebiet« aus. Der starting point ist hier die

Zelle, ein eigenes Gebilde, dessen qualitativer Sprung nicht wieder zurückführbar und quantifizierbar sei, als wäre er ungeschehen. Bewegung eben ist nicht nur mechanische Bewegung, vielmehr: »dies ist aus dem ... 18. Jahrhundert überkommen und erschwert sehr die klare Auffassung der Vorgänge ... Aus dem gleichen Mißverständnis auch die Wut, alles auf mechanische Vorgänge zu reduzieren ..., wodurch der spezifische Charakter der andren Bewegungsformen verwischt wird. Womit nicht gesagt sein soll, daß nicht jede der höheren Bewegungsformen ... mit einer wirklich mechanischen Bewegung verknüpft sein mag ... Aber die Anwesenheit dieser Nebenformen erschöpft nicht das Wesen der jedesmaligen Hauptform. Wir werden sicher das Denken einmal experimentell auf molekulare und chemische Bewegungen im Gehirn ›reduzieren‹; ist aber damit das Wesen des Denkens erschöpft?« (l. c., S. 513). Mit solch erstaunlichen Worten bringt Engels also nicht nur die aufklärerische Kategorie des Nichts-als auf ihr Maß und ihre spezifische Haltepunkte, er entreißt auch organoides, wo nicht vitalistisches Denken, das einem eigen bleibenden Problem des Lebens immerhin gerecht zu werden versucht, dem Mißbrauch der Reaktion. Das Neue des organischen Daseins läßt sich nicht wegleugnen, der lebende Stoff, die beständige Selbsterneuerung der chemischen Bestandteile im Körper, gar sein Sichbewegenkönnen, ohne von außen gestoßen zu sein (ein auch heute bleibender biochemischer Rest). Atom, Molekül, Zelle, steigend ineinander »aufgehoben«, sind ebenso in ihrem Wesen irreduzible Einheiten; obwohl noch so mechanisch, schließlich chemisch vermittelt, sind sie doch neu entspringender Art, sind verwirklichte materielle Möglichkeiten, und zwar in ihren eigenen Folgen noch unabgeschlossene. So kräftig sind die dialektischen Knotenpunkte, an denen auch die alte Gesetzmäßigkeit in eine neue umschlägt, weg von der mechanischen. Engels wird sogar noch deutlicher: »Mechanismus aufs Leben angewandt ist eine hülflose Kategorie, wir können höchstens von Chemismus sprechen, wenn wir nicht allen Verstand der Namen aufgeben wollen« (l. c., S. 479). Ja, er zitiert, ohne Kommentar, doch offenbar mit Bedeutung, folgenden seltsamen Satz aus Hegels Geschichte der Philosophie: »Es ist besser, der Magnet habe eine

Seele, als er habe die Kraft, anzuziehen; Kraft ist eine Art von Eigenschaft, die, von der Materie trennbar, als ein Prädikat vorgestellt wird – Seele hingegen, dies Bewegen seiner, mit der Natur der Materie dasselbe« (l. c., S. 541). Sehr wichtig, eine *Tendenz* der Materie, also das Fundament des *dialektischen* Materialismus betreffend, ist dazu auch folgende, nicht gerade »die Natur und ihre Seelen«, doch die Natur und ihre sozusagen innere, Leibniz bemühende Stelle: »Der Witz aber der, daß der Mechanismus (auch der Materialismus des 18. Jahrhunderts) nicht aus der abstrakten Notwendigkeit und daher auch nicht aus der Zufälligkeit herauskommt. Daß die Materie das denkende Menschenhirn aus sich entwickelt, ist ihm ein purer Zufall, obwohl, wo es geschieht, von Schritt zu Schritt notwendig bedingt. In Wahrheit aber ist es die Natur der Materie, zur Entwicklung denkender Wesen fortzuschreiten, und dies geschieht daher auch notwendig immer, wo die Bedingungen (nicht notwendig überall und immer dieselben) dazu vorhanden« (l. c., S. 479). Kurz, ist »Bewegung die Existenzweise der Materie«, ist Dialektik der Natur »die Selbstbewegung der Materie und die Spaltung des Einheitlichen«: so ist »der Menschengeist, als höchste Blüte der organischen Materie«, zugleich »die höchste Bewegungsform der Materie« – nicht als eines dicken, toten Stoffs, sondern als des *immer entwickelteren Bewegungsinhalts*. Um nun wieder von Cassie zu beginnen, wie es bei Shakespeare im Othello heißt, hier also wieder mit dem Irritierenden zu beginnen: so ist bei Engels schon die ominöse Zelle irreduzibel, ist in ihrer Sphäre »das Hegelsche Ansichsein und geht in ihrer Entwicklung genau den Hegelschen Prozeß durch, bis sich schließlich die ›Idee‹, der jedesmalige vollendete Organismus daraus entwickelt« (Brief an Marx, 14. Juli 1858). Freilich spricht Engels nicht nur vom qualitativen Sprung in der quantitativen Reihe, sondern auch vom Umschlag der Qualität in Quantität; gemäß der beständigen dialektischen *Wechselwirkung,* gemäß dem reziproken Verhältnis der Kategorien. Aber die Quantität ist im Ganzen des Prozesses jedesmal ein untergeordnetes, ein aufgehobenes Moment; entwicklungsgeschichtlich setzt sich überwiegend, geradezu weltentscheidend die dialektische *Qualifizierung* durch. Darum: »wenn ich von der

Wärme weiter nichts zu sagen weiß, als daß sie eine gewisse Ortsveränderung der Moleküle ist, so schweige ich am besten still« (l. c., S. 517). Zusammengefaßt sagt Engels: »Die Bewegung der Materie aber, das ist *nicht bloß* die grobe mechanische Bewegung,... das ist *Wärme und Licht*, elektrische und magnetische *Spannung*, chemisches *Zusammengehen* und *Auseinandergehen*, *Leben* und schließlich *Bewußtsein*« (l. c., S. 325). So lautet das naturphilosophische Testament von Engels, ein nicht allzu sehr ad notam genommenes. Indem es auch das Bewußtsein materiell nennt (nicht etwa einen grauen Dunst der Rindentätigkeit), sollte man denken, er hätte den Begriff Materie hinreichend erweitert, ohne sie jedoch zu verlassen.

Ein Anderes noch entsteht durch den Umschlag, wie es vorher so nicht da war. Davon wollte Engels gar keine Ausnahme gelten lassen, auch nicht in den untersten Spuren. Die damals als unveränderlich geltenden chemischen Elemente machten ihm zu schaffen; heute könnte er zufrieden sein. Hochbegrüßt wurde von Marx und Engels die Darwinsche natürliche Zuchtwahl, dieser bis dahin stärkste Vorstoß gegen die Unveränderlichkeit organischer Arten. Das trotz scharfsinniger Einsicht, daß Darwin allzu oft »das Tierreich als bürgerliche Gesellschaft« darstelle und gar noch Malthusschen Unsinn hineintrage. Das Panta rhei aber, durch Widersprüche, durch qualifizierende Umschlagspunkte hindurch, hat immer recht; es gibt die Welt nur als Strom der Welt. Nun aber betont Engels, trotz aller Übergänge dazwischen, auch Schichten eigener, großer Art im Strom: so eben mechanische, chemische, organische , ökonomisch-historische. Und das nicht trotz des dialektischen durchgängigen Flusses, sondern kraft seiner: der starting point eines *sehr großen, wesenhaft umqualifizierenden* Umschlags selber setzt das Andere, als *entschieden-Anderes* einer neuen Schicht. Diese also hat mit einer »Unveränderlichkeit der Arten«, auf höherer Ebene etwa, selbstredend gar nichts gemein; schon deshalb nicht, weil diese Schichten sich keineswegs unveränderlich und starr gegeneinander halten. Doch ist eine gewisse Diskontinuität hier unverkennbar, und zwar eine andere, obgleich verwandte, als die innerhalb der Schichten geschehende des dialektischen Flusses ohne neue starting points. Um das klar zu halten, ist es vielleicht besser, den Begriff der Schicht hier zu verstärken, ja zu ersetzen durch den freilich ominösen einer Sphäre. Denn Schichten im schwächeren Sinn, als die eines ebenfalls großen, jedoch das Gesamtgebiet nicht verlassenden Umschlags, gibt es auch innermechanisch, innerchemisch und so fort, auf wachsende Weise. Die menschliche Geschichte ist so besonders scharf gegliedert, nach Klassengesellschaften, mit charakteristisch verschiedenen dialektischen Gesetzen, je nach der Entwicklungshöhe der jeweiligen Produktion. Das jedoch macht nicht eine eigene Sphäre aus; die aufeinanderfolgenden Produktionsweisen und ihre Gesellschaften verlassen das »Soziale« nicht, während die Zelle das »Chemische« verläßt, unter sich bringt. Und Engels eben betont – vor allem gegen das stereotype Nivellement des alten, nur mechanischen Materialismus – starting-point-Sphären, bei allem durchgehenden dialektischen Weltzusammenhang, wegen seiner. »Wenn ich die Physik die Mechanik der Moleküle, die Chemie die Physik der Atome und dann weiterhin die Biologie die Chemie der Eiweiße nenne, so will ich damit den Übergang der einen dieser Wissenschaften, in die andre, also sowohl den Zusammenhang, die Kontinuität, wie den Unterschied, die Diskretion beider ausdrükken« (l. c., S. 516 f.). Weit hat hier der Begriff Sphäre den ihm anhaftenden bloß ideologischen Reflex gesellschaftlicher Verhältnisse hinter sich gelassen. Gewiß, dieser Begriff reflektierte von Haus aus einesteils das arbeitsteilige Sein der bürgerlichen Gesellschaft und demgemäß Zerreißung des Weltbilds in »Disziplinen«, in immer schottendichter voneinander abgeschlossene. Andererseits reflektiert er in Resten ein verhältnismäßig ruhig gegliedertes vorkapitalistisches Sein, vorzugsweise das der feudalen Gestalt des ständischen Stufenbaus; worin die Ordnung Steinreich, Pflanzenreich, Tierreich, Menschenreich noch hierarchisch wirkte und diese Reiche wie Stände übereinandergeordnet waren. Engels aber – mehr vom überwiegenden Zeitpathos der Hegelschen Phänomenologie her als vom restaurierenden Raumpathos des Hegelschen Systems – entgiftet all diese ideologischen Reflexe, nimmt das sachlichste Erbe aus ihnen. Er bewegt den Begriff Sphäre aus der Statik in den materiellen Prozeß, betont die Sphären gleichsam als Garanten einer auch

übermechanischen materiellen Dialektik. Und immer wieder ist
zu pointieren: eben deshalb, weil es noch Geschichte gibt, keinen Stillstand, auch keine Identität im Sinn eines »Verweile
doch, du bist so schön«, eben deshalb gibt es realiter auch
Sphären, als solche des prozessualen Aufgebautseins, eines
Nachhers, Nacheinanderseins. Das aber hat auch auf die systematische *Reihenfolge der Sphären* Einfluß, wohlverstanden als
eines Sachproblems, nicht als eines Einordnungsproblems; so
etwa, daß die Natursphäre selber nicht nur am Anfang steht,
sondern auch am Ende der Weltgeschichte. Daß die anorganische Natur also nicht nur ein Vorbei ist, über dem sich dann, als
einem völlig abgegoltenen, einzig die Menschenwelt und ihre
Sphären erheben, wie bei Hegel, sondern die physische Natur
uns weiter umgibt, in Sonne, Sternen uns sozusagen überwölbt
und durchaus Neues enthalten kann, in ihrem Riesenfundus
noch nicht umgeschlagener Quantitäten, in ihrer das All ausma-
chenden Menge anorganischer Materie, die einen möglichen
Qualitätstag noch nicht gehabt hat. Engels hat am Schluß seiner Naturdialektik, auf ihrer letzten Seite (die freilich in der
Natur am wenigsten geschrieben ist) zwei buchstäblich welthi-
storische Perspektiven, obzwar auf merkwürdige Art, zusam-
mengepackt. Er wird selber mechanistisch, überraschenderwei-
se, in der einen Perspektive, worin nichts erscheint als der be-
kannte »ewige Kreislauf, in dem die Materie sich bewegt«, mit
Dunstball, und immer wieder, ad infinitum, dahin zurück. Mitten in der Versicherung, »daß die Materie in all ihren Wand-
lungen ewig dieselbe bleibt«, erscheint aber eine andere, ebensowenig ausgemachte, doch fruchtzeigende Perspektive, die
erbhaltige Aussicht nämlich, Materie betreffend, »daß keins
ihrer Attribute je verlorengehn kann« (l. c., S. 327). Solche
Attribute sind Leben, Bewußtsein, Licht der Kultur, all das
mithin, was die menschliche Geschichtszeit, Geschichtssphäre,
mit ihren eigenen starting points und dialektischen Qualifizie-
rungen, in die ebenfalls unabgeschlossene Natursphäre eingebracht haben. Dies nicht Verlorengehende – nach Engels ja selber ein Werk der Menschen und ein Werk der Natur und ein
Werk an der Natur zugleich – deckt sich nicht mit dem veritab-
len Sisyphusbild in der ersten Perspektive, wonach die Welt

immer wieder auf die Höhe des Bewußtseins (gerade auch einer menschlich erlangten Weltanschauung) gelangt, doch immer wieder entropisch den Berg hinunterrollt. Auch daß »die Materie mit derselben eisernen Notwendigkeit, womit sie auf der Erde ihre höchste Blüte, den denkenden Geist, wieder ausrotten wird, ihn anderswo und in anderer Zeit wieder erzeugen muß«: auch diese sich immer wieder anderswohin verlegende Deutung der »unverlierbaren Attribute« wird der mit ihnen doch deutlich bekundeten Erb-Utopie, Frucht-Utopie nicht gerecht. Darum wendet sich Engels selber in seiner zweiten oder Fruchtperspektive gegen die Entropie oder den sogenannten Kältetod der Welt; er wendet sich gegen sie als die einzige *Zeit-Tendenz*, welche die Natur-Mechanistik seiner Zeit kennen möchte, nämlich die Tendenz nach abwärts. Physikalisch läßt sich nur sagen: die Entropie, der zweite Hauptsatz der mechanischen Wärmelehre, bezeichnet den einzigen nicht umkehrbaren Vorgang in der Natur, ausgedrückt in einer Nicht-Gleichung; vulgärphilosophisch aber wurde daraus eine Art nihilistische Apokalypse gemacht. Und diese soll nun gerade in der Natur höchstselbst vollführen, was die Mechanistik nur in ihrem schlechten geschichtslosen Begriff von der Natur angestellt hat: nämlich das totale Nivellement aller Erscheinungen am Ende auf Physis des Urdunsts – c'est tout, auch kosmo-historisch. Es würde also das Licht der Menschengeschichte gerade gegenüber dem Omega-Effekt des historisch-materialistischen Ausgangs null und nichtig: Kältetod, als Produkt im zweiten Hauptsatz der mechanischen Wärmelehre, verschlingt dermaßen total, als wäre nie anderes gewesen. Obwohl Engels mit seiner Vorstellung vom immer wiederkehrenden Dunstball dem sehr nahekommt, witterte er von seiner zweiten, der Erb-Perspektive her in solcher Verabsolutierung der Entropie den Klassengeruch einer untergehenden Gesellschaft, welche in einem »regungslos entspannten Universum«, mit totalem Umsonst des menschlichen Strebens, der »Kulturperiode«, sich finalisierte. »Sagen, daß die Materie während ihrer ganzen zeitlos unbegrenzten Existenz nur ein einziges Mal und für eine ihrer Ewigkeit gegenüber verschwindend kurze Zeit in der Möglichkeit sich befindet, ihre Bewegung zu differenzieren und dadurch den ganzen Reichtum dieser Bewegung zu entfalten, und daß sie vor- und nachher in Ewigkeit auf bloße Ortsveränderung beschränkt bleibt« (auf Endtrumpf der Mechanistik also) – »das heißt behaupten, daß die Materie sterblich und die Bewegung vergänglich ist« (l. c., S. 325). Und weiter: »Mit dieser Art Notwendigkeit« (der des äußerlichen, mechanistischen Determinismus von Anfang bis Ende) »kommen wir auch nicht aus der theologischen Naturauffassung heraus. Ob wir das den ewigen Ratschluß Gottes mit Augustin und Calvin, oder mit den Türken das Kismet oder aber die Notwendigkeit nennen, bleibt sich ziemlich gleich für die Wissenschaft« (l. c., S. 488) – eben bis hin zu dem absoluten Endzufall des sogenannten Kältetods. Aber Engels impliziert in seiner Ablehnung der bloß äußeren mechanischen Notwendigkeit auch noch ein anderes als bloß innere Notwendigkeit, er deutet an, daß die Materie, als bewegte und unsterbliche, »*in der Möglichkeit sich befindet* ... ihren ganzen Reichtum zu entfalten«. Kurz, ist der Mensch die höchste Blüte der bisher so geringen Menge von organischer Materie, so ist die mögliche Blüte der großen Masse von anorganischer Materie (»Ressurektion der Natur« nennt Marx nicht Unverwandtes, an anderer Stelle) überhaupt noch nicht befindbar. Ebensowenig sind die Einflüsse entschieden, welche, wie Engels an anderer Stelle sagt, die technisch kulturelle Verwandlung der »Dinge an sich« in »Dinge für uns« auf den »ewigen Kreislauf« ausübt. So daß er von Leben, Bewußtsein und sogar dem Reich der Freiheit nicht immer wieder zum Dunstball zurückfließen muß. Indem Engels die ständige Wiederkehr des Dunstballs trotzdem behauptet, wenn auch mit dem dunklen Trost eines immer wiederkehrenden, immer wieder vernichteten Lebens, ist er inkonsequent, doch so, daß ihm die Inkonsequenz zur Ehre gereicht; denn bei Mechanisten wäre das nicht inkonsequent gewesen. Und er behauptet mit einem unausgeschöpften dialektischen Reichtum der Materie ja ebenso wieder das Gegenteil eines Dunstballs als mechanischer Frucht. Die Fähigkeit zum Novum, eben ein Hauptunterschied zwischen Dialektik und Mechanistik, bestimmt auch das Ende der Naturdialektik, damit nicht ausgemacht eine ungeheure, total entspannte Weltdunstleiche der einzige Effekt sei.

Nun gibt es zwei Arten, sich stoffgemäß zu verhalten. Die eine
ist kühl und entzaubernd, die andere voller Vertrauen. Die eine
kann nicht kühl genug den Schein der Dinge zerreißen, die andere nicht lebhaft genug den Pudel wahrnehmen, der gegebenenfalls außer dem Kern des Pudels übrigbleibt. Beide Haltun-
gen sind gleich wichtig, sind in jedem echten Marxisten, wechselwirkend, vereinigt. Setzt doch der Jubel, wenn er etwas tau-
gen soll, unbetrügbare Kälte eines diesseitigen Blicks voraus;
und der ist von vornherein pünktlich, zählend, sachlich. Seine
Säure löst Fett auf, der entzaubernde Materialist ist immer wieder der Klärende. Er verachtet die schönen Redensarten, durchschaut die Faulheit, die hinter ihnen sich versteckt, die Faulheit
des Schlendrians wie erst recht die ideologische des faulen Zau-
bers, extra muros et intra. »Weniger schwülstige Phrasen« verlangt Lenin auch für das Wissensklima, »und mehr einfache all-
tägliche Arbeit«. Der Idealismus, sagt Marx, kalt und entzaubernd, »sieht nicht in der grob-materiellen Produktion, sondern
in der dunstigen Wolkenbildung am Himmel die Geburtsstätte
der Geschichte«; der Materialismus hält es genau umgekehrt.
Doch schließt eben diese Kühle die zweite, lebhafte Haltung
nicht aus, die des Vertrauens und Glaubens ans entgötterte
Diesseits. Das Vertrauen hält sich vielmehr auch in der Kühle,
ja diese prüft und entzaubert doch gerade dazu, dem Rechten
statt des Falschen, gar Betrügenden Platz zu schaffen. Hier ist
der Sprung von der Analyse zur Fülle, von der Entzauberung
zum Eingedenken des seienden, ja alles enthaltenden Rests. Diderots blühender »Abriß des Gesetzes der Natur« macht schon
vor dem dialektischen Materialismus diesen Sprung. Lukrez
enthielt ihn bereits, Bruno wurde der Minnesänger des materiellen Universums, Goethes Spinozismus ist über und über ge-
sättigt vom Trieb und Vertrauen zur Immanenz. All das bezieht sich gewiß nicht oder selten auf den rein mechanisch bleibenden Materialismus (der auch Goethe als »kimmerisch« erschien). Die Zurücksetzung des bloß mechanischen Materialismus darf allerdings nicht soweit gehen, daß sie vergißt, es hier

immerhin mit Materialismus zu tun zu haben, generell also mit der Erklärung der Welt aus sich selbst. So wirkten noch die allzu verengten Reduktionen in Lamettries »L'homme machine« als Brechstange gegen Adel und Klerus und dessen Geschäfte in Jenseiterei. So bezeichnet außergesellschaftlich, in und für die Natursache selber gesehen, zwar nicht die Mechanistik, wohl aber die nur quantitativ untersuchende Mechanik (und letztere auch ist in der modernen revolutionierten Physik ein Hauptteil geblieben) zweifellos einen gewaltigen Sektor in der Natur, ob auch einen, der den sehr viel reicheren Qualitätenbestand in ihr durch bloße Auskreisung nicht erledigt, sondern in nichts als Quantifizierung, Formalisierung lediglich heimatlos macht. Das bürgerliche Kalküldenken seit Galilei griff zwar, wenn es das Buch der Natur in Zahlen geschrieben sein ließ, hierin auf Pythagoras zurück, um so nun mehr zu treffen als eine Seite der Natur. Doch es gelang dem bloßen Kalküldenken, nur den halben Pythagoras an sich zu bringen, eben nur das Quantitative und nicht auch das Qualitative, das gerade Qualitäten betreffen Wollende in der pythagoreischen Zahlenphilosophie. Demungeachtet kam durch den quantitativen approach an die Welt und seine analytische Aufsuchung einfacher oder sozusagen niedriger Elemente die Entzauberung von Jenseiterei, von Komplexen und Ideen als bloßer Ideologie auch außerhalb der Physik zu großem, zu entscheidendem Effekt und Durchschauung. Nämlich in der vom bürgerlichen Kalkül befreienden, aber auch auf quantifizierbare Elemente der Gesellschaft bezogenen ökonomischen Analyse des Marxismus. Gerade in ihr sieht die materielle Wurzel besonders nüchtern drein, dadurch gelang es dem nun ökonomisch-dialektisch gewordenen Materialismus qua Materialismus, etwas mehr als nur Adel, Klerus der Feudalgesellschaft zu entzaubern. Er analysierte die gesamte bisherige Gesellschaft und genau auch den bürgerlich gekommenen Staat als eine bloße Verhältnisform von Herr und Knecht und den weit überwiegenden Bestand der Kultur als ideologisch verhüllenden Überbau über dem ökonomischen Unterbau aus ausbeutendem Herrn und arbeitendem Knecht. Andererseits hat jedoch der ökonomisch-historische Materialismus, als entwicklungsgeschichtlicher, zum Unterschied vom mechanischen, nicht nur den Weg nach abwärts, sondern gerade auch den nach aufwärts; er hat nicht nur den kalten Sinn der Analyse, sondern ebenso den qualitativ-lebendigen konkreter, konkret gewordener Utopie. Folglich geht die Analyse des ökonomischen Materialismus von vornherein nur auf menschliche Tätigkeit; auf undurchschaut verdinglichte in der Klassengesellschaft, auf bewußt gewordene und in ihren Wirkungen beherrschte in der Kommune. Bei alledem sind die ökonomisch-quantitative und die human-qualitative Analyse miteinander verbunden, der Kältestrom hier, der Wärmestrom dort, derart, daß im Marxismus das Wahre am Wärmestrom erst feststellbar wird durch den Kältestrom. Sonst, wenn sie nicht als verbunden gezeigt werden, als eine ökonomische Quantität, Unterbau hier, als eine pur kulturelle Qualität, Überbau dort, wächst vor allem die schon angegebene Antinomie von Quantität und Qualität. Ohnehin verkommt dann ein bloß ökonomistischer Aspekt, mit Entwertung des Überbaus, vulgärmarxistischer Banalität, zur Wohnungsnot für alles Qualitative auch hier. Während der nicht nur idealistische, sondern geradezu spiritualistische Aspekt reiner Kultur, abgetrennt von der jeweiligen materiellen Produktions- und Austauschweise und ihrem ideologischen Reflex, zu objektiver wie auch oft subjektiver Lüge führt, zu schwülstiger Phrase und dunstiger Wolkenbildung am Himmel, bestenfalls zu einem abstrakten Wolkenkuckucksheim. Eine Oszillation zwischen Kälte- und Wärmestrom verhindert dagegen beides, Isolation sowohl von nichts als quantitativem Unten als auch von nichts als qualitativem Oben; historisch-dialektischer Materialismus, gerade weil er detektivisch gegen übersehenen und dadurch oft verharmlosten Unterbau, gegen freischwebenden und dadurch nochmals idealisierten Überbau besonders empfindlich ist, versteht sich auf die Höhe wirklicher Tiefe.

Das Vertrauen auf den Stoff hält diesen also weder unten noch oben fest. Es scheidet nur den Schein von ihm ab, der oben darüberliegt, den Nebel, als etwas, das nicht zur Sache gehört, wenn es auch vorübergehend aus ihr kommt. Doch nicht alles Komplexe wird aufgelöst; denn auch das Wachstum ist ein Komplex, und Neues entsteht darin, das dem Stoff nicht an seiner Wurzel gesungen wurde. So bezieht sich das Vertrauen auf die Materie in der Geschichte der Philosophie meist auf die Materie als Stamm oder als Schoß. Sie ist dann nicht nur Unterbau (mit relativ wesenlosem Überbau), sondern weiterhin weithin ein Weltbaum, wie Bruno sagt. Sie ist der gärende Schoß einer Substanz, die sich gleichsam selbst erst gebiert, das heißt entwickelt, verdeutlicht und gerade qualifiziert. Das Gärende ist das Subjekt in der Materie, die entstehende Blüte oder Frucht (auf dem dunkel-schweren, vielfach durchkreuzten Weg des Prozesses) ist die Substanz dieses Subjekts. Als gebärender Schoß war die Materie bei Avicenna, Averroës, Avicebron definiert worden, vor allem auch bei Bruno. Die passive »Möglichkeit« (δύναμις), als die Aristoteles die Materie definiert hatte, wurde bei diesen Philosophen zum Muttergrund aller Dinge; und der Stoff trug den Reichtum seiner »Formen« nicht mehr als etwas von außen Hinzukommendes, sondern als angelegt und sich entwickelnd in der Materie selbst. Das also ist der nicht-mechanistische Aspekt der Materie; kein Zweifel auch, daß er dem dialektischen Materialismus etwas zu bedeuten hat. Er ist sinnlos für den rein quantitativ isolierten; denn die Fixierung der Anfänge, die ausschließliche Realitätsverteilung auf das Nichts – als mechanischer Anfänge – pointiert die Materie letzthin als starr, ja als prinzipiell anorganisch. Dagegen der dialektische Materialismus kommt mit dem Nichts-Als bloßer Anfänge nicht aus; seine Materie entwickelt sich, sie schlägt zu immer neuen Gestalten aus, aus ihnen zu immer neuen Auszugsgestalten. Daß den Quantitäten an bestimmten »Knotenpunkten« Qualitäten entspringen, und überdies nie dagewesene: genau diese dialektische Einsicht sprengt den mechanischen Materialismus, als einen elementaren und quantitativen, unwiderruflich. Nicht aber als wäre die Materie, an der dialektisch-neue Bewegung geschieht, nun bereits völlig durchdacht, theoretisch zureichend abgebildet, von der mechanischen Materie zureichend unterschieden. Es gibt eben außer der *Aporie:* Sein-Bewußtsein nach wie vor auch die damit nicht unverwandte *Antinomie:* Quantität–Qualität; diese fängt erkenntnistheoretisch an mit der Newton-Goethe-Frage, ob objektiv nur Lichtschwingung oder auch Farbe vorkommt, systematisch setzt sie sich fort am Problem der heimatlos gewordenen Quali-

täten ästhetischer und weiterer Art in nur quantumhaft gefaß-
ter Natur wie selbst Gesellschaft. Ohne Bereinigung dieser Antinomie wie auch der Aporie ist der dialektische Materialismus
sehr oft noch ein uneigentlicher; das Dialektische daran bleibt
zuweilen bloßes Adjektiv. Selbst wo die dialektische Bewegung
in ihrer einzelnen materiellen Wirklichkeit vortrefflich dargestellt und gehandhabt wird, erscheint die Materie insgesamt
noch als mechanische, als das alte hoffnungslose Blei; die
»Wahrheit des Diesseits«, id est die Essenz der Materie, ist noch
nicht im Gespräch. Nötig auf jeden Fall sind beide Blicke, der
unbetrügliche, der dem ökonomischen Sein vor dem Bewußtsein den Vorrang gibt in der »Vorgeschichte« (wie Marx die
ganze bisherige Geschichte nennt) und sogleich damit der erst
recht unbetrügliche, eingedenkende Blick auf die echten Angelegenheiten des Überbaus, die keine falsche Ideologie mehr enthalten, sondern Überschuß darüber. Vorausgesetzt stets, daß
früherer Unterbau wie Überbau in ihrem Interesse wie ihrer
Idee zusammenhängend gekannt und durchschaut worden sind.
Dann könnte die Beziehung des Menschen zum Menschen und
zur Natur selber weniger Kältestrom nötig machen und den
Wärmestrom einfacher.

ZUM VERHÄLTNIS SEIN-BEWUSSTSEIN, ZWECK UND NOVUM IM SPEKULATIVEN MATERIALISMUS

Man kann sich ganz als leiblich spüren. Oder auch, man kann sich selber nur als Ich oder als sogenannte Seele fühlen, folglich unkörperlich. Daß aber beide Teile überhaupt auseinandergehalten werden, dies ist nicht immer so. Im weiblichen Sichfühlen fallen Körper und Seele meist viel mehr zusammen als im männlichen. Daher bei Frauen auch die eigentümliche Nähe ihrer selbst zu den Kleidern, schon der Wunsch, sich schicke Sachen zu kaufen, fällt nicht nur mit dem ineins, Eindruck zu machen, sondern mit dem, sich neu selber zu begegnen. Männer dagegen, auch junge, gerade diese fühlen sich oft in ihrem Leib nur wohnen gerade auch dann, wenn sie gut mit ihm auskommen, doch so, daß ihr Ich in seinem Leib wie in einem Handschuh sich befindet und diesen regiert. Oder wie ein Fahrer im Gestell seines Wagens; gegenseitiger Einfluß gewiß zugegeben, doch um überhaupt von ihm zu sprechen, müssen Körper und der bewußtere Teil durch eigene Namen in uns erst voneinander abgehalten werden. Und das eben ist geschehen, gerade auch bei Männern, noch unabhängig davon, wie das wirkliche Verhältnis von Leib und Seele zueinander bestimmt wird. Jedenfalls bildet das Leibliche die Unterlage, und kein Tanz geht vor dem Essen. Ein Geist für sich und nichts als Geist, ganz ohne Stoff, ist noch nie gewesen. Das sogenannte Unten wirkt mit, und was sich sozusagen darüber hebt, kommt nie nur aus sich selber.

VORGEBURTLICH GESTELLTES   42

Wir werden leider ungleich geboren, damit fängt es an. Nämlich der ungleiche Start fängt an, mit dem wir als ausgetragene Frucht in unsere anders ungleichen gesellschaftlichen Umstände draußen gesetzt werden. Vererbt und doch auch wieder mit eigenen Ansätzen bilden sich die sehr verschiedenen Eigenschaften und Gaben im Mutterleib aus. Noch unverbunden mit den Verhältnissen der wahrhaft anderen Welt, in die das Ausgetragene dann eintritt.

Vor allem sind den Neigungen, Gemütsarten, der Triebstärke, der Höhe der Begabung schon die ersten Weichen gestellt. Nicht mehr als dieses, aber auch nicht weniger; dabei freilich sei gleich eingangs davor gewarnt, ein ungleich Beschaffenes, das wir mitbringen, gegenüber den entscheidenden Einflüssen unserer gesellschaftlichen Umwelt zu überschätzen; das entscheidende Ungleichsein der Menschen wird selbstverständlich erst gesellschaftlich hergestellt. Erst recht braucht nicht gesagt zu werden, daß keine vorgeburtliche Ungleichheit das Recht auf die ganz anders beschaffene soziale Gleichheit berührt, gar eine schändliche reaktionäre Ausrede sein darf. Bisher schwer bestimmbar und noch kaum angreifbar geht aber unserem ökonomischen Start jeweils ein ganz anderer, ein organischer vorher, auch wenn dieser noch so harmlos, ja öfter wertfrei gegenüber der entscheidenden ökonomisch bedingten Ungleichheit dreinsehen kann. So wurden vor alters die vier Temperamente als organisch vorgebildete notiert und bei Hippokrates einem jeweiligen Übergewicht von vier körperlichen Grundsäften zugeschrieben. Melancholisch soll danach der werden, dem zu viel schwarze Galle mitgegeben, cholerisch, wenn zu viel gelbe Galle, sanguinisch, wenn zu viel Blut, phlegmatisch, wenn zu viel Schleim. Ein vorgeburtlich Angelegtes gilt auch später noch, nachdem ganz andere Ursprünge für die sogenannten vier Temperamente gefunden worden waren. So für Kretschmers drei konstitutionell genannte Beschaffenheiten, die er als pyknisch, athletisch, asthenisch schon angeboren sein ließ. Auf jeden Fall bilden sich erbbedingte, zwar noch nicht festgelegte, aber auf die Zustände nach der Geburt nachwirkende Triebarten, Grade und Weisen der Begabung schon während der embryonalen Entwicklung, sozusagen unterbauhaft vorhergehend. Charakter wie Talent, beide bilden sich in dieser Stille vor, auch der Charakter wartet nicht nur völlig auf den Strom der Welt, um sich zu bilden. All das reift noch getrennt von dem, was mit einem Schlag dann nachher kommt.

Und nun wird das Kind geboren, in eine jäh verschiedene Art da zu sein. Zwar die Lunge ist fast immer gleichmäßig auf den äußeren Sauerstoff angelegt, das Auge auf das äußere Licht, doch treten in anderem oft erhebliche Risse auf zwischen dem was angeboren ist und dem wohin es hineingeboren. Und da Menschen die Geschichte machen, immerhin machen sollten, aber in der Abfolge der Geschlechter immer wieder andere Art und Stärke von Anlagen, Motorischem mitbringen, so geht die Geschichte, aus ebenfalls materiellen Ursachen, nicht nur gemäß einem sozusagen erwachsenen Fahrplan, das heißt nach dem der angetroffenen gesellschaftlichen Umstände, voran und weiter. Als gäbe es überhaupt nicht, was man vorgeburtliches Gestell wie Gestelltsein nennen kann, auf seine schwer wägbare Art mitbedingend. Ein großer Moment findet ein kleines Geschlecht und so eben mißrät hier schon ganz unten eine gleiche Lage der Menschen, ein gleicher Start, schon organisch gibt es Benachteiligte, verschieden ausgerüstet für den sogenannten Kampf ums Dasein, der sie mindestens dort erwartet, wo sie in der Wahl ihrer Eltern nicht vorsichtig waren. Vor allem auch, so verstanden gehört die merkwürdige Ungleichheit der Generationen hierher und ganz deutlich ein häufig Ungleichmäßiges zwischen der Reife einer gesellschaftlichen Tendenz und der Schwäche oder Unreife der gerade vorhandenen Generation. Wie oft erfahren und wie wenig verstanden ist darum nicht nur der Satz: Ein großer Moment findet ein kleines Geschlecht, sondern dazu noch seine Umkehrung: ein großes Geschlecht findet einen kleinen Moment. Der erste Fall trat etwa in Deutschland 1918 ein, wo die objektiven Bedingungen zu einer Revolution vorlagen, aber zu wenig subjektive Faktoren revolutionär geraten waren. Ein anderes Beispiel, auch ins Musische gewendet: wieder war im Vormärz, zur Zeit des Jungen Deutschland, ein neuer Sturm und Drang fällig, mit großer Dichtung und mehr noch, der objektive Auftrag war gegeben, doch einzig Georg Büchner hat ihn schon früh erfüllt. Oder auch, mit sehr viel fernerem, mehr nicht-politisch situiertem Beispiel: eine große kosmische Dichtung wäre während der gnostischen Spätantike wohl am Platz gewesen, doch es fehlten die Homere oder Dantes, die das objektiv Mögliche ausführen konnten. Soviel zum ersten Fall, der zweite, umgekehrte tritt immer ein, wo ein großes Geschlecht so überbordend wie heimatlos einen kleinen geschichtlichen Moment vorfindet, eine dürftige Zeit, die alles nicht für sie Gebaute verkümmern ließ. Und so kann es geschehen, statuierte Gneisenau, daß ein Caesar unerkannt hinter seinem Pfluge hergeht, ein Epaminondas sich kärglich vom Ertrag seiner Hände nährt; wobei der Widerstand der stumpfen Welt sich gewiß erst zuletzt auf Soldaten bezieht. Ein anderes, doch dem Verwandtes liegt auch in reicheren Zeiten vor, wenn große, doch spezifisch angelegte Begabungstypen zu früh oder zu spät in die ihnen entsprechende Zeit geboren wurden; man denke versucherisch, Beethovens Sturm wäre im Rokoko aufgetaucht, Mozarts Grazie im Eroica-Vormärz, beide hätten dann den Kairos für ihre spezifische Begabungsaura verfehlt. Derart gibt es außer der geglückten und doch fast zufälligen Entsprechung zwischen Angeborenem und zeithaft Fälligem viel mehr nicht zum Zug Gekommenes; die gewordene Geschichte ist jedenfalls aus kleinem wie großem Geschlecht, kleinem wie großem gesellschaftlichem Moment fahrplanstörend gemischt. Überall mithin beeinflußt hier eine eigene Art von Unterbau, sozusagen, vorökonomisch wirkend, materiell durchaus, nämlich psychophysisch von der mitgebrachten Anlage her. Das sieht wie ein Schicksal aus, aber: auch dieser Art Schicksal kann man auf sein Entstehen kommen und es dadurch gegebenenfalls wendbar machen. Wenn die Umstände den Menschen bilden, so müssen die Umstände, hier keine ökonomischen, sondern biochemische, wahrhaft Menschen bildend gebildet werden, wobei die ökonomischen Faktoren selbstredend die entscheidenden sind und auch einem genetischen Eingriff vorausgesetzt sind, damit er zu gutem Zweck diene. Es sieht so aus, als ob einmal die in Genen festgelegten Anlagen und Erbfaktoren verändert werden können, wonach auch die organischen Anlagen des Menschen sich mit Bewußtsein gestalten lassen, in wirklich eugenetischer Richtung. Entscheidend ist hier freilich, in welcher Gesellschaft und auf welche Gesellschaft hin diese Versuche abgezielt sind. Zur Erzeugung von wenigen geborenen Herren und vielen geborenen Knechten oder zur Abschaffung ihrer, auch prae numerando gleichsam. Das wirkliche menschliche Gesicht kommt allerdings erst in der Freiheit nachher, auch ein sozialistisch programmierter homunculus sei ferne. Der aufrechte Gang ereignet sich ja auch körperlich erst außerhalb des stillen Mutterleibs, worin man liegt.

IDEELLES ALS DAS IM MENSCHENKOPF UMGESETZTE MATERIELLE ODER PROBLEME EINES IDEOLOGISCHEN ÜBERBAUS (KULTURERBE)

> Wer einmal marxistische Kritik gekostet hat, den ekelt auf immer alles ideologische Gewäsche.
> Man kann aber ebenso sagen, daß gerade die scharfe Betonung aller ökonomischen und die vorhandene, aber noch im Geheimnis bleibende Latenz aller transzendentalen Momente (sc. der kreativ-postulativen) den Marxismus in die Nähe einer Kritik der reinen Vernunft rückt, zu der noch keine Kritik der praktischen Vernunft geschrieben worden ist.
>
> *Geist der Utopie*, 1918, S. 407 f.

Fron mit Putz

Unten und oben, sie hingen bisher vor allem geschäftlich zusammen. Sie sind im wirtschaftenden Menschen verbunden, in der Art, wie er sich verhält und äußert. Das sogenannte Höhere, worin er sich außergeschäftlich äußert oder von dazu Bestellten äußern läßt, mag das wirtschaftlich Erste und Nächste verhüllen. Es mag des Pudels Kern auch verbessern, derart daß künstlerische und wissenschaftliche Gestalten auftreten, die in nichts mehr an das ökonomische Tierreich zu erinnern scheinen. Aber diese Trennung ist vorgetäuscht, das Höhere, das auf diese Weise gesetzt wird, verbrämt nur das Geschäft. Und ebenso erzeugt und trägt sich die edle Verbrämung nicht selber, sondern sie steckte schon im wirtschaftlichen Verhalten und seiner Haltung. Heute ist beim Unternehmer dies Verbrämende auch subjektiv nicht mehr ehrlich; er gebraucht die großen und edlen Worte ganz zynisch als Phrasen, um die Interessen, die nicht laut gesagt werden dürfen, zu verstecken. Es verkauft bereits sich leichter, wenn der Dienst am Kunden ausgehängt wird, der Ausbeuter steht als Wohltäter da, wenn es ihm gelungen ist, einer immer größeren Zahl von Arbeitern Brot zu verschaffen. Und man exportiert nur, weil man gegenüber den hungernden Kindern over there ein menschliches Rühren spürt. Andererseits werden Geschäft und das Höhere ganz getrennt gehalten, dort vor allem, wo Letzteres musisch auftritt. Sie werden starr einander gegenüber gestellt und zwar in dem Maß, wie die Arbeit öder, die Ausbeutung unverschämter, die kapitalistische Wirtschaft insgesamt, selbst für den Profitmacher, entfremdeter wird. Nun soll das Höhere erst recht ans Geschäft nicht mehr erinnern; außer dem Betrug empfiehlt sich die musische Flucht. Auch der Angestellte, ja gerade er, nicht nur der Unternehmer, will nicht wahrhaben, daß der Sonntag, das Höhere, eben indem er den Werktag flieht, aufs engste mit ihm verbunden ist. Auf keinen Fall soll bewußt werden, daß die Freizeit ja nur dazu dient, die Arbeitskraft zu erfrischen, für den verkümmernden Werktag wieder fit zu machen. Fron und Klingklang scheinen so gänzlich zweierlei geworden zu sein, scheinbar treibt sie nicht einmal der gleiche Wind. Der Arbeitnehmer erleidet, der Unternehmer tut die Wirtschaft; die einzig wahren Antriebe zum falschen Bewußtsein, das der eine hat, der andere großenteils nur mehr verbreitet, stecken oben. Der ausbeutende Mensch mit seinen Opfern steht hinter ihnen, so wie er, keineswegs fern von Geschäften, noch hinter den Künsten steht, die ihn scheinbar entführen. Ein verbindender Atem geht durch diesen Werktag und diesen Sonntag, eben deshalb standen sie auch allemal gern einander bei.

Marxistische Schärfung und Erweiterung des Ökonomisch-Materiellen

In was der Erdenbürger hineingeboren wird, das also macht ihn erst fett oder mager. So muß ein wirklich grundauf bohrender Blick aufs Geschäft und wie es zu ändern sei gerichtet werden. Selbstverständlich hebt sich solche ökonomisch kalte Erklärung der Geschichte vom Bemerken eines vorhergehenden biologi-

schen Faktors entscheidend ab. Und zwar derart, daß das Ökonomische ganz in sie hineinreicht, sie materialistisch bestimmt
und färbt und nicht etwa nur einen Teil neben anderen Gebieten ihrer darstellt. Sowohl das bürgerliche Interesse wie die
bürgerliche Arbeitsteilung, die immer weiter Zusammenhänge
zerreißt, haben die Ökonomie isoliert, auch scheinbar herabgesetzt als einen Schuster, der bei seinen Leisten bleiben sollte.
Indem die Arbeitsteilung auch wissenschaftlich eingetreten ist,
wurden die Teilgebiete des kapitalistisch ohnehin zerrissenen
und verdinglichten Lebens auch noch Teilgebiete isolierter Betrachtung. So entstanden die sogenannten Disziplinen, unter ihnen die bürgerliche Ökonomie und diese als besonders partiku-
lares und eingegrenztes Wesen. Ohne weiteres erhellt, daß diese Art »Ökonomie« nicht die wirkliche ist, die – als marxistisch
begriffen – den Überbauten funktionell zugrunde liegt. Die
bürgerliche Wirtschaft als solche liegt ihrem Überbau durchaus
zugrunde, doch nicht der Begriff, den das Bürgertum von seiner
(und ebenso der früheren) Wirtschaft hat. Das gilt bereits und
sogar vom Ökonomie-Begriff bei Smith und Ricardo; schon
hier, in der aufsteigenden Epoche des Bürgertums, ist der homo
oeconomicus selbständig und isoliert, zugleich gilt seine kapitalistische Wirtschaftsform als ebenso endlich entdeckte wie ewig
natürliche schlechthin. Seit gar das offene kapitalistische Interesse zur »Disziplin« hinzutrat, hat diese sogar ihre eigenen Kategorien stellenweise eingebüßt: das Wort Profit ist fast seit
hundert Jahren aus ihrer Literatur verschwunden, den Mehrwert versteckt sie theoretisch noch einmal, auch statt der Krise
findet sich immer häufiger der Terminus: Wellenbewegung des
Wirtschaftslebens. Hier ist bürgerliche Ökonomie großenteils
selber Ideologie geworden, apologetische, wie sich versteht,
und keine Darstellung des wirklichen Unterbaus. Einzelheiten,
solche des Berichts und, bis vor kurzem, der Statistik, »soziologisch« interessante Materialien mögen noch vorsichtig brauchbar sein, doch, wie Marx zwecks Verständnis in einem Auf-
wasch sagt, der verschärfte Klassenkampf »läutete die Toten-
glocke der wissenschaftlichen bürgerlichen Ökonomie. Es handelt sich jetzt nicht mehr darum, ob dieses oder jenes Theorem
wahr sei, sondern ob es dem Kapital nützlich oder schädlich,

bequem oder unbequem, polizeiwidrig oder nicht. An die Stelle uneigennütziger Forschung trat bezahlte Klopffechterei, an die Stelle unbefangener wissenschaftlicher Untersuchung das böse Gewissen und die schlechte Absicht der Apologetik« (Das Kapital, 2. Vorrede). Doch die bürgerliche Ökonomie wäre auch dann mit den Überbauten nicht vermittelbar, wenn sie keine des kapitalistischen Interesses wäre; liegt doch, wie Marx bemerkt, bereits »der Gebrauchswert als Gebrauchswert jenseits des Betrachtungskreises der bürgerlich-politischen Ökonomie«, wie sehr erst die Inhalte der menschlich-sozialen Gesamtheit. Demgegenüber ist bereits der *Begriff* der politischen Ökonomie bei Marx ein radikal anderer, nämlich keiner eines Teilsystems und keiner eines abgetrennten Warenumlaufs in selbständiger Beziehung von Waren. Er unterscheidet sich vor allem durch seinen Umfang und die weitverzweigte, dialektische Lebensbeziehung. Marx bemerkt dazu im »Elend der Philosophie«: »Die Ökonomen erklären uns, wie man unter den... gegebenen Verhältnissen produziert; was sie uns aber nicht erklären, ist, wie diese Verhältnisse selbst produziert werden, das heißt die historische Bewegung, die sie ins Leben ruft.« Und noch deutlicher erweitert Marx im »Kapital« die Daseinsweise Ökonomie selber: »Der kapitalistische Produktionsprozeß, im Zusammenhang betrachtet, oder als Reproduktionsprozeß, produziert also nicht nur Ware, nicht nur Mehrwert, er produziert und reproduziert das Kapitalverhältnis selbst, auf der einen Seite den Kapitalisten, auf der anderen den Lohnarbeiter.« Oder wie Engels in seiner Besprechung der »Kritik der politischen Ökonomie« definiert: »Die Ökonomie handelt nicht von Dingen, sondern von Verhältnissen zwischen Personen und in letzter Instanz zwischen Klassen«; und Marx wiederum, im »Elend der Philosophie«, abschließend: »Die ökonomischen Kategorien sind nur die theoretischen Ausdrücke, die Abstraktionen der Gesellschaft, einem Produktionsverhältnisse.« Kurz, eine im gesellschaftlichen Zusammenhang begriffene, jenseits der bloßen bürgerlichen Reflexions- und Ding-Bestimmungen stehende Ökonomie meint den Produktions- und Reproduktionsprozeß einer (bestimmten) *Gesamtgesellschaft*. Im Zentrum steht dann die Arbeit, steht der Arbeitsvorgang, statt der verschiedenen Verdinglichungen und »objektiven« Bezüge zwischen Verdinglichungen (Ware, Zins, heckendes Kapital), wie sie in der bürgerlichen Ökonomiewissenschaft hinter und über den sie erst produzierenden Menschen fetischhaft zu stehen scheinen. Die Erkenntnis des Arbeitsprozesses und, allgemeiner, der »Beziehungen der Menschen zu Menschen und zur Natur« ist derart zugleich Erkenntnis der gesamten Geschichte, mitsamt Überbau und Ideologie, ja mitsamt aller sich bildenden Arten von »Humanität«. Weshalb Marx bestimmt, es gebe so wenig eine eigene Geschichte der Wirtschaft wie des Rechts, der Kunst, der Philosophie und so weiter, vielmehr insgesamt: »Geschichte ist die Erzeugung des Menschen durch die menschliche Arbeit.« Keine Schärfe und Genauigkeit des eigentümlichen ökonomischen Daseins wird durch diese funktionalen Subjekt-Objekt-Beziehungen verwischt; Ökonomie selber bleibt auch nach ihrer Einordnung in die gesellschaftliche Totalität, die Sklavenhaltergesellschaft, Feudalismus, Kapitalismus und später Sozialismus heißt, und ebenso bleibt sie, ganz und gar nicht-isoliert aufs Korn genommen, in der Durchschauung ihres kapitalistisch kulminierenden Profitinteresses und in der Entlarvung aller Ideologien, die dieses Interesse rechtfertigen wollen, indem sie es idealistisch verschleiern. Und ebenso bleibt nicht-isolierte Ökonomie in der Wechselwirkung, die sie als gesellschaftlicher Unterbau mit dem Überbau eingeht, indem sie allein schon im Begriff einer »Epoche« die Gleichzeitigkeiten einer gesellschaftlichen Totalität teilt. Nur die Isoliertheit ist weg, dieselbe, die in der bürgerlichen »Disziplin« ökonomische Kategorien weder zum Arbeitsvorgang noch zu Ideologien der Gesamtgesellschaft in Beziehung bringen ließ. Ja, das Denken auch der Ökonomie im gesellschaftlichen Totum hebt so wenig die Sprengkraft der ökonomisch-materialistischen Geschichtsauffassung auf, daß gerade die die kapitalistische Gesellschaft entlarvende ökonomische Präzision des Marxismus erst durch den philosophischen Gesamtheitsblick möglich geworden ist und nicht durch Vulgärmarxismus und puren Ökonomismus. Das alles nicht in einem angeblich »unparteilich«, »interessefrei« betrachteten Zusammenhang »soziologischer« Art, sondern in dem eines sozialistisch-parteilichen, praktisch finalisierenden Totum-

Blicks, zwecks Aufhebung der bisherigen bloßen »Vorgeschichte« von uns Menschen. So bleibt im Marxismus die Erweiterung schlechthin aggressiv, so formulierte wie wissenschaftlich fundierte Erbitterung eben wegen der stets miterkannten Schlechtigkeit des kapitalistischen »Weltverhaltens« (bei aller Betonung seiner ehemals progressiven, düster-progressiven Funktion). *Gerade weil Marx erweiterte ökonomische Kategorien gebraucht*: Entfremdung, Selbsterzeugung, Selbstentfremdung des Menschen, Zur-Ware-werden aller Menschen und Dinge und so fort, Begriffe also, die in der partial gehaltenen bürgerlichen Ökonomie gar nicht vorkommen können, sondern messenden, wertenden Totalitätscharakter des ganzen Menschseins im Kapitalismus voraussetzen, *wird diese Kritik so präzis eine an, gleichsam in der Sache selbst.* So angesichts der kapitalistischen Beziehung von Menschen zu Menschen: »Die besitzende Klasse und die Klasse des Proletariats stellen dieselbe menschliche Entfremdung dar. Aber die erste Klasse fühlt sich in dieser Selbstentfremdung wohl und bestätigt, weiß die Entfremdung als ihre eigene Macht und besitzt in ihr den Schein einer menschlichen Existenz; die zweite fühlt sich in der Entfremdung vernichtet, erblickt in ihr ihre Ohnmacht und die Wirklichkeit einer unmenschlichen Existenz« (Die heilige Familie). So aber auch angesichts der kapitalistischen Beziehung zur Natur, vermittels der Grundrente oder der zum Profit konstruierten Maschine: »Das Privateigentum entfremdet nicht nur die Individualität der Menschen, auch die der Dinge« (Deutsche Ideologie II). Dieser Gesamtheitsblick fehlt vor allem eben der bürgerlichen Wirtschaftswissenschaft mitsamt den sogenannten Geisteswissenschaften nachher, alle blicken kaum einen Meter über ihre verdinglicht-isolierten Gegenstände hinaus; es gibt hier leider durchaus noch eine eigene Geschichte der Wirtschaft, sowie es eine unabhängige des Rechts, der Kunst, der Religion gibt, und der Geist mit seinen Problemen und Werken pflanzt sich ganz außerökonomisch in der Luft fort. Hoch über der materiellen Erde, wie Glockenhall, hoch über der Produktions- und Austauschweise als eine ideenhafte Parthenogenesis. Daß aber in einer Gesellschaft wie der römischen die Geschichte des Grundeigentums die eigentlich fundierende wie zusammenhaltende Geheimgeschichte ist, wie Marx sagt, daß in der kapitalistischen Gesellschaft, aufgebaut auf schrankenlosem Profittrieb und der Preis-Quantifizierung aller seiner Gegenstände, die Warenkategorie die alle Verhältnisse beherrschende ist, bis hinauf zur mathematischen Naturwissenschaft und noch zu allen »irrationalen« Kontrastideologien, daß der kapitalistische Überbau ebenso von Warengedanken erfüllt ist wie der kapitalistische Unterbau von entsprechender Abstraktheit und kalkulatorischer Betrachtung: diese Einsicht erfloß erst aus der Kritik der politischen Ökonomie als einer in Ganzheit und aus dem ökonomischen Materialismus als einem keineswegs isoliert-ökonomischen. Der Kapitalismus ist von allen Seiten kapitalistisch, nicht nur in seinen Fabrikbesitzern und Exportziffern; der Feudalismus ist von allen Seiten feudal, nicht nur in Treue, Ehre, Aventiure. Er ist es in allen seinen Verhaltens- und Gegenständlichkeitsformen, mit tausend Vermittlungsgliedern vom Zehnten und Burgherrn den ganzen Gliedbau hindurch. Und nur der Vulgärmarxismus mit seiner bürgerlich übernommenen Wirtschafts-Partialität, nicht der Marxismus läßt die Gewalt ideologischer Verflechtung außer acht, auch in der Wirtschaftsweise selber; der philosophischen Ökonomie ist diese Verflechtung die sozial-materielle Sache selbst. Wenn Kautsky erklärte, die Reformation sei »nichts als der ideologische Ausdruck tiefgehender Veränderungen auf dem europäischen Wollmarkt«, so ist das genau solch starr-isolierter Unsinn wie der idealistische Hochschwulst, die Reformation stamme allein aus dem germanischen Gemüt. Als der Pudels Kern wird statt dessen von Marx immer wieder »das Verhältnis der Menschen zum Menschen und zur Natur« bestimmt, mit den jeweiligen Produktions- und Austauschweisen als der »Grundlage« oder »letzten Instanz«. Marx weist hier lehrreicherweise auch noch auf das Verhältnis des Menschen zur Natur hin, auf eines nicht nur ökonomischer und doch gerade unbestreitbar materialistischer Art. Ohnehin wäre ja der Vulgärmarxismus weit leichter aus seiner völlig unmarxistischen Enge herausgekommen, wenn er, nachdem ihm die ökonomische Ganzheitsbeziehung verschlossen ist, wenigstens die andere Komponente begriffen hätte, die Marx, um jedes ökonomistische Mißverständnis auszuschließen, der »rein ökonomischen« koordiniert hat: die der *Technik*. Es überrascht nicht, daß auch alle reaktionäre Marxkritik diesen technischen Bestandteil der materialistischen Geschichtsauffassung unterschlagen hat; läßt sich doch mit der Behauptung, daß Marx »nichts als Ökonomie übrig lasse«, bei idealistischen Kleinbürgern besser Antimarxismus machen. Aber gerade das von Marx basishaft pointierte Verhältnis der Menschen zur Natur setzt deutlich Technik, genau so wie Marx der Technik im Einzelnen stets bestimmenden Einfluß auf die Veränderungen der Produktions- und Austauschweise gegeben hat. »Die Handmühle ergibt eine Gesellschaft mit Feudalherrn, die Dampfmühle mit industriellen Kapitalisten«; die Produktivkraft selber wird von Marx definiert als »jenes Stück inner- und außermenschlicher Natur, das die Menschen zu beherrschen verstehen«. Die Art und Weise, womit die beherrschten Naturkräfte (Tiere, Menschen, Wind, Wasser, Feuer und so fort) zur Verfügung stehen, zeichnet die Grundlinien vor, womit die Menschen ihr Leben zu produzieren und reproduzieren haben. Derart ist aber auch für blöde Augen eine »Erweiterung« der Ökonomie angezeigt, außer der eigentlichen aus gesellschaftlicher Totalität. Oder nach dem Marxsatz, der stets in der Definition des Unterbaus mitgedacht werden muß: »Die Technologie enthält das aktive Verhalten des Menschen zur Natur, den unmittelbaren Produktionsprozeß seines Lebens, damit auch seiner gesellschaftlichen Lebensverhältnisse und der ihnen entquellenden geistigen Vorstellung.« Item und insgesamt: es läßt sich auch von hier aus und abschließend der Begriff Ökonomie bei Marx wesentlich durch den der *Arbeit und der Arbeitsverhältnisse* erläutern. Die Arbeit vor allem – und nicht eine fetischisierte Isoliertheit mit abstraktem homo oeconomicus – ist bei Marx die Geburtsstätte der Geschichte. Derart hat sich auch als marxistisch unhaltbar erwiesen, die Technik von ihrer Beziehung zum Unterbau loszulösen, wie das Stalin einst diktiert hat, und sie (sogar zusammen mit der Sprache) in ein seltsam Drittes neben Unterbau und Überbau zu verlegen. Genau das wichtigste Anliegen des Marxismus, nämlich die Weltveränderung, der human gezielte Eingriff ins Gewordene und so wenig Gelungene wäre dadurch ums sichtbarst genetische Werkzeug gebracht. Die Materie der materialistischen Geschichtsauffassung insgesamt ist die am meisten beschleunigte und umschlagreiche in der Welt; und sie allein hat sich im und durch den Menschen einen völlig neuen, selber noch unentdeckt materiellen, geradezu umbrechenden Stand eines Überbaus hinzugefügt, eine geradezu zweite Natur, eine hylopneumatische. Gesellschaftlich kommt es zu den zwei Stufen Unterbau–Überbau, wobei letztere aus dem Materiellen, hier im geschäftlich üblichen Sinn, immerhin sich erhebt.

Übergänge zwischen Wirtschaft und Ideologie; Problem der Kulturerzeugung

Wie, ist zu fragen, wird hier umgeschaltet, wie kommt allein schon das Geschäft zum Scheinen? Sicher nicht von selber, es muß zunächst doch eine Klasse entstanden sein, die dafür Zeit hat. »Die Sache faßt sich am leichtesten«, wie Engels freilich nur von den bloßen Anfängen sagt, »vom Standpunkt der Teilung der Arbeit.« Die Jägervölker kannten noch keine Arbeitsteilung, es sei denn die uneigentliche, naturwüchsige (Geschlechtsakt, verschiedene Körperkraft). Die echte setzte erst mit den Hirtenvölkern ein, mit dem Eigentum an Herden, später an Boden, und hier begann, mit den entstehenden Klassen, auch die erste Trennung von Wirtschaft und den ideologischen Formen über ihr. »Die Gesellschaft«, fährt Engels summarisch fort, »zeugt gewisse gemeinsame Funktionen, denen sie nicht entraten kann. Die hierzu ernannten Leute bilden einen neuen Zweig der Teilung der Arbeit innerhalb der Gesellschaft. Sie erhalten damit besondere Interessen auch gegenüber ihren Mandataren, sie verselbständigen sich ihnen gegenüber, und der Staat ist da.« Mithin als erste Erscheinung von Überbau, mit Häuptlingen und noch ungeschriebenen, doch von unreflektiertem Bewußtsein abgehobenen Gesetzen, die den Oberen dienen. Den Staat gab und gibt es bei den urkommunistischen Stämmen nicht, er ist vielmehr durch Arbeitsteilung und die daraus sogleich entspringenden Gegensätze bedingt. Er funktioniert also als die gewaltsame Unterdrückung dieser Widersprüche, genauso wie die eigentlich geistigen Formen des Überbaus: die bewußt-ideologischen, als der scheinbare Ausgleich dieser Widersprüche auftreten mußten. Als ihre Vertuschung oder als ihre versuchte Lösung auf »höherer Ebene« (ernst ist das Leben, heiter ist die Kunst). Entscheidend wirkte bei alldem die durch die Arbeitsteilung, also durch die Entstehung einer müßigen Klasse ermöglichte Trennung der materiellen und der geistigen Arbeit. Marx setzte genau an diesen Punkt die eigentliche Entstehung des *geistigen* Überbaus, des noch über dem Staat befindlichen. Und zwar des überwiegend mit falschem, verkehrtem Bewußtsein gefüllten: »Von diesem Augenblick ab kann sich das Bewußtsein wirklich einbilden, etwas anderes als das Bewußtsein der herrschenden Praxis zu sein, wirklich etwas vorzustellen, ohne etwas Wirkliches vorzustellen – von diesem Augenblick an ist das Bewußtsein imstande, sich von der Welt zu emanzipieren, und zur Bildung der reinen Theorie, Theologie, Philosophie, Moral et cetera überzugehen« (Deutsche Ideologie I). Dergleichen also ist verschieden vom Staat, als auf einer »höheren Ebene«, so wie dieser wieder verschieden ist von der Gesellschaft, selbst von der bürgerlichen Gesellschaft, deren geschäftsführenden Ausschuß er darstellt. Engels gibt, was diesen Staat angeht, nicht die »höher in der Luft schwebenden Gebiete«, folgende, nun durchdringende Erklärung: »Er ist keineswegs eine der Gesellschaft von außen aufgezwungene Macht . . ., er ist das Eingeständnis, daß diese Gesellschaft sich in einen unlösbaren Widerspruch mit sich selbst verwickelt, sich in unversöhnliche Gegensätze gespalten hat, die zu bannen sie ohnmächtig ist. Damit aber diese Gegensätze, Klassen mit widerstreitenden ökonomischen Interessen, nicht sich und die Gesellschaft in fruchtlosem Kampf verzehren, ist eine scheinbar über der Gesellschaft stehende Macht nötig geworden, die den Konflikt dämpfen, innerhalb der Schranken der ›Ordnung‹ halten soll; und diese aus der Gesellschaft hervorgegangene, aber sich über sie stellende, sich ihr mehr und mehr entfremdende Macht ist der Staat« (Der Ursprung der Familie). Demgemäß erschließt ja Engels, daß der Staat in einer nicht mehr antagonistischen Wirtschaftsweise abstirbt, sich aus einer Regierung über Personen in eine Verwaltung von Sachen verwandelt. Er ist also nicht allzu kompliziert von der Klassengesellschaft her vermittelt; der politische Überbau steht ziemlich direkt auf dem Unterbau und entspricht den Spannungen in ihm, indem er sie unterdrückt oder, etwa mittels eines angeblichen »Rechtsstaats«, zudeckt. Der Faschismus hat den – im vorigen Jahrhundert ausnahmsweise versteckten und relativ latent gehaltenen – genuinen Unterdrückungscharakter des Staats unmißverständlich wieder sichtbar gemacht; auch der, bei geringeren Klassenwidersprüchen noch möglich gewesene Schein des »Rechtsstaats« fiel nun völlig dahin. War der bürgerliche Staat nach Marx und Engels »nichts weiter als eine wechselseitige Assekuranz der Bourgeoisklasse gegen ihre eigenen Mitglieder, wie gegen die exploitierte Klasse«, so ist er im monopolkapitalistischen Stadium, also nach dem Schwinden der freien Konkurrenz unter den Bourgeois, lediglich eine Assekuranz gegen die Ausgebeuteten. Nur wenn der Klassenwiderspruch nicht formidabel ist, das Proletariat also schläft, allein in diesem anomalen Zustand kann der Staat darüber hinwegtäuschen, au fond Klassenkampforganisation von oben zu sein. Überall daher, wo es mit rechten statt mit linken Dingen zugeht, muß auch der juristische Überbau sich mit Oppression füllen, das heißt, die facultas agendi des zivilen Vertragsrechts wird wachsend durch das Strafrecht und seine Unterdrückungsnorm ersetzt. Das also sind die Wege und Mittel, auf denen sich das materielle Geschäft jeweils ideologisch als *Staatswesen* rechtfertigt und als das, was damit juristisch zusammenhängt. Sie sind kurz genug, um fast über Nacht, wenn es die Umstände erfordern, bis zum Ausgangspunkt: dem Klassenwiderspruch, zurückgegangen zu werden. Wobei allerdings schon hier hervorgeht: der Überbau ist dem Unterbau nicht nur äußerlich aufgesetzt, wie ein Mast dem Schiff, und macht passiv alle dessen Bewegungen mit. Diese dualistische Auffassung ist eben die vulgärmarxistische, sie ist diejenige, welche vergißt, daß die – nie isolierbare – Wirtschaft ebenso von Menschen gemacht wird wie die – nie isolierbare – Politik. Wenn nicht von den selben Menschen, so doch von solchen, die von der sozialen Oberschicht ebenso beherrscht und dirigiert werden, wie diese Oberschicht auf die Arbeit der Beherrschten angewiesen ist. Das Staatsmäßige wird ja nicht von außen herkommend, unabhängig von der

Wirtschaft diktiert (nach der Auffassung Bakunins), sondern es entsteht immanent aus der Wirtschaft selber; beide, Wirtschaft wie Staat, sind Menschenprodukte und gehören noch ohne besonderen Sprung der materiellen Bewegung, diesesfalls der menschlichen Arbeitsbewegung an. Auch trifft beide Klassen, die Herren wie die Knechte durch alle ihre sich abfolgenden Gesellschaften hindurch (die primitive, orientalische, antike, feudale, modern bürgerliche) eine verwandte, sich fortpflanzende und mehrende Selbstentfremdung, kraft der regierenden Tauschwertkategorie überall. Weshalb ja auch Marx sagen konnte: »Die besitzende Klasse und die Klasse des Proletariats stellen dieselbe menschliche Entfremdung dar«; das Wohlgefühl der einen, die Erbitterung der anderen Klasse machen *diese Art »Dieselbigkeit«: die der herrschenden ökonomisch-ideologischen Verhaltenskategorie* nicht unwahr. Sie also gibt den saftigen Grund ab, worin Wirtschaft und Staatswesen, das mit ihr ohnehin übersichtlich vermittelte, sich begegnen. Von daher auch die »Reaktionsfähigkeit« des politisch-juristischen Wesens auf Produktion und Handel, auf die Engels immer wieder hinweist. Gerade im Gegensatz zum Ökonomismus hinweist und seiner einseitigen, undialektisch, untotal gefaßten Kausalität: »Nach materialistischer Geschichtsauffassung ist das in letzter Instanz bestimmende Moment in der Geschichte die Produktion und Reproduktion des wirklichen Lebens; mehr hat weder Marx noch ich jemals behauptet. Wenn nun jemand das dahin verdreht, das ökonomische Moment sei das einzige bestimmende, so verwandelt er jenen Satz in eine nichtssagende, abstrakte, absurde Phrase. Die ökonomische Lage ist die Basis, aber die verschiedenen Momente des Überbaus – politische Formen des Klassenkampfs und seine Resultate – Verfassungen, nach gewonnener Schlacht durch die siegende Klasse festgestellt und so weiter – Rechtsformen, und nun gar die Reflexe aller dieser wirklichen Kämpfe im Gehirn der Beteiligten, politische, juristische, philosophische Theorien, religiöse Anschauungen und deren Weiterentwicklung zu Dogmensystemen – üben auch ihre Einwirkung auf den Verlauf der politischen Kämpfe aus und bestimmen in vielen Fällen vorwiegend deren Form. Es ist eine Wechselwirkung aller dieser Momente, worin schließlich durch alle die unendliche Menge von Zufälligkeiten ... als Notwendiges die ökonomische Bewegung sich durchsetzt« (Brief an J. Bloch, 1890). Die von Engels angegebene Wechselwirkung setzt ersichtlich ein relativ Gemeinsames zwischen Produktionsweise und ihrem – gegebenenfalls noch so verkehrten und illusionären – Bewußtsein voraus. Wobei das strukturell Gemeinsame zwischen Wirtschaft und politisch-juristischem Überbau – etwa Vertragsverhältnis der Warenbesitzer zueinander und Vertragsideologie des bürgerlich-liberalen Staats, ebenso Monopolkapitalismus und wachsende Faschisierung des Staats – klar vor Augen liegt. Auch die politische Ideologie ist, trotz ihres besonders häufigen Betrugscharakters und des Scheins der Harmonisierung ökonomischer Widersprüche, durchaus nicht in gleicher Art Illusion, wie die – öfter viel weniger betrugshafte – religiöse Ideologie es sein kann. Was nicht zuletzt daher zu erweisen ist, daß aus der Staatsform eines Zeitalters seine Produktionsweise nicht unzutreffend erschließbar wäre, auch wenn deren Kenntnis nicht mehr vorläge. So weist die buntscheckige Landkarte des Mittelalters auf eine Unzahl kleiner wirtschaftlicher Zentren, als Dorf- und Stadtwirtschaft; die straff zentralisierten Großmonarchien des siebzehnten Jahrhunderts weisen auf die ihnen zugrundeliegende Manufakturperiode, auf die dortige, großräumig gewordene Produktion und Volkswirtschaft. Auch steckt in der jeweiligen Wirtschaftsweise oft schon die Form, nicht bloß der Inhalt dessen, was die politischen Ideologien dann vernebelnd oder idealisierend reflektieren. So sind die freie Unternehmung, diese Emanzipation der erwachsenen Produktivkräfte aus Zunft- und Reglementschranken einerseits und das idealisierte Bourgeoisreich der Menschenrechte andererseits weithin aus gleichem Holz, um eben nicht zu sagen: Geist. Ja, der Reflex eines liberalen Überbaus hat hier mit besonderer Deutlichkeit den Unterbau, soll heißen die freie Unternehmerwirtschaft sogar eigens aktiviert. Der Übergang ist hier also, bei dem noch geringen Niveauunterschied zwischen Geschäftsbasis und Staatsaufbau, nicht allzu kompliziert, besonders in der kapitalistischen Gesellschaft; seine Schwierigkeit ist kaum viel größer als die einer Gleichung zweiten, höchstens dritten Grades.

Aber es wird nicht überall so einfach umgeschaltet, tritt das Geschäft doch nicht nur staatlich vor. Sondern wo die Drehung in »höhere Gebiete« umsetzt, wird viel schwerer durchschaubar, viel *vermittelter* gearbeitet. Gewiß, auch der politische Überbau ist den Seinen an Ort und Stelle undurchsichtig, auch dann und besonders dann, wenn das, was er vorzeigt, zu schön ist, um wahr zu sein. Noch dem Unternehmer, dem Juristen des vorigen Jahrhunderts konnte es subjektiv vorkommen, daß er hauptsächlich fürs Wohl der Menschheit tätig sei. Dem noch nicht zynischen Bourgeois konnten die ideologisch angegebenen Bestimmungsgründe als die eigentlichen erscheinen und als die Ausgangspunkte seines Handelns. Verhältnismäßig einfach ist die Gleichung Wirtschaft – Staat einzusehen, zwar nicht für ihre Nutznießer an Ort und Stelle, aber in der marxistischen Lösung. Was jedoch die Gebiete *Kunst, Religion, Weltanschauung* angeht, so sind die gegebenenfalls illusionär-ideologischen Bestände darin durchaus auch der marxistischen Analyse nicht geradlinig oder nur halbwegs direkt aus dem Unterbau ableitbar. Die musischen Formen, worin die Menschen sich der sozialen Konflikte bewußt werden, sie ausfechten oder überholen, diese Formen konnten überhaupt nicht anders als gutgläubig entwickelt werden. So ist die musisch-ideologische Umschaltung auch für die marxistische Analyse undurchsichtiger als die politische: eben aus dem Grund, weil die musische ein *schöpferisch* reflektierendes Bewußtsein und demgemäß sehr reiche Umformungsweisen zeigt. Dieser Unterschied tritt in der materialistischen Analyse selber sehr klar hervor, besonders wenn sie es sich vor der Kunst und so fort zu leicht macht. Nichts war unangemessener als der ökonomistische Schematismus, der in den ersten Zeiten der Sowjetunion Puschkin, selbst Tolstoi gegenüber im Schwange war; man hat sich auf diese Weise seiner großen Dichter beraubt. Jeder dieser Dichter erhielt bekanntlich einen ökonomischen Zettel angeklebt, Gogol war »literarischer Vertreter der Gutsbesitzer«, Tolstoi »Realismus des weltmännischen Herrenstands« und damit basta. Gar Dostojewski, der unbequeme Genius, er wurde gänzlich auf ein – übrigens selber schematisiertes – Lesepublikum heruntereduziert, gleich einer Symphonie, die man auf einem Kamm blasen will: »Dostojewski wurde und ist der Dichter eines Teils der romantisch-antikapitalistischen, kleinbürgerlich-intellektuellen Opposition, einer Schicht, die zwar zwischen Rechts und Links hin- und herschwankt, für die aber eine breite ausgefahrene Straße nach rechts zur Reaktion, nach links dagegen ein schmaler, schwer gangbarer Pfad zur Revolution offen steht.« C'est tout, c'est Dostojewski, so also wäre die Substanz Myschkins beschaffen, so die Großinquisitorszene, so die, wie man hört, breite ausgefahrene Straße, auf der Iwan Karamasows Probleme ziehen. Die Blütezeit dieser Schematismen ist vorüber, sie haben durch ihre Karikaturen gezeigt, wie gefährlich es in der Literatur ist, wenn Thersites auf den ökonomischen Materialismus sich etwas zugute tut. Indes, ein lehrreicher Mangel an Zwischengliedern trat, aus methodischen, nicht impertinenten Übereilungen, selbst bei den energisch-tüchtigen Analysen vor, die Mehring dem Überbau angedeihen ließ. Lukács hatte seinerzeit nicht mit Unrecht darauf hingewiesen, daß die Analysen der Mehringschen »Lessing-Legende« tief und fein sind, »wenn sie der Staats- und Militärorganisation Friedrichs des Großen oder Napoleons gelten. Weit weniger endgültig und erschöpfend werden sie aber, sobald er sich den literarischen, wissenschaftlichen und religiösen Gebilden derselben Epoche zuwendet« (Geschichte und Klassenbewußtsein, 1923, S. 245). An die Ökonomismen, die Kautsky an die Geschichte des Urchristentums oder des alten Orients, zum Teil auch an Thomas Münzer gesetzt hat, braucht hierbei gar nicht gedacht zu werden, selbst noch Lukács hat in seinen späteren marxistisch-literarischen Versuchen den Schematismus zuweilen nicht zu vermeiden vermocht; im Unterschied zu seiner Hölderlin-Interpretation aus verlorenem Citoyen, aus der Utopie des Citoyen. Item, es bemächtigt sich des Betrachters, wenn er in die Kunst- und Weisheitshallen eintritt, nicht ohne Grund eine sublime Rührung, und sie markiert den Höhenunterschied, den Vermittlungsunterschied zwischen Athen als Handelsplatz und Ort fürs Parthenon, das in festlichem Frieden wie Athene erwachsen ist. Dieser Vermittlungsunterschied macht auch, daß die Aufzeigung des ökonomischen Grunds der Sonaten, Tragödien, Tempel und so fort den Idealisten besonders schockiert, den Materialisten besonders erfreut; denn der Erste will von Vermittlung überhaupt wegsehn, der Zweite aber will sie von unten bis oben, von oben bis unten begreifen. Nun kann allerdings das Problem dieser Vermittlung, letzthin also: der *Kulturerzeugung* am wenigsten dualistisch behandelt werden. Mit der immer gleichen Zerstückelung in ökonomischen Leib hier, ideologische Spukseele dort und nichts dazwischen als bestenfalls geheimnisvolle Verdünnungen, Verdampfungen, Sublimierungen der ökonomischen Materie in ideologische Himmelswolken. Die Versuche, aus dem isolierten Ökonomismus heraus Kulturerzeugung zu denken, erinnern an die ähnlich dualisierten Verlegenheiten, mit denen im Barock Übergänge zwischen den »Substanzen« Leib und Seele, extensio und cogitatio, Räumlichkeit und Bewußtsein gesucht worden waren. Die angeblich überleitenden »Nervenflüssigkeiten«, welche damals zwischen die »ausgedehnte und die denkende Substanz« eingedacht wurden, waren eine Bilderrede, nicht mehr; sie machten das Leib-Seele-Verhältnis, das Descartes eine »gewaltsame Zusammensetzung« genannt hatte, nicht selber flüssiger und sanfter. Griff damals die Verlegenheit zu einer transzendenten Vermittlung, zu einer durch Gott, der Materie und Geist zusammen geschaffen und als zwei Uhren, unabhängig voneinander, gleichgehen läßt, wie bei Geulincx: so ist diese transzendente Vermittlung dem Ökonomismus selbstverständlich undenkbar. Er behilft sich deshalb mit möglichster Herabsetzung, möglichster Entrealisierung des kulturellen Überbaus; – was so gut wie nicht ist, braucht nicht umständlich erklärt zu werden. Kurz, Verdinglichung und Vermittlung schließen gerade im Kulturproblem, im verstandenen Übergang aus Wirtschaftsweise in kulturelle Ideologie sich aus, hier vor allem, hoffnungslos. Aus der isolierten Wirtschaft kommt man so wenig auf die Kulturgeschichte, wie man aus dem isolierten Anblick des Gehirns, als ob dies Klavier keinen Spieler brauche, darauf kommt, daß hier der Sitz des Bewußtseins wäre. Wohl aber muß auch hier die Ganzheit begriffen werden, nur in ihr hat auch der Kopf Platz, »der das Materielle umsetzt in das Ideelle«, der vom Ökonomismus, Mechanismus her ganz unbegreifliche Kopf. Eben: Menschen machen die Wirtschaft samt dem nicht immer dunstigen Reflex des Überbaus, Wirtschaft und Überbau zusammen machen wieder den Menschen, in der Totalität der Subjekt-Objekt-Beziehung, ohne die undialektischen Gegensätze aus Abstraktion. »Solche festgewordenen Gegensätze aufzuheben«, sagt Hegel, »ist das einzige Interesse der Vernunft« (Werke I, S. 174); und diese Aufhebung geschieht auch fürs Wirtschaft-Kultur-Problem immer wieder in der Erkenntnis des Arbeitsvorgangs, des historisch sich ändernden Verhältnisses des Menschen zum Menschen und zur Natur, dieses verwandt machenden Diapasons einer Zeit und ihrer Gesellschaft. Der Arbeitsvorgang ist auch hier das Primum wie die wahrhaft »letzte Instanz«; und er macht nicht eine einmalige, sondern eine durchgängige Umschaltungsstation zwischen Wirtschaft und Ideologie, zwischen dem auf der ganzen Geschichtsstrecke gewirkten Ineinander von Unterbau und Überbau. Bis zu dem Punkt, wo auf Grund der Arbeitsteilung der Arbeitsvorgang sich auf vernebelnde, aber auch idealisierende, idealbildende Weise reflektiert, und als Produkt wie Ort dieser Reflexion gerade auch der *kulturelle* Überbau sich aufsetzt. Mit dieser Reflexion geht allerdings, wie bei jedem starting point einer weiteren Vermittlung des Grundes, ein Neues an, nämlich *der Topos eines Überbaus selber*. Daß und wieweit er als solcher ein Neues ist, kann mit einem variierten Satz von Leibniz glücklich erläutert werden, mit dessen Anmerkung zu Lockes: »Nihil est in intellectu quod non fuerit in sensu«. Leibniz fügte diesem Locke-Satz mit vollendetem Scharfsinn, vollendeter Bosheit in den Nouveaux Essais hinzu: »nisi intellectus ipse«; und so ist allerdings, mit schlagender Parallele zum Leibnizschen intellectus, der Überbau als solcher, per definitionem, im Unterbau nicht enthalten, er erscheint als eigener Topos. Gewiß nicht als ob der durchgehende, gemeinsame gesellschaftliche Inhalt durch das Novum Überbau irgendwo außer Kurs käme, es bleibt die historisch-materialistische Grundeinsicht. Indem der dem sensus darum doch nicht fremde Topos nach der Arbeitsteilung und wegen ihrer gesetzt und erschienen ist, erweitert und erfüllt er sich auch kulturell eben mit der jeweiligen Grundkategorie der Arbeitsbeziehung, die ihm im Unterbau zugrunde liegt. Er erweitert sich der Form nach, erfüllt sich dem Inhalt nach mit den Widersprüchen in der Arbeitsbeziehung und dem Schein der Lösung, der im Unterbau ebenfalls schon angelegt, obwohl nicht entwickelt und hypostasiert war. Geht doch die Grundkategorie Ware seit dem sechzehnten Jahrhundert ebenso durch die Ökonomie wie durch die Quantifizierungen der mathematischen Naturwissenschaft wie noch durch die Kontrast-Ideologien, gegebenenfalls Spreng-Utopien, welche dagegen aufgetreten sind. Und andererseits hat die freie Konkurrenz der Warenbesitzer inhaltlich ebenso die großen Wunsch-Individuen des moralischen und literarischen Überbaus in sich wie das Subjekt des Sich-Auslebens oder der titanischen Person den Unternehmer vergoldet, das Laissez faire bedeutend macht. Und die gleiche Tendenz, die die übereinander geschichtete Ständegesellschaft des Mittelalters unterminierte, brachte noch in einem dem Unterbau so entlegen scheinenden Gebiet wie der neueren Musik den Wechsel von der ständisch horizontal gebauten Fuge zur freien Stimmführung und thematisch-dialektischen Aktivität der Sonate-Symphonie. So ist und bleibt die vom Unterbau verschiedene Form des Überbaus gewiß und ohne Zweifel keine Leerform, sondern füllt und speist sich, was seine Inhalte angeht, allemal mit dem vom Unterbau ausgehenden und mit ihm gemeinsam gesellschaftlichen Tenor. Jedoch nun, wie jetzt spruchreif, damit erschöpft sich das im kulturellen Überbau kreativ Umgesetzte, zur Erscheinung Kommende zuletzt noch keineswegs. Angezeigt wird das allein schon durch die sehr verschiedene historische Vergänglichkeit des im Überbau, zum Teil auch im juristisch-politischen Überbau gesetzten und des im kulturellen Überbau umgesetzten Inhalts. Die antike Sklavenhaltergesellschaft, die Feudalgesellschaft sind vergangen, nicht aber so die griechische, die mittelalterliche Kunst; beide hatten in der Geschichte schon mehrmals eine Nachreife, neu problemhaft und unabgegolten zugleich; Marx selber betonte diese »ungleichzeitige Entwicklung«, nannte die griechische Kunst ein dauerndes, sogar unerreichbares Muster. Es gibt also eine relative Wiederkehr des kulturellen Überbaus auch bei verschwundener Basis, er geht ins sogenannte Kulturerbe ein, auch ganz unabhängig von polizeilicher oder epigonaler Konservierung; was allein schon den

Unterschied zwischen ideologisch unreflektiertem Unterbau und dem mehr oder minder Musischen und den kreativ-postulativen Umsetzungen seiner kenntlich macht und pointiert. Die Umsetzungen freilich: überraschender-, besser lehrreicherweise findet sich das sublimierende Medium, worin der Umschaltungsvorgang am leichtesten vor sich ging, nach Marx' eigener Bestimmung in jenem ältesten Teil des kulturellen Überbaus und Reflexes, der *Mythologie* heißt. In ihr treten die unablässigen und immer reicheren Vermittlungen zuerst hervor, mit besonders starken Illusionen, mit besonders blühenden Transponierungen und Harmonisierungen der gesellschaftlichen Widersprüche. »Es ist bekannt«, sagt Marx in der Einleitung zur Kritik der politischen Ökonomie, »daß die griechische Mythologie nicht nur das Arsenal der griechischen Kunst, sondern auch ihr Boden war ... Die griechische Kunst setzt die griechische Mythologie voraus, das heißt, die Natur und die gesellschaftliche Form selbst schon in einer unbewußt künstlerischen Form verarbeitet durch Volksphantasie«. Ja, auch nachdem die Mythologie durch die rationale Subjekt-Objekt-Beziehung verschwunden oder verdorrt ist, auch seit der Renaissance also lebt noch die künstlerische Umschaltung von der erinnerten mythologischen; so bei Rafael wie Rembrandt, bei Shakespeare wie Goethe, um nicht zu sagen: bei Jakob Böhme wie Hegel. Und das ist möglich (samt dem ersten falschen Bewußtsein, das durch die Mythologie vielfach eingeliefert wurde), indem die der Kunst auch vorgriechisch schon vorhergehende Mythologie erstes und breitestes Medium der Umschaltung war. Das nicht, weil in ihr, wie Lukács meint, »auf höherer Stufe die Unmittelbarkeit wieder hergestellt« (Geschichte und Klassenbewußtsein, S. 212), sondern unter anderem deshalb, weil sie auf der Stufe noch unentwickelter Produktivkräfte es mit der Transponierung und transzendenten Harmonisierung der gesellschaftlichen Widersprüche noch relativ leicht hatte. Vor allem waren die Produktivkräfte, unter denen die Mythologie sich ausbildete, als schwach entwickelte auch noch nicht rationalisierte; so hatte die »Volksphantasie«, wie Marx das nennt, ihren bildenden Raum zusammen mit einer Naturbelebung, wo nicht einem Naturleben, das dem Rationalismus gänzlich fernliegt. Außer dem Harmonisierenden findet sich in der mythologischen Verbrämung ja auch, unübersehbar, bildhaft Rebellisches durchaus, gleich der Prometheussage oder dem *Eritis sicut deus* mitten in der sonst überwiegenden Herren-Ideologie. Und schließlich bewirkten die nicht so entwickelten Produktivkräfte, daß die ihnen entsprechende Mythologie Archetypen der Primitivität festhielt, jene Archetypen der Phantasie, ohne die keine große Dichtung und auch keine weltanschauliche Philosophie möglich ist. Das Arbeitsverhältnis selber ist voll solcher Archetypen: Herr und Knecht, auch allein schon Stufenreihe (Leiter) der Ämter und Würden, der Fremde, der Eingesessene, der Meister und so fort gehören über die Hälfte zur Mythologie. Wobei noch das Überraschende zu bemerken ist: die Urerscheinungen der Mythologie liegen sogar hinter dem Startpunkt der Arbeitsteilung und Klassenbildung zurück, sie finden sich eben in der urkommunistischen Primitive selbst und in späteren, rebellisch vermehrenden Erinnerungen an sie. Damals hatte der Mythos nicht soziale Widersprüche phantastisch zu transponieren und zu normalisieren, wohl aber das Furcht- und Spannungsverhältnis zur unheimlichen Natur: alle Licht-Archetypen haben von daher ihren Ursprung. Gerade auch die späteren, rebellisch ausgezeichneten, das Prometheus-Feuer und -Licht, von den Göttern zu den Menschen gebracht, und eben dieser utopisch-helle Einschlag, diese Wunschlandschaft in der Mythologie macht auch, daß die von der Mythologie genährte Kulturideologie *eine der – Kultur sein konnte* und nicht nur des schön gefärbten Übels, der toto coelo auflösbaren Illusion. Das ist, wie sogleich zu sehen sein wird, entscheidend für den Überschuß, den Kultur über bloße Ideologie darstellt. Das selber *Unwahre* am bloß Mythologischen als solchem ist die Hypostasierung seiner Einbildungen und auch seiner Wunschlandschaften in eine als *fix und seiend gesetzte Transzendenz*. Aber das Bleibende, wenn auch *noch nicht Wahre* in Mythologischem kann die angegebene *utopische Überholung* in ihm sein, genauer jene Hoffnungsfolge: Nacht – Licht, die das Kulturbewußtsein ganz entscheidend aus dem Arsenal und Boden der Mythologie übernommen hat. Und dergleichen ist nicht abgegolten, auch wenn kein Geschäftsleben mehr ideologisch umzuschalten wäre; auch wenn die Ideologien des falschen Bewußtseins der klaren Erkenntnis dessen gewichen sind, was ist und vor allem wird. Darin erhält und konkretisiert sich Kulturerzeugung erst recht, obwohl, ja weil die Fähigkeit zur mythologischen Umsetzung ihrer Phantasie nach ebenso ausgetrocknet wie unnötig geworden ist. Dagegen ideologiefreie Ethik ohne Eigentum, Ästhetik ohne Illusion, Dogmatik ohne Aberglauben und alle Phantasie danachhin endlich Platz nehmen könnten und möchten.

Genie und ideologischer Überschuß

Der gleiche Saft versteht es, über das Geschäft hinaus zu blühen. Das liegt nicht nur am Geld, das die Keime begießt und sich entfalten läßt, sondern was bedeutend blüht, singt und dichtet, noch über seinen Tag hinaus bedeutend, streckt sich über den wirtschaftlichen Auftrag in ein Blaues hinaus. Dahin treibt und wirkt ein bedeutender Kopf, ein subjektiv durchaus nicht zum Geschäft gehöriger. Das große Sagenkönnen und sein Ausgesagtes führen zwar an Ort und Stelle ebenso falsches Bewußtsein über die wirklichen Antriebe und Vorgänge in der Gesellschaft mit sich wie die unbedeutenden Ideologien, aber: auch ein Mehr ist darin. Das Umsetzende zu diesem Mehr und seinem ideologischen Überschuß, der macht, daß sich im bloßen falschen Bewußtsein der Ideologie mindestens ein die jeweilige Zeit treffendes, ein sozusagen wahres falsches Bewußtsein bilden kann, ja überhaupt keine Ideologie, sondern ein die jeweilige Zeit utopisch Überholendes: dies neu Umsetzende, personhaft zum Erstumsetzenden mythologischer Art früh hinzukommend, heißt *Genie*. Daß der Überbau sich ohnehin langsamer als der Unterbau umwälzt, ist bekannt, aber die Dauer des eigentlichen Überschusses, in seiner oben schon angegebenen produktiven Nachreife, ist eine völlig andere als diese Trägheit in der Umwälzung. Die Dauer des Überschusses ist schon durch ihren Bezug auf das Bedeutende von der allgemeinen, gleichsam auswahllosen Trägheit des Überbaus verschieden: nicht Gewohnheit, sondern gerade Ungewöhnlichkeit hebt einzelne Werke des Überbaus dauernd heraus. Marx wäre der letzte, die historisch-materialistische Geschichtsauffassung zu durchbrechen, trotzdem eben stellt er fest, die genialen Karrieren der historischen Materie betreffend: »Die Schwierigkeit liegt nicht darin, zu verstehen, daß griechische Kunst und Epos an gewisse gesellschaftliche Entwicklungsformen geknüpft sind. Die Schwierigkeit ist, daß die für uns noch Kunstgenuß gewähren und in gewisser Beziehung als Norm und unerreichbare Muster gelten.« Kindlichkeit, man kann wohl auch sagen Jugendlichkeit, die Marx am griechischen Überbau besonders auszeichnet, ist seit alters eine Bestimmung der Genialität. Gewiß, Marx lehnt auf Grund der materialistischen Geschichtsauffassung sowohl die nüchterne wie die schwärmerische Personwertung ab: nicht sogenannte begnadete Männer machen die Geschichte, die ihre Cromwells oder Napoleons ruft und findet, wenn sie sie braucht, und nicht etwa von den Cromwells oder Napoleons selber gerufen und geschaffen wird. Aber nun freilich fällt die Rolle der Genialität nicht selber dahin, weil die Bourgeoisie, sehr post festum, aus den großen Männern Gips und Lorbeer gemacht hat: Cromwell, Napoleon sind trotzdem mächtige Figuren, Geschichte machende, nicht nur ausführende. Der Marxismus selber, der die Personen zu entthronen scheint, ist nach der gewaltigen Person seines Urhebers benannt, und Marxismus ist, was er ist, weil der große Moment damals ein großes Geschlecht, nicht etwa nur einen Proudhon oder auch Lassalle gefunden hat. Also sind Genies durchaus historische Produktivkräfte, sowohl politisch wie – was im vorliegenden Zusammenhang besonders wichtig – ideologisch, das heißt: zur geprägten Kultur umschaltend. Ja, selbst wenn die Generale Cromwell oder Napoleon genausogut durch andere aus dem gleichen Lager hätten ersetzt werden können, so ist dergleichen im Gebiet des *kulturellen Überschusses*, dessen Erzeugung hier doch das Problem und Thema ist, schwer denkbar, auch nicht einmal dem Schein nach eingetreten. Die musischen Geniepersonen sind nicht ersetzbar, wenn sie fehlen; so gibt es viele Jahrhunderte, die zwar bedeutsame Aufträge und Möglichkeiten zur Dichtung, zur Philosophie objektiv in sich hatten, doch wenn diesen Zeiten die spezifischen Begabungen fehlten, so blieb der Auftrag eben unerfüllt, die Möglichkeit leer. Solch eine Leerstelle liegt beispielsweise als die versiegende deutsche Ma-

lerei nach Dürer und Holbein vor, die nur noch in lauter ungewordenen Auskäufen sichtbare. Eine bestimmtere Leerstelle erscheint in und mit dem Erstaunen darüber, daß es kein ausge-
führtes, den Requiemtext des dies irae ganz entfaltendes Orato-
rium mit dem Text der Offenbarung Johannis, der Herabkunft
des himmlischen Jerusalem gibt (apocalypsis cum figuris). Obwohl doch so viele Maler und Graphiker von Dürer abwärts
diesen Stoff bildnerisch behandelt haben (Thomas Manns Roman »Doktor Faustus« baut sich geradezu auf dieser erstaunlichen Leerstelle post festum auf). Andere kulturelle Ausfallser-
scheinungen, weil die Homere und Dantes damals fehlten, sind,
wie schon oben bemerkt (vgl. S. 379 f.), doch eben wohl statuier-
bare Epos auf Grund des großen gnostischen Mythos von der
Himmelsreise der Seele (einem Mythos, der nicht geringer als
derjenige der Divina Commedia ist). Derart also haben wohldefi-
nierte kulturelle Möglichkeiten doch nicht immer ihren Exeku-
tor gefunden, und der fehlende war keinesfalls ersetzbar. Kulturelle Tendenz ohne gestaltendes Genie bleibt also derart Velleität innerhalb des bloßen Cadres: Leerstelle; kulturell jedenfalls erscheint ohne gestaltende Person keinesfalls der haltbare
Charakter: Werk, der fortwirkende Überschuß: Geniewerk. So
sicher zwar kein Genie ganz außerhalb seiner Zeit schwebte, so
sicher wurde andererseits das Kulturlicht, das dann doch über
die Ideologie seiner Zeit sich erhob und über ihr schwebte, und
allen Zeiten weiter vorherzieht, fortleuchtet, *durch die als Genie bezeichnete Produktivkraft* ausgesagt, vermittelt, umgesetzt und herausgeschlagen. Klar hierbei, daß die Kategorie Genie nicht mehr selber ideologisch gebraucht oder mißverstanden
werden darf. Genialität macht nicht deshalb kulturellen Überschuß, weil sie besonders persönlich wäre (im unternehmeri-
schen Herrensinn) oder auch besonders atavistisch-archaisch,
ein Urwelt-Schamane am lichten Tag. Beides hätte keine fortwirkende Bedeutung, das Erste ergäbe bestenfalls scharf ge-
schnittenes Profil (wie außer den sogenannten Malerfürsten es
noch viele andere Fürsten aufgewiesen haben), das Zweite ma-
gische Patina (wie sie sich bei Swedenborg zweifellos populärer
findet als bei Goethe oder Hegel). Der Überschuß, den die Genialität herausbringt, ist vielmehr, gleich allem Fortwirksamen,

Unabgegoltenen, utopisch begründet: *ideologischer Überschuß tritt hervor gemäß der utopischen Funktion in der Ideologiebildung und jenseits ihrer.* Eine große Kunst, eine große Philosophie ist also nicht nur ihre Zeit, in Bildern, in Gedanken gefaßt, sondern sie ist: *die Fahrt ihrer Zeit und das Zeitanliegen überhaupt,* in Bildern, in Gedanken gefaßt. Von daher: vom seinerzeit Neuen, vom jederzeit noch nicht Erfüllten – von diesem endlich herauszupräparierenden Element Utopie in der Genieerscheinung kommt allein der fortwirkende Überschuß über die jeweilige Zeitideologie. Kommt vor allem letzthin die gültig bleibende Echtheit, wie die verwandelt und verwandelnd fortwirkende Wahrheit dieses Überschusses, mitten in seinem bloß ideologiehaften, also falschen Bewußtsein an Ort und Stelle und vor allem jenseits von ihm. So ist das gute Neue zwar niemals ganz neu, denn es gibt lange vor ihm in der Geschichte, was Marx den »Traum von einer Sache« genannt hat, doch das artikuliert Neue selber erscheint jedesmal als Durchbruch, und er macht den Paß wie das Siegel seiner Neuheit aus: eben im gelungenen Genieswerk, und gewiß nicht nur in der Kunst, sondern ihr durchaus verwandt in den neuen Meeren, die Kant mit dem Begriff der transzendentalen Erzeugung befahren hat, die Hegel sichtete, als er im Organon einer nicht mehr formalen Erzeugung zum ersten Mal die Dialektik als Sprengpulver auszeichnete. Selbst die Religion hat in ihrer langen, nur ihre Götternamen ideologisch wechselnden Geschichte doch den entscheidenden Durchbruch jenes »Siehe ich mache alles neu« erfahren, das sie mit der bloßen bisherigen re-ligio = Rück-verbindung unverwechselbar macht. War das Mythologische, also gerade Erzarchaische hierfür auch lange Zeit »Boden und Arsenal«, so wurde es doch eben durch die wesentlich utopische Funktion der Genialität selber umfunktioniert; denn Genie ist primär Blick in die Welt, die fehlt, nicht Erinnerung an die Welt, die abhanden gekommen ist. Und das Fortbedeutende hat sich kraft der Genieweise an und in ihm über alle Zeitideologie frisch erhalten. Auch wenn die Hekuba, um die das Ideologische an Ort und Stelle ging, längst vergessen ist, ja, durch das Gedicht über sie durchaus nicht erinnert wird. Statt der Regression schafft das Genieswerk vielmehr Projektion und bringt

– vor allem als ästhetisches – seine Gestalten und Situationen selber sowohl wie in essentiell forttreibender Verlängerungslinie ihrer zum Austrag. Die Ideologie in einem großen Werk spiegelt und rechtfertigt seine Zeit, die Utopie in ihm reißt die Zeit auf, bringt sie zu Ende, bringt sie an jenes Ende, wo keinerlei bloß Vergangenes und seine Ideologie mehr wäre, sondern gezeigt werden könnte: tua propria vera res agitur.

Braucht hier nicht mehr verschönt zu werden, dann tritt überall unsere Sache sauber auf. Das ist in der klassenlosen Gesellschaft der Fall, sofern in ihr Herr und Knecht verschwunden sind, also weder der Herr dem Knecht noch sich selber etwas vorzumachen braucht. Falsches Bewußtsein, scheinhaftmusische Lösung der sozialen Widersprüche sind mit diesen selber abgeschafft, abgestorben. Aber nun: wie blüht die Rose ohne Dung?, wie blüht der ideologische Überschuß ohne Ideologie? Das ist zwar eine leider verfrühte Frage, eine, die in unserer ideologischen Zeit leider noch nicht auf der Tagesordnung steht. Jedoch wird die Frage von antimarxistischen Liebhabern der Lebenslüge bereits höhnisch aufgeworfen, von vulgärmarxistischen Liebhabern der Plattheit ebenso höhnisch abgetan. Als Hauptfunktion der Ideologie wurde erkannt: die verfrühte und scheinhafte Lösung der sozialen Widersprüche, dies Gegenteil ihrer materiellen Erforschung. Die scheinhafte Lösung macht sowohl das falsche Bewußtsein, das eine Zeit über sich selber hat, wie sie noch die Gestaltbildung der musischen, der kontemplationsfähigen Kultur füllt. Jedoch es erhellte bereits: nicht jedes Kulturwerk der Vergangenheit war notwendig an diese Art von ideologischer Harmonisierung gebunden. Beethoven etwa erhält als Musiker einer noch revolutionären Ideologie bedeutend weniger Ideologie im statischharmonisierenden Sinn als utopischen Elan. Hängt auch dieser Elan wieder mit dem der sich befreienden individuellen Wirtschaftsweise zusammen, so ist das, was als Eroica ergreift, doch zweifellos an Ort und Stelle schon voll ganz anderer Implikationen. Und es sind diese Implikationen: die Größe ohne Unterdrückung, der Enthusiasmus ohne Narkose, die Freiheit ohne Unternehmerschwung, welche eine Kunst wie die Beethovens auch ohne ideologische Voraussetzungen denkbar machten. Beethoven wäre zwar nicht ohne die französische Revolution zu seinem Werk gekommen, aber ohne das falsche Bewußtsein der französischen Revolution, ohne die eigentliche Unternehmer-Ideologie, welche sich in Freiheit, Gleichheit, Brüderlichkeit verkleidet hat. Verwickelter liegt der Fall zweifellos bei den Kulturwerken einer in nichts dynamischen, gar revolutionären, sondern statischen Ideologie; so bei Giotto und Dante. Wie groß, wie besonders leuchtend und dauerhaft auch der Überschuß dieser Gebilde, so ist er doch genau mit der Ständegesellschaft seiner Zeit und ihrer statischen Ideologie verbunden. Deren Gebautheit und scheinbare Ruhe wird mit solchen Großwerken mitüberliefert: als wirklich gestaltete Gebautheit und Ruhe. Aber wird mit dem unter Giotto und Dante Gedachten in der Tat die Feudalgesellschaft mit ihrer Kirche mitgeliefert?, sind hier nicht ebenfalls Implikationen am Werk, die gar kein Mittelalter brauchen, um verstanden, um hervorgebracht zu werden? Eben die mit der Ständegesellschaft nicht begrenzten, gar erledigten, großen Implikationen der »Ruhe«, der »Ordnung«, der »Hierarchie« des Wichtigen? Fehlen sie bei Cézanne, sind sie gar in einer klassenlosen Gesellschaft unproduzierbar, unantreffbar geworden? Gewiß nicht, vielmehr: die gleiche Utopie »Ruhe«, die als solche der ständischen Ideologie ihren kulturellen Überschuß gab, wird immer wieder einen nicht ruhenlassenden, wohlverstanden: schlechthin unreaktionären Vor-Schein gestalten lassen und gestalten lassen müssen. Worin Aufgeregtes Frieden findet, Zeit zum Raum wird und dreinsieht, als wäre alles an seinen Ort gekommen, – ein Vor-Schein also, der in keiner Ideologie des Bestehenden jemals unterkam, sich sprengender zu ihm verhielt, als es noch den aufgeregtesten Überschüssen über die Ideologie gelingen könnte. Zurück auch zu weniger metaphysischem Plus, so ermöglicht der Wegfall der Klassenideologie das gänzliche Novum eines Überschusses, der gar keiner mehr über die Ideologie zu sein braucht. Keiner über das falsche Bewußtsein, das doch selbst in seiner besten Gestalt objektive Unwahrheit darstellt und dies dem Kulturwerk einmischt. Statt dessen wird ein Überschuß fällig *über die wirklich eingetretene Abschaffung der sozialen Widersprüche selber*, das heißt, über die mögliche Verabsolutierung einer

Partiallösung infolge eines auch in der klassenlosen Gesellschaft denkbaren Vulgärmarxismus. Dieser letzte Vulgärmarxismus spukt jetzt bereits in einer Art von kleinbürgerlichem Kommunismus, weniger paradox gesprochen: in jener Trivialität, die mit dem elektrischen Eisschrank für jedermann oder auch der Kunst für alle die Welt am Ziel sieht. Gegen solches rote Philisterium eben setzt der neue, ideologiefreie Überschuß sein utopisches Wesen an, sein nun ganz zentral eingedenkendes. Es ist der Überschuß des utopischen Gewissens und Eingedenkens in einer Welt, die mit der klassenlosen, nicht mehr antagonistischen Gesellschaft keineswegs aus nicht-antagonistischen Widersprüchen selber heraus ist. Weder aus dem Widerspruch des Subjekts zu den Objektivierungen seiner, mit denen es noch behaftet ist als mit einem Fremden, noch aus dem Widerspruch, worin die Totalität des Eigentlichen, als eine schlechthin noch nicht gewordene, zu allem ihr unadäquat Gewordenen steht. Beide Widersprüche: der erstere als Motor der bleibenden Dialektik, der zweite als ihr sie anziehendes Endziel, sind letzthin einer oder der Grundwiderspruch, welcher den Weltprozeß bis zum ausstehenden Resultat in Gang erhält. Indem aber so dieser Grundwiderspruch die gesamte Tendenz wie Latenz des Weltprozesses, des Erleuchtungsprozesses der Weltmaterie durchzieht, kommt er sinngemäß in der klassenlosen Gesellschaft als solcher nicht zu Ende. Diese ist vielmehr nur die Wegnahme seines trübsten Teils: des Klassen-Widerspruchs, mitsamt dem Schein der verfrühten, gar noch als fertig hypostasierten Harmonie. Aber der Stachel bleibt, die Unruhe der utopischen Funktion bleibt und der Werke – nicht ihres Scheins, sondern ihres gestalteten Vor-Scheins. Diese nun völlig ideologiefrei hervortretende Funktion hört demnach mit dem Absterben der Ideologie und ihrer bisherigen Grundlage so wenig auf, daß sie vielmehr erst frei und geordnet, bewußt und konkret beginnt. Das ausstehende Wesen des nicht mehr erniedrigten, geknechteten, verlassenen, verächtlichen, entfremdeten, unerschienenen, unidentifizierten Menschen aufzurichten, dazu ist die relative Widerspruchslosigkeit der klassenlosen Gesellschaft nicht das Ende, sondern konträr der Anfang des Werks. Mithin: die geniale Produktion selber erlangt nach Vernichtung der

Ideologie und alles Interesses an der Illusion überhaupt erst die Macht einer vollen Produktionskraft in der Welt, an der Front der Welt. Die Möglichkeit eines sozialistischen Kulturerbes zeigt in der Sphäre der Rezeptivität nur an, was in der produktiven Sphäre weit über dieses »Wohl dir, daß du ein Enkel bist« sich jetzt bereits zuträgt und immer befreiter zutragen könnte: Schönheit ohne Lüge, Glaube ohne Blendwerk, Geheimnis ohne Nebel. Der Realismus, der so aufgeht, ist allerdings gerade als Realismus nicht mechanisch, ebenso wie die mit ihm verbundene Entzauberung sich am wenigsten darin bewährt und beweist, daß sie mit dem Schein den so reich vorhandenen Vor-Schein vernichtet, also trostlos ist. Dergleichen Trostlosigkeit gehört zum selber irrealen, ja, halb verrückten mechanischen Materialismus des vorigen Jahrhunderts und zu jenem inaktiven Pessimismus, der selbst in seiner genialsten Bekundung, in der Schopenhauers, nur dadurch sich entschieden macht, daß er Zeit, Prozeß, Latenz aus der Welt herausschneidet, wegwirft, ableugnet. Realismus aber ist gerade keiner, wenn er dem riesigen Fundus des Möglichen in der Wirklichkeit nicht gerecht wird, also auch dem unvereitelten Weltkorrelat zur Hoffnung. In diesem Sinn mag man ebenso über die fortdauernde Möglichkeit einer Ästhetik ohne Illusion durchaus beruhigt sein und einer Wahrheit, deren geringste Gefahr diejenige ist, grau in grau zu sein. Ob freilich ein ideologiefreies unabstrakt, konkret Utopisches, ein solches also, das nicht mehr kultureller Überschuß über Ideologie genannt werden kann, noch selber in der Kategorie »Kultur« unterkommt, das steht dahin. Kultur ist musisch, Kultur ist kontemplationshaft, Kultur hat sich vom ursprünglichen Wortsinn der Bebauung, nämlich des Menschen und nicht nur seiner Betrachtungsfelder, weit entfernt. Eine andere »Ökonomie«, eine worin Interesse und Idee nicht mehr voneinander sich abheben, gar kollidieren, hat auch für die Verdinglichung des Musischen und zwar des kraftlos Musischen wenig Raum. Betroffenheit und Betrachtung schließen sich aus; das war bereits in den – wenn auch noch so mythischen oder inner-mythischen – Impulsen des Bildersturms involviert, vorab des täuferischen. Dennoch muß wirklich vorhanden gewesene Kultur von der epigonal verdinglichten unterschieden werden, das ist, von dem Gips-, Lorbeer- und Museumsbegriff Kultur aus dem vorigen Jahrhundert, jetzt auch von dem doppelt verdinglichten der Kulturware, des Kulturmarkts, so gewiß wie das sozialistische Kulturerbe überall von dem gleichnamigen der Bourgeoisie unterschieden werden muß. Derart gehört auch zur klassenlosen Gesellschaft das Werk, das Kulturwerk und sein Universale: Kultur; diese, als Bebauung, wird durchaus fortgesetzt. Ohne Ideologie, erst recht ohne Verdinglichung, erst recht ohne jene doppelte Verdinglichung, welche Historismus heißt. Auch hier ergibt sich: wegen der weiterziehenden utopischen Funktion im Geniewerk ist die Bindung der überlieferten Kultur ans falsche Bewußtsein ihrer Zeit aufhebbar. Sowohl im Sinn des produktiven Erbes wie im Sinn der produktiv möglichen Nicht-Fixierung des gestalteten Vor-Scheins an den ideologischen Schein. So ist der Abzug der Ideologie aus dem Bewußtsein der klassenlosen Gesellschaft von keiner Seite her beklagbar: das Bleibende wie das möglich Wahre wurde schon bisher nicht aus Ideologie, es wurde aus der in ihr arbeitenden, der aus ihr weiterziehenden utopischen Funktion produziert. Ideologie schafft heutzutage nicht einmal mehr langdauerndes Blendwerk, sondern rast in manipulierten Moden und ihren billig interessant gemachten Ablenkungen, und alles so rasch wechselnd und abgeläutet, daß der tote Hund von gestern ebenso lustig wieder auf der Spielwiese herumläuft wie der gefährliche Löwe von heute oder morgen, alles entspannt, alles verwaltet und trivialisierbar, kurz kapitalistisch vereinnahmt. Die Utopie ist unabgegolten; so kann aus ihr schöpferisch erinnert wie mit Wahrheit produziert werden, mit dem Realismus, der der des begriffenen Prozesses ins so fällig wie wirklich Neue ist.

Ideologiefreier Überschuß im Überbau, und wahrgemachtes Kulturerbe

Das Eine tun und das Andere lassen, dies empfiehlt sich bei Handeln oft sehr. Löwen schlagen nicht nach allen Seiten aus, ihre Bahn ist der schmale Sprung. Zu viel Breite macht schwankend, kein rasch entschlossener Käufer hält sich damit auf, vielmehr: Einseitigkeit macht scharf zum Zweck. Und selbst der Weise huldigt, damit er zufrieden bleibt, sehr oft dem Grundsatz, den Ramuz in der »Geschichte vom Soldaten« einmal so aussprach: Man soll zu dem, was man besitzt, nicht das Besessene fügen wollen. Aber beziehen sich diese Lehren wirklich auf jede Art und Verwendung von Vergangenheit? Beziehen sie sich nicht ausschließlich auf jene, die man nicht nützt und also eine schwere mitgeschleppte, überflüssige Last sind? Und setzen diese Lehren nicht das Gegenteil von Löwen voraus, nämlich schwache Subjekte und Zeiten, denen der Sprung und die Schärfe zum Zweck am fernsten liegen? In der Tat, auf schwache Subjekte und Zeiten, nur auf diese, bezieht und beschränkt sich die Wahrheit gegen das Erbe, als dem eines bloßen Historismus; und sie warnt vor aller, wie immer verklausulierter Fortdauer des neunzehnten Jahrhunderts im Problem des Kulturerbes. Gegen das erstarrte Erbe von damals und die impotente Kopie bloßer Fassade, gegen die vertrockneten Kränze und den Untergang der historischen Schule zu purem Epigonentum. Damals schrieb Feuerbach (und er schrieb es gegen die historisch-allzu historische Schule selbst): »Der Wagen der Weltgeschichte ist ein enger Wagen. Wie man nicht mehr in ihn hineinkommt, wenn man den rechten Zeitpunkt übersieht, so kann man auch nur einen Platz in ihm bekommen, wenn man von den Kommoditäten des alten historischen Hausrats abstrahiert, – nur das Unveräußerliche, das Notwendigste und Wesentlichste mit sich nimmt. Denen, die mit Bias aus Priene auswanderten, aber ihr Hausgerät mit fortschleppten, mußte gewiß auch des Bias omnia mea mecum porto sehr ›abstrakt und negativ‹ erscheinen« (Werke II, 1846, S. 390). Dergleichen ist auch heute noch eine Mahnung, dann, wenn unfruchtbare Kreise Vergangenheit nur als Kleben an der Vergangenheit kennen und Wissen nur als eine Erinnerung der Menschheit an das, was sie gewesen sei. Ein so bedeutender Architekt wie Gottfried Semper hatte im vorigen Jahrhundert ganz richtig gesehen, daß Stil Übereinstimmung einer Kunsterscheinung mit ihrer Entstehungsgeschichte und ihrem Zweck sei. Doch eben weil Semper in der Karikaturzeit des Erbes, in der der historischen Maskeraden lebte, zog er aus seinem fast einwandfreien Satz genau den Schluß, der nun jede Produktivität verbannte, den Schluß, daß die bisherige Baugeschichte schon alle Häuser-Charaktere ausgebildet hätte, das Schauspielhaus als römisches Theater, das Gerichtshaus als Palladio-Bau, die Kaserne als mittelalterliche Befestigung, die Synagoge als maurisch und die Kirche selbstverständlich als gotisch. Der Architekt wurde so Komödiant der Historie, das ist ihres sogenannten Formenschatzes, ihrer »ewigen Muster«. Sie sind selbstverständlich nicht auf Architektur und Kunstgeschichte beschränkt und leider auch nicht aufs Epigonentum des vorigen Jahrhunderts: jede Verdinglichung des »Epischen«, des »Tragischen« und anderer Schulmeister-Schemen zeigt diese historische Krankheit. Dagegen also zeigt Feuerbachs antihistorischer Satz sozusagen unstrukturalistische Wahrheit, gegen alles dazu, was Tradition nur als Tradition betrachtet. Was den Erben als Kustos der Vergangenheit setzt und nicht als Herrn, Rächer, Vollstrecker vorzüglich der revolutionären Tradition, aber auch des noch Ungewordenen in Großwerken der Vergangenheit. Wie es sich keineswegs ganz mit der Ideologie der damaligen Macht und dem Gleichgewicht ihrer Statik deckt, also erst recht nicht in einem Triumphzug der nachfolgend herrschenden Klasse mitgeführt werden kann. Es sei denn mit gar nicht kontemplativer Erinnerung der Fron, der die reine Luxuswelt in Kultur ihr Dasein verdankte; das bringt eine neue Art Bildersturm dem Begriff des Kulturerbes hinzu und erschlägt den Luxus der Sieger in ihm. Dieses Sinns bemerkt Benjamin, obgleich etwas zu allgemein verwerfend, in seinen »Geschichtsphilosophischen Thesen« zurecht: »Die Einfühlung in den Sieger kommt demnach den jeweils Herrschenden allemal zugut. Damit ist dem historischen Materialisten genug gesagt. Wer immer bis zu diesem Tage den Sieg davontrug, der marschiert mit in dem Triumphzug, der die heute Herrschenden über die dahinführt, die heute am Boden liegen. Die Beute wird, wie das immer so üblich war, im Triumphzug mitgeführt. Man bezeichnet sie als die Kulturgüter. Sie werden im historischen Materialisten mit einem distanzierten Betrachter zu rechnen haben. Denn was er an Kulturgütern überblickt, ... ist niemals ein Dokument der Kultur, ohne zugleich ein solches der Barbarei zu sein.« Doch sagt Benjamin vorher andererseits, spirituelle Dinge betreffend: »Trotzdem sind diese letzteren im Klassenkampf anders zugegen denn als die Vorstellung einer Beute, die an den Sieger fällt. Sie sind als Zuversicht, als Mut, als Humor, als List, als Unentwegtheit in diesem Kampf lebendig, und sie wirken in die Ferne der Zeit zurück. Sie werden immer von neuem jeden Sieg, der den Herrschenden jemals zugefallen ist, in Frage stellen.« Item: Kulturerbe ist nur eines, wenn der Erbe nicht mit dem Erblasser zusammen tot ist, wenn er auf Seite der Zukunft in der Vergangenheit steht, nicht mit schmarotzender Herrenreprise, sondern Unabgegoltenem verschworen. Kulturerbe hört sogleich auf, lombardierter Triumphzug, aber auch Grabwache und Mausoleum zu sein, sobald der Erbe die Kraft besitzt, das überliefert Vergangene auf das Unvergangene, gegebenenfalls sogar malgré lui Vorgreifende zu verwandeln, das in ihm weiter umgeht und den Überschuß ausmacht. Den Überschuß nicht nur über die ehemalige Ideologie, sondern auch über das, was bloße Kontemplation als *musische Vollendung* an dem kulturellen Großwerk erblickt und stille macht. Hat die utopische Funktion an Ort und Stelle (in ihrer sichtbarsten Form: der Genie-Funktion) den kulturellen Überschuß aus der Ideologie herausgeschlagen, so arbeitet die gleiche Funktion im nicht mehr musischen, im produktiven Kulturerbe weiter. Sie arbeitet als *Fortverfolgung der Implikationen* in den um uns versammelten Kulturgebilden der Vergangenheit als einer Nicht-Vergangenheit. Das eben ist das Gleiche wie Betonung der Zukunft in der bedeutenden, nämlich fortbedeutenden Vergangenheit, dergestalt daß der echte Täter des Kulturerbes im nämlichen Akt auf die Vergangenheit zurückgreift, worin diese selber auf ihn vorgreift, ihn betrifft und braucht. Der Gedanke kann sich nicht zur Wirklichkeit drängen, wenn diese nicht zum Gedanken drängt: diese Marxsche Erkenntnis gilt auch für die Wirklichkeit, die als Kulturerbe da ist. Omnia mea mecum porto: der Wagen der Weltgeschichte führt nur das Weiterdrängende aus der Vergangenheit mit sich. Nur das zum aktiven und zukünftigen Gebrauch taugliche Gepäck, nicht das museale, nur das mit einer noch versiegelten Order. Dieses lebendige Geschichtserbe führt der Prozeßwagen allerdings notwendig mit sich; es gäbe sonst lediglich abstrakten Putsch statt der konkreten Revolution, ephemere Tagesneuheit statt der – Weltgeschichte.

Der Schwache, so sah man, ist zum Antritt des Erbes nicht geeignet. Er wird davon erdrückt, er erfindet nichts, sondern plaudert bestenfalls aus, nämlich die Schwächen dessen, was er nachahmt. Aber es muß hinzugefügt werden: wenn der Epigone keine Kraft zum Erbe hat, dann genausowenig die andere, nur scheinbar aktivere Art von Parasit: der Plünderer, der historische Pirat. Letzterer Typ erscheint dort, wo der Herren eigener Geist die Geschichte nur übernimmt, um sie zu fälschen. So beschaffen war die nazistische Schändung der Vergangenheit; der Rosenberg hat darin nur ad absurdum geführt, was der Gobineau und der Housten Stewart Chamberlain begonnen haben. So beschaffen war freilich auch die höhere, die vornehmtuende Geschichtserläuterung, womit der Georgekreis sich die schönen Hochgebirge beigebogen hat, von Pindar bis Hölderlin, vom Hohenstaufen Friedrich II. bis zu Napoleon und Goethe, um seine eigene Schmalheit damit aufzudonnern. Nicht grundlos nannte Benjamin derart den Gundolfschen Goethe »das monumentale Postament für die eigene Statuette«. Hier überall geschieht kein Erbantritt, sondern Stammbaumfälschung, also Vortäuschung von Vergangenheit und dem Recht, ihren Auftrag zu vollziehen. All das gibt nur das Gegenbild, die Gegengefahr zu dem sterilen Eingemauertsein des Historismus; es ist die aufwendige Kehrseite der Sterilität und gehört noch zu ihr. Wobei der Historismus, indem er nicht anmaßend, sondern verlegen, zwar hochtrabend, aber nicht hochmütig war, immerhin noch das Gute an sich hatte, daß er jene neu erstrebte Lesekunst, nämlich Philologie, ausbilden mochte, die der Geschichtsklitterer völlig verloren hat. Philologie ist oder war das Bestreben, im authentisch hergestellten Text der Meinung des Autors selber kundig zu werden. Das sieht sich gerade durch die spätbürgerlichen Erbschleicher verwirtschaftet, durch den Aufputzer, der aus dem Text nur seine eigenen Velleitäten wichtig macht. Was hat in dieser Schein-Philologie, Schein-Interpretation selbst Heidegger nicht alles aus Hölderlin, Anaximander, Parmenides, Platon, Kant herausgelesen; die Berge kreißen, um

Privatsein zu gebären, die Kultur der Tiefe wird interpretiert durch Ideologien des Zerfalls. Die Geschichtsklitterung ist derart ebenso das Gegenteil von konkretem Erbe wie das Epigonentum, und sie ist seine Karikatur dazu. Echtes Erbe ist und bleibt einzig eine genaue, nämlich progressive Verwandlung und zwar auf die im Erbmaterial immanent intendierte Vollendung seiner ohne Ideologie, mit Implikation. So entsteht jenes durchaus nicht nur Erinnernde, was Goethe in dem Aufsatz »Wiederholte Spiegelungen«, 1823, darstellte, und zwar im steigenden Sinn: »Hieraus entfaltet sich ein Trieb, alles, was von Vergangenheit noch herauszuzaubern wäre, zu verwirklichen ... Bedenkt man nun, daß wiederholte sittliche Spiegelungen das Vergangene nicht allein lebendig erhalten, sondern sogar zu einem höheren Leben emporsteigern, so wird man der *entoptischen* Erscheinungen gedenken, welche gleichfalls von Spiegel zu Spiegel nicht etwa verbleichen, sondern sich erst recht entzünden, und man wird ein Symbol gewinnen dessen, was in der Geschichte der Künste und Wissenschaften, der Kirche, auch wohl der politischen Welt sich mehrmals wiederholt hat und noch täglich wiederholt.« Dazu aber wirkt ein Rächendes im Erbantritt, sofern er das seinerzeit zu Boden Geschlagene oder Verkannte aufhebt und ihm gerecht wird. Ein Vollstreckendes wirkt im Erbantritt, indem es das seinerzeit mit Unrecht Gerühmte verachtet, das seinerzeit mit Recht Gerühmte von den Evidenzen der damaligen Ideologie losreißt, mit den wahren Evidenzen seiner Implikationen fortlaufend erfüllt. Die Nachwelt nimmt derart ebenso vielen Ruhm weg, wie sie ihn weiter, substanziierter hinzugibt. Dazu macht sich der Überlieferungsstoff, sofern er sein Unabgegoltenes in der Vergangenheit hat, selber tauglich; er kommt dem Erbvermögen durch die Potentialität zur Nachreife entgegen. Ist doch sogar in der bloß kontemplativen Erinnerung das historische Material dauernd verändert; kein Geschichtswerk der einen Zeit sieht dem der nächsten gleich und nichts zeigt selber so viel Geschichte wie die Geschichtsbeschreibung. Hundert gründliche Winterabende voll Studium von Sophokles oder Platon, Dante oder Thomas entbinden nicht von der Wahrscheinlichkeit, daß Klargewordenes schon im nächsten Jahr zu einem Vexierbild wird,

Dunkelheiten sich bei unmerklicher Verschiebung der Valeur-beziehungen zu Leuchttürmen verwandeln. Wie erst, wenn die gesellschaftliche Verschiebung ganzer Zeiten ihre jeweilige Ideologie mit nun erst ansprechenden Ideen der Vergangenheit nährt; so in den ganz verschiedenen Nachreife-Bildern Griechenland, die Winckelmann, dann Hölderlin, dann Nietzsche eröffnet haben. Wie aber erst, wenn überhaupt kein Subjekt mit Ideologie seine wiederholte Spiegelung machen sollte, sondern die Verwandlung gänzlich auf die Freilegung des kulturellen Überschusses geht? Des Überschusses über jede Ideologie, also *auch noch über die musische Verdinglichung Kultur*, kurz, des Überschusses, der letzthin der utopischen Funktion im Kulturschaffen entstammt und derart den Horizont der Zeiten füllt? Was aus diesem klassenlosen Zugang entstehen könnte, wäre nicht nur das verwandelte, es wäre das berichtigte Erbe; es wäre *Verwandlung als Wahrmachung*. Es wäre, wie alle fruchtbare Kritik, Mortifikation der Werke, das heißt Blick auf sie als auf Trümmer und Fragmente statt als auf fertige, erledigt-gleißende Beendungen. Es wäre, wie alle fruchtbare Wiedergeburt, das Ernstnehmen jenes Vor-Scheins, der die großen Werke nun nicht mehr zur voreiligen Harmonisierung im Dienst der Ideologie tauglich macht, sondern zur Information des Rechten, das aussteht. Ist doch dieser Vor-Schein, als gestalteter, allemal weit von Schönfärberei entfernt, vielmehr auf die Tendenz und Latenz der Zeit aufgetragen und auf das unbekannte Eigentliche, worin die Welt (nicht die Kunst) am Ziel sein könnte. Das ist Realismus, wenn auch gewiß nicht Naturalismus; es ist jener Realismus der Tendenz und Latenz (des Einschwingens in beide), der der starken Wirklichkeit an einem Velasquez, Balzac, Tolstoi ebenso die latenten Ränder einbezogen hat, wie er der starken Latenz des Goethischen Faust die breiteste Wirklichkeit betretbar gemacht hat. Und die fortwirkende *Umsetzung* des Materiellen zum Ideellen im Kulturerbe, vielmehr *im utopischen Überschuß* als *Erbe und Vorschein* zugleich hebt das Materielle so wenig auf, daß sie dessen Potentielles am stärksten aufschließt und seinen Horizont artikuliert. Die Materie selber wird dadurch nicht idealistisch verlassen oder auch nur überboten, sie setzt vielmehr ihre Aufklärung fort, schließt sich als *immer weiter zu uns, zu sich kommendes Substrat des Könnenseins* auf, des noch nicht Gewordenen, erst recht noch nicht Gelungenen, doch ebenso noch nicht Vereitelten am Sein, am Sein als Reich. Hierbei fällt zwischen Tradition und Produzierung von Zukunft der Unterschied, sicher der Gegensatz weg: Wahrmachung des Kulturerbes ist ein Gebiet mit gefallenen Grenzpfählen im umfassenden Gebiet des verantwortlich und konkret zu artikulierenden Vor-Scheins. Die Warenkategorie entfremdeter Vergangenheit hört in dieser Produktivität auf, und die extreme Kontemplationskategorie Historismus findet keinen Raum mehr: das Unabgegoltene der Geschichte steht vielmehr, statt rückwärts zu liegen, mitten im Produktions- und Artikulierungsprozeß an der Front. Das erst wäre wirkliches Kulturerbe, mit Tradition der Zukünftigen. Hegel, so antiquarisch er nach Seite seiner Kontemplation war, hatte von dieser Hoffnung des Erbes selber durchaus einen Vor-Schein, auf Grund seiner wider die Abrede krypto-utopischen, als Totalität utopischen Dialektik. Daher sagt er zwar: »In der Geschichte wird das dargestellt, was veränderlich ist, was vergangen ist, untergegangen ist in die Nacht der Vergangenheit, was nicht mehr ist.« Doch weiter, im gleichen Zusammenhang: »Was so jede Generation an Wissenschaft, an geistiger Produktion vor sich gebracht hat, ist ein Erbstück, woran die ganze Vorwelt zusammengespart hat, ein Heiligtum, worein alle Geschlechter der Menschen, was ihnen durchs Leben geholfen, was sie der Tiefe der Natur und des Geistes abgewonnen, dankbar und froh aufhingen. Dies Erben ist zugleich Empfangen und Antreten der Erbschaft, ... und zugleich wird diese empfangene Verlassenschaft zu einem vorliegenden Stoffe herabgesetzt, der vom Geiste metamorphisiert wird« (Werke XIII, S. 13 f.). Desgleichen, in der Einheit des dialektischen Prozesses: »Der Geist, die Hülle seiner Existenz verzehrend, wandert nicht bloß in eine andere Hülle über, noch steht er nur verjüngt aus der Asche seiner Gestaltung auf, sondern er geht erhoben, verklärt, ein reinerer Geist aus derselben hervor. Er tritt allerdings gegen sich auf, verzehrt sein Dasein, aber indem er es verzehrt, verarbeitet er dasselbe, und was seine Bildung ist, wird zum Material, an dem seine Arbeit ihn zu neuer Bildung erhebt.« Alles muß derart mit neuem Zug begonnen werden können, man entdeckt keine neuen Weltteile, wenn man nicht den Mut hat, die bekannten Küsten aus dem Auge zu verlieren. Aber alles Lebendige aus den alten Küsten fährt ebenso im Prozeß des Neuen, gar Eigentlichen mit, wonach eben nichts weniger jakobinisch, nichts überlegter konservativ ist als konkrete Revolution. Ja, es kann sogar passieren, daß hierbei überhaupt kein Novum aufzutauchen scheint als dieses, was in der Vergangenheit – als tendenzieller – intendiert war. Die Maxime lautet dann: Begonnen ist der Weg, vollendet die Reise, oder in Marxscher Formulierung des Gleichen: »Die Reform des Bewußtseins besteht nur darin, daß man die Welt ihr Bewußtsein innewerden läßt, daß man sie aus dem Traum über sich selbst aufweckt, daß man ihre eigenen Aktionen ihr erklärt ... Es wird sich dann zeigen, daß es sich nicht um einen großen Gedankenstrich zwischen Vergangenheit und Zukunft handelt, sondern um die Vollziehung der Gedanken der Vergangenheit« (Brief an Ruge, 1843). Und es ist genau dieser »Traum von einer Sache«, welcher die Geschichte aus dem Tempel des Gedächtnisses zu einem Arsenal verwandelt. Mit der Erinnerung hebt das Kulturerbe nur an, aber es wird an keinem Punkt von ihr umschlossen, mit ihr erschöpft. Vielmehr: *primär am Kulturwerk ist die Hoffnung*; nur sie versteht und vollzieht auch die Vergangenheit, öffnet die lange, gemeinsame Heerstraße. Mit Hitler ganz hinten, im dunklen Loch, mit Spartakus und Münzer ganz nahe zur Seite; mit aktuellem Schund im Nichts, aber den großen Werken als Symbolchor ums nächste Dasein.

Drei Stadien, auch Arten im ideologiefreien Überschuß (Erbbarkeit an Aufstiegs-, Blüte-, Niedergangszeiten: Archetypen)

Dem bewußten Erben bietet sich nicht alles gleichmäßig an, um verwandelt zu werden. Er sieht selber der Herkunft auf die Finger und weiß, wieviel Schönes ruchlos zustande gekommen ist. Wieviel Not der Luxus vorausgesetzt und gebraucht hat, um seinen Glanz zu bilden und nun heute schöne Kunstgeschichte zu sein. Mit vergessener Qual der Sklaven und der Leibeigenen, vergessenen Judenverfolgungen, Hexenbränden: non olet, es stinkt nimmermehr. Und zweifellos ist die Erbbarkeit auch bei allem Überschuß über die damaligen Gestehungskosten und die damalige Ideologie nuanciert: die Phrygische Mütze und was damit zusammenhängt, wirkt leichter rezipierbar als die Krone und ihre Folgen. Insgesamt sind die Schichten auch der Erbbarkeit, also des möglichen meta-ideologischen Überschusses drei: immer die des revolutionären Aufstiegs, oft die der kathedralischen Blütezeit, zuweilen die des – was bisher übersehen – gesprenkelten Zerfalls. Was nun die *erste* Schicht des Erbes, die des *revolutionären Aufstiegs* angeht, so ist sie uns heute am meisten wahlverwandt, auch scheinbar die fragloseste. Ein Proletariat als aufsteigende Klasse hat aus den Befreiungskämpfen früherer unterdrückter Schichten ohne weiteres Personen, Zeichen, Aufrufe übernommen und für sich gebraucht. Auch wo gar keine zukunftsträchtige Klasse aufstand, fand streckenweise Identifizierung statt, nämlich mit dem Willen des Aufruhrs selber, gegen die Herrenbestie; so beim Aufstand der römischen Sklaven. Erst recht wird die revolutionäre Überlieferung zur eigenen, wo wirkliche neue Produktivkräfte sich in Freiheit setzten, seit dem zwölften und dreizehnten Jahrhundert. Von hier das weithin rückwärts datierbare Wort Büchners: »Krieg den Palästen, Friede den Hütten«; von hier die erinnerten Lichtweisen, mit denen Lenau seine »Albigenser« schließt und ebenso nicht schließt (wohl das einzige Gedicht, das mit einem Undsoweiter endet): »Den Albigensern folgen die Hussiten / Und zahlen blutig heim, was jene litten; / Nach Huss und Ziska kommen Luther, Hutten / Die dreißig Jahre, die Cevennenstreiter, / Die Stürmer der Bastille, und so weiter.« Revolutionäre Zeiten haben derart immer ihre Ahnen begrüßt, zum Teil neu entdeckt und sicher neu verstanden; so gut und meist besser, als reaktionäre Zeiten in Ritterburgen, Kaiserhof, Kirchenbau sich gespiegelt haben. Und doch muß auch hier gewaltig umgerechnet werden, damit das Erbe eines sei und der fremde Klasseninhalt, diesesfalls der bürgerliche, vom Fest, das seine Geburt begeht, abzieht. Ja, der jubelnde Rückgriff auf frühere Revolutionen muß hierbei fast noch vorsichtiger sein als die Übernahme statisch-großer Kulturgüter aus der klassischen Blütezeit einer Gesellschaft. Das beste Exempel zu dieser Vorsicht liefert gerade die französische Revolution, mit ihrer Art Freiheit, Gleichheit, Brüderlichkeit, mit ihren Menschenrechten. Die Befreiung des Individuums war damals ein mächtig vorwärts treibender Impuls, aber wenn es der Bourgeoisie bestimmt war, schön zu beginnen, abscheulich zu enden, wenn gar die bürgerliche Freiheit im einst revolutionären, revolutionär geborenen Amerika die Wand für die stärkste Kapitalstyrannei werden konnte, so schlossen das die Menschenrechte, soweit sie vom Bourgeois zum Programm erhoben wurden, nicht aus. Ihre Freiheit enthielt die des schrankenlosen Profittriebs, ihre Gleichheit die bloß formelle der Warenbesitzer, ihr Reich der Vernunft wurde, wie Marx sagt, das idealisierte Reich der Bourgeoisie. Die Marxkritik an den Menschenrechten vermißt also an ihnen nicht nur die Konsequenz, das heißt, die materielle Demokratie statt der bloß formalen; sie pointiert auch aufs deutlichste die sozialistische »Freiheit vom Erwerb« gegen die längst nicht mehr progressive »Freiheit des Erwerbs«. Nur nach großer inhaltlicher Umfunktionierung tritt also der Überschuß der französischen Revolutionsutopie über ihre damalige Klassenideologie hervor; dann allerdings als Festtag des revolutionären Erbes. Als erster breiter »Ausgang des Menschen aus selbstverschuldeter Unmündigkeit«, gemäß der Aufklärungs-Definition Kants. Reicht doch das geglückte Wagnis, sich reiner Vernunft zu bedienen, von Lessing bis zum Goetheschen Faust, von Kant bis zu Hegels Phänomenologie, von der hellen Märchenmusik Mozarts bis zur Eroica und der Freude der neunten Symphonie. Insofern ist das bürgerlich-revolutionäre Erbe von dem der statisch-ausgeglichenen Großwerke wichtig verschieden; denn es ist das der Bewegung. Das der Unruhe und des Prozesses, mit dem aufrechten Gang, der Spartakus mit allen diesen Prometheuswerken verbindet. So viel hier über das Erbe am revolutionären Ausbruch; wie und wo aber hat – nun die *zweite* Schicht des Erbes betreffend – die Wahrmachung an den von der Ursache so mächtig abgetrennten Werken der *kathedralischen Blütezeit* einer Gesellschaft Platz, vor allem an denen des Mittelalters? Die phrygische Mütze ist immerhin von Haus aus rot, aber die Tiara, in jeglichem Reflex, ist Weiß mit Gold, also Herrschaft und usurpierte, nicht bloß antizipierte Harmonie. Indes auch in der usurpierten Harmonie kann trotz ihrer Statik, kraft Ruhe sich uns ein Formbewußtsein einleiten, das der Unruhe, den Umbrüchen sinngemäß noch mehr oder minder fremd ist. Keine Vorsicht aber müßte vor überlieferten wirklichen Gebautheiten erst anempfohlen werden, eher der Mut einer überlegen gewordenen Großmacht des nicht mehr rückwärts gewandten, aber vom Überschuß betroffenen Begriffs. In Choral und Fuge, in baulicher Statik und im Geist der mittelalterlichen Summa, in diesen eminent geordneten Gebilden ist die Haltung und Gelassenheit, die Ruhe und der Kristall, ist jener intendierte Baustil einer Ewigkeit, der in den byzantinischen Mosaiken sich unbewegt reiht, in den Kuppeln sich wölbt. Das Grave, die Gravität ist darin, die als strengstes Muster in Ägypten erscheint, im geometrisch gewordenen Sein. In Europa gehören Giotto, Dante, Thomas zu dieser Welt; die christliche Bewegung entschließt sich hier zu erstarrten Figuren des Unheils, zu ruhigen Figuren des Heils. Ausgesprochenermaßen herrscht derart ein Primat der Ruhe über die Bewegung, des Raums, worin alle Dinge an ihrem wertgemäßen Platz sind, über die umwälzende Zeit. Bloße reflektierte Ständegesellschaft freilich sitzt noch in diesen hierarchischen Werken, mit ihr (die Bachsche Fuge war ihr letzter europäischer Ausdruck) sind sie vergangen. Aber der Glaube an einen vorgegebenen und kanonischen Ordo sempiternus rerum, den alle Zeitbewegung nur sichtbar zu machen hätte, machte lange weiter zu schaffen, in anderer als reaktionärer Betroffenheit. Er machte noch die geschichtslose Verführung in Spinozas System aus, ja hält ein so geprüftes wie erprobtes systematisches Gewissen noch im Paradox eines offenen Systems. Wie aber berührt sich mit konkreter Utopie, was doch so weit von Prozeß und Offenheit entfernt scheint? Was auch so überwiegend der Ideologie der jeweiligen Herrschaftsschicht zugehörig scheint, der Apologetik des Schichtbaus und der gesetzten Schwere? Das Problem einer auch mit Unbewegtem bestehenden, unleugbaren Wahlverwandtschaft, einer freilich nicht einfachen, sondern implikationshaften, wird erleichtert durch einen spezifischen Hoffnungscharakter, der jenseits dieser Ideo-

logie oder Apologetik ihren Zeiten zukam und ihnen den Überschuß gab. Der behauptete Ordo sempiternus rerum, ein allemal nur beschworener, nicht in der Vorhandenheit vorgefunde-
ner, macht mit seinen hypostasierten Vollendungsfiguren von
diesem Utopiewesen keine Ausnahme. In der kathedralischen
Ordnung wird nicht nur ein vorübergehender, vorübergehend
beruhigter Gesellschaftsbau zur Ewigkeit idealisiert, es antizipiert, ja experimentiert sich darin auch eine völlig ausstehende,
nur als Möglichkeit vorhandene Angelangtheit. Der Marxsatz,
wonach nicht nur die ausgebeutete, sondern auch die herrschende Klasse in der Entfremdung steht, wenn auch in einer, worin
die Herrenklasse sich wohl und bestätigt fühlt, die Tiefe dieses
Satzes bewährt sich cum grano salis auch an den fanatischen
Ruhegebilden ständischer Art. Denn es ist eben diese Entfremdung, ja, das ganze, sozial nicht erschöpfte Außersichsein des
Menschen, welches auch der Herrschaftsideologie ein Vermis-
sens-Werk hinzugibt, ein zu Ende treibendes. Folglich eines,
worin Wunschlandschaft Platz hat, worin Utopie des In-Ord-
nung-Seins mehr oder weniger illusionär haust. Im »Geist der
Utopie«, vor allem im »Prinzip Hoffnung« wurde eine Fülle
solcher Wunschlandschaften gerade in den Statik-Werken gezeigt; die Erbe-Affinität zur Ruhe lernt besonders von ihnen.
So gibt es auch hier mögliche Wahrmachung, um nicht zu sagen: die beste aller Wahrmachungen gibt es möglicherweise
hier, nämlich die der Situationslosigkeit.

Ein letztes nun, woran rotes Erbe angeht, kann sogar im bürgerlichen Zerfall sein (wie schon in »Erbschaft dieser Zeit« betont und belegt). Hier wäre dann die *dritte* Schicht des Erbes
betreten, nach der revolutionären, nach der relativ statischen
Hoch-Zeit, eben die der *bürgerlichen Endzeit,* der nicht bloß
abscheulichen, auch lehrreichen. Dies klingt ungewöhnlich,
doch das Buch »Erbschaft dieser Zeit« (1934), das 20er Jahr-
zehnt betreffend, inaugurierte das Problem: »Gerade hier ist
der Reichtum einer brechenden Zeit groß, einer auffallenden
Mischzeit von Abend und Morgen in den zwanziger Jahren«
(Gesamtausgabe, Bd. 4, S. 17). Der Lack der bisherigen Oberfläche springt mit Joyce, mit Proust, Musil, Kafka und anderen.
Eine Menge ungleichzeitiger, das heißt schief, wo nicht ar-

chaisch zur bürgerlichen Ratio stehender Gehalte; eine Menge von Begegnungen, objektiv, nicht nur subjektiv möglicher Montagen aus Jähem, Unterbrochenem, Bruchstücken, zwischen bisher weit entfernten Erscheinungen und Elementen. »Erbschaft dieser Zeit« hat solche Phänomene beachtet, notiert, zur Nachdenklichkeit des Erbes empfohlen. Das gerade nicht für ein mehr unmittelbares, also selber verkehrtes Bewußtsein, sondern für das tendenzkundige, das unter die Oberfläche dringt, erst recht also unter die gesprungene. Und keinesfalls darf das Erbproblem daran a priori abgelehnt werden, etwa mit der Begründung, daß seit Goethe, Hegel, Feuerbach der Bourgeoisie nicht mehr zugehört zu werden brauche. Wonach zwar die jeweils letzte Maschine der bürgerlichen Zivilisation auch die beste sei, aber der kulturelle Untergang, mit allen seinen Aufreißungen, Phosphorbildern, Relativismus-Paradoxien nicht einmal einen Blick verdiene. Der Apriorismus und Schematismus in dieser Begrenzung des Erbes, ja, des bloßen Erb-Problems liegt auf der Hand, auch wenn er sich irrtümlicherweise hie und da unter Marxisten findet. Er gehört überhaupt nicht zum Marxismus, als einem, der im Untergang am wenigsten die Dialektik aussetzen läßt; er gehört vielmehr zu den Diatriben eines Spengler, sobald er sich der Gegenwart zuwendet und seine Schematik an ihr, gegen sie zu bewähren hat. Nur noch dieses bleibt nach Spengler: »Eine gefährliche Kunst, peinlich, kalt, krank, für überfeinerte Nerven, ... das Satyrspiel zur großen Ölmalerei von Lionardo bis Rembrandt« (Spengler, Der Untergang des Abendlandes, I, 1923, S. 373). Ersichtlich steht so jede Ablehnung des Erbproblems an Spätzeiten nicht dem Marxismus an, obwohl sie unter klassizistischen Marxisten vorkommt, sondern der bürgerlichen Kulturreaktion selber und wird durch Spenglers Konsequenzmacherei ad absurdum geführt. Item, gerade das fortgeschrittenste Bewußtsein wird sich gegen die Auflösungserscheinungen der bürgerlichen Kultur nicht blind verhalten oder die mannigfach möglichen Verhakungen übersehen, die zwischen Abend und Morgen dialektisch bestehen. Die Bourgeoisie produziert in diesen Auflösungen ja keinesfalls ihre eigene Apologie, sie ist dazu gar nicht mehr imstande, ihre bloßen Klopffechtereien werden immer durchsichtiger bloßer Betrug, dazu langweiliger. Aber gerade die Einsturz-Erscheinungen zeigen Langweiligkeit als ihren geringsten Fehler, und sie gehören, unauskreisbar, zur Wendezeit. Daß nichts daran unmittelbar genommen werden kann, versteht sich von selbst, erst recht ist das Problem der Wahrmachung hier das komplizierteste. Alles an Joyce ist selber Problem und nicht Lösung, doch eben es erscheint darin ein bisher ungewohntes Material und ein Montage-Versuch, ihm gerecht zu werden. Und schließlich, was sogar archaische Regressionen im Surrealismus, vorher in einigen Expressionisten angeht, mit dem Schönen als eines Entsetzlichen Anfang: auch dieses Unabgegoltene stieg aus dem Untergang originär auf. Und zwar als ein von dem bloßen Oberflächenbild, geleckten Zusammenhang des bisher üblichen Bourgeoisblicks brechend Verschiedenes, dringend nach eigener, neuer Ratio rufend.

Hier liegt ein Menetekel vor und ein Weitwinkel, von dem das neunzehnte Jahrhundert, trotz der Romantik, nichts wußte, vor dem die Philosophie nicht weiter hilflos sich verhalten darf. Sie hat das, am Ende des bürgerlichen Rationalismus, derart Lautgewordene zu hören, sie hat daran ein eigenes Erbamt: das aufbrechende, das zu einem anders gewordenen Apollo umfunktionierende. Bereits der Zauber des Altmodischen gehört zur »Regression« im Untergang, dies Unheimlich-Heimliche der Gaslicht-Ära, Plüsch- und Vorhang-Aura aus mancher Elternzeit, also Archaikzeit der heute Lebenden; die Wirksamkeit archaischer Archetypen gehört ganz entfernt hierher. Ja, die rein historische Gruppierung des Erbmaterials, die Reihe: revolutionärer Aufstieg, Statik, Zerfall selber wirkt in dieser letzten »Regression« wie verlassen; denn ein Unterschwelliges, Ausbrechendes, ein keineswegs zur bekannten Kultur gehöriges X, gleich dem bei aller Bekanntheit unvernichtbaren sogenannten Lächeln der Mona Lisa, bricht durch, überwältigt, mitten in allen Ruhelösungen, Gebautheiten, ja wegen ihrer. Aber auch ein Bedenken ausgesprochen archetypischen Erbguts ist, wenn utopisch-rational gesichtet, ausgewählt und umfunktioniert, nicht das Schlechteste, was in der bürgerlichen Zerfallszeit aufgegangen ist. Trotz eines Mißbrauchs von archetypischem Erbgut überhaupt, der durchaus das Schlechteste war, eines Mißbrauchs freilich, der ohne die Unbeaufsichtigtheit des Archetypischen kaum in diesem seinem Umfang möglich gewesen wäre. In summa: der marxistische Erbantritt bezieht sich nach dem bahnbrechenden Satz von Engels: »Man kann nur dann Kommunist werden, wenn man sein Gedächtnis mit der Kenntnis all jener Reichtümer bereichert, die die Menschheit erarbeitet hat« – nicht nur auf »die deutsche klassische Philosophie«. Er hob damit an, aber er ist nicht auf sie und überhaupt nicht nur auf Philosophie begrenzt. Er schlägt sich mit docta spes, mit Abtun dessen, was Rost und Motten aufgefressen haben, das gesamte Schatzhaus der Menschheit zu. Mit der Kraft, keine vergangene Zeit um ihre Kultur beneiden zu müssen, das ist mit der neuen Kraft und Einheit aus Produktion und Rettung, Utopie und Tradition zugleich. Lotze, ein feiner Epigone, kein Erbe, sagte einmal, zu den bemerkenswertesten Eigentümlichkeiten des menschlichen Gemüts gehöre neben so vieler Selbstsucht im Einzelnen die allgemeine Neidlosigkeit der Gegenwart gegen ihre Zukunft. Soweit das nicht selber ein Epigonensatz ist, bedeutet er: gegen die Zukunft und ihr Erben gibt es keinen Neid, weil immer intendiert war, daß sie einmal ein Haus sein möge, das allen Menschen gemeinsam hell und freundlich sein werde. Daher gibt es gegen diese Zukunft keinen Neid, sondern Erwartung: die Zukunft übernimmt das klassenlos gewordene Erbe als berichtigtes und konkretisiertes von der Entbehrung und dem Vor-Schein bisher. Hier ist eigene historische Materie, umgesetzt zum Überschuß, eingesetzt als Resultat und historischer Gewinn, der mit der Gewinnsucht und ihren Grundlagen nichts mehr gemein zu haben braucht. Kulturerbe heißt so letzthin: Kenntnis der Vermissung, die zur Kultur treibt; Abscheidung der Utopie von der Ideologie in den Kulturwerken; Halten des Versprechens, das Kultur, also unser Hausbau heißt. Dabei findet sich auch hier, gerade hier, nicht nur in der zeitgenössischen Aktivierung des Unterbaus durch den Überbau, sondern vor allem in den folgenden Nachreifen des Überbaus der Weg und damit freilich auch das Wegproblem, die Aporie Sein-Bewußtsein, sogar von einer neuen Seite, der des starting points Kultur. Wie sie ohne den Unterbau zwar nirgends zustande käme und doch als eigener Akt und Topos des Überschusses hernach besteht und das gerade als besonders strahlender mit vorscheinendem Licht.

Coda / Problem eines partiell noch unabgegoltenen Erbes an früheren, noch mythologisch durchsetzten Naturbildern

Aber vieles Andere liegt ums Haus noch herum, geschichtlich zu bebauen versucht. Der Hunger schafft Äcker, eine Menge Dinge wurden aus dem Außeruns zum Füruns gebildet. Die riesige, teils helfende, teils feindliche, teils gleichgültige Welt mußte dazu, schlecht oder recht, *verstanden* werden. So war das eigentliche Studium des Menschen nie nur der Mensch, er konnte sich das nicht leisten. Er stand beständig im Austausch mit der Natur, neben dem Heldensang war allemal Magie, neben und in den belles lettres allemal science. Also gehören auch die historisch nacheinander aufgetretenen Naturbilder, mit ihrem gesellschaftlich verschiedenen Naturverstehen, zur Kultur. Sie gehören über die Hälfte zu ihr, trotz des von Menschen unabhängigen Materials, das hier so mächtig in die gesellschaftlich bedingten Vorstellungen hineinragt. Es gab derart *urwüchsig-animistische, orientalisch-magische, ständisch-qualitative Naturbilder*, sie liefen dem bürgerlichen quantitativ-mechanischen vorher. Und die Frage ist nun, innerhalb des konsequent verfolgten Erbproblems: *gibt es auch hieran ein mögliches Erbe?* Diese Frage schien sinnlos, indem das quantitativ-mechanische Weltbild von Galilei bis Robert Mayer geschlossen und triumphierend sich ausgebildet hatte. Solange auch den Lebenserscheinungen gegenüber der Satz Du Bois-Reymonds unangefochten galt: was nicht mechanisch erklärt sei, sei nicht wissenschaftlich verstanden. Der Glaube an die mechanische Kausalität als Alpha und Omega, gar an den Newtonschen dreidimensionalen Raum, worin sie geschieht, hat seitdem bekanntlich einige Erschütterungen erfahren. Sicher nicht ohne den Einfluß des Zerfalls der bürgerlichen Gesellschaft und ihres bisherigen, lückenlos scheinenden Weltbegriffs. So ging auch physikalisch ein Hohlraum auf, mindestens macht das allgemein verunsicherte bürgerliche Leben für subatomare Unsicherheitsbeziehungen, für makrokosmische Ungeheuerlichkeiten empfindlich.

Erneut öffnet sich in der Welt ein großes Unzuhause, in menschlich nicht-bekannten Verhältnissen, alle bisherigen physikalischen Modelle sprengend oder auf einen schmalen mesokosmischen Anschauungsraum beschränkend. Freilich besteht methodisch zwischen der Newton-Welt und der Planck-Einstein-Welt noch durchaus kein Riß. Abtun jeder Anschaulichkeit, nicht-euklidische Geometrie, Zeit-Raum-Kontinuum, das sind alles sehr komplizierte Neuheiten, aber ihre Anfänge gehen ins neunzehnte Jahrhundert, ja, was die Relativität der Raumstelle angeht, bis auf Leibniz (Streitschrift gegen Clarke und Newton) zurück. Auch gilt die Newtonsche Mechanik ja unverändert weiter für unsere Anschauungs- oder mesokosmische Welt zwischen der atomaren und der astronomischen. Trotzdem ist da ein Hohlraum aus gesprungenen Zusammenhängen, durch den die Natur nicht nur erneut Rätsel schickt, sondern in dem auch vorbürgerliche Naturbilder verwandelt wiederkehren. Am eindrucksvollsten dasjenige vom geschlossenen Raum, zum Unterschied vom unendlichen, unzentrierten seit Galilei, Bruno, Newton. Nicht grundlos konnte Hermann Weyl einen Bezug zwischen Dantes geschlossenem Raum (minus Pol und Gegenpol) zum Einsteinschen gekrümmten notieren (Philos. d. Mathematik und Naturwissenschaft, 1927, S. 77). Selbst in naturwissenschaftlichen Novitäten, die dagegen bloß Miscellen sind, wie der organischen Konstitutionslehre, finden sich lange vergessene, ja direkte Beziehungen zum alten Aufbau der vier Temperamente. Solche »Erinnerungen« wären, selbst als Spielerei, im vorigen Jahrhundert unmöglich gewesen, es sei denn, man denke an die mannigfachen »ästhetischen« oder aber romantisch-naturphilosophischen Reaktionen gegen das quantitative Weltbild. Sie gewannen über dieses keine Macht und zwar infolge der sich bildenden oder noch bestehenden Solidität der quantifizierend-mechanischen Denkungsart der kapitalistischen Gesellschaft, aber sie brachten freilich auch schon in den unruhigen Anfang der neueren Naturwissenschaft immer wieder Erbgut von früheren Naturbildern herein. So gleich zu Beginn der neueren Naturwissenschaft, unter ihren Begründern selbst: die Welt der Renaissance ist teils animistisch, teils orientalisch-magisch. Sie zeigt nicht zuletzt kabbalistische Einflüsse, verbunden mit der pythagoreischen Zahlensymbolik, desto bemühender, als gerade hieraus die Einsicht entbunden wurde, das Buch der Natur sei in Zahlen geschrieben, die Galileische Einsicht. Bekannt ist die ursprüngliche, ja nie ganz abgewiesene Bindung Keplers an die animistische, besonders an die ständisch-qualitative Vergangenheit und ihr Naturwesen. Schönheit und Vollkommenheit, hierarchische Fragen, wie die nach dem »Rang der Erde« nehmen in Keplers Werk noch einen großen Raum ein, einen aus der vorhergegangenen Welt überlieferten. Ungern gibt er die Kreisbahn der Planeten, als die vollkommenste, auf, zugunsten der »nächst vollkommenen«, der vorgefundenen Ellipse, niemals die Lehre von den fünf regulären kosmischen Körpern aus dem Platonischen Timaios, nie die uralte Sphärenharmonie. Dabei ist in seinem Bewußtsein, fast in seiner Methode, noch nicht einmal ein deutlicher Unterschied zwischen diesem mythischen Erbe und dem neuen mathematisch-quantitativen Kalkül sichtbar. Die geometrische Bedingtheit, die die Entfernungen der Planeten nach dem Schema der fünf regulären Körper bestimmt, verbindet sich mit dem musikalischen Gesetz, das ihre Bewegungen regelt und einstimmig macht. Zwischen den als veränderlich gesetzten Geschwindigkeiten eines Weltkörpers sowohl wie zwischen den mittleren Werten der Geschwindigkeit der verschiedenen Planeten muß für Kepler eine Beziehung herrschen, welche derjenigen zwischen den Schwingungszahlen harmonischer Töne analog ist. Und gerade in der Verfolgung dieser nicht eben neuzeitlichen Analogien ist Kepler zur Entdeckung seines dritten Gesetzes gelangt, wie es die Umlaufzeit der Planeten als Funktion ihres Abstands von der Sonne bestimmt. Wobei Kepler das Bewußtsein eines Erbes, und zwar großartigerweise eines umfunktionierten, nicht fehlt; das bezeugt sein Satz: »Ja, ich habe die goldenen Gefäße der Ägypter gestohlen, um meinem Gott daraus ein Heiligtum zu errichten – weit, weit von den Grenzen Ägyptens« (Harmonices mundi, Vorrede zum 5. Buch). Nicht umfunktioniert freilich, doch immerhin mit dem Anspruch eines Menetekels gegen die Verabsolutierung eines nur quantitativ-mechanischen Wesens der physischen Natur traten die romantischen, nicht nur romantischen Qualitätserinnerungen der Goethe-, der Schelling- und der Hegel-Zeit auf. Bei Novalis freilich geriet die Regression auf Qualitäten und die damit verbundene qualitative Analogiebildung zu oft grotesk. Goethes Farbenlehre dagegen gibt sich als eine beobachtungsreiche Erbschaft des qualitativen Naturverhältnisses vor Newton, wobei auch eine als real angesetzte Farbensymbolik nicht fehlt. Erneut gilt hier die Wertung, die Marx in der »Heiligen Familie« dem Naturverhältnis vor Newton, auch Hobbes zubilligt: Im vollen sinnlichen Glanze blicke hier die Materie den Menschen an. Hegels Naturphilosophie nimmt nicht nur die Schellingsche auf, mit Berührungen von Paracelsus und Böhme, sie rezipiert auch die ständisch-qualitative Ordnung aus Aristoteles und Thomas, den qualitativ bestimmten Stufenbau der Natur. Ohne diesen hätte ja gar ein dialektischer Umschlag von Quantität in Qualität naturhaft überhaupt keinen Raum; denn die totale Mechanik kennt überhaupt keine Qualität. Wären aber Eis, Wasser, Dampf bloße mechanische Aggregatszustände, alles eigen Qualitative an ihnen nur sinnlicher Schein, dann allein schon hätte die ganze Hegelsche Naturdialektik, fast mehr noch als die Schellingsche ausgespielt. Licht und Klang insgesamt sind in der Mechanik nur subjektiv-ideal, nichts als Empfindungsinhalte, keinerlei objektive Naturinhalte; ganz anders als in der nicht nur naiven, sondern vorkalkulatorischen Meinung, die bei Goethe wie Hegel noch spukt, das heißt epatiert, so fremdartig emergiert. Gar ein Satz wie der Hegelsche (ganz gleich hier noch, wie es um seine Diskutierbarkeit steht): »Im Leben ist das Licht so über das Schwere vollkommen Meister, das Lebendige ist also die Individualität, welche die weiteren Besonderungen der Schwere in sich subjiciert hat und tätig in sich selbst ist« (Werke VII¹, S. 426), – diese und andere Qualitätsklitterung, mit dem »Wasserreich der Pflanze«, dem »Feuerreich der Tiere« dazu, ist seit Paracelsus und Böhme nicht mehr dagewesen. Zweifellos, die moderne Naturwissenschaft ging darüber, als einer Verirrung, zur Tagesordnung über. Zu jener Tagesordnung, die Gustav Fechner, der Physiker, aber auch der letzte Nachfahre romantischer Naturphilosophie, nun wieder eine bloße »Nachtansicht« genannt hat, nämlich eine der tonlos, lichtlos begriffenen Ätherschwingungswelt. Doch, um nicht ganz außerhalb der Diskutierbarkeit zu bleiben, um einen Stier bei völlig stoßkräftigen Hörnern zu packen: wie steht es mit vorkapitalistischen Erbstücken, folglich mit Qualitätsmomenten im – dialektischen Materialismus? Er ist doch im höchsten Grad up to date, er hat als vorzüglichstes Erbmaterial die moderne Naturforschung selber: und dennoch, er verleugnet auch in Ansehung der Natur die Rezeption des dialektisch-*qualitativen* Hegel gewiß nicht. Mit Recht wurde zwar gesagt: »In dem bei Kepler, Galilei und Descartes gleichmäßig auftretenden Satze, es sei töricht zu denken, daß in dem Menschen das Ziel des Universums liegt, vollzieht sich eine vollständige Neuwandlung der Interpretation der Welt« (Dilthey, Gesammelte Schriften II, 1923, S. 353). Ist aber im dialektischen Materialismus die ältere, von Dilthey als christlich bezeichnete Mensch-Pointe nicht implicite wieder hergestellt? Greift er, was Natur selber betrifft, in einer Darstellung wie der Engelsschen »Dialektik der Natur« nicht über Hegel fast zur Aristotelischen Stufen-Natur zurück, mit ganzen eigenen Qualitätsgruppen physikalischer, chemischer, organischer Art und ihren eigenen Sphären? Findet sich hier nicht auch die Aristotelisch-Thomistische Folge: quantitative Bewegung oder Zu- und Abnahme, Ortsbewegung oder die Veränderung, qualitative Bewegung oder die Verwandlung? Das unüberhörbar in Sätzen wie diesen: »Bei den Naturforschern ist Bewegung stets selbstredend als gleich mechanischer Bewegung, Ortsveränderung genommen. Dies aus dem vorchemischen 18. Jahrhundert überkommen, und erschwert sehr die klare Auffassung der Vorgänge. Bewegung, auf die Materie anwendbar, ist *Veränderung überhaupt* (von Engels gesperrt). Aus dem gleichen Mißverständnis auch die Wut, alles auf mechanische Bewegung zu reduzieren – wodurch der spezifische Charakter der anderen Bewegungsformen verwischt wird. Womit nicht gesagt sein soll, daß nicht jede der höheren Bewegungsformen (!) stets notwendig mit einer wirklichen mechanischen (äußerlichen oder molekularen) verknüpft sein mag; gerade wie die höheren Bewegungsformen gleichzeitig auch andere produzieren, chemische Aktion nicht ohne Temperatur und Elektrizitätsänderung, organisches Leben nicht ohne mechanische, molekulare, chemische, thermische, elektrische etc. Änderung möglich. Aber die Anwesenheit dieser Nebenformen erschöpft nicht das Wesen der jedesmaligen Hauptform« (Dialektik der Natur, Moskau 1935, S. 617 f.). Der »Formwechsel der Bewegung«, den Engels hiermit statuiert und zwar mechanisch, chemisch, organisch übereinander, enthält ersichtlich ein vorbürgerliches, nicht-quantitatives Erbe. So wie eben auch der Umschlag der Quantität in die Qualität, als welcher doch in einer qualitätslosen Natur, einer ohne mechanisch-chemisch-organische Stufung, objektlos wäre. Also gibt es auch im dialektischen Materialismus so etwas wie ein Erbe vorkapitalistischer Naturbezüge, obzwar ein vorbildlich sachliches, das heißt eines ohne allen antiquarisch-mystizistischen Zauber. Immerhin ist dadurch die Geradlinigkeit nach vorwärts aufgehoben, womit gerade die behauptete wissenschaftliche Ausschließlichkeit des quantitativen Naturbegriffs exzelliert hatte. Es scheint vielmehr noch nicht Abgegoltenes an den früheren Natur-Ideologien zu geben, fast so wie in den auf Humaniora bezogenen. Die früheren Naturbezüge stehen nun nicht mehr ausnahmslos in der bloßen Rumpelkammer der Geschichte, ohne Erbproblem an ihnen; sie bieten vielmehr, wenn sie eine Nachreife des Begriffs finden, zu dem Erbe an Kulturbildern eine Parallele. Wobei der ganze Farbenweg des dialektischen Umschlags von Quantitäten in Qualitäten und die dialektische Behebung des nach wie vor bedeutsamen Newton-Goethe-Streits, das heißt der Antinomie Quantität – Qualität, zwar im Rahmen der Aporie Sein – Bewußtsein steht, doch eben aus der vor allem von Menschen gemachten Spannung Unterbau – Überbau signifikant herausfällt; vorkalkülhafte Naturbilder schärfen wie beleben die tagtägliche Erfahrung, daß die Natur nicht nur aus Qualitätslosigkeit besteht, sondern daß die Welt von sich selber auch einer Tagansicht fähig ist.

Das selbstredend nur dann, wenn den alten Bildern auch sachhaft etwas entspricht. Wenn sie nicht bloß altertümliche oder schöne Reize enthalten, gar solche, die nur von Feinden der Aufklärung aufgedonnert worden sind. Dergleichen ist allerdings die schlechteste Art, unabgegolten zu sein, sie kommt hier nicht in Betracht, außer als Warnung. Die legitime Frage,

im vorigen Absatz, ging dahin: gibt es, gab es an früheren Naturbildern ein mögliches Erbe? Das wurde positiv beantwortet,
mit dem Nachweis zahlreich geschehener innergeschichtlicher
Rezeptionen. Die jetzt zu behandelnde Frage lautet aber: gibt
es an früheren Naturbildern nun auch ein mögliches *sachhaftes*
Erbe, das heißt, ein nicht nur innergeschichtliches. Sondern ein
Erbe jenes nichtideologischen, aber auch nicht nur kulturhaft-
humanistischen Überschusses, das sich auf Erkenntnis des Objekts Natur selbst bezieht. Wonach dieses Erbe nicht nur in die
Menschengeschichte gehört, in die Natur als rein soziale Kategorie, folglich nicht in die Bedingtheit naturwissenschaftlicher
Aussagen durch gesellschaftliche Verhältnisse, sowie nicht in
die Natur als Rohstoff im Produktionsprozeß des gesellschaftlichen Seins, sondern in die vom Menschen noch unabhängige,
unverkaufte Natur. Mithin materiale Aussagen über jenes Objekthafte setzt, das in jede Beziehung von Menschen zur nicht-
menschlichen Welt außermenschlich hineinragt. Das so gefaßte
Erbproblem war in der »Erbschaft dieser Zeit« bereits aufgeworfen worden: »Sollte es ein Problem des Erbes auch in der
Natur geben? Dergestalt, daß in den einzelnen historisch aufeinanderfolgenden Naturbegriffen – den urwüchsig animistischen, den magischen, den qualitativ gestuften – außer der
Ideologie aufgehobene Momente des großen Tendenzwesens
Natur mitbezeichnet, mitinformiert worden wäre? ... Der
physikalische Relativismus von heute, als Zerfall der Mechanik
vom Objekt her, macht auch für die Möglichkeit früherer Bestimmtheiten als relativer Realbestimmtheiten in der Natur
empfindlich; so daß Naturdialektik nicht nur die mechanische
Naturwissenschaft von gestern, sondern ebenso gewisse frühere, gerade qualitativ-gestufte Elemente als aufzuhebendes, aufgehobenes, wo nicht die Mechanik überschießendes Material
hätte« (Erbschaft dieser Zeit, 1935, S. 205 f., Gesamtausgabe,
Bd. 4, 1962, S. 294 f.). Immer wieder liegt allerdings der Zweifel nahe, ob die früheren Naturbezüge nicht gänzlich innerhi-
storische sind, ja ganz eigentlich nur, wie Magie oder auch Astrologie, zur Geschichte des menschlichen Blödsinns gehören. Oder,
um ein erhabeneres Beispiel zu nehmen: wo in der Geschichte
der Mathematik wird die Zahlensymbolik der Pythagoreer

halbwegs so ernsthaft behandelt, so auch nur von ferne zur Sache gehörig, wie in der Geschichte der Philosophie? Und doch ist hier die Gegenfrage fällig: wieso entspricht denn der mathematischen Naturwissenschaft der kapitalistischen Gesellschaft so viel physische Sachhaftigkeit oder gar alle? Wird hier nicht ebenfalls mit einem ideologischen Puls der Puls der Natur gefühlt dergestalt, daß letzterer kaum ganz ungestört gezählt werden kann? Mengt die bürgerliche Gesellschaft ihre Warenform nicht notwendig auch ins theoretische Verhältnis zur Natur ein, sogar besonders konsequent? Ist das kalkulatorisch-abstrakte Denken, das der Bourgeoisie eignet, ist die Quantifizierung des Warendenkens und der Warenbeziehung, dazu letzthin tunlichste Formalisierung rein anschauungsloser, inhaltsleerer Funktionsbeziehungen, ist das in der Tat des Naturwissens letzter Schluß? Besitzt die Verdinglichung, die ökonomisch-kulturwissenschaftlich zur Erkenntnis des Prozesses, gerade zu ihm, so untaugliche, in der Natur tatsächlich ein so ausschließliches Korrelat? Bei einigen Naturforschern gibt es wichtige Ausbrüche aus bloßem Quantitätsdenken vor der Natur. Der Züricher Physiker Heitler schreibt: »Die Welt, einschließlich der Lebewesen, wird zu einer sinnlosen, mechanisch-quantitativ ablaufenden Maschine, die einmal da ist und an der sich nichts ändern läßt. Aber diese Auffassung bedeutet nicht nur eine Überbewertung des Quantitativen, sondern gleichzeitig auch eine Abwertung von allem, was nicht quantitativ ist, also auch des Menschen, im Extremfall eine Abwertung auf den absoluten Nullpunkt ... Demgegenüber bleiben die eigentlichen Naturerscheinungen, die stark durch Qualitäten beherrscht werden und die von der Physik ausgeschlossen sind, weitgehend unverstanden. – Damit ist natürlich nichts gegen die genannte Forschungsrichtung an sich gesagt ... Offenbar bestehen Räume, die wissenschaftlich bis jetzt kaum oder gar nicht betreten sind. In diesen Räumen muß alles vorkommen, was nicht quantitativ ist, also Farbqualitäten, Ton, Geruch usw.; es muß auch alles vorkommen, was sich überhaupt auf den Zusammenhang von physikalisch-chemisch-materiellen Vorgängen mit dem tierischen und menschlichen Innenleben bezieht – und vieles mehr« (Der Mensch und die naturwissenschaftliche Erkenntnis, 1961,

S. 21 f.). Hierher gehört ebenso die heute brennend gewordene Entdeckung einer realen Ökologie, das heißt eines konstitutiven Zusammenhangs zwischen einem inneren Haushalt von Pflanzen, Tieren und einer dem gemäßen Landschaft. Die Landschaft, ohnehin eine in verschiedenen Typen, sogar Charakteren konstitutive Kategorie geographischer Art, legitimiert sich genau mit und in der Ökologie, nicht nur als ästhetisches Phänomen, sondern eben als eines aus real-qualitativem Zusammenhang. Das auch dadurch heute desto dringlicher, als das Gleichgewicht dieser Symbiose durch seine industrielle Zerstörung vermehrt sichtbar wird. Was dermaßen zerstört werden kann, muß doch vorher qualitativ-konkret vorhanden gewesen sein, auch wenn es in der bloß quantitativen, sodann immer abstrakteren Physik nicht vorkommt. Und weiter: Wie das qualitätsfremde Wesen einem althergekommenen Gleichgewicht im Naturhaus Landschaft gegenüber blind war, so auch gegenüber dem Heraufkommenden, Offenen, noch anders Möglichen in der Natur. Der Tübinger Mineraloge Engelhardt schreibt darum: »Der Mensch in der wissenschaftlich erkannten Natur ist in einer Welt, die noch nicht ganz fertig ist, in einer offeneren Welt, einer Welt im Werden, einer Welt im Aspekt der Hoffnung ... Die Ausnutzung der experimentellen Forschung durch privatkapitalistische Industrie und Staat war nur die erste Etappe der durch die Naturforschung in Gang gesetzten Entwicklung des Menschheitslebens ... Naturforschung macht den Menschen freier, indem sie die Naturwelt aus der Modalität des Vorhandenen und Hinzunehmenden in die Modalität des Werdens und der Möglichkeit erlöst ... Es muß sich dann zeigen, daß Forschung nicht nur der Weg zur Ermittlung der Beschaffenheit einer einfach vorhandenen Welt ist, sondern Entdeckung von Welt neuer Qualität« (Was heißt und zu welchem Ende treibt man Naturforschung?, 1969, S. 76 f.). Zweifellos, der Fortschritt in wirklicher Naturerkenntnis ist seit dem sechzehnten Jahrhundert ungeheuer; auch hat die Technik aufgrund der mathematischen Naturwissenschaft seitdem einen ihrer Triumphe nach dem anderen gefeiert. Und indem das Essen der Beweis des Puddings ist, das heißt, die Praxis der Beweis der Theorie, so hat die technische Praxis, wie sie durch mathematische Naturwissenschaft ermöglicht wurde, in der Tat der bürgerlichen Kalkulation auf diesem Feld viel Rechtfertigung gegeben. Aber die bürgerliche Technik hat ebenso die Unfälle vermehrt, und der technische Unfall entspricht methodisch der ökonomischen Krise; was bedeutet, daß auch der mathematische Kalkül zu seinem Gegenstand sich noch abstrakt verhält, mit ihm noch nicht material-konkret vermittelt ist. Dazu in näherer Ausführung: »Wird das Feuer nur bezähmt, bewacht, so bleibt es fremd. Die eigene Spur, auf der es einhertritt, ist dann eine schlechthin gefährliche, auch dann, wenn seine zusätzliche Kraft sozial besser als jetzt verwaltet sein sollte. In der gegenwärtig noch währenden Gesellschaft ist zuverlässig noch nichts von dem verwandten Geist zu erkennen, der gerade im Feuer sein Angesicht uns zugewendet. Es gibt eine spezifische Angst des Ingenieurs, zu weit, zu ungesichert vorgedrungen zu sein, er weiß nicht, mit welchen Kräften er es zu tun hat. Und aus solcher Nicht-Vermittlung stammt nicht zuletzt der sinnfälligste Effekt des ausgelassenen Inhalts: der technische *Unfall*. Dieser vor allem zeigt an, wie der Inhalt der Naturkräfte, der mit uns noch so wenig vermittelte, nicht ohne großen Schaden sich wegabstrahieren läßt. Ja, dabei ergibt sich zugleich an allen Unfällen, die den Menschen begegnen, untereinander wie im Verhältnis zur Natur, ein merkwürdig, ein lehrreicht Gemeinsames: Der *technische Unfall ist der wirtschaftlichen Krise, die wirtschaftliche Krise ist dem technischen Unfall nicht ganz unverwandt.* Gewiß, die Unterschiede zwischen beiden sind sichtbarer, stellenweise auch größer als die Verwandtschaft, und der Vergleich klingt deshalb paradox. Der technische Unfall erscheint als zufällige Kreuzung gesetzmäßiger Bewegungen, als deren äußerlicher, unvorhergesehener Schnittpunkt; die ökonomische Krise dagegen entwickelt sich völlig unzufällig innerhalb der Produktions- und Austauschweise der kapitalistischen Wirtschaft selber, als einer ihrer stetig härter werdenden Widersprüche. Und trotzdem entsprechen sich beide Katastrophen tiefliegend, denn beide stammen letzthin aus einem *schlecht vermittelten, abstrakten Verhältnis der Menschen zum materiellen Substrat ihres Handelns*« (Das Prinzip Hoffnung, Frankfurt a. M., 1959, S. 810 f.). Doch vor allem: der dialektische Materialismus ist schließlich nicht nur das dialektische Verständnis der mathematischen Naturwissenschaft, nicht nur ihr hinzukommendes Bewußtsein. Sondern allein schon eben, indem der dialektische Materialismus, die Starrheit der festen Kategorien überhaupt aufhebend, dem Umschlag von Quantität in Qualität großen Platz gibt, der mechanistisch überhaupt kein Hausrecht haben soll, setzt der dialektische Materialismus auf den verdinglicht-statischen keineswegs ein Dach. Nur wenige waren gegen die bloß mechanistische Naturbegrenzung kritischer als Engels, haben gar den nur mechanischen Materialismus, in der Form des neunzehnten Jahrhunderts, gründlicher verachtet. Und er notiert sogar (Dialektik der Natur, S. 601 ff.): »Hegel, dessen Zusammenfassung und rationelle Gruppierung der Naturwissenschaften eine größere Tat ist als der materialistische Blödsinn zusammen«. Also wird gerade vom Marxismus her der abstrakt-quantitative Naturbegriff, statt der Weisheit letzter Schluß zu sein, mindestens relativiert. Mit der Marxschen Reduktion des quantitativen Naturdenkens auf die ausschließlich herrschende Warenform in den Verhältnissen der bürgerlichen Gesellschaft und ihres Bewußtseins selber ist die schlechthinnige Überlegenheit, die angeblich außergeschichtliche Objektivität der bürgerlichen Naturwissenschaft ohnehin aufs rechte Maß zurückgebracht. Da sich also aus der historisch-soziologischen Abhängigkeit gerade Zweifel an einer totalen Sachlichkeit des quantitativen Naturbezugs seit Galilei ergeben könnten, so wäre es doch denkbar, daß die ausschließliche Suprematie des halben, eben nur quantitativ gefaßten Pythagoras über die qualitativen Naturbilder fragwürdig, wenigstens lückenhaft wäre. Wonach eben die alten qualitativen Naturbilder streckenweise noch einen Rest heimatlos gewordener Gegenständlichkeit zeigen könnten, der aus einer allzu anorganischen natura non-naturans ausgefallen, hier mindestens unberücksichtigt geblieben ist. Item, auch die früheren Naturbezüge, die urwüchsig-animistischen, orientalisch-magischen, gar ständisch-qualitativen zeigten dann eine nicht ganz abzuweisende, ob auch weithin verkorkste Sachehre und gehen kaum völlig in bloßer Ideologie, prälogischer Mythologie, waldursprünglichem Blödsinn unter; trotz der Vorsicht, aber auch wegen der

Betroffenheit demgegenüber in jeder großen Philosophie (ὁ φιλόσοφος ἀεὶ φιλόμυθος, sagt gerade Aristoteles). Weiter, ein großer, durchaus realer, zum Teil beherrschender Sektor ist zwar von der bisherigen mathematischen Naturwissenschaft erschlossen worden, es gibt aber im vollen Kreis der Natur offensichtlich auch andere, vorzeiten mindestens nicht ausgelassene »Momente«, »Elemente«, ja ganze Segmente, wozu eine mechanische Naturwissenschaft nur schwerlich Zugang hat, die Naturwissenschaft der abstrakten Gesetze über isolierten, aus dem Prozeß herausgebrochenen Tatsachen. Der mechanische Bezug mag einen in der Natur selber noch abstrakten Sektor betreten: die Natur hat offenbar selber ein Gebiet der Verdinglichung in sich, ein Schalenwerk bloß äußerer Notwendigkeit, als welches vom Warendenken nicht ganz reflektiv bezeichnet wird. Der Begriff dieser äußeren »Ananke« ist ja selber alt, findet sich vorbereitet bei Demokrit und hat genau in der bürgerlichen Neuzeit Demokrit über den qualitativ-entwicklungsgeschichtlichen Aristoteles siegen lassen. Aber mit dieser Mechanik ist die große naturhafte Basis, zu unseren Füßen, gar die Natur als die riesige kosmische Überwölbung des menschlichen Geschichtsraums gewiß noch nicht zu Ende, zu Ende bestimmt. Die Kosmogenie selber ist noch nicht zu Ende, mit dem zweiten Wärmesatz, der Entropie als dem Kältetod der Welt. Neben der Auffassung des Universums als eines bloßen Planetenkarussells oder auch als Fixsternöde allein steht die human gemeinte, mythologisch umbildete Menschvermittlung, Humanisierung der Natur, die nicht deshalb ohne Reflexion ab ovo, gar a fine bleiben kann oder gar unwahr bleiben muß, weil sie sich nicht davor hütet, erbaulicher zu sein als die Entropie. Wie das menschliche Wesen, als bloße Tendenz, nicht als Fixum, in den verschiedenen Gesellschaften verschieden experimentiert und näher oder ferner präzisiert worden ist, so mag jedenfalls auch, mutatis mutandis, eine hypothetische natura naturans, ein Tendenzwesen Natur in den Naturbildern der aufeinanderfolgenden Gesellschaften näher oder ferner präzisiert worden sein, – ohne daß Bewegungsform, gar Bewegungsinhalt des als Naturprozeß Bezeichneten schon letzthin ausgemacht sind. Haben doch auch Landschaftsmalerei und Landschaftsdichtung – gleichfalls voller Erinnerungen aus dem vormechanischen Naturbezug und gleichfalls nicht ohne hereinragendes objektives Material – ebenso wie die qualitativ gebliebene Geographie viele Bestandstücke und Grundformen der Natur zu versammeln gewußt, die so wenig in die Quantitätswüste, dann auch Formalismusleere unserer reduktiven Physik einzuebnen sind, daß sie zuweilen sogar wie chiffrehafte Signaturgestalten, Gestaltsignaturen eines noch ungekommenen oder auch vereitelbaren Sinns dastehen können. Es gibt also ein Erbproblem auch hier, das alte Paracelsus- und Böhme-Problem einer »signatura rerum«, einer Ausdruckslehre der Natur; keine konkrete Naturphilosophie wird das weiter der Landschaftsmalerei oder der Dichtung oder Kuriositätenerinnerung an allzu romantische Naturphilosophie überlassen. An diesem Nichtkuriosen, an diesem Unabgegoltenen erhellt aber zugleich: das Erbsubstrat der Humaniora und das der Naturbilder kann letzthin, um Erbsubstrat zu sein, keine andere Fundierung haben als eine utopische. Unabgegoltenheit meint Unerledigtheit, meint noch nicht erledigte Möglichkeit weiterer Bestimmung, also Utopie: dies Utopische als Fundus jeder Unabgegoltenheit gilt auch hier. Macht den Fundus der Erbbarkeit an Naturbildern aus, besitzt seine Substanz am immer noch nicht entschiedenen Seinsinhalt des Tendenzwesens Natur, Latenzwesens Weltmaterie. Und ebenso dringend, wenn nicht dringender als an den humanistischen Kultur-Aussagen erhebt sich am Erbe der Naturbilder das Problem der Wahrmachung. Nur mit dem Unterschied: auch die klassenlose Gesellschaft kann übers konkrete Erbe an Naturbildern nicht postwendend das entscheidende Wort sprechen. Denn der Mensch, wenn er sich als Erzeuger der Geschichte faßt und sie ideologielos, ohne falsche Ideologie begreift, wenn er die bloß äußere Notwendigkeit der bisher über ihm geschehenden Geschichte aufhebt, so ist er doch noch nicht im Beginn dieses Akts mit dem Erzeugenden und der bloß äußeren Notwendigkeit des Naturgeschehens vermittelt. Daher bleiben zuverlässig noch weit mehr Unausgemachtheiten aus früheren Naturbildern übrig als aus den Kulturbildern und Werken, die sich auf die Metamorphose und die Identifizierung des Mensch-Inhalts beziehen. Desto länger ist gerade an Naturbildern das angezeigte Erbproblem gültig, – als Problem wie als besonders sachhafter Aufruf zu einer Lösung. »Wohnt nicht Kern der Natur Menschen im Herzen?«, fragt Goethe; er wohnt nur im Herzen, das sich selber kennen wird und zwar bis tief in die Erzeugung oder den natura naturans-Anlaß zu dem ganzen Rätsel-Phänomen Welt und seinen vielen Gestalten.

44   POSITIVISMUS, IDEALISMUS, MATERIALISMUS

Wo Worte sehr allgemein, sind sie ebenso leicht starr. Man will es nicht so bestimmt mit ihnen wissen, sie bieten sich, sträflich vereinfacht, als Schlagzeilen an.

Aber wo Worte und ihre Begriffe sehr allgemein sind, sind sie nicht nur starr, sondern ebenso vieldeutig. So bieten sie sich – ohne daß sie übrigens aufhören starr zu sein – zu ungenauer Verwischung ihrer Inhalte an, so daß ihre Schlagzeile für sehr verschiedene Zwecke gebraucht und oft mißbraucht werden kann. Man denke nur an den Mißbrauch des Begriffes Volk, sofern nicht seinem allgemeinen Schema genau in die Parade gefahren wird. Wonach man dann die Auftraggeber dahinter sieht und differenziert, die mit diesem Wort buchstäblich demagogisch betrogen haben. Dauernder ist Rattenfang mit dem ursprünglichen revolutionären, aber in der Folge auch vieldeutig ansetzbaren Begriff Freiheit getrieben worden, mit der Freiheit, die ich meine, mit Hitlers »Herr, mach uns frei«. Hierher gehört nicht zuletzt die Herr im Haus-Freiheit des noch ganz scharfmacherischen Unternehmers, jene etwa, die Thomas Mann einmal ausrufen ließ, in Amerika würde der Faschismus im Namen der Freiheit eingeführt werden. Wie fremd steht das alles zur Freiheit als Erlösung von Trug und Übel und gebraucht doch das gleiche allgemeine Rahmenwort, verschiedendeutig brauchbar. Die Hinweise sind leicht zu vermehren, besonders auch durch schönfärberisch oder noch häufiger verteufelnd arrangierte Klischees. Im Westen erscheint Idealismus zum Beispiel vielen unbesehen als einzig gut, auch wenn man Bibel sagt und Kattun meint. Materialismus erscheint anderen vielen, im Osten etwa, in Bausch und Bogen schon als ein und alles, auch wenn man dort nur Kattun sagt und Ideale wie in der Bibel meinen möchte. Nirgends jedenfalls genügt es, und am wenigsten in Philosophien, die sich mehrfachen Sinns aneinander alterieren, wenn man mit der allgemeinen Stange im allgemeinen Nebel herumfährt und vor allem darin herumfahren läßt. Ein nicht Erstarrtes, dabei ungenau Ausgemachtes ist daher bei den großen Nomenklaturen *Idealismus, Materialismus* höchst wünschenswert und, in freilich schmalerem Maß, innerhalb der scheinbaren Nebenschicht *Positivismus*.

Nichts aber wäre falscher, als hierbei Allgemeines gänzlich aufzudröseln, um jeden Preis. Etwa weil man »Weltanschauung« überhaupt nicht liebt, mit dem Erfolg, daß man vor lauter einzelnen Bäumen das Ensemble Wald nicht mehr sieht. Statt des allzu Allgemeinen käme dann vor lauter Einzelnem nicht etwa das Gewisse des Besonderen heraus, wie es sich gehört. Vielmehr es käme und kam das bloß Einzelne jeweils, es käme ein völlig entlaufener Pluralismus der Beliebigkeit und zwar der Subjekte wie der Objekte. So gibt es also ein durchaus *Wesentliches* in den großen, ja weltumfassend gemeinten und durchdachten Universalien Idealismus, Materialismus, jenseits des Schlagwort-Schemas. Jenseits gar des ausschließlich Schwarz-Weißhaften, wonach der Idealismus im Westen als Engel, der Materialismus als Teufel erscheint und im Osten vice versa. Das im Westen trotz der bürgerlich-materialistischen Aufklärung des achtzehnten Jahrhunderts, das umgekehrt im Osten trotz des Satzes Lenins: »Der kluge Idealismus steht dem klugen Materialismus näher als der dumme Materialismus« (aus den »Philosophischen Randbemerkungen«). All dergleichen steht auf einer nicht den Kampf, wohl aber den Rauch verzehrenden Höhe des Niveaus. Das aber auch als Problem einer umfunktionierenden Durchdringung solcher Hauptkategorien, auch Weltanschauungen wie Idealismus und Materialismus, um sie aus ihrer Erstarrung, vor allem auch aus der Subalternität ihrer Verwaltung zu befreien. Der Innerlichkeitsfritzen oder auch vermeintlichen Himmelsgünstlinge hier, oder mechanistischen und ökonomistischen Stoffhuber dort. Also: die Fronten bleiben erhalten, erst recht erhalten, ohne eine Spur von Synkretismus, statt dessen aber gilt: als was sind

Idealismus, Materialismus bisher *grundsätzlich* gewesen? als was können sie, nach montierender Umfunktionierung, nicht bleiben? was könnten sie im Tauwetter eines up to date mit konkreter Antizipation bedeuten? stets wohlverstanden mit produktivem Antritt einer möglichen Erbschaft, beim *Primat* einer Erklärung der Welt aus sich selbst. Einer Erbschaft an dem, was idealistisch als Geist bedeutet, gar materialistisch als Stoff ausgezeichnet wurde. Nicht zu verschweigen freilich, daß es etwas noch zu geben scheint, was aus unseren Fragen herausfällt. Nämlich die positivistische Richtung, die sich auf nichts als höhnisches Bescheiden viel zugute tut, indem sie sowohl Stoff wie Geist abservieren möchte. Der Positivismus ist im selben kurzen Atemzug gegen Idealismus wie Materialismus gewendet, obwohl er mit seiner Eingrenzung auf bloß Subjekthaftes und Methodisches einer ähnlichen rein idealistischen Richtung durchaus nahesteht. Einige positivistische Züge finden sich zweifellos bei den Sophisten, bei Pyrrhon, bei den Nominalisten, dann bei dem ebenfalls englischen Hobbes, mit Begriffen als »Rechenpfennigen«, bei Berkeley, vor allem Hume und dann zuletzt bei Mach, bei Wittgenstein. *Gemeinsam* ist bei derart recht Verschiedenem der versuchende, zurückhaltende Ansatz, bereit, wieder zurückzunehmen, ein understatement und beileibe nichts Überfliegendes. Dafür Skepsis mit Maß, und dies Maß soll hier am beobachtbar Gegebenen selber allein gegeben sein. Der Ansatz geschieht rein denkökonomisch, wie Mach sagt, modellhaft, aber einzig zum Zweck, die facts in unserem Denken zurechtzulegen und dabei keinen Schritt weiter zu gehen. Jeder Schritt weiter wäre »metaphysisch« und ist darum wissenschaftlich meaningless, weil überhaupt nicht verifizierbar. Der Forscher kann als Mensch gewiß metaphysische Fragen haben, doch er wird statt einer Antwort darauf, nach Wittgenstein, schweigen. Mehr als »Musikbeispiele«, wie Carnap die großen Metaphysiken nennt, soll dabei, bei versuchter Antwort, philosophisch nie herausgekommen sein. Freilich: so sehr die Positivisten Vorsicht mit Behauptungen lehren, so wenig understatement zeigen sie gegenüber dem Bausch und Bogen ihres eigenen Ansatzes selber. Daher geben sie sich zuweilen als eigentümlich hochfahrend, verhärtet, um nicht zu sagen ungeprüft dogmatisch. So in ihrer ungegliederten Lust an dem, »was der Fall ist«, wie immer auch das jeweils Gegebene beschaffen sein mag. Die Dinge zu nehmen, wie sie sind, sonst so oft eine Formel der Gemeinheit, mindestens des opportunistischen Hinnehmens schlechthin, den Mantel nach dem Wind hängend, das wird hier, reineren Gemütes, als wissenschaftliche Maxime überhaupt gesetzt. Gewiß ist diese hier nur bezogen auf *physische* Fakten, mit der mathematischen Naturwissenschaft als angeblich einziger Wissenschaftlichkeit, aber auch daran tritt die Frage nicht auf, ob Fakten nicht allzu oft nur verdinglicht gemachte oder gewordene Prozeßmomente seien. Ob man also, wie Marx mit dem jungen Schelling sagt, über dem Faktum das Fieri nicht vergessen dürfe. Gar wenn die Geschichts- und Geisteswissenschaften, als bloße belles lettres, bestenfalls zweitrangig sein sollen, wird man hilflos vor dem Fieri, wird erst recht hilflos, nämlich durchaus negierend, vor den Problemen objektiv möglicher Wertungen, wird erst recht fremd vor der möglicherweise humanistischen Opposition: Desto schlimmer für die Tatsachen. Also vor widerstehenden Wertungen naturrechtlicher, moralischer, religionskritischer und religionsphilosophischer Art, wie sie allesamt durch bloßen Respekt vor den facts notwendig zu einer vergleichenden Soziologie der Sitten, der Künste, der Religionen abdanken müßten. Deutlich hat sich auf Wertgebieten ein Tatsachenrespekt schlechthin, der sich bezeichnenderweise selber Rechts-Positivismus nannte, als pure Apologie des Bestehenden dargestellt und empfohlen, zum Unterschied von einem wahrhaft kritischen Naturrecht bei Epikur, Rousseau und weiter. Hier also ist die Beschränkung des Positivismus, gar noch als eines Agnostizismus gegenüber allem, was über das gerade Vorhandene und derart Gegebene hinausgeht, so bequem wie von Übel. Samt jenem Metaphysikhaß schlechthin, der überhaupt nicht mehr zwischen Medizinmännern und Spinoza oder Hegel unterscheiden will. Diese sogenannt alleinwissenschaftliche Philosophie nennt ja auch noch Materialismus eine unerlaubte Metaphysik, obwohl doch zwischen den »Musikbeispielen« Demokrits und Platons ein kleiner Unterschied der darin bedeuteten Sache bestehen dürfte.

Lasse man das also beiseite, wohin es überwiegend gehört, und trete man in unsere Fragen der Sache selber ein. War der Positivismus immer nur episodenhaft, so bedeckt der nicht rein subjekthaft bleibende *Idealismus* ohnehin fast den allergrößten Teil der Geschichte der Philosophie. Sokrates, Platon, Plotin, Thomas, Descartes, Leibniz, Kant, Fichte, Schelling, Hegel – eine große Reihe, nicht nur numerisch, genau auch dem Rang nach. Mit mannigfacher Art Idealismus, versteht sich; denn Unterschiede wie die des *gesinnungshaften,* also moralischen Idealismus, dann des *erkenntnistheoretisch-subjektiven,* dann (in stärkster Ausprägung bei Hegel) des *objektiven* Idealismus: diese Unterschiede stören hier alles üblich Generalisierende unter einen Hut. Wirklich gemeinsam aber, tief verbindend und das Kennzeichen für den philosophischen Idealismus ist: Erklärung der Welt und ihrer Erscheinungen nicht nur aus einem Prius des Geistes, sondern vor allem mit Wertprimat des Geistes über geleugneter oder tunlichst verengter, jedenfalls zur Verlegenheit gewordener Materie. Im *subjektiven* Idealismus geht der forschende Weg eingleisig nach innen, sei es ins transzendental erzeugende bei Kant, mit Erkenntnis schließlich als einzigem Gegenstand der Erkenntnis, als rein formaler, nicht inhaltlicher. Im *objektiven* Idealismus geht es gewiß zwar in die Welt hinaus, nach außen führte hier der geheimnisvolle Weg; das will den kühnen Anspruch erfüllen, vor allem wieder bei Hegel, daß aus dem reinen Fortgang der nicht nur formal bleiben wollenden Vernunft sämtliche, mindestens sämtliche wesentlichen Inhalte der Welt zu gewinnen seien. Doch da qua Geist-Vernunft der Blick dermaßen apriori hoch auch hier gelegt ist, bleiben mehr materielle Vorgänge heraus oder wurden unterbelichtet: die einzige Wahrheit der Materie, sagte Hegel, sei die, keine Wahrheit zu haben. Selbst im menschlichen Geschichtsverlauf sahen sich die Überbauten, nachdem nun einmal die Welt auf den Kopf gestellt war, als allein wesentlich überpointiert. So wurde und wird es hier auch grundsätzlich schwer, bloße Illusionen, falsches Bewußtsein, bloße Reflexe ökonomisch-materieller Vorgänge im Dunst- oder Wolkenhimmel bloßer Ideologie von nicht so ideologischen, also wertbeständigeren Ideen zu unterscheiden; es rächte sich die Auslassung, mindestens Abwertung materieller Ursachen und Vorgänge durchaus. In diesem Punkt war deshalb die marxistische Kritik des Hegel-Idealismus vor allem einsetzbar; nicht zuletzt zur Unterscheidung ideologischer Unechtheiten von gewonnenem Gold.

Kritisch-*positiv* aber bleibt am *subjektiven* Idealismus, daß er den erkenntnistheoretischen Stachel oder eine Prüfung des Subjektanteils im Auge hat, die sich mit einfacher Abbildlehre der Dinge nicht zufrieden gibt, sie vielmehr gegebenenfalls mit einer Fortbildlehre erweitert. Desto mehr, als ohne Begriff und Einsatz des subjektiven Faktors (wie das gerade auch bei dem so idealistischen Fichte aufging) keine Veränderung der Welt zum menschlich Gemäßen statthaben könnte. Kritisch-*positiv* bleibt am *objektiven* Idealismus: Platons sogenannte Ideenpyramide gab zuerst eine Schichtung der Welt an, wenn auch statisch, und genau diese nicht notwendig feudale Staffellehre ermöglichte bei Aristoteles, die Ideen zu erscheinenden Entelechien zu konkretisieren und den Eros zu einem Agon der Erscheinungen selber. Also mit Nacheinander im Übereinander, wodurch das erste System fortschreitender Entwicklung entstand, sich fortbewegende Zeit mit aufsteigenden Perioden immer wieder in den statischen Raum und seine von Haus aus ruhenden Sphären hineintreibend. Und vor allem in ein gleichmacherisches Nivellement der Dingsubstanz, zu dem das materialistische Weltbild als nur mechanisches immer wieder geneigt war; *historischer* Materialismus bereits wäre ohne solchen idealistischen Anteil gar nicht denkbar. So kam also im und zum Kathedralischen ganz das Prozessuale, das Prozeßhafte, gar im Sinn eines immer heller Werdens, und das gemäß dem mehr im objektiven Idealismus als im ursprünglichen Materialismus bereitliegenden Wert-Archetyp des Lichts. Dessen »Überbau« bleibt auch dann noch, wenn die in ihn hypostasierten mannigfachen und zuhöchst religiösen Ideologien durchschaut und so zurückgenommen worden sind: er bleibt dann gewiß nicht als Topos uranios mit fertigen Ideen transzendent eingerichtet wie bei Platon, wohl aber – qua tendenzhafter Verlängerungslinie des Vorhandenen im Prozeß – als Topos utopikos für das, was wahrer ist als Ideologien und Hypostasen. Kritisch-positiv bleibt weiter, ja hauptsächlich am objektiven wie auch am subjektiven Idealismus die *Dialektik;* sie kommt wesentlich vom Idealismus her, und nur dieser hat sie als eine seiner wichtigsten Gaben bis an die Schwelle von Marx überliefert. Gewiß erscheint sie, besonders als objektive, zuerst bei dem halbmaterialistischen Heraklit und dort als durchaus materielle, doch die Materie Heraklits geht als die des besonders lebhaft qualifizierenden Feuers immerhin über eine nur quantitativ aufgefaßte Materie späterer, so lange mechanistischer Art hinaus. Dagegen hat die Dialektik bei Demokrit und Epikur, eben als überwiegend quantitativen Materialisten, wenig Platz und noch weniger im naturwissenschaftlichen Materialismus des 18. Jahrhunderts. Aber welche dialektische Reihe und Erbschaft zieht bei den objektiven *Idealisten* auf, bei Platon, Proklos, Cusanus, Böhme, Fichte, Schelling, Hegel. Schließlich eröffnete die lange allein im Idealismus gehaltene Dialektik aufs eindringlichste jenes objekthafte Logikon im Prozeß der Welt, das mit Kraft und Stoff und sonst nichts zweifellos nicht erschöpfend zu bezeichnen ist. Ohne dieses objektive Logikon in der vom Menschen unabhängigen Außenwelt wäre diese weder rational erkennbar, noch könnte sie in rational beschaffenen Bedingungs-Folge-Zusammenhängen, das heißt Prozeß-Gesetzen verlaufen, und ebensowenig könnte sie in Prozeß-Gestalten sich organisieren. Kritisch-positiv schließlich ist am Dialektischen nicht weiter übersehbar und ein wichtiges Erbmotiv im *prozeßhaften* Materialismus selber, daß das bei Hegel »Thesis« Genannte (das noch Unmittelbare des ersten dialektischen Glieds, das noch abstrakt-Allgemeine, das unentwickelte Ansich einer Sache) ein Umriß-Gebiet, ja geradezu ein Realmodell der materiellen Sache meint, vor ihrer konkreten Gestalt und Inhaltsentwicklung. Die Besonderungen, welche aus dieser Inhaltsentwicklung eines probierend-Allgemeinen (etwa dem Urblatt oder der sich vergrößernden Urkommune oder auch der allererst sich setzenden Naturreligion) historisch folgen, explodieren dialektisch kraft der prozessual sich aussprechenden Widersprüche in diesem Allgemeinen der Thesis, als einer zwar abstrakten und doch schon objektiv-realen. Dergleichen wird bei Hegel nicht als methodisch versuchend, sondern in der Sache als unentwickelt gedacht; es ist also eine durchaus nicht mehr nur heuristische Stufe der Annahme, des Voranschlags, des »Gedankenexperiments« bedeutet, sondern eine des Voranschlag-Forschens; statt und über dem bloß positivistischen Modelldenken erscheinen versucherische Realmodelle, Proben zu immer neuen Auszugsgestalten im Weltgang selber – ante rem, doch in re ipsa (vgl. dazu Tübinger Einleitung in die Philosophie, G. A., Bd. 13, Kap. 10 und 29). Das alles mithin gehört zu jenem klugen Idealismus, der auch hier dem klugen Materialismus näher steht als der dumme Materialismus. Und ganz zuletzt – was aber nicht nur für den Einfluß des Idealismus auf Materialismus, sondern auch für den umgekehrten gilt –: beide machten und machen sich eine Gegengabe im wechselseitigen Stutzen über sich selbst, in der *Problemstellung* ihrer selbst. Dieses eben war ja der Ausgangspunkt der gesamten neuen Nachdenklichkeit über den Materiebegriff (parallel zur materialistisch gekommenen über den Geistbegriff). Denn wie an dieser Stelle abschließend zu wiederholen: den Idealisten ist die Materie eine Verlegenheit, daher läßt sich bei ihnen, von Sokrates bis Hegel, am dialektischsten wie auch gehaltvollsten fort und fort unmechanistisch erforschen, obwohl umfunktioniert, auf die Füße gestellt, was es mit dieser auf sich hat. Item, wie es ohne den Entwicklungsdenker Aristoteles und die Folgen keinen Platz zum entwicklungsgeschichtlichen Materialismus gegeben hätte, so erst recht ohne Hegel keinen zum dialektischen, keine Marxsche Dialektik als wirkliche Einsicht in die historische Materie und als Algebra der Revolution.

Vermehrt trete man so an die bei vielen allzu eintönig gewordenen, kaum mehr durchdachten Arten von Stoff heran. Die Geschichte der Philosophie setzt nur mit diesem und nichts anderem ein, hylozoistisch, mit Wasser, Luft, unendlichem Urstoff, Feuer. Demokrit, Epikur, Lukrez werden atomistisch, wieder dann hylozoistisch Bruno, mechanisch Hobbes, Lamettrie, Holbach, poetisch Diderot. Im vorigen Jahrhundert kam zwar Niedergang zu Kraft- und Stoffhuberei, aber frisch-bedeutend erschien darin wie dagegen der anthropologische Feuerbach. Danach gar, mit Feuerbachs anthropologischem Zentrum, mit Hegels auf die Füße gestellter historischer Dialektik emergierte ein neuer nichtmechanischer *Materialismus* bei Marx. Wieder auch, wie im Idealismus, gibt es hier, nur besonders nicht dazugehörend, sondern beschimpfend, einen sogenannten moralischen Akzent der Sache eines Materialismus der Gesinnung, verschieden vom theoretischen, eines freßlustigen, vor allem egoistischen, zum Unterschied vom Sinn für das Höhere, der angeblich nur von Luft und Güte lebt. Diese Abwertung oder Einschränkung des Materialismus auf niedere Gesinnung kommt denen besonders zupaß, die in der vielfach aufdeckenden materialistischen *Theorie* den Detektiv mit dem Verbrecher, das Detektivische mit dem wirklich Aufgedeckten verwechseln. Mit jenem also, dem das Detektivische gerade auf der Spur ist und dem es die Verzierungen abbricht. Ebenso ist manchen, obwohl sie sich moralisch-geistig für besser situiert halten, der Unterschied zwischen *mechanistischem* Materialismus, gar in seiner verkommenen Gestalt bei Ludwig Büchner oder Moleschott, auch noch Haeckel, und dem *dialektischen* Materialismus erstaunlicherweise kaum recht bekannt. Wobei freilich die selber so verkommene Form, worin ihnen östlich ein sogenannter Diamat subaltern und stereotyp gereicht wird, diese Verwechslung unterstützt. Wieder wirklich gemeinsam aber und ein Kennzeichen für allen *philosophischen* Materialismus ist der Versuch einer so betrugs- wie illusionsfreien, auch mythologiefreien Erklärung der Welt aus sich selbst: den mündig gewordenen Menschen ansprechend. Versuch, wurde gesagt; denn die Erklärung der selber so schwierigen Welt aus sich selbst, ohne alle transzendenten Lückenbüßer, ist gerade die schwierigste. Ist eine Aufgabe, die als Lösung des Weltknotens an sich *in der Welt selber* steht, *als Realproblem ihres eigenen Grunds,* mit objekthaften Realmodellen zur versucherischen Bestimmung dieses substanzhaften Realproblems. Nur scheinbar konnte daher der Materialismus von geisthaft überfliegendem Idealismus überschlagen werden; denn ganz am Anfang steht hier gerade das Eigene der materialistischen Sache, das genau ihr, wider die generelle Meinung, besonders kostbar Eigene: die Tiefe der *Immanenz,* die Immanenz der *Tiefe.* Das in einer freilich entscheidenden *Offenheit nach vorn,* in bildsamer, bildfähiger Materie als letzthinnigem Möglichkeits-Substrat des geschehenden Seienden wie des in ihm noch nirgends geschehenen, noch nirgends immanent gelungenen Seins selber. Mechanistik eines platt gewordenen Materialismus ist hier ganz selbstverständlich verabschiedet samt ihrer Enge und Schmalspur, ihrer Menschenferne, ihrer abergläubischen Angst auch noch vor immanenter Teleologie, ihrer Geringschätzung des subjektiven Faktors mittels Gesetzesfetischismus. Ein tiefer Unzuträgliches ist die auch im besten historischen Materialismus fortwirkende noch immer mechanistisch bleibende *Kosmologie*. Für die menschliche Geschichte gilt hier zwar stärkste, obzwar uneingestandene Zielbeziehung hin zum Reich der Freiheit, naturphilosophisch dagegen lehrt der gleiche zweckhafte Materialismus völlige Anschlußlosigkeit seiner historischen Teleologien innerhalb einer mit ihnen grundsätzlich unvermittelten Großnatur. In der Geschichte also wird eine sozialistisch herstellbare Sinnhaftigkeit involviert, in der äußeren Natur dagegen steht auch in der Engelsschen Naturdialektik betonte Entropie, das heißt Kältetod bevor (wobei nur im immer wieder nachfolgenden Karussell nichts verlorengeht), an Nihilismus immerhin angrenzend, obzwar mit ihm, als kosmisch ausgemachtem, nicht ganz zusammenfallend. Die Mechanistik behält so auch in noch so zielbewußtem Materialismus gewisse Eierschalen; Schleiermacher schrieb einmal »Reden über die Religion an die Gebildeten unter ihren Verächtern«, wichtig ist heute die Rede über Materialismus an die Ungebildeten unter seinen Bekennern und so auch an die Gebildeten unter seinen Verächtern. Genug davon; denn das *rechte Erbe* an dieser einzigen bisherigen Immanenzphilosophie ist weit größer und für den redlichen Gedanken unüberschlagbar. Angegeben wurde derart bereits die materialistische Kraft, sich die idealistischen Schuppen von den Augen fallen zu lassen, die Flausen oder Draperien detektorisch zu durchschauen. Grundsätzlich ist weiterhin die Abkehr von einer scheinbaren Parthenogenesis der Kulturen und ihrer Ideen richtig; denn keine Kultur entstand unabhängig von ihrem ökonomischen Unterbau und seinem gesellschaftlichen Auftrag. Dauernd besteht statt dessen jene Wechselwirkung zwischen Unterbau und Überbau, die gerade dialektisch-materialistisch entdeckt worden ist, und

so wurde Dialektik selber aus einer bloßen methodischen Dia-
logform, wie bei Platon, aus einem bloßen Selbstgespräch des
Weltgeistes mit sich selbst, wie bei Hegel, zu einer materiellen
Macht aus realen, auf Füßen gehenden Widersprüchen.

Oder, Determinismus durch Unterbau und humane Umlen-
kung auf Zielhaftes in eines fassend: »Wenn es die Umstände
sind, die den Menschen bilden, dann müssen die Umstände
menschlich gebildet werden.« Item, die Intentionen dieser letzteren Art Materialismus gehen, wenn auch durchaus nicht auf
den alten Himmel, so auf eine neue, bessere Erde und können
so auch vor Idealisten sich wohl sehen lassen. Gerade im dialektischen Materialismus also, zum Unterschied vom nur erst mechanistischen, wirkt an diesem Punkt ein Positivum stärkster
Art: das Humanum, Schritt für Schritt und dadurch explosiv
alle Umstände menschlich bildend. Dieses allein und nicht ein
allgemeinst-anonymer Stoffozean macht dem Materialismus
sein befreiendes Grundthema aus, vorab in Ansehung aufzuhe-
bender Selbstentfremdung. Hierin wird ein letzter Modellbegriff sichtbar, der mit dem agnostizistischen, gar faktizistischen
des Positivismus nichts mehr gemein hat; seine vollständigen
Implikationen sind nur von der Metaphysik her zu begreifen.
Wohlverstanden: von einer realfragmentarischen, nach vorn
unvollendeten Metaphysik, von der real-utopischen Metaphysik des nach vorn realiter noch offenen Prozeß-Fragments, das
die Welt rebus sic fluentibus darstellt. Hin auf die Grenzkate-
gorie eines möglichen Humanum gerade auch kosmisch erwei-
terter, das heißt ebenso subjekthaft zusammengezogener Art,
das – um faustische Begriffe aus der Renaissance zu gebrauchen
– den Menschen nicht nur als Mikrokosmos begreifen möchte,
sondern den Kosmos als »keimenden Makanthropos«. Das
Logikon, das dem Weg selber, vorzüglich als objektiv-reale
Dialektik, Licht gibt, in Funktionsgesetzen und Produktgestal-
ten, es ist gewiß nicht immaterieller Geist wie im Idealismus,
wohl aber ein Organisierendes in der Prozeß-Materie selber.
Das nicht nur immer höhere, das heißt washaft genauere, adäquatere Organisationsformen dieser Materie leitet, dirigiert,
sondern eben auch die realiter zu füllenden Leerformen der
Topoi nach oben hin als Überbau-Orte setzt. Ohne die es in

Erkenntnis und Realität, wie gesehen, nur eine auf Elemente herunter-analysierende, also einzig reduktive Methode gäbe und nicht vor allem eine zu den Organisationsformen hinaufkompositive Methode. Der dergestalt mit dialektischem Materialismus zu vermittelnde Idealismus hat seine Partialität wie seine vermeintliche Absolutheit allerdings ad acta zu legen: Die Welt ist weder in ihrem Antrieb noch in ihren möglichen Resultaten eine Spiritusfabrik, mit Geist und nichts als Geist als Resultat, wonach Stoffhaftes dann nur als Treber und Rückstand aus solchen Destillationen übrig bliebe, untenläge. Wo immer nur Ideen Ideen erzeugen und sich parthenogenetisch fortpflanzen, alles ohne Ahnung vom Unterbau und mit der physischen Natur ganz unten, ganz außerhalb als bloßem Vorbei, den Geistfetischisten nicht mehr angehend. Dergleichen ist schlechter Hochmut gegen die Ökonomie und vor allem auch gegen materielle Natur, obwohl doch selbst Thomas von Aquin sagte: »Gratia naturam non tolit sed perficit.« Der Idealismus also hat seine Wahrheit nicht gegen einen tiefer verstandenen Materialismus, sondern einzig in ihm, gewiß auch derart, daß *philosophischer* Idealismus ein Salz der Erde ist, damit diese nicht dumm werde. Die Dialektik, eine vornehme Tochter aus überwiegend idealistischem Haus, hat im Materialismus bereits halbwegs gezeigt, was ihr und auch dem Materialismus eben durch eine Heirat beider, die am wenigsten eine Mesalliance war, visierbar wird. Aber das *Substrat* der objektivrealen Dialektik, wenn es nicht Geist blieb, bleibt ebensowenig jene Materie, der das Prozeßhafte, Dialektische allzu oft nur als schmückendes Beiwort zu einer lange angespannten Mechanistik, schließlich Trivialisierung angehängt wurde. Daher ist es schließlich mehr als nützlich, sobald Materie gedacht, gar im spekulativen Tauwetter neu begriffen wird, sich nicht nur der Rezeption Hegelscher *Dialektik* zu entsinnen, sondern ebenso, endlich, der Rezeption eines *Materiebegriffs selber*, wie er seit Aristoteles und seit der Aristotelischen Linken, seit Avicenna, Averroës liegengeblieben ist. Denn Aristoteles bestimmte ja die Materie zwar auch, ihren Einflüssen nach, als das Störende, als das Zufällige und besser: als unabdingliches kata to dynaton, das ist, als Maßgabe des jeweils Möglichen. Jedoch er definierte sie hauptsächlich auch als das dynamei on, das heißt als das In-Möglichkeit-Sein, hiermit eine bis heute so wenig verstandene, so äußerst fällige Zentralkategorie wie objektiv-reale Möglichkeit ansetzend. Der jeweilige materielle Stand als Maßgabe des jeweils historisch Möglichen einerseits: das ist das Stichwort, das immer wieder stechende, der *historisch*-materialistischen Erkenntnisart geworden. Das In-Möglichkeit-Sein aber, diese ganz eigentliche Fundamentaldefinition der Materie als konkret-utopischer Fundus überhaupt, dürfte sowohl die Horizonte wie das *Substrat* in der materialistischen Prozeßwelt bezeichnen und ausmachen. Neuer Materialismus wäre also einer dieses gärenden und offenen Experimental-Inhalts, damit einer, der sich nicht nur auf den Menschen als Frage und die Welt als ausstehende Antwort, sondern vor allem auch auf die Welt als Frage und den Menschen als ausstehende Antwort versteht. Das wäre Rektifikation zu einem wirklichen, keineswegs mehr positivistischen Modellbegriff, weiter zu einem nicht mehr bloß idealistischen Logikon in der Welt, schließlich zu einem Begriff von Materie nach vorwärts, deren Substanz ebenso das Subjekt wäre, sobald es überhaupt mit rechten Dingen zugeht.

45   ERGÄNZUNG / WAS METAPHYSIK EINMAL
WAR, ALS ERSTREBTE GRUNDWISSENSCHAFT
VOM WAHRHAFT, WIRKLICH SEIENDEN

Einige Denker versuchten, sich nur ins angegebene oder angebliche Innen zu versenken. Aber andere und sicher alle großen Denker haben außerdem ein umfassenderes Staunen übers Sein selber entwickelt. An ihm beginnt ein weithin externes Grübeln, es steht durchaus nicht nur im Inneren des Gemüts. Bei Jakob Böhme, im Licht der Glaskugel über dem Werktisch, hat sich das Staunen in mystischen Zügen auch nach außen fortbewegt und die Grübelei gewiß nicht verloren. Kurz, es handelt sich beim externen Staunen übers Woher und Warum, Wohin und Wozu der Dinge nicht um eine Mystik, die nur intern bleibt, sondern um *Metaphysik*. Ist deren zugegebenes Grübeln, wenn es nun extern wird, nicht freilich wieder bodenlos, überfliegend, ja ist es nicht ganz von jener Welt, Hinterwelt? Macht die Metaphysik hier nicht lauter nebulose Theorie: als sogenannte Wissenschaft vom Übersinnlichen? Definiert man aber Metaphysik so, dann trifft man nur einen Teil von ihr, einen oft fehlenden, ihr nie wesentlichen. Sie ist Jenseiterei am wenigsten von Haus aus, vom ionisch-naturphilosophischen; ihr Name ist vielmehr irreführender als sie selber.

Τὰ μετὰ τὰ φυσικά, dies »Nach oder Hinter dem Physischen«: es ist bekanntlich eine Art Buchbinderbezeichnung in der nachträglich veranstalteten Ordnung der Aristotelischen Schriften. Metaphysik heißen die einschlägigen Aristotelischen Untersuchungen nur deshalb, weil sie denen über Physik nachfolgen. Und ihr Gegenstand ist nicht das Übersinnliche, sondern das Seiende überhaupt: »Die Prinzipien und Ursachen des Seienden suchen wir aber, wie wir wissen, sofern es ein Seiendes überhaupt ist« (Aristoteles, Metaphysik V, 1). Und die untersuchten »Seinsprinzipien« heißen hier recht immanent, fast empirisch: Stoff, Form, Zweck, Ursache. Metaphysik ist so von Aristoteles her Wissenschaft der Formbeziehungen des Seins; so fällt sie zusammen mit Ontologie. Es ist hier nicht der Ort, auch nur andeutungsweise die Sinnverschiebung anzugeben, die der Begriff Metaphysik im Lauf zweier Jahrtausende, über so verschiedenen Gesellschaftsordnungen, erfahren hat. Nur soviel sei bemerkt: selbst die scholastische Metaphysik differenziert und ordnet sich primär nicht nach der so oder so beschaffenen Aussage über transzendente Gegenstände. Sondern sie ordnet sich, aus einem in ihr selbst vorhandenen Gesichtspunkt, nach der Aussage über die Realität oder Nicht-Realität der Allgemeinbegriffe (Universalien), mithin auch hier nach einem Problem der Ontologie. Und die Metaphysik der bürgerlichen Neuzeit gibt sich sogar, von Descartes an, als besonders reine Vernunftwissenschaft ontologischer Art. Leibniz unterschied zwar vérités éternelles von den empirischen vérités de fait, die er auch zufällige nannte; doch die vérités éternelles sind bei ihm erst recht besonders reine Vernunftwahrheiten aus logischer Notwendigkeit, und zu ihnen gehören gerade keine transzendent gelagerten, sondern neben den metaphysischen die der Mathematik. Hier fällt also gerade der stärkste Rationalismus mit Metaphysik und ihrer Ontologie zusammen; sie sollte, wenn auch stets im Zusammenhang mit der Erfahrung, eine demonstrierbare Wissenschaft par excellence sein. Freilich, wie nicht nur die Scholastik zeigte, konnte gewiß auch eine noch so logisch gebaute Metaphysik eine Stütze der Theologie sein; lange genug haben auch die sogenannten Beweise fürs Dasein Gottes in einer Vernunftreligion Platz gefunden. Insofern also ist selbst bei dem dichten Bündnis, ja Einswerden von Rationalismus und Metaphysik, wie Leibniz, erst recht Hegel das anstrebte, eine Menge alter theologischer Hypostasen darin vorhanden. Indes, dieser theologisierende Teil an der Metaphysik ist eben nur Teil, und niemals einer, der ihr, als Ontologie, wesentlich ist. Die Aufklärung hat sich mit unbedingtem Recht gegen diesen Teil gewandt, sie schloß sich hierin an Montaigne, Bayle oder die totale Skepsis an. Aber führte nicht gerade die totale Skepsis, bei Bayle, wie erst vor ihm bei Pascal und Poiret, zur Religion zurück? Während die Leibnizsche Vernunft-Metaphysik, bei aller Apologetik, doch die Religion durchaus zum Problemgebiet machte, das heißt, sie der Ratio noch mehr auslieferte als sie verband? Und hat nicht – mit ganz anderer Gegensätzlichkeit als die Aufklärung – die Orthodoxie sich gegen die Metaphysiker gewandt, so gegen Avicenna, Averroës, so gegen Hegel? Sie spürte das Nonkonforme, Untheologische an diesen Metaphysikern genuiner, als es die Aufklärung gespürt hat; darum hat der Mohammedanismus alle Schriften seiner Metaphysiker vernichtet, die katholische Kirche nicht bloß Spinoza, auch Leibniz und Hegel auf den Index gesetzt. Insgesamt macht der Anteil eines Theistisch-Jenseitigen nicht das wesenhaft Metaphysische an einer Philosophie aus. Dieser Anteil ist bei Leibniz, wenn nicht gering, so doch nirgends überwältigend, bei Bruno, Spinoza, beim ersten Schelling, bei Schopenhauer fehlt er ganz. Es ist also nicht viel Besseres als terminologischer Schlendrian, wenn Metaphysisches mit Übersinnlichem, das Gebiet der Metaphysik schlechthin mit dem der Transzendenz verwechselt wird. Gerade auch der Kampf, den der spätere, der nach Leibniz erwachsene Kritizismus gegen die Metaphysik führte, richtete sich primär gegen eine allzu reine, soll heißen unempirisch inzesthaft gewordene Vernunft in der Metaphysik und dadurch erst gegen eine Überwelt, die dieser Vernunft zugeordnet worden war. Kam danach allerdings, auf neuer Grundlage, auf der historisch-prozeßhaften, nicht mehr der mathematischen Erzeugung, die Metaphysik bei Hegel wieder. Aber dieser wiederum ist nicht deshalb, seiner eigenen Definition nach, ein Metaphysikerneuerer, weil er hintersinnliche Jenseiterei wider konkretes Begreifen und dessen Begriff ausgespielt hätte; in diesem Punkt ist der Nichtromantiker Hegel so unromantisch wie möglich. Sondern er ruft Metaphysik auf als »Glauben an die Vernunft«, als Mut gegen den Agnostizismus: »Das verschlossene Wesen des Universums hat keine Kraft in sich, welche dem Mute des Erkennens Widerstand leisten könnte.« Nicht also das Diesseits der vernunftreichen Aufklärung, sondern der dogmatische, sich schon ante rem für ausgemacht haltende Agnostizismus, dem gerade das Diesseits selber zum Jenseits der erkennenden Vernunft wird, ist der wirkliche Feind der Metaphysik. So wendet sich Metaphysik gegen Agnostizismus und seinen Positivismus, als Erkenntnis-, besser: Ignoranztheorien, zu denen gerade Marxismus sonst keine Beziehungen unterhält. Und es war nur konsequent, wenn Positivisten am Ende auch noch den Materialismus als Metaphysik denunzierten, den dialektischen gar als die ärgste. Obwohl diesem doch nun die Jenseiterei wirklich fehlt, von Opium zu schweigen; dagegen nicht Ontologie: als Wirklichkeitsblick eben durch die Oberfläche des unmittelbar Gegebenen hindurch.

Unleugbar ist es dem Schalen unbequem, über das unmittelbar Gegebene hinaus zu gehen. Der sogenannte gesunde Menschenverstand hält sich daran fest, er haßt, was ihn stört. Er nennt sich freilich nur selber gesund, ist es aber gar nicht, wenn anders Gesundheit Frische bedeutet, Lust an Erschwerungen, Kraft zur Bewegung. Hegel wie Marx sind deshalb in der Ablehnung des seßhaften Menschenverstands einig, setzen ihm den unstatischen, den unverdinglichten, den dialektischen entgegen, als einzig wahren. Engels hat derart das Denken in fixen Kategorien das elementare genannt, allenfalls gut genug zum Hausgebrauch, »gleichsam die niedere Mathematik der Logik«, aber für die Wissenschaft untauglich. Erstaunlich ist nun allerdings: Engels hat dieses fixe Denken nicht nur ein elementares, sondern auch ein metaphysisches genannt; gesunder Menschenverstand, zusammen mit statischer Philosophie, soll nach Engels also ausgerechnet Metaphysik heißen. Das ist ersichtlich eine von Jenseiterei weit entfernte Definition des anrüchigen Gebiets, aber es ist eine paradoxe. Der Gegensatz zum Metaphysischen ist danach nicht das Stehenbleiben bei dem Gegebenen, sondern das Dialektische, ist die Widerspruchslogik. So überraschend freilich die Gleichung Metaphysik = Statik wirkt, so spielt doch auch in ihr der Kampf gegen eine Art atheologische Jenseiterei vermutlich mit. Das Statische ist das Verdinglichte oder Fetischisierte (!), das aus dem Produktionsprozeß fälschlich als schicksalhafte Macht Herausgehobene, in seiner prozessualen Erzeugung nicht Durchschaute: Prototyp des Statischen ist so in unserer Zeit die Ware, das Warendenken. Die Götter, als hypostasierte Natur- oder Gesellschaftsmächte, geben nun der ganzen weiteren Verdinglichungsreihe den Terminus Fetisch mit. Fetischismus ist Statik, Fetischismus ist Mythologie, Mythologie ist Metaphysik, daher soll auch Metaphysik Statik sein. Insofern steht die Gleichsetzung von Metaphysik mit Statik hier als eine Art von Kettenschluß da. Und weil die Dialektik im Gegensatz zum Statischen steht, so stehe sie im gleichen Gegensatz zur Metaphysik. Indes: das Paradox der letzteren Antithese ist dennoch groß, mindestens an den historisch vorliegenden Erscheinungen von Metaphysik gemessen. Sein Sinn ist ein pädagogischer, nicht ein philosophiegeschichtlicher, das heißt, das Warendenken soll am Fetischdienst illustriert und dergestalt als metaphysisch denunziert werden. Zwischen transzendentem Vitzliputzli hier, dem fixen Abstraktionssystem dort ist so prima vista kein Unterschied; an beiden Gleichgesetzten sollen dem Laien Verdinglichungen kenntlich, Hypostasen durchschaubar gemacht werden. Wollte man jedoch die Engelssche Definition der Meta-physik nicht cum grano salis nehmen, wie sie gegeben ist, sondern wortwörtlich, dann würde die Geschichte der Philosophie aufs Ungewohnteste aufgeteilt. Alle alten Materialisten, von Demokrit bis zu den Männern der Enzyklopädie, wären dann Metaphysiker; denn sie sind nicht dialektisch, nicht einmal entwicklungsgeschichtlich. Die Materie ist bei ihnen die ewig gleiche, der Stoffumsatz geschieht nach dem unveränderlichen, nichts verändernden Kausalgesetz. Dagegen Erzmetaphysiker wie Heraklit, Platon, Proklos, Nikolaus von Cusa, Jakob Böhme, Hegel wären als Dialektiker keine Metaphysiker gewesen. Auch wäre gerade die Intention auf einen »Gesamtzusammenhang der Naturerscheinungen«, die allen großen Metaphysiken eigene, eine nicht-metaphysische. Während umgekehrt der partikularste Empirismus ein Non plus ultra von Metaphysik darstellte, desto evidenter, je bornierter er ist. Die wahre Absicht Engels' ist, wie bemerkt, eine pädagogische, keine philosophiegeschichtliche: er will, mittels der grellsten Antithese, die konkrete Dialektik aus der idealistischen Metaphysik herauslösen. Item, um zum üblichen Falschgebrauch des Namens Metaphysik zurückzukehren, als der Lehre vom Übersinnlichen, so ist für diese der Name Theologie ausreichend. Wogegen Metaphysik Ontologie war, meist idealistische, oft hypostasenhaltige, gewiß, aber bei alldem doch erstrebte Grundwissenschaft vom Sein. Als Ontologie ante rem, das heißt als angeblich subsistentes Reich von Seinsbestimmungen vor der Welt oder hinter der Welt hat Metaphysik im Materialismus gänzlich ausgespielt. Aber doch auf etwas andere Weise ausgespielt als Animismus, Okkultismus, Angelologie, Anatomie der himmlischen Dreieinigkeit. Engels apostrophiert am Schluß der zweiten Vorrede zum Anti-Dühring die Naturforschung so: »Eben dadurch, daß sie sich die Resultate der dritthalbtausendjährigen Entwicklung der Philosophie aneignen lernt, wird sie einerseits jede aparte, außer und über ihr stehende Naturphilosophie los, andererseits aber auch ihre eigne, aus dem englischen Empirismus überkommene, bornierte Denkweise.« Dieses Sinns kann man über den Bestand wie über die Auflösung der Metaphysik beruhigt sein; auch außerhalb der Naturforschung. Das Bornement eines positivistischen Agnostizismus (dem besonders die Dialektik »meaningless« schlechthin vorkommt) ist heute hemmender als die idealistische Metaphysik der Vergangenheit; denn der Positivismus verriegelt das Reale, während die Metaphysik es gegebenenfalls mehr umnebelte oder überflog, dabei mehreres auf die Füße zu Stellendes übrigließ. Und wenn es je einen *spekula-*

tiven Materialismus (vgl. Schlußkapitel ds.) gegeben hätte, so wäre das nicht notwendig ein Widerspruch im Beiwort, vielmehr eine sichere Sperre gegen die Beschränkung des Materiebegriffs auf das Reich mechanistischer Notwendigkeit, eine unabgeschlossene Eröffnung des Materiegehalts zu einem Reich der Freiheit; nam, schließt gerade Spinoza, omnia praeclara tam difficilia sunt quam rara.

46   NOCHMALS CRUX, APORIE, ANTINOMIE;
BEWUSSTSEIN, QUALITÄT,
NOVUM ALS AUSFORMUNG DES MATERIELLEN
INHALTS

Künstlich und echt verwickelt

Was in einem Zug glatt aufgeht, stimmt oft deshalb gerade nicht. Das Denken des Stoffs darf am wenigsten sichs leicht machen; indem es dingfest und kühn zugleich ist, ist es nicht wie von vornherein geordnet und einfach. Dafür freilich fehlt ihm jede künstliche Verwirrung; denn materialistisches Denken hatte oft, ja meist einen scharfen politischen Auftrag. Hatte zu dringend Aufklärung im Sinn, um vornehme Verwirrung der Linien zu lieben. Wie durchaus treffend und einfach in einem ist statt dessen der materialistische Satz, daß, wenn ein Interesse mit einer Idee zusammenstößt, es immer die Idee ist, die sich blamiert. Oder ist das Schlichte und sichs doch nicht einfach Machende nicht geradezu erhebend, wenn auch noch kunstgeschichtliche Einzelheiten plötzlich die Schuppen von sich abfallen lassen, sobald materialistisches Denken statt des idealistischen anhebt. Man vergleiche dazu die geistig verzierende mit der stoffhaft nüchternen Erklärung, wodurch dort von oben herab, hier aber von unten her so etwas wie der Fuß der ionischen, der Nicht-Fuß der dorischen Säule bedacht worden ist. Nach idealistischer Auffassung hatte die dorische Säule deshalb keinen Fuß, weil die Sinnesart des Dorischen überhaupt überall das Einzelne nur als dienend dem Ganzen gelten lasse. Worauf schon 1856 ein realistischerer Kunstgeschichtler namens Forchhammer trocken erklärte, die dorische Baukunst sei auf dem Felsenboden Griechenlands entstanden, deshalb habe die hölzerne Säule, die man zuerst aufgerichtet, keines sichernden Fußes bedurft. Dieser sei notwendig gewesen in dem feuchten Alluvialboden der kleinasiatischen Täler, in denen die ionische Bauart sich entwickelt habe. Dergleichen Bestimmtes ist klar, allerdings treten im ganzen Umfang solcher materialistischen Erklärung, trotz Vermeidung künstlicher Verwirrung, immer wieder eigene Schwierigkeiten vor. Jenseits fremd herangebrachter, wie etwa denen Münchhausens, sich am Zopf aus dem Sumpf ziehend. Sie schneiden sich zuweilen gar mit idealistischen, sind aber wesentlich auch solche eigenen Gewächses und können so allerdings nicht auf bloß hausbacken schlichte Art erledigt werden. Ist es doch gerade die Ehre dieser Arten schwierig zu sein, daß sie sachhaft solche sind, das heißt, ihrem Stoffhaften selber zugehörig.

Crux des Einzelnen und die Fülle

Die alte Frage tritt wieder vor, wie Sehen und Denken, einzeln hier, allgemein dort zueinander stimmen. Sie kam bürgerlich besonders scharf vor, die Trennung von Gesehenem und Gedachtem ist von Haus aus idealistisch, zwar nicht darauf beschränkt, doch von hier aus besonders drängend geworden. Der bürgerliche Kalkül hat die alte scholastische Frage, was real, mindestens realer sei, das sinnlich Einzelne oder das begrifflich Allgemeine, noch materialistisch interessant werden lassen, und sie ist nicht erledigt. Bleibt sie doch auch bürgerlich nicht bei dem bloß Einzelnen oder Besonderen des jeweiligen Falls und erst recht nicht bei dem bloßen Allgemeinen eines logischen Umfangs genereller Art, wie im vorbürgerlichen oder noch nicht deutlich bürgerlichen Universalienstreit. Sondern das bürgerliche Denken setzte immerhin statt des je Einzelnen empirisch die Tatsachen und statt des bloßen allgemeinen Huts, unter den der Gattungsbegriff diese gebracht hatte, den Funktionsbegriff und das mathematisch ausdrückbare Gesetz. Gemäß dem die Tatsachen in funktionalem Zusammenhang stehen, in einem freilich nur kalkulatorischen, abstrakten, der den wirklichen, nämlich dialektisch-konkreten Zusammenhang nicht oder nur äußerlich, unverstanden treffen kann.

Es wurde oben im 10. Kapitel ad Crux bereits gesagt, daß gerade der neuzeitlichen Trennung von vereinzelten Tatsachen und fest allgemeinen Gesetzen ein nur abstraktes Subjekt-Objekt-Verhältnis zugrunde liegt. »Die uralte Crux der Einzelheit-Allgemeinheit oder das Unvermögen der Kategorien zur Erschöpfung ihres Inhalts präzisiert sich demnach großenteils und steigend als eine der noch falschen, inadäquaten, bloß abstrakten Subjekt-Objekt-Beziehung. Es bleiben zwar Inkohärenzen, wie vor allem die des Zufalls, ja auch der echten, fruchtbar einzelnen Unterbrechungen genug. Freilich versucht Lukács durchgehends die Alternative Einzelheit–Allgemeinheit (nebst den weiteren, die sich anschließen) als bloße Alternative des kontemplativen Rationalismus darzustellen: ›Denn die Irrationalität, die rationelle Unauflösbarkeit des Begriffsinhalts für den Rationalismus ... zeigt sich in der Frage der Beziehung des sinnlichen Inhalts zur rationell-kalkulatorischen Verstandesform am krassesten. Während die Irrationalität anderer Inhalte eine positionelle, eine relative ist, bleibt das Dasein, das Sosein der sinnlichen Inhalte eine schlechthin unauflösbare Gegebenheit‹ (Geschichte und Klassenbewußtsein, 1923, S. 128). Diese Schärfung des Einzelheit-Allgemeinheit-Problems entsteht, wie Lukács mit Recht sagt, eben aus dem Zusammenstoß zweier unvereinbarer Beschaffenheiten des Kalküls. Einmal aus der Tendenz, Dasein und Sosein ins rationale System bloßer Verstandesbegriffe restlos einzuarbeiten; sodann aus der Unfähigkeit, den Begriffsinhalt (das Ding an sich, näher die Spezifikationen der Natur, noch näher die sogenannten irrelevanten Einzelfälle) mittels der quantitativ-allgemeinen Konstruktion zu bewältigen ... Gewissermaßen ist die *alte Crux* hier mit dem *ebenso alten ›Skandal‹ der Philosophie verbunden,* nämlich mit dem Fremdkörper der Materie innerhalb der idealistischen Philosophie. Kant hatte die Unbeweisbarkeit der existierenden Außenwelt als Skandal der Philosophie bezeichnet, Schelling die Undefinierbarkeit der Materie; der Marxismus, dem diese beiden Arten des ›Skandalon‹ (Falle) fremd sind, will für sich Skandal und Crux zugleich aufheben. Die unübersichtliche

Crux: Einzelheit-Allgemeinheit wird gleichsam umgedreht und erscheint dann als das weit einfachere Skandalon: Kalkül – qualitative Materie.« Qualitative Materie heißt hier sich im Besonderen und in ihrer aufeinander folgenden Schichtung qualifizierende Materie; dergestalt, daß die Crux wachsend aufhebbar wird durch Vermittlungsvorgänge zwischen sinnlicher Empfindung und logischen Figuren, indem beide nicht mehr hart und unvermittelt getrennt und die Tatsachen vor allem als verdinglichte Prozeßmomente begriffen werden. »Jedoch ebensowenig darf übersehen werden, daß die Crux, obwohl sie durch das ausgetriebene Skandalon mit ausgetrieben scheint, im gegenwärtigen (das heißt eben großenteils noch theoretischen) Marxismus sich stellenweise deutlich reproduziert. Nämlich in Gestalt *neuer Varianten von Einzelheit-Allgemeinheit*; diese heißen: Spontaneität – Automatismus der Gesellschaft; weiterhin: Individuum – Kollektivismus, und vor allem: brechende Neuheit – haltende Gebautheit (sei es auch in einem elastischen, mit der offen gehaltenen Tendenz übereinstimmenden Plan). Auch die Spannung: Teil – Ganzheit ist in der Gruppe: Individuum – Kollektivismus noch enthalten, jenseits aller Abstraktheit und Statik; es gibt auch kommunistisch Individuen, und es gibt sie im kollektiven Reich der Freiheit zum ersten Mal; ihre Solidarität will ja – zum Unterschied vom noch bestehenden Partei-Kollektik – künftige Kollektivität gerade zum Springquell künftiger Freiheit entbinden« (siehe oben Kap. 16). Und vor allem ist hinzuzufügen: Es gibt außer Individuum – Kollektiv und dergleichen noch andere Varianten von Einzelheit – Allgemeinheit, solche nämlich, die nicht nur aus abstraktem Kalküldenken stammen und auch nicht durch ihren verschiedenen sozialen Kontext sich variieren. Ja, sie bleiben dann erst recht marxistisch erhalten und das statt der bloßen begrifflichen Verlegenheit als Gewinn. Das heißt, statt der bloßen Uneinräumbarkeit des beunruhigend Einzelnen das allgemeine Ganze, schließlich Eine offen haltend und nicht – wie es allem Ganzen bisher widerfuhr – geschlossen.

Gemeint ist also das fruchtbar Unterbrechende, wie es genau vom lebhaft und bunt Einzelnen herkommen mag. Es ist das Viele der Dinge als ihr Anderssein untereinander, das aber nicht nur störend, schlecht unterbrechend ist, sondern gegebenenfalls als Wachruf-Mittel dient. Da sind Steine des Anstoßes gegen alles eilig Ordnende, lähmend Eintönige des schon ausgemachten Begriffs. Störendes gibt es in der Andersheit gewiß genug und Undeutliches, Unstimmiges, Kraut und Rüben durcheinander, sogar die Sicht und nicht nur die Übersicht verwirrend; weshalb ja Nikolaus von Cusa trotz aller letzten coincidentia oppositorum auch negativ sagt, die alteritas lärmt auf allen Plätzen und Gassen. Doch steckt in dem Distrahierten, in dem bloßen schlechten Plural durchaus auch eine Grundlage des *Andersseinkönnens*, nicht bloß der verworrenen, chaotischen und vorab stehenden Andersheit. Eines Andersseinkönnens, das zwar ebenso Schlechter- wie Besserwerden eröffnet, so immerhin das Spiel auf den positiven Ausgang noch nicht beendet sein läßt, das Distrahierte also nicht statisch verewigt. Aber auch das Unstimmige, ja gerade dieses im Verhältnis zu einem nur vorläufig, gar nur an der Oberfläche Geordneten hat seine konstitutive Ehre, dialektisch-pluralistisch gegen jedes allgemeine Schema auch im Materialismus. Gegen jede Einebnung der Welt auf gleichförmig unbeschleunigte Bewegung, Nichtbewegung, gegen billige Abgemachtheit der im Werden anhängigen Sache, die doch die der offenen Materie ist. Vor allem als pluralistische, dialektisch-historisch sich ungeschlossen in unhomogene Bereiche entfaltende ist sie vom Ideellen gerade dadurch verschieden, daß sie nicht, wie dieses so oft im Begriffsrealismus, sich am liebsten dem Allgemeinen verbunden sieht. Deshalb sagte ja Engels, scheinbar nominalistisch und sicher pluralistisch, kontra billigen Monismus: es gebe so wenig Materie schlechthin wie es Obst gebe, es gebe nur Äpfel, Birnen, Trauben, untereinander wohl differenziert, und erst all diese zusammen machten Obst aus; so könne auch ein bloßer Allgemeinbegriff Materie das materiell Besondere nicht zudecken. Das Besondere als Besonderung führt bei Engels weiter zu eigen ansetzenden starting points, organische, ökonomisch-historische Schichtungen setzend, und dabei zuletzt jenes Fürsichwerdens, jener materiellen Selbstreflexion sprunghaft fähig, das Bewußtsein, Bewußtheit heißt, mit dem Menschsein als »höchster materieller Blüte«. Allemal aber kommt der Stoß zu neuen materiellen Präzisierungen von unten, vom unstimmig Einzelnen her; dann ist dessen Unruhe dialektisch-materialistisch keine Verlegenheit mehr, sondern gegebenenfalls ein Sprengmittel gegen generell Stehendes als ebenso Abgestandenes.

Die Aporie in der materiellen Selbstreflexion zum Bewußtsein, die Antinomie in der materiellen Selbstmanifestation zu Qualitäten

Das fruchtbar Unterbrechende geht vom Einzelnen aber weiter, umschlagend, schichtend. Der Weg dahin, am auffallendsten der vom Sein zum Bewußtsein ist sogar so unterbrechend, daß er eben voll Unwegsamem, eben voll *Aporie* erscheinen mag. Bewußtsein entsteht aus dem Sein als bewußtes Sein, in dem das Sein, und zwar erst als organisches sich reflektiert. Diese Selbstreflexion ist möglich, weil die Materie gerade nicht das Äußerliche ist, gar in ihrer Vulgäransicht das Äußerliche katexochen, vielmehr das Agens alles später Äußeren in sich hat und insgesamt der gebärende Schoß ist, auf den als das Selbst der Materie selber ihre Selbstreflexion Bewußtsein schließlich auftreffen kann. Das Sein reflektiert sich hier aber mit einem so starken Umschlag aus Gehirn zur sogenannten Seele, daß zum üblicherweise materiell genannten Sein ein Riß zu bestehen scheint. Allein schon derart, daß Seelisches als Akt wie als Inhalt unsichtbar zu sein pflegt, auch wenn es sich, wie in der Kunst, mittels materieller Bausteine, Farben werkhaft niederschlägt; das, was in diesen Rohstoffen sich ausdrückt, fällt mit ihnen ja nicht zusammen, ist schließlich so wenig Sichtbares wie in der Poesie deren Darstellungsmittel: das Wort. Andererseits jedoch macht sich das im Bewußtsein bewußt gemachte Sein selber als »architektonisch« kenntlich, wenn es als Ideologie, das heißt als veritabler »Überbau« fungiert. Er ist ja auch nicht nur dunstiger und so täuschender, an sich irrealer Nebelreflex, sondern er kann auch, vorab in bedeutenden Kulturwerken relativ wahren Bewußtseins, außer und statt dem Nebelreflex einen echten Reflex, das ist die Selbstreflexion des gesellschaftlich-materiellen Seins enthalten. Aber, wie vorher schon die Crux, so ist jetzt die Aporie Sein – Bewußtsein auch materialistisch zu bedenken, ja in der nicht-idealistischen, nicht-parthenogenetischen Werkauffassung sogar besonders; denn das Sichselbstreflektierende wird hier spezifisch eindringlich, gerade weil es durchaus am jeweiligen Text des gesellschaftlich-materiellen Seins bleibt und doch in diesen spontan erhellend eingreift. Hier gibt es eine solch unleugbare *Entität* des Bewußtseins, von Bewußtsein, kraft der Selbstreflexion des materiellen Seins auf die jeweiligen gesellschaftlichen Triebkräfte, daß das Bewußtsein sich ganz in den Unterbau einmischt. Und wo immer auch Ideologien nicht nur im Sinn des wahren falschen Bewußtseins, wie Lukács sagt, sondern wie sehr erst im Sinn eines aufklärend-wahren gesellschaftliche Veränderungen entbinden, gaben sie sich gar nicht nur als bloße passive Widerscheine im einfachen Reflexsinn, sondern sie konnten durchaus befördernd in die Entstehung eines neuen Unterbaus eingreifen, als emanzipierende Aufklärung, revolutionäre Bewußtseinshöhe. Der Theoretiker Stalin (nicht zu verwechseln mit dem Tyrannen) sprach derart ganz unschematisch von einer »Aktivierung des Unterbaus durch den Überbau«, so im Vorhergang der Enzyklopädisten vor der französischen Revolution, gar im Prius der theoretischen Marxwerke vor der Oktoberrevolution. Derart also gibt es zwar eine Unmenge falschen Bewußtseins, das Sein seiner Gesellschaft, die Gesellschaft seines Seins dekorativ und apologetisch überhöhend und bestätigend, aber auch ein dieses Sein kraft Bewußt-Sein verlassendes, sprengendes, aufhebendes, gar wirkliche Selbstreflexion dieses Seins im eigenen materiellen »Pneuma«. Bis hin zur fördernden, nicht notwendig abstrakt bleibenden Spannung zwischen Sein und Sollen, schlechter Tatsachengegebenheit und moralischem Postulat, radikal-konkreter Vorwegnahme. Trotzdem nun und gerade deshalb hält sich hier überall ein Rest, also Aporie im materiell bleibenden Umschlag von Sein zu gar besonders einwirkender Eigenheit des Bewußtseins, die dem Materialisten immer weitere Anstrengungen der Immanenz abverlangt. Einer nirgends freilich aufs vorhandene Sein beschränkten, sondern sich gerade auf dessen offene Tendenz einlassenden, die durchaus nicht unsichtbar ist, wie der idealistisch völlig ätherisierte Geist, wohl aber das Unsichtige der Ferne im gesellschaftlich-materiellen Prozeß selber enthält.

Und das dann ohne einen übertriebenen Riß zum gesellschaftlich-Materiellen, wie er dem Idealisten zupaß kommt;
materialistisch dagegen steht genau die nötige letzthinnige Al-
lianz zwischen *noch nicht Bewußtem* im Bewußtsein und *noch
nicht Gewordenem* im Sein als *Tendenz-Sein* an. Das mögliche
Bauen ins Blaue hinein keineswegs als einem blauen Dunst, sondern in ein vermitteltes Incipit vita nova, als einem Wahren,
Wirklichen, worin das bloß Tatsächliche verschwindet, sein
bloß Unzulängliches verschwinden könnte. Die Idealisten freilich haben es sich einfacher gemacht, wo der Geist von einer
transzendenten Einflößung herkommt oder auch die bloße
Kehrseite der Medaille darstellte wie im psychisch-physischen
Parallelismus, Spinoza, anders Leibniz vulgarisierend. Spinozas
ständiges Zugleich von extensio und cogitatio banalisierend,
entspannend; dem Materialismus dagegen ist die Aporie Sein –
Bewußtsein sogar weiter erschwert, indem die angegebene
Aporie auch noch voll Antinomie erscheint, zum Grundproblem Aporie als mächtiger Sonderfall gerade dialektisch hinzukommend.

Gemeint ist dann nicht mehr der Sprung von einem Gehirn
zu dem, daß es empfindet, gar denkt. Doch setzt sich dieser
Sprung auch im äußeren Stofflichen fort, wenn etwa eine Luftschwingung, obzwar nur die gehörte, als Ton auftritt. Wenn
der Ton, alles Quale überhaupt in der physischen Welt mit
einer schwierigen *Antinomie* von nur Quantitativem sich ab-
hebt, manifestiert. Das Wort Antinomie ist hier nicht im gleichen Sinn gemeint, wie es Kant in der Kritik der reinen Vernunft verwendet, nämlich als ein wissenschaftlich nicht zu er-
ledigendes Nebeneinander sich ausschließender Behauptungen,
von häufig transzendenter Art. Als Beispiele dessen nennt Kant
die Antinomien: ob die Welt einen Anfang in der Zeit habe
oder keinen; ob der Weltraum in Grenzen eingeschlossen sei
oder unendlich; ob jede zusammengesetzte Substanz der Welt
aus einfachen Teilen bestehe oder nicht; ob in der Welt alles
durch Kausalität nach Gesetzen der Natur bestimmt sei oder
auch durch Kausalität durch Freiheit; ob die Ursache der Welt
ein schlechthin notwendiges Wesen sei oder nicht. Als Zeichen
der Unentscheidbarkeit zwischen diesen antinomen Behauptun-

gen fügt Kant jeder Antinomie einen Advokatenbeweis sowohl pro wie contra an, womit die bisherige Metaphysik, auch im kosmologischen Gebiet ironisiert, diskreditiert werden soll. Die von uns gemeinte Antinomie dagegen bezieht sich durchaus nicht auf transzendente oder auch nur erkenntnistranszendente Gegenstände, sondern eben auf die sich stoßenden Realkategorien: *Quantität – Qualität,* und damit auf das alte *Newton-Goethe-Problem.* Diese Antinomie ist zwar von der Aporie Sein – Bewußtsein letzthin umschlossen, ja eine besonders gestaltete, dem Auswendigen zugehörige Ausgabe ihrer, jedoch sie wird eigens prägnant im dialektischen Bewegungsgesetz des Umschlags eben von Quantität in Qualität. Freilich besteht keine einfache Entsprechung der Glieder, in der man die Quantität dem Sein, die Qualität dem Bewußtsein zuordnen könnte. Bewußtsein als Selbstreflexion ist schon deshalb mit Qualität nicht homogen, weil Qualitäten und der Sprung zu ihnen aus dem Quantum ja auch bereits im Sein ohne Bewußtsein, also im vorbewußten Sein statthaben. Vor allem unterscheidet auch das die Quantität-Qualität-Beziehung von der Sein-Bewußtsein-Beziehung und läßt nur von bloßer Eingeschlossenheit der einen in die andere, umschließende sprechen, weil der Sprung vom Sein zum Bewußtsein auf Grund des Drangs zur Selbstreflexion des materiellen Seins geschieht, während der Umschlag von der Quantität zur Qualität sich dem Drang des materiellen Seins zur *Selbstmanifestation* von vornherein verdankt. Eben dem Drang zum Herausprozessieren von Qualitäten, Qualitätsgestalten in auch auswendige Sichtbarkeit, während das Bewußtwerden kraft Selbstreflexion sich zuerst als Unsichtbares setzt und dann erst in Werken der Sichtbarkeit, in Handlungen, Kunstwerken, Ausprägungen der Inwendigkeit, kurz Menschenwerken bekleidet. Trotzdem aber hängt Bewußtsein doch entscheidend mit der Qualitätskategorie zusammen und diese mit dem Bewußtseinsfaktor, indem der Qualitätsüberschuß gerade in der anorganischen Seinswelt (Farben, Schönheiten, Erhabenheiten, Realchiffren, Realallegorien, Realsymbole) über das Ansich ihrer bloßen Quantitätsstufe die Bewußtseinsanwesenheit des Menschen voraussetzen dürfte. Um dann durch geschehenen Menschenblick zu dem in ihr nur erst schlafenden

(wie Leibniz vom monadischen Steinreich sagt) Qualitätslicht
zu »erwachen«. Dergestalt eben wird Ätherschwingung auch
zur Farbe, Luftschwingung zum Ton, bloßes Hoch-gebirge erlangt durch Höhe unausweichlich mathematische Erhabenheit,
bloßer Ausgleich verschieden erwärmter Luftschichten durch
Sturm dynamische Erhabenheit – *konstitutiv* wirkend in der
Objektwelt selber, nicht ausschließlich anthropomorph eingelegt.
Problematisch das alles gewiß, doch realproblematisch und gerade der Goethe-Hegelschen Behauptung nicht unkonform, daß
die Optik der Kunst der Natur einen Spiegel vorhalte, worin sie
sich reicher findet, sieht als an ihrer nur quantitativen Stelle
vordem und gleichsam stellvertretend zu sich kommt. Gegen
die »Ohnmacht der Natur«, wie Hegel sagt, sich zu ihren eigenen Kategorien nur abstrakt verhalten zu können, gibt dann
unser Blick darauf und vor allem der qualitative Kunstblick auf
sie gleichsam einen Weckruf für Qualitäten, wie sie im bloßen
bis dahin erreichten Quantum der Physis nur angelegt waren,
nun aber, herausgekommen, nicht mehr verschwinden. Diese
gewiß abenteuerlich anmutende, doch konsequent das Problem
stellende Lehre von einem Erwachen der Qualitäten bei
unserem Wahrnehmen geht noch auf Augustin zurück, der
dazu sagt: »Die Pflanzen bieten ihre mannigfachen Formen,
durch die der sichtbare Bau dieser Welt sich formenschön gestaltet, den Sinnen zur Wahrnehmung dar; so daß sie, da sie
nicht erkennen können, wie es scheint, gleichsam erkannt werden wollen« (De civitate Dei, XI, 27). Dazu kommt der Wechselbezug von Selbstreflexion im Bewußtsein und Selbstmanifestation im Dasein, mit fortlaufendem Umschlag zu Qualitäten:
Was ist hier das bedeutungsidentisch verbindende Innen-Zero,
der Anfangspunkt als noch nirgends zentral reflektiertes, mani-
festiertes, gar realisiertes »Selbst« der Sache – mit dem Dunkel
seines bloß gelebten, aber noch nirgends objektivierten Augen-
blicks in der ganzen Welt (vgl. dazu Das Prinzip Hoffnung,
Kap. 20). Dieses Selbst ist allemal das Selbst des Materiellen,
noch immanentest durch dessen verschiedene Stufen hindurch-
laufend, ein noch nirgends extravertierter Kern in ihm, der sich
als das Urrätsel seiner selbst in den Geschichts- und Weltprozeß
seiner versuchten Lösung hinausschickt, eben zur Lösung durch

Reflexion, Manifestation, ja, Horizonte betreffend, Antizipation. Derart also ist dies X dessen, woher jeder Anfang ist, mit
dem, was den noch ungekommenen Kern von allem ausmacht,
bedeutungsidentisch, sowohl im subjektiven Faktor des
menschlichen Agens wie im Naturfaktor, der hypothetisch natura naturans getauft wurde. Dies bedeutungsidentische X hält
die zwei Faktoren verdichtet zusammen und macht letzthin den
Sprunginhalt vom Sein zum Bewußtsein, den Umschlagsinhalt
von der Quantität zur Qualität miteinander verschränkt, vor
allem im letzthinnigen, erzutopischen Manifestationsinhalt:
homo sive natura, natura sive homo – beides als materielle Enthüllung, enthüllte Materie. So in die Tiefe der ganzen Qualifi-
zierungssache selber gehend zeigt sich auch, daß kein Umschlag
wäre ohne das Entspringende eines Sprungs und zum Sprung
hin, ohne das Wohin und Wozu in diesem Agens als dem Einzigen, das sich qualifizieren will und dadurch – im logischen wie
im prozeßhaft-extravertierenden, manifestierenden Sinn –
»herausgebracht« wird. Dialektik des qualitativen Umschlags
insgesamt, genau als materialistische, kann ja nur verstanden
werden und ist nur möglich in einem Qualifizierenden und in
einer Welt der Qualitäten, Qualitätsstufungen. Gäbe es doch
überhaupt keinen Umschlag von Quantität in Qualität, wenn
diese in der Welt gar nicht vorkäme, immer reicher vorkäme
und wenn, wie in der Mechanistik, die Qualitäten lauter hei-
matlose Gegenstände wären, die Quantität das letzte Wort hätte und des materiellen Weltkerns letztes Schicksal bliebe. Jedenfalls, was Dialektik angeht: diese ist bereits gerade unterwegs,
Aporie und Antinomie zusammen, zugleich zu lösen, dergestalt,
daß die Dialektik des Umschlags von Quantität in Qualität auch
die Aporie klärt, obwohl von der Aporie Sein – bewußtes Sein
umschlossen, diese umschließende Aporie, also den Weg zur
Selbstreflexion passierbar macht.

Schwere Geburt und materielle Selbstantizipation im Novum

Wir Menschen können noch ein anderes Erwachen rundum
bringen, außer daß es da farbig wird. Unser Tun in der Welt
öffnet noch mehr Neues in ihr über die sinnlich belebenden,

nicht nur eingefühlten Zuschüsse hinaus. Denn wir stehen an der Front der Weltgeschichte, mit dem Bewußtsein, begonnen ist der Weg, er ist von uns weiterzugehen, vollende die Reise. Das Verändern ist an sich ein Vermehren, wie erst, wenn Verändern ein Neues hinzubringt, und das mit einem Umschlag. Wobei das durch uns eingreifend Vermehrende gewiß allemal ein Vermehrbares, zum Umschlag Fähiges und Fälliges in der Welt voraussetzt, um nicht dauernd bloß subjektiver Faktor zu bleiben. Ein ohnehin schon vor uns Begonnenes liegt im Umschlag bisher bloßer Quanta in Qualitäten vor, hier geht der dialektische Sprung zu immer neuer Qualität und ihren Gestalten schon lange vor unserem Bewußtsein und unserer Arbeit an, wird aber in den eigentlich geschichtlichen Nova bisher unerhört beschleunigt. Dialektisch ist auch das vorher Geschehende durchaus, das vor- wie außermenschliche Umschlagen zu frischen Qualitätsgestalten in der Natur und wieder Auszugsgestalten aus den bisherigen Gestalten. Nur, wie gerade an dem Neuen aufgeht, das durch menschliches Bewußtsein und seine Arbeit hinzugefügt, so ausgeführt wie herausgeführt wird: es ist im qualitativen Umschlag, sofern er einzig durch wachsende (nicht etwa »unzufriedene«) Quantitäten geschieht, noch unentwickelte Dialektik. Das heißt, es fehlt noch der Stachel des *ausgebrochenen* Widerspruchs; dieses subjektiv Negierenmachende, zum Negieren Bringende, wie objektiv Negative im unzureichend Vorhandenen, dies Unzufriedene findet sich ausgebrochen, allein entscheidend in der menschhistorischen Dialektik. Kraft der durch Vorhandenes so oft verhinderten, dadurch aber auch besonders gestärkten und gezielten Unruhe des Novum in ihr, wie es gerade dadurch als sprengendes Novum aufgeht. Der Widerspruch, das Negative zum Schlechten, überaltert Vorhandenen und sein Verhältnis zum vorschwebend, gar schon fällig Besseren wirkt negierend als Wurm im Apfel, creativ gar als Puls der Lebendigkeit, als die stärkste Stoßkraft eines Neuen in der menschlichen Geschichte und ihrer Welt. Vor allem aber wirkt hier die Antizipation, und zwar im genau humanen Sinn als Selbstantizipation; Schöpfung des Novum und seine Freisetzung sind zugleich am Werk zur Herstellung möglich gewordener Angemessenheit an ein uns wahrheitsgemäß entelechetisches Ziel. Große musische Werke der Menschheit sind antizipierend voll davon, es fehlt ihnen bloß die ungeheure Kleinigkeit, mehr als musisch sein zu können. Doch immer wieder kann in der Welt durchaus Neues, Besseres nicht nur intendiert, schöpferisch antizipiert werden; und sie ist durchaus so beschaffen (was nicht selbstverständlich ist), daß Neues, Besseres überhaupt in ihr entstehen kann, daß Widerstand gegen das ungeheuerlich Widersacherische in ihr antreten kann; es wäre auch totaler Sisyphus möglich und nichts als Sein minus Horizonte. Das Neue als Besseres muß zweifellos den Zeitort Zukunft und die ihn ermöglichende Kategorie der offenen Möglichkeit mit dem weniger Neuen, doch bleibend Drohenden des Widersacherischen, schließlich Katastrophalen teilen: »Geschichte ist ... keineswegs auch, wie im säkularisierten Augustinismus, ein festes Epos des Fortschritts und der heilsökonomischen Vorsehung, sondern harte gefährdete Fahrt, ein Leiden, Wandern, Irren, Suchen nach der verborgenen Heimat; voll tragischer Durchstörung, kochend, geborsten von Sprüngen, Ausbrüchen, einsamen Versprechungen, diskontinuierlich geladen mit dem Gewissen des Lichts« (Thomas Münzer als Theologe der Revolution). Dergleichen stellt auch gewiß eine Aporie, noch unzureichende Wegsamkeit im objektiv-realen Weg selber dar: eine Aporie unseres noch unentschiedenen Weltseins selber. Es gäbe ja überhaupt keinen dialektisch-historischen Prozeß, mit seiner schweren Geburtshilfe, er wäre als solcher nicht, wenn es in der Welt nicht etwas gäbe, das so nicht sein sollte, ein Hemmendes, Stockendes, Widersacherisches, Durchkreuzendes, hereingeschickt vom noch nicht entschiedenen, doch drohend umgehenden Vereiteltseinkönnen, vom Nichts statt Alles. Nur: wird diese stärkste Art Aporie, den Gewinn des *Weltexperiments* betreffend, zentral auf den Fundus Materie gebracht, bezogen, dann ist gerade diese außer wie über der Stockung und Unwegsamkeit eben voll von Auszugsgestalten, getrieben und fortgetrieben von jener dialektischen Unruhe des Sichnichthabens im Agens, seinem noch nicht Heimgekommensein, dem noch nicht adäquat Manifestiertsein seines Kerns. Diese Unruhe des Kerns ist ebenso das genau Protestierende gegen alles Inadäquate im unzureichend Manifestierten selber, wie sie ein adäquater Erreichtes in sich latent vorschwebend hat, besser und uns utopisch adäquater als das bisher in Gesellschaft und Welt Gewordene; weshalb auch diese Unruhe, mit immanentestem Fond, die Auszugsgestalten, jenes Neue also, mit dem die bisher vorhandene Gesellschaft und ihre Welt hin zum revolutionär möglich gewordenen Umschlag schwanger geht, in eine und als eine nächst fällige, der Selbstantizipation adäquatere Welt je und je treibt. So tendenziell wie latent, das heißt: *Tendenz ist Energetik der Materie in Aktion, forttreibend in allen ihren schon erreichten Gestalten zu Auszugsgestalten, hin zum tendenziell Implizierten des entelechetisch gemeinten Ziels, wie es noch nicht geworden, doch utopisch latent ist. Latenz ist das Entelechetische der Materie in Potenzialität, utopisch, doch mittels der Auszugsgestalten im Prozeß bereits konkret-utopisch, substanziiert vom Überhaupt jenes entelechetisch gemeinten Ziels, das mit soviel Trotzdem in der menschlichen Geschichte, in der bedeutenden Natur von Horizonten her vorscheint.* Von der Materie als einer offenen kann nicht groß genug gedacht werden, als einer selber spekulativ beschaffenen im angegebenen Sinn des objektiv-realen In-Möglichkeit-Seins, das ebenso der Schoß wie der unerledigte Horizont ihrer Gestalten ist. Es gibt qua dynamei on den wichtigen Bogen Utopie – Materie; ihn zu begreifen ist jede Philosophie an der Front dem Weltexperiment schuldig. Hier vor allem ist *Materie nach vorwärts;* und das nicht nur als Maßgabe und Träger der Bedingungen, nach denen etwas möglich sein kann, sondern erst recht als Substrat des objektiv-real Möglichen überhaupt, gewiß auch Scheitern, Umsonst, Nichts enthaltend, doch kraft menschlicher Weichenstellung und Information im noch Potentiellen durchaus eine – sublime Materie von Heimat im Prozeß latent haltend. Nichts wie Alles unserer Materie sind freilich Grenzbegriffe der äußersten Latenz, doch ihr Inhalt hat in seinem Negativen und desto stärker im Positiven wie oft schon einen Vorschein, der hier zu einem Eschaton des Abstürzens, dort zu einem der Erfüllung gehört und daran schon rührt.

47

DIE SPEKULATIVE WEITE; LOGIKON IN DER MATERIE; NICHT NUR BEWEGUNG, ERST RECHT MATERIE ALS UNVOLLENDETE ENTELECHIE

Was uns müht, will und kann geäußert werden. Von dem Stoff, in dem sich das alles prägt, darf nicht gering gedacht werden, wie bisher üblich. Und nicht nur äußerlich, als gäbe es nicht schon in unserem eigenen Leib ein Insichwühlen im Innen, das auch zum Körper gehört. Mehrere der erwähnten Schwierigkeiten, im Sprung vom Gehirn zu einer Seele beispielsweise, beheben sich, wenn nicht kleinkariert, bloß außenhaft und gleichsam tot ans materielle Sein herangegangen wird. Sobald der Stoff von vornherein aufs Grobe, Klotzhafte beschränkt oder gar absichtlich als solches beschimpft wird, führt allerdings kein Weg vom Körper zum Bewußtsein, vom geschäftlichen Umsatz zu einer allzu abgehobenen Umsetzung ins Ideelle schlechthin. Um vor allem noch viel weitere qualitative Sprünge in der materiellen Entwicklung zu begreifen, dazu bedarf es selbstverständlich einer Erweiterung des Materiebegriffs, die nicht nur mechanistische Eierschalen wegwirft, sondern findet und begreift, was nach diesem Wegwurf erst recht als materiell zu gelten hat. Mit Feuerbach kam das vordem gar nicht in die Stoffwelt einbezogene Menschenwesen in materialistischen Gesichtskreis, obzwar immer noch zu abstrakt und als fertiges Gattungswesen, statt inmitten gesellschaftlicher Arbeitsvorgänge. So erweiterte sich der Materiebegriff um den subjektiven Faktor, der durch Marx wachsend materialistisch eingemeindet wurde. Mit eigener subjekthaft aktiver Art eines dialektischen Widerspruchs als Widersprechen, das bezogen auf den objektiven Widerspruch in den äußeren Verhältnissen, als nicht nur subjektiv untragbar gewordenen. Ja, durchs Dialektische als solches, als »Puls der Lebendigkeit« wird eine noch gründlichere Erweiterung des Materiebegriffs möglich, eine nicht nur empirische, sondern geradezu spekulative; denn das Dialektische selber wäre einer mechanistisch beschränkten Betrachtung stets unzugänglich gewesen, erscheint ja heute noch im Positivistischen als blanker, vielmehr trüber Unsinn. Allerdings bedarf das Wort Spekulation (ursprünglich von speculari = erspähen, umherblicken, Ausschau halten), um zum Erweiternden das Seine beizutragen, dringend so einer Prüfung wie einer Erinnerung an seinen großen, noch nicht herabgekommenen Sinn. Es kam ursprünglich ganz und gar nicht unsolid vor bis herab zum Spekulieren auf einer Börse. Es hatte auch noch nicht notwendig den Spinnergeruch kurioser Phantasterei, teils im Bodenlosen oder im blauen Dunst ansässig. Obwohl zwar Kant noch Spekulation abwertete als »ein Rasen mit Vernunft«, unter ihr nur eine Erkenntnis der Dinge aus reinen Begriffen ohne alle Empirie verstand, so hat doch Hegel das spekulative Verfahren als eine Erkenntnis gerade durch konkrete Begriffe im Gegensatz zu den bloß abstrakten Begriffen der Reflexion ausgezeichnet. Derart Hegel: »Das Spekulative ist das positiv-Vernünftige, das Geistige, erst eigentlich Philosophische.« Dem Dogmatismus soll hier das Spekulative als das Wahrhafte gegenüberstehen, »welches«, wie Hegel mit besonderem Bezug auf Dialektik sagt, »keine solche einseitige Bestimmung an sich hat und dadurch nicht erschöpft wird, sondern als Totalität diejenigen Bestimmungen in sich vereinigt enthält, welche dem Dogmatismus in ihrer Trennung als ein Festes und Wahres gelten.« Dergestalt daß eben die unfesten dialektischen Bestimmungen, die der Dogmatismus erstarrt und getrennt hielt, vereinigt werden, indem das Totale aufgeht. Als welches sich in dialektische Besonderungen farbig entzweit und sich ebenso, mit Omnia ubique, im Prozeßgang zentrierend zusammenhält. Geht das Spekulative dieser idealistischen Art einzig auf Geist, ob auch auf Weltgeist, so wird es durch diesen Bezug gewiß nicht erschöpft, fing damit auch sachgemäß am wenigsten an. Denn wird das Spekulative, statt auf Weltgeister vielmehr auf den Materiebegriff der frühen Materialisten bezogen, dann ist dieser von Haus aus zwar durchaus ernüchternd, entzaubernd, schon bei Thales, der statt eines Mythischen das Wasser als Wesen der Welt setzte (man suchte, sagte der sonst nicht hierhergehörige Nietzsche, das Wesen der Welt, und als man es hatte, war es Wasser). Doch ebenso war der Stoffbegriff hier nicht nur empirisch-ernüchternd, sondern immanent-spekulativ, indem er von Haus aus bei den Joniern hylozoistisch, den Stoff belebend auftrat. Später rühmte Marx, sich ins Spekulative nicht nur qua Dialektik und qua Totum, vielmehr auch qua Qualität begebend, Bacons poetisch-sinnlichen Glanz der Materie, Jakob Böhmes Quellbelebung ihrer, alles Kategorien, die besonders auch die Phantasie des Spekulativen voraussetzen, in Gang hielten, sie selber mit Spintisiererei nicht erschöpft sein ließen; ja Marx schloß, wie immer wieder epatant zu hören, sogar eine »Resurrektion der Natur« nicht aus. Wonach wirklich mehr möglich wäre als ewig gleicher Stoff und stereotyp sich ewig wiederholendes Gesetz; mit dieser falschen Dauer ist es schon im historischen Materialismus aus und nicht nur dort, vor allem wenn so vermittelt wie utopisch Materie nach vorwärts gedacht wird. Daher gilt für die gründliche, die eigentliche Funduserweiterung der Materie: Das *Vermögen* zu solcher *Materie nach vorwärts* wirkt, wie bemerkt, aktiv im subjektiven Faktor, vorzüglich in der die materiellen Verhältnisse revolutionär umwälzenden Klasse und ihrer *Potenz,* und dem entspricht objektiv-konkret die reale *Möglichkeit* als *Potenzialität* dieser Verhältnisse und ihrer Materie zur Umwälzbarkeit selber, mithin zum nie so Gewesenen, zum Novum. Dazu allerdings darf *Logisches* als Realattribut des Materiellen nicht weiter unterschlagen werden, das heißt, der Materialismus hat besonders in diesem Punkt nicht – wider Willen, Absicht und Bewußtsein – jenen Dualismus zu übernehmen und seine freiwillige Magd zu werden, der Stoff und Geist extrem auseinander gerissen wie gegeneinander isoliert hat, ausschließlich im Interesse des geistfetischistischen Idealismus. Durch diesen Riß eben wurde die angegebene Aporie Sein – Bewußtsein und das Herkunftsproblem der Qualität im Umschlag von Quantität zur Qualität künstlich erschwert. Statt durch Einblick, das ist hier Tiefblick, in den dialektisch vermittelten Sprung und in den Drang der Materie zu ihrer Ausgebärung, Hellwerdung materialistisch präzisiert und gelöst zu werden. Mit freilich schwerer Geburt und per aspera nicht nur ad astra, sondern vor allem: tanta molis erat, erit humanam condere gentem.

Das heißt also gewiß nicht, daß im Stoff alles sinnlich glänze, lauter Ja und Da wäre. Im Stoff ist Formtrieb, doch hart im

Raume stoßen sich noch seine Sachen, als die einzigen, die greifbar. In der Täuschung wars häufig besser als beim Aufwachen,
und was es zeigt, darin leben wir und haben es zu bessern. So ist
der Stoff auch oder gerade in seinem Da unbeendet und zeigt
das im Abstand vom nicht nur sinnlichen Glänzen und Füllen,
das von ihm herrührt. Auch nach der ungefügen, ungefügten
Seite gehört so der Stoff zum Unvollendeten und zeigt es an, es
liefe sonst der Formtrieb nicht weiter. Das Störende, Hemmen-
de, Durchkreuzende, das bei Aristoteles immerhin nebenur-
sachlich vorkommt, reicht ja bis ins κατὰ τὸ δυνατόν, indem dieses auch einschränkend wirkt auf die volle Verwirklichung
der Form, die eben nur nach Maßgabe des jeweils Möglichen
sich durchsetzen kann. Einschränkend ist ja auch, wenn bei
Aristoteles und nachher bei Thomas die schlechthinnige Teilbarkeit der Materie als principium individuationis bestimmt
wird, woher freilich nicht nur die Endlichkeit und Alteritas
herkommen, sondern auch die Vielheit als Fülle und Weltreich-
tum. Das aber nicht nur im Raum als starres Nebeneinander,
sondern gerade auch in der Zeit als laufendes Nacheinander,
wodurch immerhin ein vermittelnder Prozeß statthaben kann;
auch dieses wird gerade bei Aristoteles nicht nur als Voraussetzung von Entwicklung überhaupt gedacht, sondern hat seinen
Grund in dem, daß überhaupt eine Entwicklung nötig sei. Dies
anders Einschränkende reicht dann sogar bis in den durchaus
schöpferischen Fruchtbarkeitscharakter des δυνάμει ὄν der Materie, dergestalt daß ja nur ein In-Möglichkeit-Sein und keine erlangte Wirklichkeit hier bedeutet ist, Unvollendetes also gerade
hier, bis hinein in die der Materie verbundenen entelechetischen
Formen. Woraus zu schließen wäre: der Entwicklungsprozeß
ist heilvoll, dies auch so, daß er heilend ist; item, es gäbe, kritisch
genommen, gar keinen Prozeß, wenn nicht auch etwas wäre,
das nicht sein sollte, mindestens so nicht sein sollte. Und doch,
mit dem großen Trotzdem hier: genau der spekulative Materialismus entdeckt im δυνάμει ὄν der Materie und seiner gewiß
höchst gefahrenreichen Offenheit nach vorwärts jenen wahren
Grundzug der Materie, dessen Logikon mit Finalität zu bezeichnen ist. Er ist unvergleichlich wahrer und zentraler als
alles Störende und tiefer hinein alles Widersacherische in und

aus der Ungelungenheit, die gleichfalls, doch keineswegs beherrschend und so ausgemacht zur Offenheit in der Materie gehört. Dialektischer Materialismus ist per se ein logischer, nicht nur indem er die Welt nicht als denkfremd, gar als zu roh oder zu dumm ansieht, um erkannt, also begrifflich abgebildet zu werden, sondern indem er ihre Kategorien ebenso als Daseinsformen des Weltstoffs selber pointiert. Das gilt für die sich entwickelnden Gestaltkategorien, so etwa das Palmenhafte, Fischhafte, Löwenhafte, Herr- und Knechthafte, Rätselhafte und so weiter. Gerade aber auch die unanschaulicheren, die zum Logischen im üblicheren Sinn gehörenden, hindurchverbindenden Transmissionskategorien wie Kausalität, Finalität, Substanzialität zeigen sachhaftestes Logikon innerhalb der Materie und ihrem Prozeß; sie bewähren es ja gerade als leitend Überbietendes gegen das grassierende Zufallsreich des Störenden, Hemmenden, Durchkreuzenden, schließlich gegen das Nihil im Widersacherischen, im Anti-Zweck, Anti-Sinn. Und alle diese Kategorien, die besonderen Gestaltkategorien wie die nicht nur allgemeinen, sondern hindurchverbindenden Transmissionskategorien sind so als geprägte Form, die in und aus der Materie sich entwickelt, ebenso Entelechien. Logisches contra den Umgang des Zweckfremden, Zweckfeindlichen trägt sich daher im begriffenen Prozeß der dialektischen Materie vor allem teleologisch zu, zwar mit Prius des Kausalen, doch mit immanentem Primat des Teleologischen, das ist treibender Tendenz, entelechetischer Latenz. Derart zum Schluß und zur Konsequenz hier: hinbezogene Tendenz, entelechetische Latenz lassen weder das Logische insgesamt, noch gar das Teleologische in diesem Logischen am Materiebegriff unterschlagen. Nicht dies also ist ein Paradox, daß Objektiv-Logisches in der Materie vorkommt, dialektisch faßbar und finalisierend in ihren Bewegungen. Sondern daß sich auch noch der dialektisch-historische Materialismus vom Idealismus einreden ließ, die Materie habe keine Wahrheit in sich, und dies ihm eingeredete Negativum – wider alle erzfinale Theorie-Praxis – auch noch als besonderes Pluszeichen seines Materiebegriffs verwendet. Gänzlich unerfindlich und genau heimatlos wäre zuletzt auch der Anspruch Marxens, die Hegelsche Dialektik materialistisch vom Kopf auf die Füße gestellt zu haben, Füße, die sie doch nur haben kann, wenn auch in den Daseinsweisen, Organisationsformen des Stoffs objektiv-Logisches inhärent ist. Sowenig wie die Materie durch Untrennbarkeit von Kraft und Stoff energetisch sich auflöst, so wenig verschwindet Materie, wenn Vernunft aus ihrem idealistischen Reservat auszieht und als Leitendes wie Praktizierbares in der Materie vortritt; – item Kraft und Logikon sind die Attribute der Materie. Der historisch-dialektische Materialismus handelt als so bestimmter theoretisch wie praktisch von finalen Bestimmungen, von planhaftem Denken zur Herstellung einer sozialistischen Gesellschaft, mit diesem Ziel vor Augen, mit diesem dominierenden Zweck und Sinn der solang schon sozialistisch fälligen Geschichte, statt der in Weg und Ziel noch unentwickelten Vorgeschichte. Hier entelechisiert sogar kraft der äußersten, durchaus nicht vermiedenen und vermeidbaren Perspektive des Wozu ein bisher so spiritualer Klang wie der des Reichs der Freiheit mit allem Überhaupt einer Zukunft dahinter – die Herkunft dieser Kategorie aus schlechthin eschatologisch intendierter Sinnwerdung von Geschichte und Welt nicht verleugnend.

Wachsend tritt bei all diesem der Drang des Woher, der Zug zum Wohin hervor. Ist das mechanisch ungewohnt, so kommt der Lauf dialektischer Bewegung jedenfalls nur final zurecht im Werden des Wohin durch das Wozu. Was dies Umweswillen, die Finalität angeht, so gibt es seit Hegel ja als letzten Begriff der Dialektik Durchführung und Fortbildung des Zwecks, damit er befriedigt werde. Seit Aristoteles, der den Begriff der Entelechie zuerst gebrauchte, bedeutet sie dasjenige, was den Zweck als zu realisierenden in sich hat. Sie ist für Aristoteles jene Energie, welche wegen der darin eintretenden Zweckbestimmung eben En-telechie genannt wird, sich jeweils aktiv verwirklichend im Stoff und sich immer weiter ausprägend in der Entwicklungsgeschichte der Welt. Bei Leibniz ist Entelechie das Streben der Monade nach Realisierung der potentiell in ihr enthaltenen Vollkommenheit. Weiter: Nennt nun Aristoteles bereits die Bewegung unvollendete Entelechie, so wird, wenn man die Materie nicht etwa als Wachs, sondern als selber gebärenden Schoß der entelechetischen Ausprägungen faßt, am

Ende das Prinzip regierend: Nicht nur die Bewegung der Materie, sondern *Materie insgesamt, als aktives dynamei on, ist noch unvollendete Entelechie.* Und der Gehalt der letzten Materie-Entelechie ist immer noch weiter ein Logikon, heißt das Ideal des Guten. Damit hat es zwar im Unvollendeten, worin unser Leben noch geht, nicht so gute Wege, doch das Ideal des guten Endes steht, obwohl nicht vorhanden, keineswegs nur so hoch, daß es mit unvermittelter Ferne sich abstrahiert, es geht vielmehr selber höchst entelechetisch um. Unabdingbar in zwei Regionen, deren nähere unsere eigene *menschliche Geschichte* ist, als eine ihre Rohstoffe technisch ringsum umarbeitende, und unseren Gang als aufrechten evident haltende. Das Krumme an dieser historischen Materie ist ebenso eines, das seinen Menschen das Gerade verlangen und unabdinglich dazu aufstehen läßt, ein keinesfalls selber durchlichtetes doch heliotropisches Sein und Vorsein, und das Athenische, das faktisch besiegt wurde, blieb wahrer als der Peleponnesische Krieg, der es vernichten wollte. Genau auch der Kritiker, nicht nur der des Rechten Eingedenke, kann hier also, wie Marx in einem Brief an Ruge sagt, »aus den eigenen Formen der existierenden Wirklichkeit die wahre Wirklichkeit als ihr Sollen und ihren Endzweck entwickeln«. Und weiter Marx an Ruge, immer wieder wiederholbar, wieder holbar, genau auch die antizipierende Treue zum Ziel im dialektischen Geschichtsstoff betreffend: »Es wird sich ... zeigen, daß die Welt längst den Traum von einer Sache besitzt, von der sie nur das Bewußtsein besitzen muß, um sie wirklich zu besitzen. Es wird sich dann zeigen, daß es sich nicht um einen großen Gedankenstrich zwischen Vergangenheit und Zukunft handelt, sondern um die *Vollziehung* der Gedanken der Vergangenheit.« Wie aber steht der Traum von einer Sache in dem anderen, in dem keinesfalls nur Konträren, sondern allein schon durch ihr Ungeheures so oft Disparaten der eigentlich *physischen Natur,* uns nicht in Nähe umgebend, sondern uns kosmisch überwölbend? Gerade die kosmische Natur, dieser ungeheure Schauplatz, dem noch das Stück fehlt, das auf ihm gespielt würde, ist voll unüberhörbarer Bedeutungen weiterweisender Art, das nicht nur ästhetisch faßbar in Naturschönheit, Naturerhabenheit; auch naturphilosophisch gesehen ist die ganze Welt voller Figuren, die realallegorisch, realsymbolisch über sich hinausbedeuten können, in jenem Sinn, der sich erst bildet. Dergleichen spricht die Natur also keineswegs, wie der rückwärts gewandte Tiefsinn Schellings notierte (vgl. oben S. 222 f.), in »ausgestorbener Rede«, Natur ist kein »uralter Autor«, und ihre Figuren, Kristalle sind kein philologisch-hermeneutisches Problem aus Gewesenheit, erstarrter Vergangenheit, vielmehr manifestiert sich hier gerade auch ein utopischer Umriß, Gesichtszug mit nicht nur rosenfingriger Eos in solch unleugbaren Natur-Emblemen. Als den Realfiguren einer qualitativ-utopischen Mathesis solcher Natur, eben einer eigenen unvollendeten Entelechie der Naturmaterie selber, die nicht nur Vergängliches als ihr Gleichnis hat. Ein riesiges Erwarten in objektiv-realem Zustand ginge derart auch durch die physische Welt, durch alle ihre Versuchs-Gestalten und experimentellen Strukturbildungen, Proben auf ein ausstehendes Exempel. Dies keineswegs romantisch hinzugefügte Erwarten und vor allem das Ultimum seines Inhalts ist bisher freilich nur mythologisch bedacht, erzphantastisch dazu, das heißt in jenem extremsten Finalitäts-Horizont, der sich einmal apokalyptisch geltend machte. Die Apo-kalypse bedeutet aber auch in ihrer Mythologie, der Offenbarung Johannis, wörtlich nicht nur Vernichtung, vor allem nicht schlechthinnige, sondern Enthüllung, die sozusagen auch in der Natur das umstürzt, worin der Mensch nicht vorkommt, das Kosmische in einen neuen Himmel, eine neue Erde zusammenlegen wollend. In eine nach den Maßen des Menschensohns gebildete; das nicht durch totales Verschwinden des Kosmos in pure Transzendenz, sondern ins einzig Immanente, das dann von der ganzen Astralmaterie übrigbliebe als herabgefahrener, auf die Menschenstadt, die Menschenstatt reduzierter Kosmos für uns. Nach Abzug aller tollen Phantastik, sozusagen auf vernunfthafte Füße gestellt war in jenem apokalyptischen Reduktionsbuch, Resurrektionsbuch, in dieser wildesten Utopie des Summum bonum eine humane Zentrierung im Inhalt der wahrgewordenen Welt bedeutet, ausdrückbar als unentfremdetes Fürsichwerden, das Substanz und Subjekt ineinanderführt. Bei alldem sollte das Ultimum hier als eines gedacht werden, zu dem sich das uns bisher so disparate Kosmikum der Natur mit dem Menschen vermittelt. Und das letzte Problemthema in seiner Fassung, daß Substanz ebenso Subjekt werde, bleibt Materie als unvollendete Entelechie in beiden Weltreihen: Menschengeschichte und kosmischer Natur. Darin berührt sich bereits ein menschliches Reich der Freiheit mit dem Reich eines wirklich dem homo absconditus zugewandten Weltgesichts; nur in diesem letzten Grenzbegriff wird Materialismus selber komplett. Hoffnung ist nicht Zuversicht, was gerade auch im Ganzen der Teleologie heißt: ens perfectissimum ist keinesfalls ens realissimum und oft das Gegenteil; was aber ebenso heißt: die große Werkstatt der Mensch- und Weltmaterie ist noch nicht geschlossen. Das zeigt das vorhandene Weltfragment nicht nur als ein unbeendetes, sondern als eines, das wegen seines wirklichen Anspruchs auf Finis operis, Finalität des Werks unvoll-endet vorliegt. Hierbei gibt es durchaus Transzendieren ohne Transzendenz, doch es gibt überhaupt nur eines ohne Transzendenz, eines innerhalb der Prozeßmaterie, mit ausreichender Invariante der Richtung, ohne Vortäuschung eines oben, droben fertigen Besitzes. Statt transzendentem Fertigsein führt die Welt selber in ihrer objektiven Phantasie objektiv-reale Möglichkeit und darin ein ungeschlagenes Seinkönnen wie Utopie, ein Anti-Nihil im radikalen Ziel.

48

> Entwicklung ist eductio formarum ex materia
> *Avicenna – Averroës*

Nie das gleiche

Alles Gescheite mag schon siebenmal gedacht worden sein.
Aber wenn es wieder gedacht wurde, in anderer Zeit und Lage,
war es nicht mehr dasselbe. Nicht nur sein Denker, sondern vor
allem das zu Bedenkende hat sich unterdes geändert. Das Gescheite hat sich daran neu und selber als Neues zu bewähren.
Was besonders folgenreich bei den großen morgenländischen
Denkern der Fall war. Sie haben das griechische Licht zugleich
gerettet und verwandelt.

Merk- und Gedenkpunkt

Einer der frühesten und größten dieser Denker war Ibn Sina,
latinisiert Avicenna. Geboren 980 in Afchana bei Buchara, gehört er dem tadschikischen Volk an. Abu Ali al-Hussein ibn Ab-
dallah ibn Sina stammte aus einem reichen Haus, seine Eltern
hatten dem Knaben eine sorgfältige Erziehung zuteil werden
lassen, seine Frühreife war gesund. Sie entsprach jener bestimmten Begabung, die sich beizeiten aufmacht, um ihren klar
gesehenen Weg zu gehen. In Arithmetik, Geometrie, Logik und
Astronomie wohl unterwiesen, bezog Ibn Sina die Universität
Bagdad, wo er Philosophie und Medizin studierte. Im achtzehnten Jahr war er fähig, politische Geschäfte und die Arzneiwis-
senschaft zugleich zu betreiben. Er war später Wesir des Fürsten von Hamadan (dem antiken Ekbatana), trat dann in Dienste des Fürsten von Ispahan und kehrte, nachdem durch diesen
Hamadan erobert worden war, dahin zurück. Ebenso aber hatte er, mit einer glücklichen Kur am Sohn des Bagdader Kalifen
beginnend, frühen medizinischen Ruhm erworben und mit ihm
große Reichtümer. Die Feinde, an denen es Ibn Sina von An-

fang an in den Kreisen der Geistlichkeit nicht fehlte, geben an, er habe sich hierbei im Übermaß der Liebe und dem Wein ergeben; was, wenn es der Fall war, das Bild einer starken Natur ergänzt. Sein wahres Übermaß ist das des ausgedehnten Werks, neunundneunzig Schriften hat Avicenna hinterlassen. In Arzneikunst und Philosophie gleich erfahren, schrieb Avicenna den berühmten Kanon der Medizin, welcher durch viele Jahrhunderte im Orient wie im Abendland als Grundbuch der Heilkunde galt. Sein philosophisches Hauptwerk trägt den bezeichnenden Titel: Kitab as-sifa, Buch der Genesung; so überträgt es die Heilung und Leitung des Körpers auf die des Verstands. Das Buch der Genesung ist eine Enzyklopädie, die in achtzehn Büchern vier Hauptwissenschaften behandelt: Logik, Physik, Mathematik und Metaphysik. Lateinisch (zum Teil schon in Übersetzungen aus dem elften und zwölften Jahrhundert) liegen vor: »Compendium de anima«, »De Almahad«, »Aphorismi de anima«, »Tractatus de definitionibus et quaesitis«, »De divisionibus scientiarum« sowie die Traktate »Metaphysika«. Verlorengegangen und nur aus Hinweisen späterer Philosophen zu geringem Teil bekannt ist die wohl am meisten unorthodoxe Schrift Avicennas, die »Philosophia orientalis«. Ebenso unorthodox (weil aus Sprachgründen nur einem kleinen Leserkreis zugänglich) ist die in einem frühen Tadschikisch verfaßte zweibändige Enzyklopädie »Danish-Nameh« (Buch des Wissens), die 1937/38 in Teheran herausgegeben wurde (vgl. darüber Bogutdinow in der sowjetischen Zeitschrift »Woprosy philosophii« 3/1948, S. 358 ff.). Gestorben ist Avicenna 1037 in Ispahan, sein Grab liegt in Hamadan, wo es noch heute gezeigt wird. Dort in Hamadan wurde 1952, gemäß dem Aufruf des iranischen Friedenskomitees, die Gedenkfeier des großen Philosophen begangen, der breit und progressiv der Gesamtkultur Vorderasiens mit iranisch-arabischem Glanz zugehört. Der tausendjährige Geburtstag reimt sich allerdings mit der europäischen Zeitrechnung nicht, doch genau mit der islamischen und ihrem Mondjahr. Und auch die europäische Chronologie ist längst dazu verpflichtet, sich der orientalischen Scholastik genauer als bisher zu erinnern. Denn diese ist – in weitgehendem Unterschied zur abendländischen – eines der Quellgebiete unserer Aufklärung, und vor allem, wie man sehen wird, einer höchst eigentümlichen materialistischen Lebendigkeit, einer aus Aristoteles unchristlich herausentwickelten. Es gibt eine Linie, die von Aristoteles nicht zu Thomas führt und zum Geist des Jenseits, sondern zu Giordano Bruno und der *blühenden* All-materie. Eben Avicenna ist in dieser Linie einer der ersten und wichtigsten Merkpunkte, zusammen mit Averroës; den Gedenktag dieses Merkpunkts gilt es zu begreifen. Ist er doch nicht nur zufällig und vorübergegangen, wie so viele übliche Gedenktage. Dies Erinnern ist vielmehr fällig und notwendig: ein lang vergessener, frisch erneuter Blick auf Materie steht zur Frage. Dieser Blick gab sich weder so flach, wie es die Mechanisten treiben, noch so verlegen, wie es die Jenseitigen wünschen; energisch geladen gab ihn Avicenna weiter.

Handelsstädte und hellenistischer Boden

Ibn Sina war Arzt, er ist kein Mönch gewesen. Sowenig wie die anderen bedeutenden islamischen Denker, sie lebten weltlich und dachten naturwissenschaftlich. Ja, die gesamte islamische Gesellschaft ist trotz ihrer feudalen Formen und trotz des geistlichen Kriegsfeuers nach einem andern Gesetz angetreten als die europäisch-mittelalterliche. Sie war eine in ihrer Art frühbürgerliche Gesellschaft mit restlicher Clanverfassung, doch so, daß in ihr das Handelskapital herrschte und den wesentlichen Antrieb gab. Mekka, die Geburtsstätte des Islam, war ein alter großer Handelsplatz, einer der Stapelplätze für den Verkehr Arabiens, Persiens, Indiens mit den Ländern des Mittelmeers. Und die Araber lebten schon lange vor Mohammed nur zu geringem Teil als schweifende Wüstenstämme; es gab seit alters ackerbautreibende Beduinen, und die Karawanen verbinden Märkte, Mohammed selber hatte ja in eine der mächtigsten Kaufmannsfamilien eingeheiratet. Dem Marktzentrum Mekka gingen in der römischen Zeit die arabisch bevölkerten Handelsplätze Petra und Bostra voran. Und wenige Jahre nach Mohammeds Tod gründete der Kalif Omar die Reede Basra, brachte damit die gesamte Schiffahrt auf dem Persischen Meerbusen unter arabischen Einfluß. Man kann so cum grano salis sagen: Die arabische Gesellschaft hatte ihre Venedigs und Mailands fünfhundert Jahre früher. Zur gleichen Zeit, wo das ehemals römische Europa fast völlig reagriert war, siegte das Handelskapital, diese älteste freie Existenzweise des Kapitals, im Orient. Erobernd drang es in nicht ganz hundert Jahren nach der Hedschra westlich nach Spanien, östlich bis Indien vor. Aber die arabischen Ritter, der heilige Krieg selber? – sie waren Funktionäre Sindbad des Seefahrers. So ganz anders als das europäische Frühmittelalter ist mithin das arabische basiert, auf weltfahrende Kaufleute, auf blühende Warenerzeugung, reichen Warenumlauf, statt auf Halbwildnis und Burgen, geringe Städte und Klöster. Derart brannte in der damaligen arabischen Welt nicht nur eher Licht als in Frankistan, es brannte dort auch ein beweglicheres Licht als das spätere der europäischen Klosterschulen und der daraus entstandenen Universitäten.

Hinzu trat, daß neben Handel und Wandel das Buch einheimisch war. Noch stand, durch keine Völkerwanderung unterbrochen, eine reiche spätantike Tradition. In Syrien hatte sie sich am lebendigsten erhalten, ohne byzantinische Versteifung und transzendente Strenge; Jamblichos, der eifrigste neuplatonische Denker der alten Götter, war ein Syrer. Syrische Christen waren schon lange vor der Zeit Mohammeds als Ärzte tätig sowie, in der ersten islamischen Zeit, als Übersetzer griechischer Philosophen ins Arabische. Unübersehbar ist ferner die Berührung des Arabertums mit der iranischen Lichtverehrung, mit der Geistesfreiheit, die das bäuerlich-ritterliche Persien so lange ausgezeichnet hatte und die in der Berufung der letzten, von Justinian vertriebenen griechischen Philosophen durch den Sassaniden Chosru I. einen epatanten Ausdruck fand. War auch diese Geistesfreiheit dort sehr zurückgegangen, hatte sich gerade Chosru als Unterdrücker der naturalistisch-kommunistischen Sekten seinen theologischen Namen gemacht (den Namen Nuschirwan, der Unsterbliche), hat auch im neuen Perserreich, bis zu seiner Islamisierung, ein Priesterstand geherrscht wie nie zuvor, mit wüstem Aberglauben, starrem Ritual: so wirkte doch die rauchverzehrende Kraft der alten iranischen Lichtreligion nach und der Glaube, daß der Mensch durch tätige Vernunft und soziale Einrichtungen dem guten Geist im Kampf mit dem bösen am besten zu Hilfe kommen könne. Gerade Buchara, in dessen Nähe Avicenna geboren war, das Bagdad unterstand, gehörte zum choresmisch-iranischen Kulturkreis, und Bagdad selber wurde seit dem achten Jahrhundert, unter dem Kalifen Al-Mansur, die vornehmste Stätte der Vereinigung arabischer und iranischer Kultur. So war diese Stadt eine, in der man mehr kannte als den Koran, sie blühte als Sitz der höchsten damaligen Zivilisation wie eben auch einer Prävalenz der weltlichen Kultur gegenüber der vernunftfeindlichen Orthodoxie. Die hier entstandene freigeistige Gesinnung wurde dann in den fernen Westen der gleichen Kultur, nach Cordova, übertragen. Gar Philosophie, wie bemerkt, ist keineswegs eine exotische Treibhauspflanze auf islamischem Boden, genau dort hatte sie ja ihre griechisch-syrische Tradition. Das alles mithin erklärt und umgibt die Eigenschaft der bedeutendsten islamischen Denker: Arzt, nicht Mönch, Naturalist, nicht Theologe zu sein. Im mittelalterlichen Europa waren Philosophen mit naturwissenschaftlichen Neigungen so selten wie anomal (Roger Baco und Albertus Magnus sind fast die einzigen), bei den arabischen Scholastikern steht es umgekehrt. Die Naturwissenschaft, nicht die Theologie überwiegt in ihnen auch dann, wenn sie Suren des Korans interpretieren (wie Avicennas »Almahad« zeigt, wo er, indem er die Sure 36 interpretiert, die dort gelehrte leibliche Auferstehung der Toten leugnet). Und *weltliche* Wissenschaft überhaupt war der Glanz, mit dem die Herrscher des islamischen Ostens wie Westens, die Abbasiden Bagdads wie die Omaijaden Cordovas ihre Macht zu schmücken liebten; hierin war der Kalif kein Papst. Erst viel später, mit dem Niedergang der handelspolitischen Grundlage der arabischen Gesellschaft, begann der vernunftfeindliche Einfluß der Orthodoxie. Bis dahin glänzte neben fast unbehinderter Benutzung und Fortbildung der »heidnischen« Antike das, was Roger Baco ganz sonderlich an der arabischen Wissenschaft rühmte: sie sei »scientia experimentalis«. Ja, Alexander von Humboldt geht so weit, zu sagen, die Araber seien schlechthin die Erfinder des überlegten und gezielten Experiments. Wie deutlich also ist die Grundlage und folglich die nichtklerikale Denkart der großen Arzt-Philosophen des islamischen Mittelalters anders beschaffen als die des feudal-klerikalen Europa. Das trotz des gemeinsamen Ausgangs von Aristoteles und trotz des Einschlags von Mystik, der dem Orient, gerade vom nahe gebliebenen Neuplatonismus her, bedeutsamerweise nicht fehlte.

Verschiedenes Verhältnis des Wissens zum Glauben

So überrascht nicht, daß die angegebenen Denker sich dem Glauben auch überlegen fühlten. Allgemeine Bekenntnisse zu ihm finden sich durchaus, doch diese Treue wird sogleich durch einen genauen Vorbehalt verkürzt. Durch einen Vorbehalt, wie ihn ein Mann gegen die Speise der Kinder haben mag oder besser: wie ein Wahrheitsuchender gegen Flitter, gar gegen den Flor unreinen Denkens. Die Gründer des Glaubens, sagt Avicenna, hätten zu ihrer Zeit zwar dasselbe ausgesprochen, was später die Philosophen gelehrt haben, sie hätten es jedoch nach ihrer Weise lediglich verhüllt getan. Hätten es mit Bildern und Gleichnissen getan, weil die Offenbarung für alle geschehen sei und sich daher einer für alle verständlichen Bildersprache bediene. Wäre sie und ihr Gesetz in anderer Weise überliefert worden, dann wäre sie vergeblich gewesen. Dagegen sei es das Geschäft der Philosophie, die Religion vor dem Verstand der Fortgeschrittenen zu überprüfen, mithin: statt der Eingebung den Beweis sprechen zu lassen. Damit aber war der Glaube an den Koran, als an das Gotteswort, zu dem ganz andersartigen Glauben an die Macht des menschlichen Verstands verwandelt. Und es erhellt: Das Verhältnis zur überlieferten Religion wurde ein entspanntes, dergestalt, daß ihr beschränkender wie ihr schlechthin richtunggebender Einfluß auf die Forschung nur sehr gering sein konnte. Ebenso blieb in der Religion kein offenbart-übervernünftiger Rest, vor dem der Verstand agnostisch zu kapitulieren hätte, vielmehr: die Bilderrede ist gleich einem Rebus auflösbar, und in der Hülle, die sie darstellt, ist kein Mysterium. Nicht Mohammed, sondern Aristoteles ist für Avicenna und ganz scharf bei Averroës die höchste Inkarnation des Menschengeists; deutlicher kann die Wissenschaft als absolut nicht ausgedrückt werden. Die christlichen Scholastiker ehrten gewiß den Aristoteles hoch, wenn sie ihn, von 1200 ab, praecursor Christi nannten, aber könnte man ihn, dem entsprechend, bei den islamischen Philosophen als bloßen Vorläufer Mohammeds denken? Er ist hier keinesfalls ein Vorläufer, für Averroës ist Aristoteles selber die Erscheinung der menschlichen Vernunft überhaupt, das Licht Mohammeds aber bleibt eines im Reich der ersten Erziehung, der Mythen und Parabeln. Wie so ganz anders steht darum dieses Glauben-Wissen-Verhältnis gegen das christlich-scholastische da. Dort, von Anselm von Canterbury bis Thomas, war die Offenbarung durchaus nicht Parabel. Selbst bei dem frühesten, auch sachlich durchaus ketzerischen Kirchenphilosophen, bei Scotus Erigena, wo der neuplatonisch-arabische Einfluß gewaltig ist, wird die »vera ratio« der »vera auctoritas« dennoch untergeordnet, und der Vernunft obliegt es lediglich, »verae religionis regulas exprimere«, den Glauben also verstandesfaßlich auszudrücken. Albertus Magnus, vor allem Thomas kehrten das arabische Glauben-Wissen-Verhältnis gar vollständig um: nicht die positive Religion ist populäre Vorstufe der Philosophie, sondern diese, das natürliche Licht, ist mögliche Vorstufe der Offenbarung. Soweit Thomas auch die inhaltliche Harmonisierung von Glauben und Wissen getrieben hat, so sehr wirkt auf ihn doch das echt religiöse, vor allem echt christliche Paradox, das bei Paulus sich der Weisheit der Welt entgegenstellt und das bei Tertullian die Formel erhalten hatte: credo quia absurdum, quia impossibile, das Evangelium ist gewiß, weil es ungereimt, weil es (für den Verstand) unmöglich ist. Auch bei Thomas, dem großen, dem entschiedensten Aristoteliker des Christentums, ist der Glaube in allen seinen Kernpunkten, wenn nicht dermaßen widervernünftig, so doch übervernünftig. Und ebendeshalb, als durch natürliche Erkenntnis nicht letzthin durchdringbar, ist er verdienstlich. Die Differenz zu Avicennas Gleichung von Erkenntnis und Licht (gerade als höchstem Licht, Urlicht) könnte nicht entschiedener sein.

Hierbei ging freilich der morgenländische Verstand ein selber nicht ganz weltliches Bündnis ein. Denn er galt ja in diesen Zeiten nicht als die einzige Kraft, die vom Schriftwort abtrieb, die es zur Hülle herabsetzte. Auch die *mystische* Bewegung unterstützte oft, fremdartigerweise, den Abstand des Denkers von dem Schriftgläubigen. Sie drückte im Orient, wie später bei den Albigensern und Meister Eckart, vielfach eine Volksbewegung gegen Adel und Kirche aus. Daneben formierte sie, besonders in der iranischen Oberschicht, eine erhaltene Abwehr gegen den arabischen Islam; hier nahm sie neuplatonische Züge auf. Aristoteles selber wurde ja bei Avicenna vielfach in neuplatonischem, ja gnostischem Licht gesehen. Unübersehbar ist gerade auch diese Art syrisch-iranischer Einfluß im Bagdader Kulturkreis, ein dem Koran, gar dem islamischen Zeremoniell von Haus aus fremder. In Bagdad, mehr noch in Basra, findet sich die Fortwirkung des alten iranischen Lichtmythos, der selber einer der Ursprünge der mystischen Gnosis war, als der Abenteuer- und Heimkehr-Lehre des Lichts. Avicenna besaß mit seinem Naturalismus keine Beziehung zur religiösen Orthodoxie, aber mitsamt diesem Naturalismus Beziehung zur kosmologischen Lichtmetaphysik und streckenweise (zuweilen schläft auch Homer) sogar zu ihrem Aberglauben (minus allerdings der Astrologie, die er bezeichnenderweise in einer eigenen Schrift ablehnte). Er hatte Verkehr mit den Sufis, der persisch-mystischen Sekte, die ohne Rückblick auf den Koran, ohne Transit durch die Moschee die Rückergießung der Seele ins kosmische Urlicht lehrte. Und er hatte Beziehungen zu den Lauteren Brüdern von Basra, einer um 950 gegründeten gelehrten Sekte, welche in einer heute noch erhaltenen Enzyklopädie den Licht-Ursprung der Welt neuplatonisch darstellte, um dadurch die umgekehrte Lehre, die Lehre von der Rückkehr der Welt und Seele, also das Reisebuch zum Urlicht zu gewinnen. Das alles ist Mystik und als solche nicht eben Weltlichkeit, jedoch, wie erinnert: diese Mystik – ein sonderbarer, doch unleugbarer Bundesgenosse – stand gleich dem Naturalismus im Kampf mit Kirche und Schrift-Orthodoxie. Die Religion wird in einer rein *transzendenten* Mystik gewiß nicht als Opium fürs Volk abgelehnt, sie gilt eher als zu wenig Opium, doch in der *pantheistisch* gerichteten Mystik zeigen sich Tendenzen, die einem Erwachen, wenn nicht aus dem Trancezustand, so aus dem religiösen Knechtzustand nahekommen. Bei den Sufis löst sich der positive Glaube in der inneren Schau des All-Einen auf, der Sufi erkennt die Nichtigkeit aller Religionen und fühlt sich über sie, die nur für den Nicht-Eingeweihten existieren, spirituell erhaben. Das gleiche gilt, mit popularisiertem Neuplatonismus gemischt, für die Lauteren Brüder von Basra: die positiven Religionen sind nicht nur Durchgangsphasen, pädagogische Mittelgrade einer »pneumatischen« Wahrheit, sie sind schließlich Lichtverdunklungen, Täuscheländer. So sagte der Mystiker Abu Said, ein Freund Avicennas: »Solange die Moschee nicht ganz verwüstet ist, wird der Derwische Werk nicht erfüllt sein; solange Glaube und Unglaube nicht völlig gleich sind, wird kein einziger Mensch ein wahrer Muslim werden.« Goldziher (Vorlesungen über den Islam, 1910, S. 172) weist konkret darauf hin, wie sehr in solchen Gedanken die Sufis mit den islamischen Freigeistern zusammentrafen, die auf Grund anderer Erwägungen zu demselben Resultat gelangt sind. Und zog ein Mystiker die Konsequenz der Vereinigung mit dem Göttlichen zu scharf, so konnte er erwiesenermaßen Bekanntschaft mit dem Henker machen. So nahe mithin steht die Überspringung der Religion ihrer Aufhebung, steht der Untergang des Menschen in Gott dem Untergang Gottes im Menschen. Lessings Gleichnis von den drei Ringen, das über Boccaccio auf den sarazenisch beeinflußten Hof des Staufers Friedrichs II. zurückgeht, aber ebenso die dort beheimatete Formel de tribus impostoribus, der drei Betrüger Moses, Jesus, Mohammed – all diese irreligiöse Aufklärung hat außer dem Hauptanteil Naturalismus doch auch dies höchst paradoxe Element kirchenfremder Mystik zum Ursprung. Es ist – in nicht pantheistischer, in *human-eschatologischer* Gestalt – völlig greifbar bei Joachim von Fiore, dem Lehrer eines kommenden dritten Testaments über dem abgelaufenen alten und neuen. Zuletzt erscheint die schwärmende Kirchenfeindschaft in der deutschen Mystik des vierzehnten Jahrhunderts, bei den so vielfach an den Sufismus erinnernden Brüdern vom freien Geiste, bei der Menschvergottung, Vernunftvergottung Meister Eckarts.

Gewiß, um das Zielmaß der gegründeten Wahrheit nicht zu überschreiten: die Mystik konnte nicht nur kirchen-, sondern auch wissensfeindlich auftreten, und letzterer Auftritt lag ihr in allen reaktionären Zeiten näher. Das Werk Avicennas selber sollte es erfahren, sobald nur die Mystik sich mit Orthodoxie verbunden hatte und die Philosophie verfolgte. Das wurde eingeleitet (charakteristischerweise mit Skepsis gegen Vernunft verbunden) durch Algazel, der als Professor der Philosophie in Bagdad begonnen hatte, aber gegen die Philosophie, für die Mystik sein Werk schrieb, die folgenreiche »Destructio philosophorum«, und der sein Alter als Sufi verbrachte. So jedoch, daß er die pantheistische Richtung samt der intellektuellen aus dem Sufismus völlig austrieb, die orthodox-transzendente in ihn einsetzte. »Wenn die Sonne aufgeht«, sagte der so entstandene Renegat der Philosophie, »kann man des Saturn entbehren«, das heißt des Planeten der Grübelei, der Nachtwachen, der Wissenschaft. Als Sonne galt ihm der Koran, als saturnisch und verflucht galten ihm gerade Hauptlehren Avicennas: die Ewigkeit der Materie, die Unverbrüchlichkeit des Kausalgesetzes, die Nicht-Auferstehung der Toten. Indes, neben der Mystik, die zum Obskurantismus führt und nachher mit ihm zusammenfällt, steht eben diejenige, welche in ihrer Art Avicennas Unterordnung des Schriftglaubens unter die Erkenntnis-Wahrheit unterstützt hat. Stammt doch, wie am Ende erhellt, die *gesamte Lehre von der Religion als allegorischer Hülle* mindestens formal aus Mystik, nicht aus purer Aufklärung. Der Neuplatonismus hatte, nach stoisch-pantheistischem Vorgang, zuerst sämtliche Religionsvorstellungen der ihm bekannten Welt, die griechischen wie die orientalischen, in diese Allegorese einbezogen, das heißt in die Umdeutung von religiösen Allegorien zu philosophischen Begriffen. Der christliche Patristiker Origenes gab dann die Lehre vom dreifachen Sinn des Bibelworts: dem somatisch-buchstäblichen, psychisch-allegorischen, pneumatisch-enträtselten. Zweifellos ist die »Wahrheit«, die dergestalt die Neuplatoniker, dann Origenes zu finden glaubten, nicht eben das, was die Aufklärung, schon bei Avicenna, als rationellen Kern meinte. Die mystische Allegorese (oft eine Rennbahn wahlloser Auslegungskünste) geschah hauptsächlich, um die Religion zu retten, nicht, um sie zu kritisieren, zu reduzieren oder gar mit Weisheit aufzuheben. Auch wird in dieser deutenden Gleichnislehre überall vorausgesetzt, daß die religiöse Urkunde und die Vernunfterkenntnis genau den gleichen Inhalt bedeuteten – eine Annahme, die keineswegs diejenige Avicennas war. Trotzdem schreibt sich dessen Glauben-Wissen-Verhältnis letzthin aus der neuplatonischen Allegorese her; und in rationell gewordener, in Avicennas Gestalt hat sich dies Verhältnis in die gesamte europäische Aufklärung hinein fruchtbar gemacht.

Der Lebende, Sohn des Wachenden, Gott als Himmelskörper

Das Spiel des Wissens mit dem Glauben ist selber recht gleichnishaft überliefert worden. Nicht nur in der Fabel von den drei Ringen, sondern in einer viel ausgeführteren, in einem der ersten philosophischen Romane, dem Buch Ibn Tofails: »Der Lebende, Sohn des Wachenden«. Und dessen Fabel ging ebenfalls ins europäische Schrifttum ein, noch ausgebreiteter als die der drei Ringe: Ibn Tofails Roman hat nämlich nachher dem Robinson und den vielen Robinsonaden als Vorbild gedient. Aber der Roman selbst geht gedanklich auf Avicenna zurück, wörtlich sogar stammt sein aufgeweckter Titel von ihm. Um das schlechthin Ausreichende der Vernunfterkenntnis zu zeigen, hatte Avicenna einen in völliger Einsamkeit zur Erkenntnis kommenden Menschen fingiert, mit dem charakteristischen Anti-Opium-Namen: »Hajj ibn Jakzan«, »der Lebende, Sohn des Wachenden«. Der Wachende, es ist der aktive, allgemeine Intellekt, der die Menschen erfüllt und verbindet. Und hier ist der Anlaß, daß hundert Jahre später, im arabischen Spanien, der Lehrer des Averroës, Ibn Tofail, seinen philosophischen Roman gleichen Namens schrieb: »Der Lebende, Sohn des Wachenden«, worin Avicennas Fiktion ihre Probe aufs Exempel finden sollte. Unter dem Titel »Philosophus autodidactus« kam dieser Roman 1671, zur rechten Zeit, in die frühe europäische Aufklärung, seine deutsche Übersetzung, von Eichhorn: »Der Naturmensch«, 1783, beschloß rousseauisch die späte. Der Roman rief aber nicht nur den Robinson hervor, sondern bestärkte den Grundglauben der Aufklärung: daß der Mensch außer seiner Vernunft einen Glauben nicht brauche. Denn Avicenna-Ibn Tofails »Philosophus autodidactus« wird eigenen Auges der Natur und Weisheit kundig, unverwirrt von Priesterlehre und ohne die mythischen Surrogate der nie zum Denken gelangten, der vom Denken ferngehaltenen Menge. Allerdings: auch dieser Typ schreitet schließlich, sozusagen auf der höchsten Stufe seines selbständigen Erkennens, zur unio mystica. Naturalismus schließt auch hier, wie im ganzen, hierin mittelalterlich bleibenden islamischen Kulturkreis, Mystik nicht aus sondern ein. Doch sie hebt den Naturalismus bei den großen Denkern nicht auf, hat vielmehr, gerade bei Avicenna, zusammen mit der überwiegend naturwissenschaftlichen Interessenrichtung, Freiheit vom Koran, von der Orthodoxie gehalten. Ganz ohne Aufklärung wirkt nur die Art Ekstase, womit – als letzter Stufe eigener Vernunft-Vervollkommnung – der Roman Ibn Tofails seinen Robinson sich in Gott abhanden kommen läßt. Und wie fremdartig zum Naturalismus scheint es, daß Ibn Tofail gerade Avicenna, zusammen mit den Sufis, als Meister dieser Ekstase rühmt. Er zitiert dazu folgenden Text Avicennas: »Wenn Wille und Übung bei einem zu gewisser Höhe gestiegen sind, dann werden ihm vom Anbruch des Lichts der Wahrheit erquickende Strahlen zuteil, gleich den Blitzen, welche einem jetzt funkeln und darauf verschwinden. Sodann, wenn er in der Übung fortfährt, vermehren sich ihm jene augenblicklichen Schimmer; darauf werden sie ihm so häufig zuteil, daß sie sich ihm auch ohne Übung darstellen. So oft er dann etwas nur mit Einem Blicke sieht, so tritt er an die Pforte des Heiligen und drückt sich etwas von seinem Wesen ein, und in jedem Ding, auf das er nun einen flüchtigen Blick wirft, sieht er sogleich die Wahrheit. Endlich führt ihn die Übung auf die Stufe, daß er zu einem ruhigen Zustand gelangt; was sonst noch vor ihm zu fliehen pflegte, wird ihm nun vertraut; was er sonst nur flimmern sah, wird ihm nun helles Licht; ihm wird eine beständige Kenntnis gleich einer beständigen Gesellschafterin zuteil. Bis man zu der Erkenntnis gelangt, wo das Geheimnis einem polierten Spiegel gleicht, der Seite der Wahrheit gegenübergestellt. Und auf dieser Stufe sieht man einzig und allein in die Pforte des Heiligen, das ist die wahre Vereinigung« (Ibn Tofail, deutsch: »Der Naturmensch«, S. 30 ff.). Mit diesem Zitat bezieht sich Ibn Tofail auf Avicennas verlorengegangene »Philosophia orientalis«; diese aber habe erklärt, nicht bloß der Koran, auch die Aristotelische Philosophie enthalte die Wahrheit nur erst in einer Hülle. Die schleierlose sei eben erst in der »Philosophia orientalis« gegeben worden, als der Philosophie nicht der Orientalen, sondern des Orients, das heißt des Lichtaufgangs, der Erleuchtung. Und Averroës wiederum teilt in seiner »Destructio destructionis« mit, Avicennas »Philosophia orientalis« habe sich – mit vollem Pantheismus – der Wendung des spätantiken Aristoteles-Kommentators Alexander von Aphrodisias angeschlossen, wonach »im Weltall eine einheitliche Kraft vorhanden sei, die in die Teile des Weltalls ebenso eindringt wie die Lebenskraft in die Glieder des tierischen Leibs, diese verbindend. Viele Anhänger Avicennas haben wir kennengelernt, die ihrem Meister diese Lehre zuschrieben. Er habe sie in der ›Philosophia orientalis‹ gelehrt, weil sie die Meinung der Erleuchteten wiedergibt, wonach Gott nichts anderes sei als das corpus coeleste, der Himmel oder Himmelskörper« (»Destructio destructionis«, übersetzt von Horten: Die Hauptlehren des Averroës, 1913, S. 234). Nun freilich, nach alldem, sieht auch Avicennas angegebene Ekstase nicht mehr so ganz ohne Aufklärung und nicht mehr so fern von Naturalismus drein. Denn das Heilige, in dessen Pforte Avicennas Ekstatiker einschreitet, wohnt durchaus nicht in einer naturlosen Transzendenz, sondern ist Allah als Einströmung durch die Natur selber, zuhöchst durch das Sterngewölbe. In diesem Punkt wird darum die Mystik, worin Avicenna-Ibn Tofails »Sohn des Wachenden« sich frei vollendet, deutlich wieder eine pantheistische. Bei Aristoteles galten, mit polytheistischem Akzent, die Sterne als Götter, bei Avicenna durchdringt die Gottheit, mit spannend-monistischem Akzent, die ganze Natur; seine Ekstase vereint derart die entrückte Seele und den Sternhimmel als ebenso entrückte Natur. Das ist zwar recht hohe Abkehr von den Bewegungen auf der Erde (unter dem Mond), doch der Naturalismus (Gott = corpus coeleste) wird, mitsamt der Wachheit, auch vom mystischen Avicenna gewahrt. Es bleibt dabei: das Hüllengleichnis für den Glauben gibt dem Wissen genau die Selbständigkeit, die es auf der damaligen Höhe besitzen konnte. Wobei das Wissen, oft mit Ekstase, dem Körper, der Natur treu bleibt, ja die Materie Natur bis in den Himmel erhöht.

Näher nun zu Ibn Sina, so ist hier nicht der Ort, ihn im einzelnen darzustellen. Es käme auch manch Zeitgebundenes, nicht zum möglichen Erbe Gehöriges dabei zur Sprache, das nur noch geschichtlich, nicht so sehr philosophisch bemerkenswert ist. Lebendig bleibt der Philosoph Avicenna mit ganz anderem Gedenken: so ist er eingangs als Merkpunkt in der wahrhaft fortgesetzten Aristotelischen Linie bezeichnet worden. Als Merkpunkt mittelalterlich beginnender Aufklärung, beginnender Stoff-Erhöhung, in der Weise, wie Avicenna selber der heimatlichen Orthodoxie und weithin der christlichen Scholastik erschienen ist. (Nicht verschwiegen sei allerdings, daß ein seinen aufgeklärten Stoffen nicht eben wahlverwandter Arabist, der frühere katholische Theologe M. Horten, wenn er Avicenna, dann Averroës übersetzt und Erläuterung hinzugibt, diese als Aufklärer herabsetzen will, ja leugnet. Ihr Naturalismus soll nicht mehr sein als »ein primitives Mißverständnis der Scholastik«, angeblich unterstützt durch unzureichende lateinische Übersetzungen. Bei Horten soll sogar Averroës aus einem Anti-Orthodoxen zu der großen Überraschung, »Apologet des Koran« geworden sein. Schlecht verträgt sich damit immerhin der »pantheistische Zug«, den Horten nicht umhin kann, an Averroës zuzugeben. Bedauerlich nur, daß die zeitgenössische islamische Orthodoxie, die den Avicenna wie den Averroës verfolgte und ihre Bücher verbrannte, nicht gleichfalls an diese Korantreue glaubte, sie vielmehr, wo sie erschien, als Lippendienst definierte. Diese Geistlichkeit nahm den Naturalismus in beiden Philosophen leider genauer wahr als ein reaktionärer Arabist von heute, post festum. Und was die deutlich subversive Wirkung des Averroismus im christlichen Mittelalter betrifft, so scheint dies »primitive Mißverständnis« auch hier nicht bei der Scholastik zu liegen, deren geringster Fehler die Primitivität war. Also bleiben Avicenna und Averroës gegen die Mufti-Welt des Islam bestehen; sie dieser nachträglich assimilieren zu wollen ist keine Philologie der Lesarten, sondern der Legende.) Bereits die Einteilung der Philosophie bei Avicenna hält sich an eine weniger theologische Gewichtsverteilung als die christlichen Aristoteliker. Avicenna fordert nach den propädeutischen Studien Logik und Mathematik ein sehr breites naturwissenschaftlich-naturphilosophisches Kompendium und danach erst, darauf aufgebaut, die Metaphysik. Doch nicht diese Naturempirie im Aufbau, gleichsam als Schwerpunkt in der Enzyklopädie, ist für Avicennas Werk das Bezeichnende. Vielmehr: bezeichnend für ihn, Zusammenhalt für seine Erinnerung und für mehr als das, ist eben die durch ihn pointierte Linie, welche von Aristoteles statt zu Thomas zu Giordano Bruno und den Folgen führt. Für diese Linie und ihre Richtung sei hier, entsprechend einer bekannten Gabelung nach Hegels Tod, die Bezeichnung *Aristotelische Linke* vorgeschlagen. Es ist das ein Vergleich der naturalistischen Weisen, womit der Aristotelische Nus, der Hegelsche Geist auf die Erde gebracht worden sind. Dieser Vergleich darf gewiß nicht gepreßt werden, Aristoteles ist nicht Hegel, der soziale Anlaß zu den späteren Gabelungen dieser Philosophien ist höchst verschieden, die Zeitspanne bis zum Eintritt der Linken scheint verschieden, und zwischen Avicenna hier, der Hegelschen Linken dort trennt das Format. Trotzdem bestehen Korrespondenzen: es verbindet das hier wie dort überwiegend werdende Interesse am Diesseitigen, das Hereinholen des Aristotelischen Nus in stärkeren, des Hegelschen Geistes in völlig umstülpenden Naturalismus. Und was die Zeitspanne angeht, die bis zur Aristotelischen, dann Hegelschen Naturalisierung verstreicht, so trat eine Linke auch nach Aristoteles schon unmittelbar vor. Aristoteles hatte den Stoff als das »dynamei on«, das bloße In-Möglichkeit-Sein definiert, als das an sich Bestimmungslose, das, wie Wachs, die Form passiv aufnimmt und sich abdrücken läßt. Die Form (Zielursache, Zielgestalt, Entelechie) ist das einzig hierbei aktiv Wirksame; und die oberste Form, der gänzlich stofffreie actus purus ist der Nus, der reine Denkgott. Genau diese Lehre aber erhielt ihren ersten Linkseffekt schon am eigenen Ort und so schnell wie die Hegels. Denn bereits Straton, das dritte Haupt der peripatetischen Schule, schwächte den Theismus des reinen Nus sowie seine Abtrennung vom Stoff bedeutend ab. Straton, der den Beinamen des »Physikers« führte, gab dem Aristotelismus die früheste naturalistische Umbiegung, sodann aber brachte der erwähnte große spätantike Aristoteles-Kommentator Alexander von Aphrodisias jenen Zuschlag der höchsten Potenz zur Materie in Gang, der, wie man sehen wird, bei Avicenna den Stoff überall mit Wirkform versehen zeigt und ebenso jede Wirkform mit Stoff. Es ist das die mit Avicenna anhebende Naturalisierung, die dann bei dem spanisch-jüdischen Philosophen Avicebron zum Begriff einer »materia universalis« vordrang, und die hierbei bei Averroës die Materie als ewig in sich bewegt und einheitlich lebendig zeigte: als »natura naturans«, keines Gott-Nus von außen oder oben bedürftig. Bis, in der Renaissance-Wendung vom Theismus zu einem – wie immer noch pantheistischen – Materialismus, Giordano Bruno (der Verehrer des Avicebron und Averroës) die Materie als das eine *befruchtend-befruchtete All-Leben* sah, unendlich wie der frühere Gott, doch ohne Jenseits. Diese Linie also, vom Aristotelischen Materie-Form-Begriff her, und ihr Effekt: *die Aufhebung der göttlichen Potenz selber in der aktiven Potentialität der Materie:* das vorzüglich ist der Weg der Aristotelischen Linken, mit Avicenna als nachantikem Merk- und Wendepunkt. Während die Aristotelische Rechte, zu Thomas führend, den Theismus des reinen Nus, den bei Aristoteles überhöhten, nochmals überhöhte. So daß diese Rechte den Stoff bei der bloßen Potentialität beließ, das ist, bei der schlechthinnigen Unfähigkeit, sich selbst aus dem bloßen »dynamei on«, »In-Möglichkeit-Sein«, zur Welt herauszugestalten. Näher nun an die Linke bei Avicenna selber heran, so sind es *drei Hauptstellen,* an denen Aristoteles naturalistisch fortentwickelt worden ist. Sie betreffen *erstens* die Lehre von *Leib und Seele, zweitens* die vom *tätigen Verstand* oder der *allgemein-menschlichen Intelligenz* und *drittens* eben die vom *Stoff-Form-(Potentialität-Potenz-)Verhältnis* in der Welt. Und die zwei ersten Hauptstellen hängen durchaus mit der dritten zusammen, mit der Linkswendung im Materieproblem, mit der Stofferhöhung.

1. Was *Leib und Seele* angeht, so glaubt unser Denker an letztere. Doch sie findet sich als begehrende, fühlende und vorstellende auch in den Tieren und ist als diese eng mit dem Leib verbunden. Seele besteht nur in dem organischen Körper und durch denselben, als dessen einheitliche und unteilbare Wirk-

form. In der menschlichen Seele allerdings tritt zur animalischen, die der Mensch mit dem Tier völlig teilt, der Verstand hinzu. Und der soll machen, daß nicht nur jeder Mensch eine eigene Seele aufweist, zum Unterschied von der Gruppenseele der Tiere, sondern daß die eigene auch eine dauernde, unzerstörbare sei. Diese individuelle Seele gilt nun als leiblich weder erzeugbare noch mit dem Tod des Leibes vernichtbare. Mit letzterer Meinung entfernt sich Ibn Sina also noch nicht vom Koran, und Averroës, der auch die menschlich-individuelle Seele, sogar gerade als individuelle, nach dem Tod aufhören ließ, ist hier folgerichtiger gewesen. Aber indem Avicenna desto entschiedener die Auferstehung des *Leibes* leugnete, nahm er der individuellen Fortdauer doch alle Farbe. Bei fehlendem Leiborgan werden der Herrenkirche die sinnlichen Schrecken der Hölle, diese riesige klerikale Peitsche, ebenso entzogen wie die sinnlich immerhin halluzinierbaren Freuden des Himmels, dieses orthodoxe Zuckerbrot. Kein solcher Entzug findet sich bei den christlich-mittelalterlichen Denkern, trotz ihres mit Avicenna und Averroës gemeinsamen Ausgangs von der Aristotelischen Seelenlehre. Christlich brannten im Jenseits vor allem die Schrecken, und die Toten marschierten leibhaftig auf, um als fühlende gekocht zu werden. Bei Avicenna lebt gerade dieses Fühlen, als zur Tierseele in uns gehörig, nicht fort; so machte das Wissen die Wissenden damals wenigstens von jenseitiger Folterfurcht frei. Was der verständige Teil der Seele nach dem Tode noch erfahren sollte, dieses rein geistige Unglück oder auch Glück, ließ sich nicht mehr für klerikalen Einfluß verwenden. Es ist kein Wunder, daß die Herrschaftskirche solche Zerstörer ihrer jenseitigen Peitsche verfolgte.

2. Was den *einzelnen Verstand und die allgemeine Vernunft* angeht, so gibt unser Denker der letzteren alles. Hier kennt er keinerlei Schwanken, er geht dadurch aus der Enge des Sonderseins, Brauchs, Glaubens überhaupt hinaus. Bei Aristoteles war der einzelne individuierte Verstand als der passive erschienen, als der durch den Habitus des jeweiligen Körpers, mit dem er verbunden ist, bestimmte. Er ist passiv, weil er, als leibgebunden, besonders nahe dem bloß Passiven, Aufnehmenden, bestenfalls Disponierten des Stoffes verhaftet ist. Die allgemeine

Vernunft dagegen ist die aktive oder die eigentliche Form, Wirkkraft des Verstands; so bildet sie, als vom Habitus des jeweiligen Körpers unabhängig, das unpersönliche Haupt des Menschlichen. Der passive Nus des Aristoteles ist so lediglich der zur Erkenntnis fähige, der aktive, der die Erkenntnis gebende. Aber von Beziehungen dieser tätigen Vernunft zu einer menschlichen Einheit der Vernunft überhaupt ist bei Aristoteles noch kaum die Rede. Eine solche Einheit lag Aristoteles fern, der die Sklaven nur als sprechende Werkzeuge kennt, die zum Schein die Seele und den Leib eines Freien haben; ja, alle Nichtgriechen nannte Aristoteles dergestalt geborene Sklaven. Nicht einmal als ein Griechisch-Allgemeines hat er die tätige Vernunft gedacht, sondern darüber hinweg, sehr hoch hinaus als ein Element des göttlichen Geistes. Wie ganz anders nun erscheint das Nicht-Individuelle der tätigen Vernunft bei Avicenna und, durch ihn, bei Averroës. Hier ist allererst die tätige Vernunft als Ort einer *Einheit des Intellekts im Menschengeschlecht* definiert worden. Aus der bloßen Bestimmung des Nicht-Habituellen, Nicht-Individuellen ist so die tätige Vernunft die human-universale geworden. In ihrem Inhalt aber ist nicht Religion, am wenigsten eine mit Beinamen, eine konfessionell begrenzte, sondern einzig Philosophie, und zwar die auszulegende Aristotelische. Doch diese gleichfalls nicht als individuelle, selber konfessionelle, sondern, wie Averroës sagt, einzig deshalb, weil im Exemplar Aristoteles »die höchste menschliche Vollkommenheit, das Endziel des menschlichen Intellekts« demonstriert sei. Freilich sind die Wege, mittels derer nun die allgemeine Vernunft in den Menschen auftauchen sollte, bei den islamischen Denkern phantastische gewesen, besonders bei Avicenna. Nach ihm schließt die tätige Intelligenz nach unten hin die Reihe der übersinnlichen Intelligenzen ab, welche von Gott herab über die Planetengeister bis zum »Beweger des Mondes« fließt. Von dort strömt die tätige Intelligenz unmittelbar in unseren Verstand, erleuchtet ihn und bringt dort ein Abbild der kosmischen Wesenheiten hervor. Das ist neuplatonische Emanationstheorie, und zwar so (mit zehn herabströmenden Intelligenzen oder Sphärengeistern), wie sie wenig später in der Kabbala reproduziert worden ist; von Naturalismus ist man an dieser erzmythischen, astralmythischen Stelle weit entfernt. Und doch ist bei Avicenna der tätige Verstand, auch als »niederste himmlische Intelligenz«, ein in der Wirkung nicht selber Astrales oder auch, wie das bei Aristoteles droht, ein in den göttlichen Geist Verschießendes. Sondern die Einheit des Menschengeschlechts geht dadurch auf, und das mit der Toleranz bildenden Lehre der unitas intellectus: alle Menschen haben nur eine einzige Vernunft, und die Vernunft in allen Menschen ist eine einheitliche. So sehr diese unitas intellectus bei der Stoa bereits behauptet worden war, kraft ihrer Lehre von den gemeinsamen Grundvorstellungen in allen Menschen, so hat doch erst Avicenna ihr die Schärfe gegeben, an der die jeweilige konfessionelle Orthodoxie sich schnitt. Die Stoiker hatten mit ihrer bloßen Verwischungs-Gemeinsamkeit schließlich den Mischtopf des Römischen Reiches für sich und waren so von der herrschenden Klasse gedeckt. Avicenna, nachher Averroës dagegen verwundeten mit der unitas intellectus die Arroganz ihrer Landesreligion, das ist, den Glauben des Islam, daß außer ihm nur Nacht sei. Die Einheit der tätigen Vernunft in allen Menschen verwundete ebenso die Absolutheit des Christentums, vertreten durch die Schlüsselgewalt Petri. Kein Wunder wiederum, daß die Geistlichkeit beider Religionen auch solche Zerstörung als schwere Ketzerei bekämpfte; – auch im Abendland wurde die unitas intellectus, in der Gestalt, die Avicenna und Averroës ihr gegeben haben, als hauptsächliche Irrlehre verdammt. Um eben vor der Verwechslung mit dieser Aristotelischen Linken sich zu bewahren, schrieben Albertus Magnus und Thomas beide »De unitate intellectus contra Averroistas«. Denn die Losung ist klar: in Avicennas Einheit der Vernunft erscheint nichts Geringeres als eben das neue *Pathos der Toleranz*. Gewiß nicht, bei einem Philosophen, als Duldung des ausgemacht Falschen und handgreiflich Schlechten, wohl aber als Opposition gegen Pfaffentum, unwissendes Bornement und die Aggression des Gestrigen, das sich aus Selbstsucht und Dummheit zusammen zelotisch macht. Über all das hob sich die Toleranz der humanen Vernunft und sammelte die ihrigen: als Mehrheit. Bei den revolutionären Täufern, den ja keineswegs unbesehen-duldsamen, galt diese unitas intellectus nachher als Pfingstgeist des

Armen Konrad in der ganzen Welt, »hoch über allen Zerstreuungen der Geschlechter und des Glaubens«, wie Thomas Münzer predigte. Als aber die Aufklärung kam, mit ihrem so vielfältigen Wertbegriff »Natur«, wirkte in dieser, neben anderen Ursprüngen, durchaus auch Avicennas unitas intellectus nach. Die Einheit allgemeiner Vernunft findet sich, durch Neustoizismus nur halb verdeckt, gerade in dem Überwölbenden, als das Naturrecht, Naturmoral, Naturreligion damals, in der Aufklärung erschienen sind. Item, es ist Friede in der Bedeutungsrichtung des intellectus agens vel universalis gemeint, soll heißen: Friede für alle, die rechter und tätiger Einsicht sind.

3. Was nun die *Stoff-Form-Beziehung* angeht, so hat unser Denken eben diese wachsend umgebildet. Er hat mit dieser Umbildung keineswegs als erster begonnen, jedoch erst von Avicenna ab und durch ihn machte sie Schule. Straton, Nachfolger des Aristoteles, blieb, wie gesehen, mit der Hereinziehung der Wirkform in den Stoff vereinsamt. Das schon deshalb, weil die eigentlich philosophische Arbeit in der peripatetischen Schule ohnehin bald erlosch; sie hat sich einzelwissenschaftlich spezialisiert, auch verzettelt. Nur der bedeutende Alexander von Aphrodisias hat, wie oben erinnert wurde, den Stratonismus, mit seinen durchgängig naturalistischen Lehren, weiter entwickelt. Lehrte er doch ein »soma theion«, Gott als Himmelskörper, er erneuerte auch, was Cicero als Stratons Lehrmeinung überliefert: »Omnem vim divinam in natura sitam esse«, alle göttliche Kraft sei, ohne jenseitigen Geist, in der Natur gelegen. Doch nicht an Straton und den Kommentator Alexander, sondern an Avicenna schloß sich die Aristotelische Linke des Mittelalters im punctum puncti, im Materiebegriff, an. Und erst durch Avicennas »Philosophia orientalis« hat sich auch Averroës den keimenden Pantheismus des Alexander von Aphrodisias zu Bewußtsein gebracht. Aristoteles selber nun hatte – was hier am Zentralort für den Linkseffekt zu wiederholen ist – den Stoff zunächst als das völlig Unbestimmte, Ungeformte gelehrt, aus dem, selber unerschaffen, sich alles schaffen läßt. So ist diese erste, von der wirkenden Form noch völlig getrennte oder Urmaterie das lediglich passiv Mögliche, nur beziehungsweise Seiende. Ist der Stoff dagegen, wie in all seinen Weltge-

stalten, mit aktiven Wirkformen bereits verbunden, so tritt zu dem währenden »dynamei on«, »In-Möglichkeit-Sein«, auch noch eine Art Mitwirken hinzu. Dieses Mitwirken individuiert und determiniert den Eintritt und die Ausprägung der Wirkformen, oft auch im Sinn der Störung. So macht diese zweite oder zur Welt gewordene Materie, daß die zweckvoll gestaltenden Wirkformen oder Entelechien sich einzig »kata to dynaton«, gemäß dem »Nach-Möglichkeit-Sein«, realisieren können. Immer aber bleibt die Materie bei Aristoteles wesentlich »dynamei on«, passives »In-Möglichkeit-Sein«, Potentialität (wenn auch, wie eben in der gestalteten Weltmaterie, eine gegebenenfalls selber negativ mitverursachende, eine conditio sine qua non). Einzig die sich verwirklichende Wirkform ist bei Aristoteles Potenz, ist Aktus im Geschehen; bis hinauf zum völlig stofffreien Aktus: dem unbewegten Allbeweger Gott. Auch Bewegung kommt dem Stoff hier nicht zu, obwohl sie doch den Übergang aus dem Zustand der Möglichkeit in den der Verwirklichung darstellt. Aristoteles ordnet vielmehr auch die Bewegung der Entelechie zu, er nennt sie dergestalt eine »unvollendete Entelechie« (Phys. cap. 5). Wie sichtbar, ist der Materiebegriff bei Aristoteles zwar mit dem sehr wichtigen Grundmerkmal der *objektiven Möglichkeit* versehen, jedoch nicht oder noch nicht mit dem Merkmal des Gärenden und Schwangeren, des sich-Ausgebärenden, gar Unabgeschlossenen dieser Möglichkeit. Hindeutungen darauf sind zweifellos vorhanden, so in der Lehre von der »hormē«, dem Drang der Materie nach der Form (was gleichsam das Objektivsein, Materiellsein des Platonischen Eros darstellt). Jedoch hat diese gewaltige Hindeutung auf ein Prozeß-Agens in der Materie selber die Gleichsetzung von Materie mit Passivität bei Aristoteles nicht aufgehoben. Und ebensowenig ist dadurch das Aktus-Privileg der immateriell gedachten Entelechie erschüttert worden, der im Stoff geprägten Form, die lebend sich entwickelt.

Avicenna nun folgt diesen Aristotelischen Lehren zwar nach, er hält auch noch Materie und Wirkform auseinander, aber das alles auf eine Weise, die gerade die Materie wichtig und immer wichtiger macht. Die Wirkform, besonders die oberste, göttliche, beginnt dadurch zum bloßen Punkt auf dem materiellen I zu werden oder zur bloßen Pointe des Anhauchs, der die materiellen Gestalten entbindet. Und zwar bei Avicenna, in den Traktaten »Metaphysica«, aus seiner philosophischen Enzyklopädie, folgendermaßen: Das dem Wirklichen vorausgesetzte Mögliche setzt ein Subjekt voraus, welches die Möglichkeit des Entstehens in sich schließt. Dieses Subjekt ist die Materie, die als Voraussetzung des Entstehens selber nicht entstanden sein kann, vielmehr ein Ursprüngliches und Unentstandenes von Ewigkeit her ist. Damit hat Avicenna die Aristotelische Lehre von der Ungeschaffenheit der Materie auch logisch überraschend geschärft und dieses gerade vom Begriff des Möglichen her. Die Materie ist also ein gleich ewiges Wesen wie die Form und durchaus kein bloß beziehungsweise Seiendes, das des eigenen Seins entbehrte; sie ist vielmehr, der Form gegenüber, das Substrat der Anlage, und zwar bereits der jeweils bestimmten. Allerdings schließt Avicenna weiter, daß zum Subjekt der Möglichkeit noch ein Ursach-Subjekt der Verwirklichung hinzukommen müsse, denn das der Möglichkeit die Wirklichkeit Hinzugebende könne nicht selber ein bloß Mögliches sein. Folglich müsse, wie die Materie als die Möglichkeit aller Dinge vorausgesetzt werden muß, auch eine der Materie nicht immanente Ursache angenommen werden, ein »dator formarum« oder Formgeber, welcher die Dinge aus der Möglichkeit zur Wirklichkeit erhebt. Sofort jedoch hat Avicenna diese Wirksamkeit einer göttlichen Ursache auf die bloße Verleihung und Aufrechterhaltung der Existenz eingeschränkt. Es stecken also in diesem actus purus keine Inhalte (Washeiten, Essenzen), *die nicht bereits in der objektiven Möglichkeit der Materie zur Existenz disponiert, ja präformiert sind;* und Gott ist einzig der Erwecker. Gott oder der stofffreie actus purus des Aristoteles wird so schließlich nur das Fiat in der Form, aus dem Formgeber wird er zum Signalgeber eines ohnehin, ohne ihn zur Entfaltung Reifen, und die Summe der Essenzen, Washeiten, Formwesenheiten regt sich nicht in ihm. Zwar die abstrakte materia prima an sich kann die Vielheiten, gar Summe der Formen nicht einmal von ferne enthalten, wohl aber ist sie in der *konkreten Weltmaterie* durch die geschehene Formvermischung allemal vorgebildet: »Die Prinzipien, die das individuelle Sein der Ma-

terie herbeiführen, sind diejenige, die ihr die Disposition verleihen ... Diese Disponierung gibt den Ausschlag für das Zu-
standekommen der Existenz dessen, was dem bestimmten Ding
eher zukommt als dem anderen. Die Disposition (in der konkreten Weltmaterie) ist nichts anderes als eine vollkommene
Beziehung auf eine bestimmte, individuelle Form« (Die Metaphysik Avicennas, übersetzt von Horten, 1909, S. 611 f.). Die
Wesenheiten selber sind bereits spezifisch als materielle Anlage disponiert, so spezifisch, daß Avicenna ebensoviele Arten
von Materie aufzählt, wie die Aristotelische Physik Arten
der Veränderung aufgezählt hatte. Es sind drei Arten: Ortsveränderung, Eigenschaftsveränderung, organische Verwandlung, – mit den darin jeweils behausten Formen, mit der
ihnen zugeordneten bestimmten materiellen Möglichkeit. So
muß der Begriff der abgetrennten Form sich verflüchtigen
und bei Avicenna, nicht erst bei Averroës, einen Teil ihrer
Wirk-Wirklichkeit an die Materie abtreten. Ja, Avicenna nennt,
in seiner Elementenlehre, die Form das »innewohnende Feuer«
oder die »feurige Wahrheit« der Materie. Kein weiter Schritt
also von dieser Umbildung der Stoff-Form-Beziehung zu der
fast völligen Gestaltungs-Immanenz oder natura naturans bei
Averroës. Wonach die Materie nicht nur alle Formen als Le-
benskeime in sich trägt, sondern auch die Bewegung wesentlich
der Materie zukommt und nicht, wie bei Aristoteles, der Entelechie. Es ist nach Averroës »die kreisende Bewegung des
Himmels«, welche die in der Materie von Ewigkeit her liegenden Formen wachsend hervortreten läßt. Derart sagt die »Destructio destructionis« des Averroës, disp. 1, in ihrem entscheidendsten Satz: »Generatio nihil aliud est nisi converti res
ab eo, quod est in potentia, ad actum«, jede Hervorbringung
eines Dinges ist nichts als die Wendung seiner Potentialität zu
der in ihr begründeten Wirklichkeit. Und die Formen gehen
einzig aus dem Stoff selber hervor – Entwicklung ist *»eductio
formarum ex materia«*. Also läuft die Aristotelische Linksrich-
tung, über die Umbildung der Stoff-Form-Beziehung, deutlich
einer als aktiv begriffenen – und nicht nur mechanistisch begriffenen – Materie zu. An Stelle Gottes, der die Welt erschaffen
hat, tritt die schöpferische Gewalt der natura naturans – hin zur

natura naturata. Der Weg wäre nicht so weit gewesen, über den Entwicklungsbegriff sogar zum Problem einer natura – supernaturans vorzustoßen und demgemäß einer natura – supernaturata. Beides hätte den Himmel, das heißt das in seiner nicht mehr freischwebenden Spiritualform als künftig Gedachte, auf seine möglichen Füße gestellt. *Doch die »eductio formarum ex materia« genügte, um von daher, als Retorte und latentem Schatzhaus zugleich, einen neuen Begriff von der Materie einmal fassen zu lassen.* Kein Wunder auch hier, daß die islamische Orthodoxie Avicenna wie Averroës verfluchte und beide so in effigie, nämlich in ihren Werken, verbrannt hat, wie die christliche Inquisition den Giordano Bruno nachher leibhaftig verbrannte.

Einfluß Avicennas bei Thomas und Gegenteil

Nichts freilich wäre falscher, als die angegebene Linke gegen die christlichen Mönchdenker schlechthin auszuspielen. Die Zeiten der Geringschätzung der europäischen Scholastik sind längst vorüber, und leben sie trotzdem hier und dort fort, so sind sie völlig dumm geworden. Auch ist die christliche Scholastik so vielfältig, daß sie nicht entfernt in gleicher Art eine Aristotelische Rechte genannt werden kann wie die islamische eine Linke. Auch ist gerade die klassische christliche Scholastik, die durch Albert und Thomas bezeichnete, in manchem mit Avicenna einer Meinung. So besonders in der Erkenntnistheorie, gemäß Avicennas außerordentlicher Unterscheidung einer *ersten*, auf die Gegenstände selbst gerichteten Intention der Erkenntnis und einer *zweiten*, auf die bloßen Begriffe von diesen Gegenständen gerichteten. Völlig gar wurde Avicennas Entscheidung über das *Universalienproblem*, das ist über die reale Gültigkeit der Allgemeinbegriffe, von Albert und Thomas übernommen. Die Universalien oder Allgemeinbegriffe haben danach eine Geltung ante rem hinsichtlich des Plans der Welt, in re hinsichtlich der Natur, post rem hinsichtlich der abstrahierenden Erkenntnis. Hier hat Avicenna zweihundert Jahre früher genau die Lösung formuliert, welche dann auf der Albertisch-Thomistischen Höhe der christlichen Scholastik galt. In diesem Punkt haben Albertus Magnus und Thomas den Avicenna öfter als Autorität angeführt; wonach also, in diesem Punkt, die christliche Scholastik nicht ganz als Rechte oder auch Avicenna nicht als Linke dasteht. Ja, was dann die später wieder vordringende Reduzierung der Universalien auf das bloße post rem der menschlichen Erkenntnis angeht, so wirkt darin, in dem Nominalismus Occams, streckenweise sogar mehr Linke, nämlich beginnende bürgerliche Wendung zum Diesseits, als das in den Zeiten des Avicenna und auch Averroës überhaupt möglich war. Mithin, die christliche Scholastik kann keinesfalls schlechthin oder überall als Aristotelische Rechte bezeichnet werden, am wenigsten in logisch-erkenntnistheoretischen Fragen. Trotzdem steht im großen ganzen, und darin an entscheidenden Punkten, fest: die klerikale Basis wie die ihr entsprechende, nicht eben naturalistische Apologetik in der Hochscholastik lassen bei ihr, nach bemerkten Ausnahmen, von einer *Aristotelischen Rechten* sprechen. Die katholischen Systeme des Hochmittelalters haben den Aristoteles nicht nur als praecursor Christi, sondern entschiedener als praecursor der feudal-klerikalen Ständegesellschaft und ihrer Ideologie kommentiert. Thomas setzt einen harten, bei Aristoteles keineswegs so deutlichen Riß zwischen Leib und Seele, zwischen die mit Materie behafteten »formae inhaerentes« der Welt und die von Materie freien »formae separatae« der Überwelt, mit der reinen göttlichen Geist-Form an der Spitze. Man vergleiche auch die natura naturans, diese Herzkraft der Materie bei Averroës, mit folgender Thomistischen Bestimmung: »Oportet quod primum materiale sit maxime in potentia et ita (!) maxime imperfectum« (Summa theol. I 4, 1 c), der Stoff also ist gerade als reichste Möglichkeit das Unvollkommenste. So hört man hier genau den umgekehrten Klang wie in der Stoff-Form-Beziehung des Avicenna und Averroës, und ganz fern ist die Einbeziehung aller Formen in eine sich selbsttätig ausformende Materie. Hatten die morgenländischen Denker die Aristotelische Trennung der Formen, vorab der höheren, vom Stoff erst verringert, dann aufgehoben, so dualisiert Thomas die formae separatae und formae inhaerentes weit über Aristoteles hinaus. Und er setzt dort einen völlig transzendenten Theismus des reinen Geistes, wo die Aristotelische Linke lauter Erklärung der Welt aus sich selbst eingeleitet hatte. Dagegen jede letzthinnig transzendente Setzung und Erklärung der Welt bezeichnet in der christlichen Hochscholastik die machtvolle Rechtslinie von Aristoteles her. Ein Fresko der Giottoschule in S. Maria Novella in Florenz wirft darum den Averroës neben den Ketzern Arius und Sabellius als gänzlich »widerlegt« zu den Füßen Thomae. Die christliche Hochscholastik wäre ja sonst nicht die Entelechie der feudal-klerikalen Gesellschaft, mitsamt dem Pathos der geordneten Stufung, die von der Basis her in den Weltbegriff und die Himmel sich so kathedralisch erstreckt hat. Statt der Selbstverwirklichung vieler Weltformen in Materie selber herrscht einzig die reine Wirkform hoch droben, und ihr Annex Welt ist dann bestenfalls ein Vasall. Das Produzierende an diesem Produkt schafft von ihm abgetrennt oberhalb, sein Agens ist auch dort noch thronend, wo es sich Menschen und Erde mitteilt. Thomae System war ein großartig korrekt versuchter Ausgleich von Aristoteles, Bibel, Dogma (weniger ging Augustin darin ein), doch so konträr oder auch disparat wie Goethes Erdgeist in einer Kirche stünde, schaffend am sausenden Webstuhl der Zeit, stünde Avicennas Stoffkraft, gar die volle natura naturans des Averroës in dieser korrekten Summa.

Dabei hatte der junge Thomas durchaus arabische Einflüsse zu bestehen. Schon seine bekundete Lust an Sinnesdaten hieß diesen Meister nicht gänzlich vom Himmel fallen. Paris, wo er zu lehren begann, war durch Siger von Brabant averroistisch beeinflußt, wonach Wissen, gerade als solches, nicht im überlieferten Glauben zu landen brauchte. Eine der Aristotelischen Lehren lautete, wie bemerkt, daß die verständige Seele in allen Menschen nur Eine sei; wonach also das individuelle Fortleben des Bewußtseins wegfiel. Thomas hat zwar gegen diese Ketzerei eine Schrift geschrieben (De unitate intellectus contra Averroistas), worin er die Einheit des Intellekts von Sigers Auslegung abrücken wollte, doch der Kampf gegen diese »Verwechslung« zeigt, daß hier etwas zu verwechseln war. Und vor allem erklärte Thomas, sein Leben lang, die Schöpfung der Welt am Anfang der Zeit sei philosophisch unbeweisbar; diesesfalls im Einklang mit dem jüdischen Aristoteliker Maimonides, gleichfalls aus Averroistischem Kulturkreis. Ohnehin öffnete schon der originale Aristoteles Bruchstellen genug zwischen seiner immanenten und der kirchlich-transzendenten Welterklärung. Doch freilich hielt sich zuguterletzt Thomas auch hier harmonisierend in Mitte, mit Suum cuique und verdeckten Unvereinbarkeiten unter dem Szepter der anfänglich mißtrauischen, bald selber zur Mitte strebenden Kirche. Dergestalt war bereits dem jungen Thomas (obwohl dessen Ketzereien noch nicht alle bekannt oder pointiert sind) Aristoteles stets transzendent-korrekt geworden und so relativiert. Gemäß der seitdem kirchlich gültigen Proportion: die Aristotelische Philosophie sei der Inbegriff jener dem lumen naturale zugänglichen Wahrheiten insgesamt, die von der Offenbarung nicht widerlegt, wohl aber überformt und ergänzt werden. Wonach denn auch die lateinischen Averroisten, die die Philosophie von der theologischen Führung lösten, gänzlich aus der offiziellen Scholastik verschwanden, mit Abstand auch aus der nominalistischen Spätscholastik. Ja, wonach bei Thomas genau jenes Thema zurücktrat, mindestens aufhörte, zentral zu sein, das, selbst unabhängig vom Averroismus, bei dem zeitgenössischen Scholastiker Alexander von Hales noch als das *wichtigste* ausgezeichnet worden: eben das *immanent* aufregende und zureichende von *Akt* und *Potentialität, Form* und *Materie*. Statt dessen setzte Thomas den transzendenten Ur-Akt Gott ins kosmologische Zentrum und verwandelte ihn, der bei Aristoteles einzig *Ziel*ursache für die Welt und ihre Geschöpfe war, in deren *Wirk*ursache schlechthin, mit Schöpferkraft und Seinsverleihung, absolut. Wonach schließlich Thomas das Verwirklichende der Formen (Entelechien) selber streicht und diesen Aktus zu einer *ausschließlichen Leihgabe* aus dem *göttlichen* Akt-Sein, Verwirklichungs-Sein herabsetzt, als dem so einzigen wie total transzendenten. Hierin allerdings scheint Thomas, verblüffenderweise, gerade arabischen Hinzufügungen zu Aristoteles zu folgen, nämlich der erst bei Avicenna so geschärften Trennung von *Wesenheit* und *Sein, essentia* und *existentia.* (Entscheidend in Thomae Deus-*creator*-Schrift: De ente et essentia.) Avicenna hatte nach neuplatonischem Vorbild in der Tat das zufällige Sein der Weltdinge von einem notwendigen göttlichen Sein unterschieden, woraus diese entflossen, emaniert sind. Aber bei Avicenna und wie sehr erst bei Averroës bleibt das wirkende Akt-Sein der weltlichen Entelechien durchaus *selbstschöpferisch* erhalten, in ihrer Potentialität-Potenz Materie, während es Thomas der Welt – der stets nur geschöpflichen, nirgends schöpferischen – weithin entzieht und das Akt-Sein als Funktion der weltlichen Entelechien letzthin aufhebt. Naturierendes, also Schaffendes einer natura naturans, wird dadurch ebenso bedeutungslos und irreal wie die Entelechie als geprägte Form, die lebend-selbsttätig sich erst entwickelt. Wird auch die geschöpfliche Verwirklichungsfunktion nicht gänzlich eliminiert, so gilt sie bei Thomas doch eben nur als Lehensgabe von oben her und nie ohne begleitende Mitwirkung der hier einzigen Seinskraft, der transzendenten Gotteskraft. Nur dies total Wirkliche, also mit keiner Potentialität, keiner unverwirklichten Möglichkeit mehr behaftete, soll dann schließlich auch wirklich wirken, das ist: aus der Möglichkeit ins Wirkliche überführen. (So wie nach Thomas, schon in der weltlichen analogia entis nur das wirkliche Warme, etwa das Feuer, macht, daß das Holz, welches der Möglichkeit nach warm ist, der Wirklichkeit nach warm wird.) Also ist ein total Wirkliches, mit *keinerlei gärender natura naturans verwechselbar,* allein jener Gott oder jenes transzendente Fixum, von dem Thomas sagt: »Das Wesen Gottes ist nichts anderes als sein Sein« (De ente et existentia, c. 6) oder – mit gänzlich zukunftsfreier Übersetzung von »Ich werde sein, der ich sein werde« (2. Mos. 3, 14) –: »Ich bin der Seiende, das ist der Eigenname Gottes« (Summa theologiae I, 13, 11). Dieses, daß Gottes Essenz als einzige die Existenz einschließt, ist zwar nicht im Sinn des sogenannten ontologischen Gottesbeweises zu verstehen (Ens perfectissimum eo ipso = Ens realissimum), eines Beweises, dem der keineswegs aprioristische Thomas den sogenannten kosmologischen Gottesbeweis (Schluß von den Werken auf die letzte Seinsursache) vorzieht. Auch hat ja selbst die Materie bei Thomas durchaus eine Rolle: sie ist das »principium individuationis«, sie bedingt also immerhin die *Vielheit* der jeweiligen Exemplare einer Gattungsform (wonach es einzelne Menschen und nicht nur humanitas gibt, verschiedene Himmelskörper und nicht nur stellaritas). Auch sind ja die Entelechie-Vasallen mit Wirkungskraft immerhin *begabt* worden, dergestalt daß eine *alleinige Kausalität* Gottes (wie sie gerade außerhalb von Avicenna, Averroës und gegen sie in der arabischen Welt, in der reaktionären Sektenphilosophie der Motekallemin behauptet wurde) hier keinen Platz hat. Wohl aber beschädigte die Loslösung, die grundsätzliche Verlegung des Existenzfaktors nach hoch droben nicht nur die Immanenz bei Aristoteles selber, sie blockierte erst recht – und buchstäblich au fond – den Ort einer links-Aristotelischen Materie, mit *eigenem logos spermatikos*. (So hatten die Stoiker die energeia, als innergöttlich schaffende Vernunft in den Dingen selbst genannt.) Folglich konnte jede emanzipierte natura naturans von unten (sich selber ausgebärende Materie) dem kirchlichen Aristotelismus nur mehr als sonnenklare, vielmehr schwefelbrandige Luzifersache erscheinen. Bruno hat das zu spüren bekommen, Spinoza trug genau wegen »natura sive deus« bei der transzendenten Orthodoxie sein »signum reprobationis«, sein »Zeichen der Verworfenheit« an der Stirn. Die transzendent verlegte energeia der Aristotelischen Entelechien hat auch noch Fausti »Wirkungskraft und Samen« aufs entschiedenste aus der Welt (und Erklärung der Welt aus sich selbst) in Überwelt geschafft, als letzthin einzig schaffende und lenkende, gemäß dem Absolutismus von oben, der allein Würde und Sein verleiht.

Einfluß der Aristotelischen Linken auf die Anti-Kirche

Es ist an der Zeit, die Nachwirkungen der angegebenen Linken bewußter als bisher zu erfassen. Und sie traten schon lange vor dem bürgerlichen Morgen vor, ja in überraschender Form. Da ist literarisch der Roman der Rose, aus dem dreizehnten Jahrhundert, weltfreudig durchaus, voller Loslösung des Fleisches vom Geist, aber auch voller Beseelung des diesseitigen Stoffs. Es ist keine himmlische Rose, um die im Garten dieses Romans geworben wird, hier lebt Liebeswelt als Weltliebe, und Averroës hat Pate gestanden. Da ist außer solch heiterer Freigeisterei das akademische Ärgernis eines christlich-antichristlichen Averroismus. Beginnend an der Sorbonne, fortgepflanzt bis zur

Renaissance und zum Barock an der Universität Padua. Hauptanliegen war hier nicht nur die Leugnung der individuellen Unsterblichkeit und der ebenso bestrittene Ersatz ihrer im Fortleben der allgemeinen Vernunft. Vielmehr stand gerade das Materieproblem im Mittelpunkt, der Vorrang der materiellen »substantia orbis«, nach dem gleichnamigen Sermon des Averroës. Besonders der Jurist Johannes von Padua, später und schwächer der Mediziner Pietro d'Abano haben beide als Philosophen die Praeexistenz der Materie gegen die Kirche und ihre Schöpfungslehre verteidigt. Da die Welt, ehe sie aktuell wurde (in die Wirklichkeit trat), schon potentiell existierte, sei sie so ewig wie das Substrat ihrer Möglichkeit, die Materie. Doch all das tritt zurück vor der Nachwirkung, die nun nicht nur in eleganter Poesie oder im Schatten des Hörsaals geschah.

Brennende Nachwirkung des neuen Stoff-Form-Verhältnisses zeigte sich an anderer Stelle, bei gefährlichen Sekten und bei Märtyrern. So, was Sektenhäupter angeht, um 1200 bei den pantheistischen Ketzern Amalrich von Bena und David von Dinant. Sie waren die Häupter der Sekte der Amalrikaner und unterschieden sich von denen, die die Kirche sonst Schwarmgeister nannte, eben durch die »Materie« ihres Geistes. Beziehung zur Albigenserbewegung fehlt hier nicht, auch nicht zu Joachim von Fiore, der politisch gleichzeitig die Herankunft des freiheiligen Geistes verkündete. Aber der Heilige Geist in David von Dinant brachte Seltsames, er kam bedeutend mehr von Bagdad und Cordova, von Avicenna und Averroës als vom Himmel. Albertus Magnus überliefert von David, er habe gelehrt: »Deus, hyle et mens una sola substantia sunt«, Gott, Stoff und Geist sind eine einzige Substanz, und Thomas fügt hinzu: »Stultissime posuit deum esse materiam primam.« Indem so Gott, Stoff und Körper substantiell dasselbe sind und Gott nichts anderes als die erste Materie ist, aus der alles geworden, in der alle Formen befaßt sind, hat die Form auch im Abendland gegen den Stoff verloren. Über lange Zeit freilich blieb David von Dinant ohne Folgen, der Scheiterhaufen rottete sie aus, der Kontakt dieser Lehre mit der Renaissance war verfrüht, wird erst an Giordano Bruno sichtbar. Ihr Kontakt nach rückwärts freilich ist mit Händen zu greifen, auch der mit dem

spanisch-jüdischen Philosophen zwischen Avicenna und Averroës, mit Avicebron, der David von Dinant und Bruno schon
vereinigt hatte, bevor sie da waren. Avicebron, im elften Jahrhundert, ist identisch mit dem religiösen Hymnendichter Salomon ibn Gabriol, der lange für einen Araber gehalten und auch
bei Bruno als solcher, mit fast höherer Verehrung als Avicenna
und Averroës, zitiert wird. Ein Denker, dessen Werk »Fons vitae« im jüdisch-arabischen Kulturkreis wenig gewirkt hat, doch
desto stärker eben im christlich-häretischen. Ja, es läßt sich sagen: die Aristotelische Linke, mit Avicenna aufsteigend, verbindet sich bei Avicebron sogar mit einer höchst merkwürdigen
Art von neuplatonischer Linken, dergestalt daß er einen von
Haus aus so mystischen Begriff wie Plotins »intelligible Materie«, hoch bei Gott, radikal zu einer »materia universalis« in
allen Weltschichten ausgebreitet hat. Das war ja bereits in Avicennas »Philosophia orientalis« intendiert, und so hat auch diese, mit Avicebrons Werk zusammen, auf David von Dinant und
die Folgen gewirkt. Aber Avicebron faßt schärfer als Avicenna
seine – die Vernunft wie die Körper – verbindende »materia
universalis« als das Substrat des einheitlichen Lebenszusam-
menhangs der Welt. Vom Stein bis zur höchsten menschlichen
Gattungsvernunft, der »allgemeinen Intelligenz«, ist alles mit
einer einzigen, formüberlegenen Materie versehen: und nur
Gottes Wille bleibt von ihr frei. »Ich habe verstanden«, sagt der
Schüler im 2. Traktat »Fons vitae«, »daß die besondere natürliche Materie in der allgemeinen natürlichen Materie subsistiert,
diese in der allgemeinen himmlischen, diese in der allgemeinen
körperhaften und diese in der allgemeinen spiritualen Materie.« Derart soll es also über der besonderen natürlichen noch
vier höhere Materien geben und alle der Substanz nach gleich,
keinen Dispens von sich gewährend, die Welteinheit tragend.
Zweifellos hat auch diese Botschaft aus dem morgenländischen
Naturalismus die pantheistischen Ketzer Europas erreicht, die
Botschaft von der Materie als Einheitssubstrat überall; Davids
Formel: »Omnia in materia idem« weist darauf hin.

Und nun zu Bruno, von dem her die Ehre des Stoffs endlich
zu glänzen beginnt. Der Vorrang der Form fällt gänzlich weg,
und am verächtlichsten wird diejenige behandelt, die vom Jen-

seits her stoßen oder strahlen soll. Autark ist statt dessen die sich selbst befruchtende, ihre Formen zum All ausgebärende, sich selbst explizierende Materie. Nur in dieser natura naturans lebt der Künstler der Weltbildung, und die unendliche Gottnatur webt sich allein das unendliche Weltkleid natura naturata. Die ewige Hervorziehung des in der Materie enthaltenen Reichtums der Gestalten ist die Ursache der von uns wahrgenommenen Welt. Nirgends also bleibt bei Bruno die Materie passiv, ohne Akt, Tüchtigkeit, Vollendung, »senza atto, senza virtù e perfezione«. Brunos glühender, Avicenna, Avicebron, Averroës völlig zur Welt bringender Naturalismus ist so groß, daß er sogar den Aristotelischen Begriff eines Drangs des Stoffs zur Form (als einer begrenzt gestaltenden) mit der Autarkie der Materie (als einem unendlichen Schöpfungsschoß) für unvereinbar ansieht. »Die Materie begehrt nicht jene Formen, die sich täglich auf ihrem Rücken ändern ... Überdies haben wir nicht besseren Grund zu sagen, daß die Materie die Form begehre, als im Gegenteil, daß sie sie hasse; ... denn mit ebenso gutem Grunde, wie man sagt, daß sie das begehrt, was sie manchmal empfängt und hervorbringt, kann man auch sagen, wenn sie abwirft und beseitigt, daß sie verabscheut, ja viel mächtiger verabscheut als begehrt, da sie doch die einzelne Form, die sie für kurze Zeit festgehalten hat, für ewig abwirft ... Die Quelle der Formen kann nicht begehren, was in ihr ist, da man doch nicht begehrt, was man besitzt« (Dialoghi della causa principio ed uno, 4. Dialog). Und die Geistesverwandtschaft Giordano Brunos zur Aristotelischen Linken, wie sie über so viele Jahrhunderte hinweg in diesem Materialismus der Lebendigkeit erscheint, ist zudem eine bewußte: »Deshalb haben einige, da sie das Verhältnis der Formen in der Natur wohl erwogen hatten, soweit man es aus Aristoteles und anderen von ähnlicher Richtung erkennen konnte, zuletzt geschlossen, es seien die Formen nur accidentia und Bestimmungen an der Materie, und das Vorrecht, als Aktus und Entelechie zu gelten, müsse daher der Materie angehören, nicht solchen Dingen, von denen wir in Wahrheit nur sagen können, daß sie nicht Substanz und Natur, sondern Dinge an der Substanz und an der Natur sind. Substanz und Natur aber, behaupten sie, ist die Materie, die nach ihnen ein notwendiges, ewiges und göttliches Prinzip ist, wie bei jenem Mauren, dem Avicebron, welcher sie den allgegenwärtigen Gott nennt« (ebenda, 3. Dialog). Freilich stimmt Bruno selber dieser völligen Absetzung des Formalprinzips nicht ganz zu; Teofilo, der Sprecher des Philosophen, ergänzt sogleich nachher, im selben Dialog, daß neben dem Materialprinzip allerdings noch ein formales bestehe, wenn auch in inniger Vereinigung mit der Materie, das er Weltkraft nennt, universale Form. Indes wird auch dadurch die materielle Omnipotenz nicht aufgehoben, auch das Formalprinzip Weltseele ist für die Materie ja nur »Steuermann auf dem Schiff«. Und ebendieses Formalprinzip, das als oberstes, als Gottes Wille, »bei dem Mauren Avicebron« noch keine Materie geführt hatte, ist bei Bruno, dem totalen Immanenz-Denker, von der Glut der Materie kaum mehr unterscheidbar. Obwohl Bruno die Materie das erste, die Form das zweite Seinsprinzip nennen mag, so ist ihm die Materie doch die Mutter aller Formen, diese sind ihre Kinder, und zwischen Materie – Form ist keinerlei realer Substanzunterschied. Weshalb Hegel mit Recht über Brunos Prinzip sagt: »Diese Materie ist nichts ohne die Wirksamkeit, die Form ist das Vermögen und das innere Leben der Materie.« Damit gibt Bruno dem Avicenna-Naturalismus Konsequenz: Gott ist nun nicht ein noch selbständiges Moment an der Materie, sondern diese hat das unter dem unbewegten Beweger Gedachte als ihr eigenes, höchst bewegtes Leben selber. Nur Spinozas Pantheismus zeigt ein noch bruchloseres Ineinander der Immanenz, wobei er es nicht mehr nötig findet, sich im Stoff-Form-Verhältnis des Aristoteles und seiner Linken terminologisch-sachlich zu bewegen. Aber auch Spinoza hat den Geist der angezeigten Richtung so wenig verlassen, daß selbst David von Dinant, der ihm fast zuverlässig unbekannte, doch der Sache nach in Spinozas Substanz-Attribute-Einheit wiederklingt. »Deus hyle et mens una sola substantia sunt«, hatte David von Dinant gelehrt; – damit ist unüberhörbar Spinozas Sacheinheit intendiert: Deus sive natura et res extensa et res cogitans. So weit also reichen Vermittlungen der Aristotelischen Linken in die neuere, weltimmanente Philosophie; morgen- wie abendländisch verschlungen arbeitet eine Wahrheit des Materialismus sich hervor. Und zuletzt sei noch auf die nicht geringe Beziehung hingewiesen, die ohne Pantheismus zwischen Avicenna, Averroës und der *Leibniz*schen immanenten Entfaltungslehre besteht. Obwohl auch bei Leibniz das Stoff-Form-Problem terminologisch versunken ist, bleibt die Verwandtschaft der sich entfaltenden Keim-Materie mit der Evolutionsreihe schlafender, träumender, wacher Monaden unverkennbar. Ja, Leibniz hat in diesem Punkt den Averroismus genetischer bedacht als Bruno, den Grundsatz der wachsenden Selbsthervorbringung der Welt.

Die auf Moral gebrachte Religion

Wenn Bücher nicht gut machen, besser oder schlechter machen sie doch. So sagt Lichtenberg, und Bücher, die eine neue Bahn brechen, machen von diesem Satz am wenigsten eine Ausnahme. Was diejenigen Avicennas angeht, so machten sie Köpfe von gestern bedeutend schlechter; das gleiche gilt von den Schriften des Averroës. Denn wie so oft in der Geschichte hat eine in Trägheit befangene oder an geistiger Trägheit interessierte Umwelt an Bedeutendem, das aufging, nur ihre eigene Beschränktheit erfahren, vermehrt und armiert. Das besonders dort, wo eine Gesellschaft, wie die arabische, niederging, zu erstarren begann, und eine feudal-klerikale Decke sich auf das vordem so frisch bewegte, unternehmungsreiche Dasein legte. Das war – bevor das Abendland seine Restaurierungen und Inquisitionen kannte – in der arabischen Kultur bald der Fall. Die islamische Orthodoxie hat an den Aufhebern des Glaubens zum Wissen Rache genommen, sie selber aufgehoben. Avicennas philosophische Enzyklopädie wurde 1150 auf Befehl des Kalifen von Bagdad verbrannt; auch später wurde jedes erreichbare Exemplar vernichtet, vom Urtext gibt es nur Bruchstücke. Die Schriften des Averroës wurden noch zu Lebzeiten des Philosophen, 1196, verbrannt, gegen das Studium seiner wie der griechischen Philosophie ergingen strenge Verbote. Gott, heißt es im Edikt des Kalifen von Cordova, habe das Höllenfeuer denen bestimmt, die lehren, die Wahrheit könne durch pure Vernunft gefunden werden. Der Renegat und Mystiker Algazel, der in seiner »Destructio philosophorum« gegen Avicenna und die Philosophie aufgetreten war, zum Zweck der Wiederherstellung der Religion, hatte an solchen Verfolgungen einen objektiv ideologischen Anteil. Dem Volk wurde die Philosophie verdächtig gemacht; in Tausendundeine Nacht, worin die »Wissenschaften« an sich noch geehrt werden, wo Kenntnisse fast so wie Verskünste den Wert einer Liebessklavin erhöhen, wird Avicenna nur als böser Zauberer erinnert. Philosophie wurde im Orient so gefährlich wie Naturwissenschaft in Italien nach Galileis Prozeß. Das hat sich in der Neuzeit zwar etwas geändert, es finden sich Glossatoren zu Avicenna, so ein guter persischer aus dem siebzehnten Jahrhundert; in Kairo, an der größten arabischen Universität, werden seit dem vorigen Jahrhundert Vorlesungen über Avicenna und Averroës gehalten, doch im ganzen hat der Katechismus über die morgenländischen Doctores Faust gesiegt. Die doppelte Befreiung der vorderasiatischen Völker: vom halbkolonialen Zustand und vielleicht von der eigenen geistigen Erstarrung, wird dort auch das mit Avicenna Angeschlagene wieder tönen lassen können. Es ist sein quellhaftes, selbstmagisch vorgehendes Diesseits, und zwar eines, das keine unfarbige, keine pulslose Materie kennt. Gewiß ist die islamische Philosophie nicht nur auf die Aristotelische Linke beschränkt; Renan setzt, in seinem »Averroès et l'Averroïsme«, sogar die Übertreibung: »Le véritable mouvement philosophique de l'islamisme doit se chercher dans les sectes théologiques«. Er denkt hierbei an die Lauteren Brüder von Basra, doch auch an Mischlehren wie die oben erwähnte der Motekallemin (das ist »Lehrer des Kalam«, des offenbarten Worts) und ihre Paradox-Verbindung von Atomistik mit einziger Kausalität Gottes. Auch diese Nicht-Naturalisten aber waren, als Sektenhäupter, keinesfalls Kronzeugen der Orthodoxie, wie es denn eine philosophisch bemerkenswerte Theologie im Orient überhaupt nicht gegeben hat. Weshalb Renan anderseits betont, indem er zwei Arten Philosophie unterscheidet, die theistische und die naturalistische (mit »matière éternelle, évolution du germe par sa force latente«): »La philosophie arabe, et en particulier celle d'Ibn-Roschd, se classe de la manière la plus décidée dans la seconde de ces catégories« (Averroès et l'Averroïsme, 1852, p. 82). Und vor allem: nicht die philosophisch-religiösen Sekten trugen die »wahre philosophische Bewegung des Islam«, sondern diese wirkte und wirkte einzig fort bei Avicenna und Averroës. Was der Haß gegen Vernunft und Wissenschaft recht wohl erkannte, als er sein Ärgernis an beider Werke nahm und das Licht darin erstickte. Das war ihre Wirkung auf die islamische Orthodoxie, damit haben sie dort sogar noch das Wort »falasuf« und Philosophie selber in Verruf gebracht.

So haben hier Bücher die Menschen schlechter gemacht und wollten sie doch, mit lauter Weisung, bessern. Mit einer Weisung, die gerade die überlieferte Religion nicht nur in Wissen, sondern, wie nun spruchreif, auch in *Tugend* aufheben wollte. Auch diese Art des Naturalisierens gehört, wie am Ende betont werden muß, zu der von Avicenna ab eingeschlagenen Richtung. Wie der theoretische Inhalt der Religion hier weit über ihren Bildern steht und sie abstreift, ebenso steht der praktische Inhalt der Religion weit über ihren Zeremonien und streift sie noch entschiedener ab. Was moralisch bleibt, ist nach Avicenna wie Averroës das natürliche Sittengesetz, mit der Gerechtigkeit als zentraler Tugend. Eben als zentrale ist sie die alle Menschen, unabhängig von ihrem Glauben, dem Gewissen nach verbindende; sie ist *die tätig-allgemeine Gattungsvernunft in bezug auf den Willen*. Ibn Tofail, der von Avicenna bestimmte, mit Averroës verbundene, hat in seinem »Philosophus autodidactus« nicht zuletzt dies natürliche Sittengesetz über den Religionen illustriert. Als sein philosophischer Robinson zu den Menschen zurückkam, fühlte er Überdruß an den religiösen Zeremonien, auch Gesetzen, mißbilligte, daß Mohammed den Menschen in diesen Gesetzen sogar Schätze und Vermehrung ihres Vermögens erlaubt habe, gab jedoch zu, daß alle Weisheit, Zurechtweisung und Besserung, deren die Menschen fähig seien, in dem Vortrag des Propheten enthalten sei, nicht anders freilich als bei Moses und dem Propheten Jesus auch. Diese Toleranz ist deshalb möglich, weil das Beste am religiösen Gesetz eben sein nicht-religiöser Kern sein soll: die Sittlichkeit. Hauptabsicht des Ibn-Tofail-Romans ist es ja gerade, zu zeigen, daß der Mensch ohne Kenntnis einer positiven Religion nicht nur zur Erkenntnis Gottes und der Natur gelangen könne, sondern ebenso zur Weisheit der Tugend. Natürliches Sittengesetz gilt hier also sowohl als Kriterium und Sanktion wie als Inhalt der natürlichen Religion nach ihrer praktischen Seite. Die Eigenschaften Gottes sind nicht seine, sondern Vorbilder für die Menschen, ihrer Gesinnung und der Handlung, worin sie sich bewährt. Bei Maimonides, dem jüdischen Aristoteliker, Avicenna und Averroës nicht ganz fernstehend, erschien das, in seinem »Führer der Verirrten«, so, daß das Wissen um Gott auf diejenigen Attribute beschränkt wird, welche ausschließlich den Menschen, nämlich die Sittlichkeit betreffen. Und auch von hier aus hat der morgenländische Naturalismus nach Europa gewirkt; so auf Abälard, so auf Roger Baco, so zuletzt auf die europäische Aufklärung des siebzehnten und achtzehnten Jahrhunderts. Statt des Koran wurde von Abälard der Dekalog gesetzt und das Evangelium, beide brachten das allen Menschen ins Gewissen eingeschriebene Gute nur zum hellen Ausdruck. Roger Baco lehrte gleichfalls das Sittengesetz als für alle Menschen gleich-einleuchtend und von gleichem Inhalt; es macht nach ihm sogar den Inhalt jeder künftigen, jeder nur möglichen Universalreligion aus. Und was will Spinoza, nach langen Jahrhunderten, doch dem orientalischen Kulturkreis näher als irgendein anderer großer Denker, im »Theologisch-politischen Traktat« dringender zeigen, als daß das Wesen der Religion nicht in der Anerkennung einzelner Dogmen, sondern in der humanen Gesinnung und der daraus entfließenden Praxis bestehe? Der Inhalt der religiösen Symbole mag durch Moral nicht erschöpft sein, aber er ist wesenlos, wenn er nicht jenes Humanum enthält, das in der Moral sich bewährt. Desto schlimmer für die Religion, wenn sie dem widerspricht, desto adäquater für die Moralität, wenn sie das humane Tiefenelement in großen religiösen Urkunden aus dem Mythos heraus auch auf die Erde bringt. Und der Naturalismus steht der Moralität so wenig entgegen, daß er gerade als Standort der Diesseitigkeit sich vortrefflich auf die Früchte versteht, an denen die Güte jedes Glaubens zu erkennen ist. Ebenso wie er sich auf die Besserung versteht, welche ein irdischer Weg ist, kein himmlischer. Die von Avicenna her intendierte Verwandlung der Religion in Besserung war begründet auf natürlichem Licht; vor allem aber sah auch sie sich auf dem Boden einer Welt, deren Formen nichts sind, wenn in ihnen sich kein Stoff formiert und Frucht trägt.

Aristoteles und die nicht-mechanische Materie

Nur jenes Erinnern ist fruchtbar, das zugleich an das erinnert, was noch zu tun ist. Die Aristotelische Linke ist lange her und wurde halb verschüttet, heute taucht sie vor erfrischtem Blick neu auf. Vor allem in ihrer Wendung des Stoff-Form-Verhältnisses taucht sie wieder auf, in einer am Aspekt der Materie hochinteressierten Zeit. Hegel ist wichtig durch die dialektische Methode, aber Aristoteles und seine Linke sind wichtig wegen ihres Begriffs von Materie. Ist sie doch bei ihm die bewegungsreiche, formreiche, die über quantitativer Grundlage *qualitativ* sich entwickelnde. Sie ist als Substrat dieser stufenweisen Entwicklung ebenso *die alles – »nach Maßgabe des Möglichen« – bedingende, wie vor allem, die für alles – als »In-Möglichkeit-Sein«, als »objektive Möglichkeit« – veranlagte.* Das ist ein reicherer Begriff der Materie als der bloß mechanische, bleibt dieser auch durchaus seines Orts bestehen, doch unterhalb der weiteren, qualitativen Bewegungen, Veränderungen, Verwandlungen. Und der Begriff Form bei Aristoteles: suchte er bereits, sie mit dem Stoff zu vermitteln durch den Beziehungsbegriff Entwicklung, so wurde sie in der Aristotelischen Linken fast gänzlich zur immanenten Daseinsweise, Daseinsform der Materie selbst. Das alles ist ein kaum genügend beachtetes Kapitel in der kaum genügend beachteten Geschichte des Begriffs Materie. Formen sind materielle Figurbildungen, und die Bewegung auf diese Bildungen hin, wie immer wieder durch sie hindurch, macht, daß nicht nur die Bewegung nach dem tiefsinnigen Satz des Aristoteles eine »unvollendete Entelechie« ist, sondern daß auch die jeweils ausgeprägte Entelechie als selber noch unvollendete begriffen wird, als prozeßhafte Gestalt wie eben deshalb als Reihe von Versuchsgestalten, Auszugsgestalten der Materie. Und das eben kraft des weiterlaufenden »dynamei on«, »In-Möglichkeit-Seins«, also der *objektiv-realen Möglichkeit, deren*

Substrat die Daseinsmaterie insgesamt darstellt, die in ihren Horizonten noch unabgeschlossene. An der mechanisch-statischen Materie gibt es keinen Prozeß und keine Dialektik: Aufgabe ist daher, das Substrat des dialektischen Prozesses auch nach Seite des Real-Möglichen immer tendenzkundiger zu verstehen. Die menschliche wie physische Welt selber wirkt sich so als eine ihrer Reife, Verwirklichung und Auslage noch entgegengehende. Ihr Stoff ist der in Richtung seiner wesentlichen Daseinsform sich fort und fort ausgestaltende, ausgestaltbare, und das erfüllte Totum dieser Daseinsform steht als reale Möglichkeit, freilich nur als diese, selber noch bevor.

Verwandlung des Aristoteles durch seine Linke, Verwandlung dieser Linken selber

Damit ist zweifellos der Begriff von Stoff und Form sehr viel weiter verwandelt. Sowohl an Aristoteles nochmals wie nicht viel weniger an den Verwandlungen, die er bei seiner Linken erfahren hat. Völlig aufgehoben ist zunächst das Passivum am Aristotelischen Begriff des Möglichen, wie es auf ganz abstrakte Weise mit dem Begriff Materie gleichgesetzt ist. Das angeblich bloß passiv Mögliche, dies nur empfangende Wachs, zeigt sich als »Anlage zu etwas« durchaus nicht bloß wachshaft oder schlechthin unbestimmt; es ist vielmehr voller Wirkform, wodurch das Mögliche sich aktiv zu den in ihm drängenden neuen Wirklichkeiten herausmacht und organisiert. Doch so sehr auch der Begriff der materiellen Wirklichkeit gegen das Aristotelische verändert werden muß: die Größe des Gedankens, die wahrhaft zukunfttragende, mit der Aristoteles Möglichkeit überhaupt und Materie zusammen abgebildet hat, erscheint dadurch desto fruchtbarer. Auch ist die angegebene Bedeutungsverschiebung im Aristotelischen Synonym von Anlage und Möglichkeit bereits selber angelegt und so von der Aristotelischen Linken doch nur weiterentwickelt. Mit dem von Avicenna eingeleiteten Umbruch, der nun eben auch die Form der Materie so potentiell wie potenzhaft, so potenzhaft wie potentiell innewohnend zeigt.

Materie, sagt derart die Aristotelische Linke, ist dasjenige, was die ihm eigentümlichen Formen in sich trägt und in seiner Bewegung zur Verwirklichung bringt. Offensichtlich zugleich impliziert diese – fast von der ganzen Naturphilosophie der Renaissance übernommene – Bestimmung ein Feuer, einen Horizont voll lauter Werdelust. Es ist wahr, diese blühende Bestimmung ergab nicht die Schärfe, womit der mechanische Begriff sich nachher ausgezeichnet hat, doch sie vermied dafür eine bloße Teildefinition der Materie, ihrer Bewegungen und Gestaltungen. Die von der Aristotelischen Linken gelehrte Einbeziehung aller Formen in den Stoff, also auch der organischen und intellektuellen, verhinderte in nuce bereits die Verkürzung, die dem Begriff Materie durch Verabsolutierung der Mechanik, also durch Mechanistik, angetan worden ist. Daher rühmt Marx, in der »Heiligen Familie« (Mega I 3, S. 304 f.), die Renaissance-Dimension der Materie, diese bereits von der Aristotelischen Linken bedeutete: »Unter den der Materie eingeborenen Eigenschaften ist die Bewegung die erste und vorzüglichste, nicht nur als mechanische und mathematische Bewegung, sondern mehr noch als Trieb, Lebensgeist, Spannkraft, als Qual – um den Ausdruck Jakob Böhmes zu gebrauchen – der Materie. Die primitiven Formen der letzteren sind lebendige, individualisierende, ihr inhärente, die spezifischen Unterschiede produzierende Wesenskräfte. In Baco ... birgt der Materialismus noch auf eine naive Weise die Keime einer allseitigen Entwicklung in sich. Die Materie lacht in poetisch-sinnlichem Glanz den ganzen Menschen an. Die aphoristische Doktrin selbst wimmelt dagegen noch von theologischen Inkonsequenzen.« Es ist die so bezeichnete Inkonsequenz, die der Materialismus von Hobbes ab gänzlich aus der Welt geschafft hat, doch bei Bruno bereits, dem Materialisten der natura naturans, findet sich diese theologische sogenannte Inkonsequenz nur pantheistisch. Sonst ist die endlich mit Potenz erfüllte Materie mächtig genug, um, wie Goethe sagt, des Geistes, der die passive nur von außen stößt, zu entraten. Das also ist die *erste Verwandlung*, als die von der Linken *an Aristoteles* schon begonnene: die *Aktivierung* der Materie.

Doch auch so ist die Frucht aus dem damals neu erlangten Stoff-Form-Verhältnis noch nicht voll gereift. Denn – und damit wird die Verwandlung der Aristotelischen Linken selber angezeigt – auch Brunos blühende Materie ist eine im ganzen bereits fertige. Bruno nimmt mit der Lehre von der im Weltall zu Ende realisierten Stoff-Möglichkeit den Avicenna wie den Averroës auf, als welche beide ihre Form-Materie schon zu Ende gebaut sein ließen. Aber diese letzthinnige *Statik* ist bei Bruno auffallender als bei der eigentlich Aristotelischen Linken und gar als bei Aristoteles selbst. Denn wenn die gestaltenschwangere Materie, die sich ewig verwandelnde, trotzdem im ganzen fertig ist, stillsteht, dann blickt das bei dem Kopernikaner Bruno, sodann bei dem Kosmologen einer unendlichen Formschwangerschaft anders drein als bei Philosophen des Mittelalters. Avicenna und Averroës lebten im ptolemäischen System, ihr Stoff-Form-Verhältnis selber war trotz natura naturans immer noch hierarchisch in eine Weltkugel gebaut. Doch auch der Kopernikaner Bruno, der Denker gärender Unendlichkeit, läßt die Materie seines Weltalls als fertige bereits alles sein, was sie sein kann, mit dem Argument, daß im Ganzen des Universums sämtliche Möglichkeiten bereits verwirklicht sein müßten, denn sonst ermangelte die Vollkommenheit dieses Ganzen ja eines Schlusses, und sie wäre nicht vollkommen. Bruno hat zweifellos mit dieser Ganzheit-Statik ein Stück Ptolemäus in der Philosophie beibehalten, vermehrt sogar um das theologische »Posset«, das absolut vollendete »Könnensein«, womit Nikolaus von Cusa hundert Jahre vorher die Vollendetheit in seinem Gottesbegriff definiert hatte. Mit alldem hat auch Bruno der von Marx bezeichneten Spannkraft des Renaissance-Materialismus, des von Bruno so groß vertretenen, die eigentliche Produktions-Dimension versperrt. Die Spannkraft der Bruno-Welt, der radikalen Potentialität-Potenz-Materie, schlägt zwar im dauernden Puls der Gegensätze und ihrer Lebendigkeit, dennoch eben ruht das Ganze in lauterer statischer Harmonie dieser Gegensätze, ja macht diese Statik auch noch in den zeitlichen Dauergebilden, räumlichen Großkörpern des Universums sichtbar. Das aber blockiert genau die sich ausgestaltende Möglichkeit oder die von Avicenna bis Bruno eröffnete Lebensfülle der Materie, es unterbricht die in ihrem wahren Ganzen und Totum noch nicht ausgetragene. Voll verwirklichte Möglichkeit ist keine, ein bereits als fertig gesetztes All-Leben setzt auch das aktiv begriffene *Dynamei on* letzthin in Halbiertes, wo nicht in einen anderen Mechanismus der Unlebendigkeit. Dergleichen also macht die *zweite Verwandlung* der großen Stoff-Form-Tradition unabwendbar, eine Verwandlung, wie sie nunmehr den *Horizont* der Stoff-Möglichkeit, nicht nur ihre *Passivität* betrifft. Auch die so.gesetzte Verwandlung, das muß betont werden, ist schon im Aristotelischen Begriff der *Anlage* impliziert, als einer nicht nur aktiv-dispositionellen, sondern ebenso antizipatorisch-latenten Anlage. Und es ist deren mit gärender Zukunft gefüllte Latenz, die genau die *Fruchtbarkeit* der Materie ausmacht, ihre Fähigkeit, sich in immer neuen Daseinsformen zu manifestieren. Und nicht nur in immer neuen, sondern in immer genaueren Daseinsformen, als solchen, die dem noch nicht herausgebrachten Kern dieses Daseins immer adäquater sind. Eben in Zielrichtung der wesentlichen Daseinsform jenes ausstehenden Totum, in dem die reale Möglichkeit nicht abgebrochen, sondern realisiert wäre. Das noch Latente in der Anlage der Welt insgesamt erklärt erst die Prozeßmühe und Gestaltenfülle, womit das Latente sich fortschreitend herausarbeitet, manifestiert. Aber weil dem so ist, weil der berichtigte Möglichkeitsbegriff der Aristotelischen Materie die beste Abbildung der wirklichen Materie-Anlage darstellt, darf das Substrat der dialektisch sich herausprozessierenden, sich immer wieder durchbrechenden Daseinsformen nicht durch die alte Pan-Materie umrundet werden. Genau die abschließende Himmelsdecke ist hier noch nicht gesprengt, die Kreis-Idolatrie ist noch nicht aufgehoben, die gleiche fast, die unter so ganz anderen Zeichen, aus der Rundung des Raums in die der Zeit gebracht, noch bei Hegel den Prozeß stabilisiert hat. Begriffslos blieb darum die *Geburt des Neuen aus dem Fundus der objektiv-realen Möglichkeit, aus der Materie als Substrat dieser Möglichkeit.* Erst echter historisch-dialektischer Materialismus, wohlverstanden: nicht der noch östlich übliche von heute, nicht der erneut stationierte, ja kasernierte, entspannte, banalisierte, so ohne Freiheit wie ohne Offenheit abgerichtete, erst der mit »den Keimen einer allseitigen Entwicklung« bewegte, auf den Horizont der Zukunft bezogene, schafft dem Remedur. Aber sein Begriff der dialektischen Mate-

rie, mit der Spannkraft ihrer Lebendigkeit, ist und bleibt allemal auch Aristoteles zu Dank verpflichtet und den selber noch
nicht beendeten Folgen der Aristotelischen Linken. So wurde
diese hier erinnert – Avicennas Gedenktag ist zugleich einer an
ein früheres, nicht erledigtes Materiebild *ohne Mechanistik.* Es
war gewiß voll weit größerer theologischer Inkonsequenzen als
das Materiebild der Renaissance, doch diese sind durchschaut
und abgetan. Was höchst bedenkenswürdig bleibt, ist Dynamei
on als Wirkungskraft und Samen, ist »materia universalis«, die
die Welt im Innersten wie Äußersten, im Ersten wie Letzten
unabgeschlossen zusammenhält. Auch die Materie also hat ihre
Utopie; in der objektiv-realen Möglichkeit hört diese auf, eine
abstrakte zu sein.

Kunst, die Stoff-Form entbindend

Stets entwickelt die menschliche Arbeit das vorhandene Dasein
fort. Sie verändert die Gegenstände, indem sie sie für unsere
Zwecke gesetzmäßig umleitet oder weiterführt. Die Arbeit der
künstlerischen Gestaltung ist davon nur durch die Art des
Zwecks verschieden, eines unterhaltend-bedeutenden, zu dem
sie das von ihr Ergriffene fortbildet. Indem das Unterhaltend-
Bedeutende immer im wesenhaft geklärten oder erhöhten Sujet
geschieht, stellt sich auch hier ein notwendiger Bezug zu dem
heraus, was Avicenna als dispositionellen Stoff bezeichnet hat.
Völlig mit der Tradition des formträchtigen und weiter zu ent-
bindenden Stoffs ist dergestalt eine Äußerung Lessings verbunden. Der Maler in »Emilia Galotti« (1. Aufzug, 4. Auftritt), der
dem Prinzen das bestellte Bild bringt, spricht Lessings eigene
Meinung aus, und zwar in diesen an Aristoteles, erst recht an
Avicenna-Averroës gemahnenden Worten: »Die Kunst muß
malen, wie sich die plastische Natur – wenn es eine gibt – das
Bild dachte: ohne den Abfall, welchen der widerstrebende Stoff
unvermeidlich macht, ohne den Verderb, mit welchem die Zeit
dagegen ankämpft.« Der widerstrebende Stoff, das ist die Materie des »Nach-Möglichkeit-Seins«, als Störung oder Hemmung genommen; die vermutete plastische Natur aber, sich ihr
Bild denkend, das ist die Materie des »In-Möglichkeit-Seins«,

durch den Künstler weiter aktualisiert. Und zwar – was gerade auf die Aristotelische Linke hinweist – als nicht passive, sondern aktive Materie, das ist, als natura naturans, die eben ihre eigene Potenz-Potentialität im Künstler weiter aktualisiert. Vorhandenes Dasein wird mithin nicht sklavisch abgemalt, noch aber auch mit aufgeprägter Form vergewaltigt, sondern das in seinem Stoff Angelegte, gegebenenfalls nicht zur vollen Deutlichkeit Ausgereifte wird künstlerisch zu Ende getrieben. Alle Kunst ist in Lessings averroistischem Diktum plastisch getriebene, weitergetriebene Arbeit, wie im geformten Material, so im geformten Sujet-Stoff des Gegenstands. Ja, so verschiedene, verschiedenrangige Denker wie Schopenhauer und Hegel sind in dem Gedanken der künstlerischen Form-Entbindung aus der formschwangeren Stoff-Natur einig. Beide allerdings mit relativer Herabsetzung der Natur, mit Verwandlung des Künstlers in das, was vom »dator formarum« geblieben ist. So behauptet Schopenhauer vom künstlerischen Genius, daß er »gleichsam die Natur auf halbem Worte versteht und nun rein ausspricht, was sie nur stammelt, daß er die Schönheit der Form ... dem harten Marmor aufdrückt, sie der Natur gegenüberstellt, ihr gleichsam zurufend: ›Das war es, was du sagen wolltest‹ und ›Ja, das war es‹ hallt es aus dem Kenner wider« (Die Welt als Wille und Vorstellung I, § 45). Hegel aber, trotz seiner Zurückhaltung gegen das noch ungestaltete Naturschöne, bekennt ebenso Lessingisch: »Wie von dem Äußeren des menschlichen Körpers gesagt ist, daß an der Oberfläche desselben, im Gegensatz des tierischen, sich überall das pulsierende Herz zeigt, in demselben Sinne kann von der Kunst behauptet werden, daß sie das Erscheinende an allen Punkten seiner Oberfläche zum Auge umzuwandeln habe ... So läßt sich von der Kunst sagen, sie mache jede ihrer Gestalten zu einem tausendäugigen Argus, damit die innere Seele und Geistigkeit an allen Punkten der Erscheinung gesehen werde« (Vorlesungen über die Ästhetik, Werke X¹, S. 197). Auch in dieser Definition wird deutlich eine Art künstlerischer Herausführung latenter Form-Inhalte bezeichnet. Das zwar nach Maßgabe eines ästhetischen Ideals, doch eines in der bewegten Erscheinung immanent vorgebildeten.

So nun tritt der neuere Künstler als die zugleich entbindende und vollendende Kraft auf. Dergestalt, daß er die im Stoff angelegte Gestaltung des Stoffes klar und deutlich herausbringt, herausstellt. Form, »Geistigkeit«, wird dadurch identisch mit dem immanent-entelechetischen Typus der Dinge, der Charaktere, der Situationen. Avicenna hatte die Form die »feurige Wahrheit« des Stoffs genannt, Averroës ließ diese Wahrheit durch die »kreisende Bewegung des Himmels« wachsend in der Materie hervortreten. Der Künstler freilich findet sich in der Aristotelischen Linken wie bei Giordano Bruno nur als universale oder pantheistische natura naturans, nicht als individuelle. Die Betonung des Künstlers selber als des vollendenden Bewegers kam in die Neuzeit erst durch den großen Humanisten Julius Caesar Scaliger; ebenso jedoch war Scaliger mit dem Naturalismus von Padua, der Hochburg des Averroismus, verbunden. Scaliger definierte in seiner folgenreichen »Poetik« (1561) den Dichter als einen, der die Natur nicht nachahmt, »gleich wie ein Schauspieler«, sondern der sie weiterschafft, zu Ende führt, »wie ein anderer Gott«, das ist, wie ein Prometheus; so jedoch, daß aus dem Vorhandenen, »ohne Hindernisse« das Typisch-Reale herauskommt. Das Typisch-Reale ist die »species«, also die angelegte entelechetische Form; daher gut averroistisch: »In ipsis naturae normis atque dimensionibus universa perfectio est« (De arte poetica, p. 285). Was im Zusammenhang mit Scaligers Prometheus-Künstler bedeutet: Das Kunstschöne hat die in den Normen und Dimensionen der Stoff-Natur angezeigte Vollendung schöpferisch zur Gestaltung zu bringen. Hier wie erst recht in den Implikationen des Lessing-Satzes liegt also die *ästhetische* Nachreife der Aristotelischen Linken, soll heißen, ihrer kunstfähigen Lehre von der formenschwangeren Materie. Das zugleich, was das erstrebbar Typische angeht, in Konsequenz des Aristotelischen Satzes, die Dichtung sei ein Philosophischeres als die Geschichtsschreibung, denn sie zeige mehr das Allgemeingültige (die volle Einheit der geschehenden Sache), die Geschichtsschreibung dagegen mehr das Einzelne (vgl. Über die Dichtkunst, Philos. Bibl., S. 14). Womit schließlich der Goethische Aristotelismus zusammenzuhalten ist (in »Diderots Versuch über die Malerei«), wenn er folgendermaßen Natur nicht abzumalen, sondern immanent weiterzumalen heißt: »Und so gibt der Künstler, dankbar gegen die Natur, die auch ihn hervorbrachte, ihr eine zweite Natur, aber eine gefühlte, eine gedachte, eine menschlich vollendete zurück.« Auch aus diesen Erinnerungen erhellt: Das Amt der auf die Füße gestellten, unabgeschlossenen Entelechie ist nicht zu Ende, am wenigsten, was ästhetischen Realismus angeht, von der Dummheit des Abklatsches wie gar den Lügen der Schönfärberei so sehr verschieden. Schaffende Kunst ist eine, indem sie sowohl das Typisch-Bedeutende kenntlich macht, wie indem sie das ungeworden Mögliche im bewegt Wirklichen anfeuernd, ermutigend, als realistisches Ideal vorausgestaltet. Auch dazu bedarf der Stoff-Form-Begriff, wie ihn Avicenna in naturalistische Erinnerung brachte, weiterer linker Philosophie als der Philosophie dialektisch-materialistischer *Tendenz und Latenz zugleich*. Item auch hier: Der Schoß der Materie ist mit dem bisher wirklich Gewordenen noch nicht erschöpft; die wichtigsten Daseinsformen ihrer Geschichte und Natur stehen noch in der Latenz realer Möglichkeit. Dies Wichtigste, historisch sich vermittelnd, erscheint als realistisches Ideal und eben als eines, das der zum Möglichen offenen Wirklichkeit, also der unbeendeten Materie immanent ist. Das Dynamei on hat übergenug Platz fürs realistische Ideal; dessen Form ist erst dieses ganz, was Avicenna »die feurige Wahrheit der Materie« genannt hat. Dies mit einem Anklang an Heraklits Feuer, – nicht als »Wesen« der Dinge, doch so, daß sie auf Feuer wie einem Herd stehen, und so das Wesen ihrer Materie sich auskocht, reift.

Aristoteles

»Auch das Licht macht die nur als möglich vorhandenen Farben
zu wirklichen.«

Über die Seele (Philos. Bibl.), S. 79

»Wir unterscheiden erstens den Stoff, der an und für sich noch
kein bestimmtes Dieses ist, zweitens die Gestalt und Form, auf
Grund derer man nunmehr etwas als das bestimmte Dieses bezeichnet, und drittens das aus Stoff und Form zusammengesetzte. Der Stoff ist die Möglichkeit (Potentialität), die Form aber
die Wirklichkeit (Aktualität).«

Ebenda, S. 28

»Es gibt so viele Arten der Bewegung und Veränderung, als es
Arten des Seienden gibt. Indem sich aber alles in jeder Gattung
nach Potentialität und Aktualität teilt, so nenne ich die Aktualität des Potenziellen, insofern es ein solches ist, Bewegung ...
Nun findet aber das Bewegtwerden statt, solange die Potentialität zugleich Wirklichkeit ist, nicht früher und nicht später.
Also ist die Bewegung nichts anderes als die Wirklichkeit des
potenziell Seienden, insofern es beweglich ist.«

Metaphysik II (Philos. Bibl.), S. 74

Avicenna

»Die philosophischen Wissenschaften zerfallen in theoretische
und praktische. Die *theoretischen* (sie zerfallen in Mathematik,
Naturwissenschaft und Metaphysik) verfolgen das Ziel, die
Denkfähigkeit der Seele dadurch zu vervollkommnen, daß sie
den Verstand aktuell denkend machen. Dieses wird dadurch erreicht, daß der Verstand die begrifflich auffassende und über
die Außenwelt urteilende Wissenschaft von den Dingen erlangt, die nicht unsere Handlungen und Verhältnisse sind. Die
praktische Philosophie (Ethik) ist diejenige, die zunächst die
Vollendung der theoretischen Denkfähigkeit erstrebt, indem

durch sie ein begrifflich auffassendes und urteilendes Wissen von Dingen auftritt, die unsere Handlungen selbst sind. Der Zweck dieses theoretischen Wissens ist der, daß wir in zweiter Linie von dieser Wissenschaft die Vollendung der praktischen Fähigkeit durch gute Charaktereigenschaften erlangen ... Die Metaphysik aber (der Schlußteil der theoretischen Philosophie) ist diejenige Wissenschaft, welche die ersten Ursachen des unter Naturwissenschaft und Metaphysik fallenden Seins (als *Problem*) untersucht.

Diese Wissenschaft muß nun notwendigerweise in viele Teile zerfallen. Der eine untersucht die erste Ursache, von der jedes bewirkte Sein abhängt. Ein anderer Teil untersucht die Akzidenzien des Seins (Früher, Später, Potenz und Aktus, das Ganze und der Teil, die Individualität, das Verschiedensein, die Gegensätze und mehr), ein dritter die ersten Prinzipien der partikulären Wissenschaften. Denn die ersten Prinzipien einer jeden Wissenschaft, die geringeren Umfang besitzt, bilden die *Probleme* für die Wissenschaft, die einen weiteren Umfang besitzt. So sind zum Beispiel die Prinzipien der Medizin (der lebende Körper und die Gesundheit) Probleme der Naturwissenschaft und ebenso die Prinzipien der Planimetrie Probleme der Geometrie. So erläutert die Metaphysik, als eine ihr akzidenzielle Aufgabe, die ersten Prinzipien der partikulären Wissenschaften ... Daher ist es also klar und einleuchtend, welcher Gegenstand den Zweck dieser Wissenschaft bildet.«

Die Metaphysik Avicennas, übers. v. Horten, 1909, S. 2 ff.

»Jedes Ding, das neu entsteht, hat vor seinem Werden entweder in sich die (stoffliche) Möglichkeit zu existieren oder es ist unmöglich.«

Ebenda, S. 269

Dasselbe, weiter ausgeführt, gegen die Annahme, das Mögliche, weil es nicht verwirklicht, sei selber nicht: »Die Natur dessen, was in der Potenz existiert, befindet sich ausschließlich in der Materie als seinem Substrat. Daher ist die Materie so beschaffen, daß man sagen kann, sie bestehe in sich selbst der Potenz nach und sei existierend.«

Ebenda, S. 147

Allerdings verwirklicht das stoffhaft Mögliche nicht, es ist keine Ursache für die *Existenz* der Formen. Materielle Ursache ist bloß eine für die Möglichkeit dieser Existenz, aber freilich auch eine, die *deren Inhalte disponiert*:

»Die Materie kann nicht die Ursache für die Existenz der Formen sein. Dies ist aus folgenden Gründen einleuchtend: erstens die Materie ist nur in dem Sinn Materie, daß sie die Fähigkeit hat, etwas in sich aufzunehmen und für etwas disponiert zu sein. Dasjenige aber, was disponiert ist, kann als solches nicht Ursache sein für die Existenz dessen, für das es disponiert ist (die Form). Wenn es Ursache wäre, so ergäbe sich notwendig, daß jenes andere (die Form) immer in ihm zugegen sein müßte, auch ohne vorherige Disposition. Zweitens ist es unmöglich, daß das Wesen eines Dings in aktueller Weise Ursache für ein anderes Ding sei, während es selbst noch in der Potenz verharrt.«

Ebenda, S. 138

Nähere Darlegung der materiellen Ursache, die die Stoff-Potenz als disponierende darstellt. Die Dispositionen (Anlagen) variieren die Formen unmißverständlich auch ihrem Inhalt nach (hier spricht Avicenna durchaus nicht aristotelicissime):

»Was die materielle Ursache (causa materialis) angeht, so ist es diejenige, in der die Potenz für die Existenz eines Dings besteht. Wir lehren deshalb: ein Ding kann sich in diesem, eben genannten Zustande in Beziehung auf eine Wesensform befinden in verschiedenen Arten und Weisen. Manchmal verhält sich die Materie so wie die Tafel zur Schrift; sie ist dann disponiert für die Aufnahme eines Dinges, das ihr wie ein Akzidens zukommt, ohne daß sich die Materie bei der Aufnahme dieses Dinges verändert und ohne daß sie irgend etwas einbüßt auf Grund dessen, was ihr von der Ursache zukommt. Manchmal verhält sich die Materie so wie das Wachs zum Bildnis und der Knabe zum Mann. Sie ist dann disponiert, die Wesensform eines Dinges in sich aufzunehmen, die ihr wie ein Akzidens zukommt, ohne daß sie sich in ihren Zuständen verändert, es sei denn höchstens durch die Bewegung in bezug auf den Raum, die Quantität und andere Kategorien.

Manchmal verhält sich die causa materialis wie das Holz zum Ruhebett. Von ihm werden Bestandteile durch die Schreinerarbeit entfernt (so daß es von seiner Substanz etwas verliert). Manchmal verhält sie sich wie das, was vom Schwarzen zum Weißen übergeht. Dieses wird verändert und verliert seine Qualität, die es früher besaß, ohne daß jedoch seine Substanz vernichtet wird. Manchmal verhält sie sich wie der Same zum Tier. Der Same muß seine Wesensformen vollständig verlieren, so daß er disponiert wird, die Wesensform des Tieres in sich aufzunehmen. Ebenso verhalten sich die Herlinge zum Wein. Manchmal verhält sich die causa materialis wie die erste Materie zur Wesensform. Sie ist disponiert, dieselbe in sich aufzunehmen, und besteht aktuell durch dieselbe. Ein anderes Mal verhält sie sich wie die Myrobalanen zum Teige. Der Teig entsteht nicht aus dieser Frucht allein, sondern aus ihr zugleich in Verbindung mit einer anderen Speise. Vor der Mischung ist sie nur ein Teil von den vielen Teilen des Teiges und verhält sich zu ihm wie die Potenz. Manchmal verhält sich die causa materialis wie das Holz und die Steine zum Gebäude. Diese Art und Weise ist der eben genannten verwandt; jedoch entsteht in der eben genannten Art der Teig aus (der Mischung mit) der genannten Frucht, indem diese sich in ihrer Substanz verändert.

In den eben angegebenen Arten und Weisen finden wir die Dinge, die Substrate sind für die Potenz. Sie sind entweder Substrat für dieselbe in ihrer Individualität allein (mit Ausschluß anderer Dinge) oder in Verbindung mit anderen. Sind sie nun in ihrer Individualität Träger der Potenz, so verhalten sie sich entweder so, daß sie, um eine Wirkung hervorzubringen, nur des aktuellen Hervorgehens der Handlung bedürfen. Eine solche Ursache wird in vorzüglichem Sinne Substrat genannt im Verhältnis zu dem, was in ihr vorhanden ist. Solche Wirkungen haben notwendigerweise in sich selbst ein aktuelles Bestehen (es sind also Substrate gemeint, die selbst Substanzen sind, d. h. nicht das absolut erste Substrat, die materia prima). Wenn jedoch das Substrat in sich keinen selbständigen Bestand hat, dann kann es nicht disponiert sein zur Aufnahme des formellen Prinzips. Es muß vielmehr zuerst in sich selbst aktuell bestehen. Wenn es sich jedoch so verhält, daß es nur durch das formelle

Prinzip, das in das Substrat eintritt, zum selbständigen Bestande gelangt, dann war *vor dem Auftreten dieses zweiten, formellen Prinzipes in dem Substrate etwas anderes vorhanden, und dieses verlieh ihm den Bestand.* Eine andere Möglichkeit ist die, daß das zweite, das formelle Prinzip, dem Substrate nicht den Bestand verleiht, sondern zu ihm (wenn es bereits in seiner fertigen Natur besteht) hinzugefügt wird. Oder es kann sich so verhalten, daß die Hinzufügung des formellen Prinzipes dasjenige aus dem Substrate entfernt, was ihm vordem den Bestand verlieh; dann verändert es sich im eigentlichen Sinne des Wortes. Wir hatten jedoch vorausgesetzt, daß das Substrat sich nicht verändere.

Diese Art der materiellen Ursachen bildet also eine Gruppe für sich. Sie bedarf entweder (um die Wirkung herzustellen) der Hinzufügung eines Dinges, oder sie ist eine Bewegung, sei es eine räumliche oder eine auf die Qualität, Quantität, Lage und Substanz sich erstreckende, oder, drittens, das Substrat ist Ursache dafür, daß aus ihm ein nicht substanzielles Ding, sei es nun ein quantitatives, qualitatives oder ähnliches, entfernt werde. Die Materialursache, die in Verbindung steht mit anderen Dingen, geht notwendigerweise eine Verbindung mit anderen Substanzen und eine Zusammensetzung ein. Es entsteht dann entweder nur eine Zusammensetzung nach der Art einer Juxtaposition, oder es tritt neben diesem noch eine Veränderung in der Qualität ein. Alles aber, was sich verändert, gelangt durch eine einzige oder durch mehrere Veränderungen zu dem letzten Endpunkte (und daher hat jeder Veränderungsprozeß eine oder mehrere Phasen).«

Ebenda, S. 407 ff.

Bekräftigung der materiellen Entwicklung auf die Wesensform; die Materie ist nicht nur quantifizierend, sondern auch qualitativ determinierend:

»Die Einwirkung besteht darin, daß die Materie die Wesensform individualisiert und determiniert ... Jedes einzelne von diesen beiden Prinzipien, die Materie und die Wesensform, ist Ursache für das andere in irgendeiner bestimmten Hinsicht und bezüglich einer bestimmten Realität, nicht in einer und derselben Hinsicht. Wenn dieses nicht der Fall wäre, dann besäße die materielle Wesensform keine notwendige Abhängigkeit von der Materie in irgendwelcher Weise. In diesem Sinne haben wir schon früher auseinandergesetzt, daß zur Existenz der Materie nicht die Wesensform allein genüge. Die Wesensform verhält sich vielmehr nur wie ein Teil der Ursache. Wenn dieses sich aber so verhält, dann kann die Wesensform nicht in jeder Beziehung als Ursache für die (gestaltete, individuierte, determinierte) Materie bezeichnet werden, indem sie zugleich in sich selbst unabhängig von der Materie und selbständig wäre.«

Ebenda, S. 600

Der Körper ist die materiell-formale Einheit als physikalischer Gegenstand. Aber Avicenna will *diesen Körper nicht nur als dreidimensionalen bestimmt wissen*. Der Körper ist in seinen Dimensionen mindestens verwandelbar, diese also sind ihm nicht wesentlich. Ebensowenig ist dem Körper ein Oben oder Unten wesentlich, etwa daß er sich unter dem Himmel befinde und so endlich sein müsse. Wesentlich ist dem Körper einzig, jenseits dieses Relativen, daß er in Form der Kontinuität bestehe, die die Eigenschaft hat, bestimmte Dimensionen auch abzulegen. Damit wird die Körperhaftigkeit implicite *nicht notwendig als res extensa oder nur quantitativ gedacht*. Sie liegt vielmehr tiefer als die jeweilige Extension und subsistiert auch in nicht quantitativen Erscheinungen:

»Es gehört nicht zu den notwendigen Bedingungen des Körpers, daß er Dimensionen besitze ... Ebensowenig ist das esse corpus notwendig abhängig von der Bestimmung, daß er unter dem Himmel seinen natürlichen Ort habe, so daß ihm die verschiedenen Seiten zu eigen sind auf Grund der verschiedenen Richtungen des Weltalls ... Alle Dimensionen, die im Körper innerhalb seiner Grenzen angenommen werden, auch seine Gestalten und Lagen, sind folglich Dinge, die nicht integrale Bestandteile seines Wesensbegriffs ausmachen ... Das eigentliche Wesen der Körperlichkeit ist die Wesensform der Kontinuität, die aufnahmefähig ist für die Art und Weise der drei Dimensionen.« – Es ist ein früher Leibniz in diesen dynamischen, den Raum erst von daher setzenden Bestimmungen, eine bedeutende Erweiterung des Begriffs esse corpus hinter das Quantitative zurück und darüber hinaus.

Ebenda, S. 98 ff.

Averroës

Der Verstand kann nur die allgemeinen Formen erfassen, diese aber kommen nur in stofflicher Vielheit vor. Wenn daher der Verstand trotzdem diese stoffliche Vielheit begreift, wenn sie nicht unaussagbar ist, dann können die begreifbaren Formen nicht außerhalb der stofflichen Vielheit liegen. Diese Vielheit wäre sonst unbegreiflich, es gäbe nur ein Wissen um die allgemeinen Formen, nicht um die weltlichen Dinge. Daß es aber ein solches Wissen gibt, das eben kommt davon, daß die Formen im Stoff selbst leben; so kann sie der Verstand als viele erfassen:

»Die Annahme von Seelen ohne Stoff, die trotzdem viele sein sollen, ist etwas Unerhörtes. Denn die Ursache der Vielheit ist die Materie, während die Ursache des Übereinstimmens in der Vielheit die Form bildet. Daß also numerisch viele Dinge, die in der Form übereinstimmen, ohne Materie existieren sollen, ist unmöglich.«

Die Widerlegung des Gazali (Destructio destructionis), übers.
v. Horten, 1913, S. 30

Der Stoff ist auch als Mögliches nicht unaussagbar oder spukhaft, er existiert vielmehr wirklich. Und sein reales Substrat: die Materie kann selber in irgendeinem Vorher nicht nicht-gewesen, also erst geschaffen worden sein. Das Mögliche, Aufnahmefähige, Potenzielle, Materielle ist ungeschaffen, denn wäre es geschaffen, dann hätte der Aktus seines Erschaffens etwas aus einem nicht einmal Möglichen geschaffen; was unmöglich ist. Folglich braucht die Materie keinen Schöpfer, um zu sein, sie ist vielmehr mitsamt der Bewegung in ihr ewig. Die Materie ist derart einer Schöpfung weder fähig noch bedürftig; ein vorweltlicher ewiger Allah ist neben der weltlich-ewigen Materie nicht beweisbar:

»Die Möglichkeit erfordert ein reales Ding, dem sie inhäriert ... Bei der Möglichkeit in der Ursache ist daher die Möglichkeit des aufnehmenden Prinzips eine notwendige Bedingung; denn die Ursache, die nicht wirken kann, ist unmöglich ... Es muß also (in der ewigen Materie) eine ewige Bewegung vorhanden sein, die jene Aufeinanderfolge in der Materie bewirkt von entstehenden und vergehenden Dingen in anfangloser Kette; denn unter Entstehen versteht man die Veränderung und Umgestaltung eines Dinges aus einer Potentialität zum Akte ... Folglich ergibt sich, daß im Werdeprozeß eine (anfanglose) Potentialität vorhanden ist als Substrat der konträren, sich an ihm abwechselnden Wesensformen.«

Ebenda, S. 104 f.

Das Hinüberführen des Möglichen zum Wirklichen nun beginnt schon im Möglichen, indem es als solches ein Schoß ist. In der Materie reifen die Formen selber als dispositionelle, latente heran, und der Aktus (zuhöchst als Weltbeweger gedacht) kann keine einzige neue hervorbringen, er verwirklicht nur. Im großen Kommentar zur Aristotelischen Metaphysik macht das Averroës (bei Erläuterung von Arist. Metaph. XII, 3) ganz deutlich: Die Bewegungsursache gibt den Dingen nicht ihre Formen, sondern ist *der bloße Eductor der Formen*, sie bringt die in der Materie liegenden Formen nur ans Licht (non dat, sed extrahit). Folglich sind auch die Seelen und Gedanken als Formen in der Materie schon angelegt, und zwar derart, daß dieses wie alles Angelegtsein eine nicht bloß passive, sondern suo genere aktive Möglichkeit einschließt. Die damit bedeutete Fähigkeit: Formen bis zu ihrer Aktualisierung, das heißt bis zum Sprung des Wirklichwerdens auszureifen, erweitert den Begriff des Möglichen sehr stark; Möglichkeit als aktive Disposition wird Inkubation, wird Schoß einer natura naturans. Zugleich zieht diese Erweiterung nicht nur die Formen, sondern gerade auch das Aktualisierende an ihnen in die Aristotelische dynamis herein. Im Griechischen hat dynamis bereits den passiv-aktiven Doppelsinn: Possibilität und Potenz, Möglichkeit und Vermögen zu sein. So scharfe Logiker wie Avicenna und Averroës haben diesen Doppelsinn (er wiederholt sich im Arabischen) ohnehin bemerkt, sie sind ihm nicht etwa, als einer bloß sprachlichen Mehrdeutigkeit, zum Opfer gefallen. (Averroës unterscheidet – in der »Widerlegung des Gazali«, S. 104 – ausdrücklich die beiden dynamis-Bedeutungen: »Dieses Ding kann vollbracht werden« und: »Zaid kann dieses vollbringen«.) Weit entfernt von undurchschauter Äquivokation hat also Averroës, in Ansehung der dynamis-Materie, den passiv-aktiven Doppelsinn durchaus akzeptiert. Eben die spezifische »Potenz« zur Formreifung schwingt nun in der generellen »Potentialität« der Materie und macht die dynamis-Materie zum Schwangerschaftsort der ungewordenen, doch heranreifenden Formgestalten.

Nicht minder geschieht dadurch eine Weiterführung des anderen Aristotelischen Materiebegriffs, des Nach-Möglichkeit-Seins (kata to dynaton) neben dem In-Möglichkeit-Sein (dynamei on). Das heißt, durch die genau bedingende Potenz wird die Abfolge des Früher oder Später der Erscheinungen bestimmt. Dergestalt, daß Averroës eine »nähere oder fernere Potenz« in den materiellen Dispositionen unterscheidet, dem Früher oder Später der möglichen Aktualisierung entsprechend. So sind also keineswegs alle Dinge jederzeit möglich, es gibt vielmehr – vom Ausgangspunkt der »näheren oder ferneren Potenz« her – einen Fahrplan der Entwicklung, und das ohne Überspringung der Stationen. Derart sind auch die *Abfolge-Reihen* der Forminhalte, nicht nur diese Inhalte selber, in der Potentialität-Potenz der Materie disponiert. Das ist ein Gedanke, der sich bei Aristoteles längst nicht in dieser Deutlichkeit findet; er enthält schließlich nichts Geringeres als die Erkenntnis einer an jedem Punkt notwendigen, durch die Reife der Bedingungen bestimmten Fortschritts-Vermittlung. Mit besonderer Betonung des historischen Früher und Später der Formaktualisierung führt so Averroës, im kurzen Kommentar zur Metaphysik des Aristoteles, aus:

»Da klar geworden ist, was Potentialität und Aktualität bedeuten, so werden wir nun darstellen, wann ein jedes einzelne der individuellen Dinge in der Potenz existiert und wann nicht; denn nicht etwa jedes beliebige Ding ist in der Potenz jedes beliebige Ding (so daß aus allem alles entstehen könnte). Es ist offenbar, daß die Fähigkeiten (die Potenzen) teils nähere, teils entferntere sind. Da sich dieses nun so verhält, so sind auch die

Substrate und Fähigkeiten teils nähere, teils fernere. Die entfernte Potenz geht nicht zur Aktualität über, wenn nicht vorher das letzte Substrat (das heißt in seiner am meisten letzthin disponierten Form) wirklich geworden ist. Wenn man aus diesem Grunde sagt: ein Ding existiert der Potenz nach in einem anderen, während jene Potenz eine entferntere ist, so sagt man dieses nur in übertragenem Sinne ... Die Potenz entwickelt sich nicht in diesem bestimmten Substrate (zur Aktualität) in irgendeinem beliebigen Zustand. Es ist vielmehr erforderlich, daß sie in demjenigen Zustand existiere, in dem es möglich ist, daß sie aus ihm zur Aktualität übergehe. Der Same ist nur der Potenz nach ein Mensch, wenn er in die Gebärmutter fällt und er so die nähere Möglichkeit nicht verliert, ein Mensch werden zu können. Alles erfordert daher außer dem ersten, ferneren Möglichsein das nächste (zur Verwirklichung voll vermittelte) als die beiden potenziellen Substrate. Wenn diese beiden Potenzen vorliegen, und wenn zugleich die Wirkursachen und das Entfernen der Hindernisse günstig zusammentreffen, geht das Ding notwendigerweise zur Aktualität über.« (Vgl. Hegel, »Wissenschaft der Logik«, Werke, 1834, IV, S. 116; Philos. Bibl., 1923, S. 97: »Wenn alle Bedingungen einer Sache vorhanden sind, so tritt sie in die Existenz.«)

Die Metaphysik des Averroës, übers. v. Horten, 1912, S. 102 f.

Averroës benutzte weiter die schon bei Aristoteles vorhandene Doppelbestimmung, daß der Begriff Materie auch ein Geformtes bedeuten kann, wenn dieses Geformte wieder als Möglichkeit zu einem höher Geformten dient. Folglich kann etwas in einer Beziehung Form sein (etwa Bauholz im Verhältnis zum Bauen), in anderer Beziehung aber Materie (das gleiche Bauholz im Verhältnis zum Haus). Averroës ist fast eifrig, Materie und Form derart ihre Gesichter tauschen zu lassen; auf alle Fälle reicht eine Materie, die jede Form sich als Bauholz für eine neue Form einverleibt, bis in den obersten Stock des Weltgebäudes hinauf:

»Materie wird verschiedenartig ausgesagt, zum Beispiel von der ersten Materie, die ohne Formbestimmung ist, dann von dem, was schon Form hat, wie den vier Elementen, die die Ma-

terie für die zusammengesetzten Körper sind . . . Ihre Eigenart
ist, daß ihre Form beim Herantreten einer anderen Form nicht
gänzlich vergeht, sondern daß die Form der Materie in einer
Art Mittelexistenz bestehen bleibt. Oder die erste Form bleibt
beim Herantreten der zweiten Form bestehen, wie bei der Disposition, die in gewissen gleichteiligen (organischen) Körpern
besteht, um die Seele aufzunehmen. Diese Art Materie kennzeichnet man speziell durch den Namen Substrat.«
Andere Verdeutschung des kurzen Kommentars: Die Epitome
der Metaphysik des Averroës, übers. v. van den Bergh, 1924,
S. 25

Avicebron

Auch von anderer Seite als der des gehaltvoll Möglichen wurde
der Begriff des Stoffs erhöht. Avicebron lehrte eine »allgemeine
Materie«, die die körperliche, aber auch eine geistige umfaßt.
Avicebron, der Denker dieser »universalen Materie«, ging nicht
hauptsächlich von Aristoteles aus. Er steht bedeutend mehr in
neuplatonischen Nachwirkungen, in solchen, die nicht nur den
Aristoteles umhüllen, wie zuweilen bei Avicenna und Averroës,
sondern in unmittelbaren. So schreibt sich Avicebrons höchste
Materie innerhalb der universalen: die »materia spiritualis«, ge-
radewegs von Plotin her, nämlich von dessen »hylē noetikē«,
geistiger oder intelligibler Materie (Enneaden II, 4, 1–5), hoch
droben beim Ur-Einen. In Plotins Emanationssystem vom
Ur-Einen bis herab in die Finsternis des gemeinen Stoffs fand
eben das Stoffprinzip, das sonst bei ihm verteufelte, eine überraschende Nobilitierung. Es fand sie, indem der Stoff mit dem
Zweithöchsten in Plotins Welt, mit dem Nus oder Weltgeist
verbunden wurde und so, in der himmlischen Sphäre, dem
Höchsten, Ur-Einen zu Füßen lag. Und zwar mit lauter positi-
vem Umschlag seiner absolut schlechten Bezeichnung in der untersten Welt: leerer, dunkler Abgrund zu sein. Gerade dies Leere, aber auch Eigenschaftslose, Unpersönliche konnte dem er-
habenst Leeren, Eigenschaftslosen, Unpersönlichen des
Ur-Einen als Folie dienen. »Daher die Vernunft, wenn sie die
Form in dem Einzelding sieht, das, was tiefer liegt, für dunkel
hält . . . Jedoch ist das Dunkle verschieden in der geistigen und

der sinnlichen Welt, und verschieden ist auch die Materie so gut wie auch die Gestalt (morphē), die über beiden Materien gelagert ist (epikeimenon amphoin) ... Dort oben ist die Gestalt wahrhaftig, also auch das Substrat (hypokeimenon). So müßte man denn, wenn die Lehre, die Materie sei Substanz (usia), sich auf die intelligible Materie bezöge, sie für richtig halten; denn das intelligible Substrat ist Substanz oder richtiger, mit seiner Form zusammengedacht und als Ganzes ist es durchlichtete Substanz« (Plotins Schriften I, Philos. Bibl., S. 251). Plotins Nus oder Himmelsgeist ist aber mit dieser Materie versehen, indem dieser Nus selber die passive dynamis für die aktive des Ur-Einen, der Usia, darstellt. Zweifellos bleibt es dauernd merkwürdig, wie bei Plotin die stärkste spiritualistische Metaphysik, mit der sinnlichen Materie im vermaledeiten Abgrund, eine gleichfalls Materie genannte Substanz im geistigen Äther, ja als diesen, wieder erscheinen ließ. Und Avicebrons Begriff *»materia spiritualis«* kommt eben von dieser »hylē noetikē«, auch »theia hylē« her, von Plotins geistig, sogar göttlich genannter Materie.

Nicht aber kommt Avicebrons *umfassenderer* Begriff: die *»materia universalis«* vom Neuplatonismus her. Und ebensowenig die in seinem Werk »Fons vitae« mannigfach auftretenden Stoff-Form-Begriffe Aristotelischer Prägung. (Wie denn die christlichen Scholastiker, vorab Albertus Magnus, dieses Werk hauptsächlich unter dem Titel »De materia et forma« anführten). Also mündet Avicebron doch in die Aristotelische Linke, nicht zuletzt seiner Wirkung nach. Und in Hinsicht der »materia universalis«, wie sie die körperliche sowohl als die intelligible Materie umfaßt, wie sie schließlich das Substrat des einheitlichen Weltzusammenhangs bildet, zeigt Avicebron viel mehr sachliche Verbindung mit dem Peripatetiker Straton, vor allem auch mit der Stoa, die von Straton ja lang beeinflußt war (vgl. Siebeck, Unters. zur Philosophie der Griechen, S. 181 ff.), als mit dem Neuplatonismus. Da trotz des Emanationssystems, das sich besonders ausgeprägt bei Avicebron findet, und selbst trotz der außerordentlichen, der gänzlich materiefreien Transzendens von »Gottes Willen«, die in Avicebrons Lehre ebenfalls herrscht. Unterhalb dieses Willens aber, in der vorhande-

nen Welt, ist die Materie Avicebrons mit dem Wesen der Dinge
nahezu identisch. Sie ist hier jenes Sein, das unmittelbar aus der
Setzung durch göttlichen Willen realiter entsteht; dergestalt ist
Materie der Ausgangspunkt wie Wesensgrund aller endlichen
Substanzen. Das sind die Hauptthesen der »Fons vitae«, sie
konnten nicht umhin, Deus sive natura vorzubereiten:

»Da in der körperlichen Welt sowohl alle Stoffe wie alle ihre
Formen ein gemeinsames Wesen haben, so gibt es eine einheitliche Materie und einheitliche Form. Da auch in der seelisch-gei-
stigen Welt sowohl alle Stoffe wie alle Formen ein gemeinsames Wesen haben, so gibt es auch hier eine einheitliche Materie
und eine einheitliche Form.«

Fons vitae, lateinisch herausgeg. v. Clemens Bäumker, München
1892, p. 226

»Da zudem die allgemeine körperliche und die allgemeine geistige Form ebenfalls in einem gemeinsamen Wesen zusammentreffen, resultiert hieraus eine absolut allgemeine Materie und
eine absolut allgemeine Form – et fient ambae materiae una materia, et fient utraeque formae una forma.«

Ebenda, p. 227

»Die allgemeine Materie und die allgemeine Form sind die
Konstituentien des Weltgeistes – scilicet qua substantia intelli-
gentiae est composita ex eis.«

Ebenda, p. 258, 322

»Die Materie und die Form des Weltgeistes sind der Ausgangspunkt aller übrigen Materien und Formen bis herab zum letzten Zusammenhang – et secundum hoc imaginaberis extensionem materiae et formae a supremo usque infinum extensionem
unam continuam.«

Ebenda, p. 313

»Si una est materia universalis omnium rerum, hae proprieta-
tes adhaerent ei: scilicet quod sit per se existens, unius essentiae,
sustinens diversitatem, dans omnibus essentiam suam et nomen
– Wenn die universale Materie aller Dinge eine ist, hängen dem

die eigentümlichen Beschaffenheiten an, das will sagen, sie existiert durch sich, ist von ein und derselben Wesenheit, trägt die Verschiedenheit, allem sein Wesen und seinen Namen gebend.«

Ebenda, p. 13

Giordano Bruno

»Die Gewohnheit zu glauben, sagt Aristoteles am Schluß des zweiten Buchs von der Weisheit, ist die hauptursächlichste Ursache, welche den menschlichen Verstand in der Wahrnehmung so vieler Dinge hindert, die an sich offen auf der Hand liegen. Wie groß die Macht dieser Gewohnheit ist, sagt er, beweisen die Gesetze, für deren Geltung fabelhafte und kindische Gewohnheiten viel wichtiger sind als sinnenfällige Tatsachen. Denn wie, so bemerkt dazu sein Kommentator Averroës, Menschen sich selbst an Gifte dermaßen gewöhnen können, daß ihnen solche wie naturgemäße Nahrung Erfrischung bereiten, so kann andererseits das, was auf alle anderen heilsam und belebend wirkt, ihnen verderblich werden.

Diejenigen aber, welche das Fatum mit besseren Geistesgaben ausgestattet hat, die keine Schlummerköpfe sind, können ohne große Schwierigkeit das überall ausgegossene Licht auffangen, wenn sie nur zur Entscheidung der Urteilskraft über den Streit zwischen Glauben und Vernunft berufen und als Richter zwischen den beiden Streitenden ausgelost, hervortretend aus dem Nebel des gemeinen Vorurteils die Gründe jeder Partei aufmerksam anhören und sorgfältig prüfen und mit genauer Waage alles, was den Sinnen offenbar, unwiderlegbar, zugestanden oder feststehend, befreundet und gewohnt erscheint, sobald es gleichwohl in Zweifel gezogen wird, mit dem, was dem Gegner noch so absurd vorkommen mag, vergleichen und abwägen. Denn so nur werden sie schließlich in den Augen der Götter und Menschen nicht blind, wie der gemeine Pöbel, wie die knechtische und dumme Herde in tiefster Dunkelheit und im finstern Verließ der Unwissenheit, sondern im hellen Tageslicht der Wahrheit ihre Meinung billigen können, wie alle jene, die von der Existenz einer göttlichen Wahrheit überzeugt sind.

Hier aber stehen wir auf einem Boden, wo Gedankenfreiheit waltet, wo jeder Einzelne eingedenk sein soll, daß ihm die Gabe der körperlichen und geistigen Sehkraft nicht umsonst verliehen ist, daß er seine Augen nicht nach Wunsch von Gauklern und Ignoranten zu verschließen braucht, daß er nicht undankbar gegen den gütigen Schöpfer der Natur die Gabe der Vernunft verachtet, als wenn solche sich mit anderen Gaben derselben Gottheit nicht vereinigen ließe und als ob eine Wahrheit der anderen im Wege stehen, wahres Licht ein anderes wahres Licht verfinstern könnte – und hier sollten wir uns vor diesem Unterscheidungs- und Prüfungsvermögen, dem wertvollsten Kern unseres Wesens, ja sozusagen vor uns selber entsetzen und verstecken? Eingedenk vielmehr der uns innewohnenden Gottheit und des in der Burg unseres Geistes strahlenden Lichts laßt uns die Forscheraugen dahin wenden, wo wir, sobald wir genauer zusehen, ganz gewiß eine Kenntnis erlangen, vor deren Schönheit, Heiligkeit und Wahrheit, vor deren Natürlichkeit jedes trügerische Sophisma verschwindet und der Aberglaube träumerischer Wahrsager zusammenbricht.

Von hier aus wird der Geist, sich seiner Macht bewußt, den Flug ins Unendliche wagen, wo er zuvor im engsten Kerker eingeschlossen war, von wo aus er nur gewissermaßen durch Ritzen und kleine Löcher die Sehkraft seiner kurzsichtigen Augen zu den entferntesten Lichtfunken der Gestirne richten konnte – und noch dazu waren seine Flügel gewissermaßen beschnitten mit dem Messer eines stumpfen gewohnheitsmäßigen Glaubens, der zwischen uns und der Herrlichkeit neidischer Götter eine Nebelwand bildete, ja eine Wolkenbank aus der eigenen Einbildungskraft schuf, die er selbst für aus Erz und Stahl bestehend ansah. Aber befreit von diesem Schreckbilde der Sterblichkeit, des Schicksalzorns, des bleiernen Urteils, von den Ketten grausamer Erinnyen und den Einbildungen parteiischer Liebe schwingt er sich dem Äther zu, durchschwebt das unbegrenzte Raumgebiet so großer und zahlloser Welten, besucht die Gestirne und überfliegt die eingebildeten Grenzen des Alls. Die Mauern jener achten, neunten, zehnten und anderer Sphären, die blinder Wahn der Philosophen und Mathematiker sich einbildet, sind verschwunden. Mit Hilfe der von den Sinnen und der Vernunft zugleich geleiteten Forschung werden die Schlösser der Wahrheit geöffnet, die Blinden sehend, den Stummen wird die Zunge gelöst, die bislang in jedem geistigen Fortschritt Gelähmten erlangen neue Kräfte, um die Sonne, den Mond und andere Wohnungen im Hause All-Vaters aufzusuchen, ähnliche dieser Welt, die wir bewohnen, kleinere und schlechtere, aber auch größere und bessere in unendlicher Abstufung. So gelangen wir zu einer würdigeren Anschauung der Gottheit und dieser Mutter-Natur, die uns in ihrem Schoße hervorbringt, erhält und wieder aufnimmt, werden fernerhin nicht mehr glauben, daß irgendein Körper ohne Seele sei, oder gar, wie manche lügen, daß *die Materie nicht anderes sei, als eine Jauchegrube chemischer Stoffe.*«

Der Erwecker oder Eine Verteidigung von Thesen des Nolaners

Giordano Bruno, Gesammelte Werke, 1909, VI, S. 120 ff.

Dasjenige, was die Formen nicht gibt, sondern aus der Materie, an ihr zum Licht bringt, ist bei Bruno nun gänzlich natura naturans. Sie verhält sich zur Materie (mit einem Bild, das schon bei Averroës vorkommt) wie der Steuermann zum Schiff, aber durchaus ihm innewohnend. Außer Aristoteles läßt Bruno, zum Teil mit produktivem Mißverständnis, noch viele antike Philosophen, auch die vorsokratischen Hylozoisten (Stoffbeleber) für die »innige Vereinigung von Materie und universaler Form« zeugen. Für jenes Stoff-Form-Verhältnis also, das, wie Bruno erkennt, »aus Aristoteles und anderen von ähnlicher Richtung« entstammt:

»Was die bewirkende Ursache betrifft, so halte ich für die physische allgemeine bewirkende Ursache die allgemeine Vernunft, das oberste und hauptsächlichste Vermögen der Weltseele, welche des Weltalls allgemeine Form ist.

Die universelle Vernunft ist das innerste, wirklichste und eigenste Vermögen und der Teil der Weltseele, die ihre Macht bildet. Sie ist ein Identisches, welches das All erfüllt, das Universum erleuchtet und die Natur unterweist, ihre Gattungen, so wie sie sein sollen, hervorzubringen. Sie verhält sich demnach zur Hervorbringung der Dinge in der Natur, wie unsere

Vernunft sich zur entsprechenden Hervorbringung der sinn-
vollen Gestalten verhält. Sie wird von den Pythagoräern der
Beweger und Erreger des Universums genannt, wie der Dichter
es in den Worten ausdrückt (Vergil, Äneis VI, 726):
›..... Durch alle Glieder ergossen,
treibt die Vernunft die Masse des Alls und
                                    durchdringet den Körper.‹
    Von den Platonikern wird sie der Weltbaumeister genannt.
Dieser Baumeister, sagen sie, tritt aus der höheren Welt, welche
völlig eins ist, in diese sinnliche Welt hinüber, welche in die
Vielheit zerfallen ist, wo wegen der Trennung der Teile nicht
nur die Freundschaft, sondern auch die Feindschaft herrscht.
Diese Vernunft bringt alles hervor, indem sie, selbst sich ruhig
und unbeweglich erhaltend, etwas von dem Ihrigen in die Materie eingießt und ihr zuteilt. Sie wird von den Magiern (Per-
sern) der fruchtbarste der Samen, oder auch der Sämann genannt; denn sie ist es, welche die Materie mit allen Formen erfüllt, sie nach der durch die letzteren gegebenen Weise und Bedingung gestaltet und mit jener Fülle bewunderungswürdiger
Ordnung durchwebt, die nicht dem Zufall noch sonst einem
Prinzip zugeschrieben werden können, welches nicht zu scheiden und zu ordnen verstände. Orpheus nennt sie das Auge der
Welt, weil sie die Dinge in der Natur innerlich und äußerlich
überschaut, damit alles nicht bloß innerlich, sondern auch äußerlich sich in dem ihm eigentümlichen Ebenmaße erzeuge und
erhalte. Von Empedokles wird sie der Unterscheider genannt,
weil sie niemals müde wird, die ordnungslos durcheinanderge-
worfenen Formen in dem Schoße der Materie zu sondern und
aus dem Untergang des einen das andere sich erzeugen zu lassen. Plotin nennt sie den Vater und Urzeuger, weil sie die Samen auf dem Gefilde der Natur verstreut und der nächste Aus-
teiler der Formen ist. Wir nennen sie den inneren Künstler,
weil sie die Materie formt und von innen heraus gestaltet, wie
sie aus dem Innern des Samens oder der Wurzel den Stamm
hervorlockt und entwickelt, aus dem Innern des Stammes die
Äste treibt, aus dem Innern der Äste die Zweige gestaltet, aus
dem Innern dieser die Knospen bildet, von innen heraus wie
aus einem innern Leben die Blätter, Blüten, Früchte formt, ge-

staltet und verpflichtet, und von innen wieder zu bestimmten
Zeiten die Säfte aus Laub und Früchten in die Zweige, aus den
Zweigen in die Äste, aus den Ästen in den Stamm, aus dem
Stamm in die Wurzel zurückleitet.«

Von der Ursache, dem Prinzip und dem Einen
(Philos. Bibl.), S. 29 ff.

Nicht von ungefähr wird hier das stoffliche Wachstum im
uralten Bild des Baums ausgedrückt. Ein neuer Saft ist bei Bruno in scholastische, oft so trocken erscheinende Begriffe gefahren, wenn er sie übernimmt. Und es ist unleugbar, daß dieser
Saft, indem er heidnisch schmeckt, auch manche mythischen
Bestandteile enthält, jedoch als entgiftete. So kommt das Bild
vom Weltbaum fast in allen Astralmythen vor und wurzelt im
Abgrund der Erdkräfte. Ja, es deutet auch der griechische
Stoff-Terminus: hylē außer auf Holz, Bauholz auf wurzelnden
Wald, der lateinische: materia (von Lukrez wohl zuerst philosophisch verwendet) schreibt sich gar völlig von »Mater« her
und hat weder bei Aristoteles noch gar bei Bruno diesen seinen
Wurzel-, Baumgrund-, Schoßcharakter vergessen. Anklänge an
einen solchen, gleichsam »chthonisch« gehaltenen Materialismus finden sich eben bei Lukrez, wenn er sein Lehrgedicht »De
natura rerum«, sein amythisch entzauberndes, trotzdem mit
einem Anruf an die Venus eröffnet, als die Allmutter des Seins,
als mythisch bezeichnete natura naturans im Baum des Lebens.
Bezeichnenderweise ist es in Brunos »Della causa principio ed
uno« gerade der widerliche, völlig unphilosophische Pedant Po-
liinnio, der im 4. Dialog mit gleicher Saftlosigkeit gegen Weib,
Mutter und Materie loszieht: »Nicht ohne Grund hat es den Se-
natoribus im Reiche der Pallas gefallen, die Materiam und das
Weib einander gleichzusetzen.« Andererseits ist der Zwang
dieser alten Gleichsetzung, verbunden mit dem noch älteren
Baum-Archetyp, so stark, daß das Bild der blühenden, frucht-
tragenden Baum-Materie überall dort sich positiv aufdrang, wo
– unter morgenländischem Einfluß – Materie als Eine in allen
geschöpflichen Dingen dargestellt wurde, seien sie körperlicher
oder geistiger Natur. So trotz allem bei dem großen Spätscho-
latiker Duns Scotus, er nimmt unter ausdrücklichem Bezug auf

Avicebrons »materia universalis« das Baum-Bild Brunos ebenso vorweg, wie er es dadurch in seiner Konsequenz bestätigt. Denn Duns Scotus schreibt in »De rerum principio« (quaestio 8, art. 4) gleichfalls: »Ex his apparet, quod mundus est arbor quaedam pulcherrima, cujus radix et seminarium est materia prima, folia fluentia sunt accidentia, frontes et rami sunt creata corruptibilia, flos anima rationalis, fructus natura angelica«. – »Die Welt also ist ein herrlicher Baum, dessen Wurzel und Same die erste Materie, dessen Blätter die flüchtigen Accidentien, dessen Äste und Zweige die vergänglichen Geschöpfe, dessen Blüte die vernünftige Seele und dessen Früchte endlich die reinen Geister sind.« Duns Scotus sagt an derselben Stelle: »Ego autem ad positionem Avicembronis redeo« – mithin der Baumbegriff »materia universalis«, der Scotus und Bruno gemeinsame, ist hier bewußt auch Avicebron verpflichtet. Duns Scotus sitzt sonst freilich im Licht der Kirchenlehre, mit jenseitigem Theismus, während Jenseits, Dualismus in Brunos unendlich materiellem Weltbaum gänzlich aufhören. Und es ist in der Tat merkwürdig, doch voll archetypischem Sachzwang, daß das Baumgleichnis, wie es von Bruno rückwärts zu Duns Scotus und weiter reicht, so vorwärts sich fast wörtlich auch bei Jacob Böhme findet, der doch schwerlich diese literarischen Quellen gekannt hat. Aber Böhme läßt in der Vorrede zu seiner »Aurora« fast genau wie Duns Scotus und sicher wie Bruno die Welt als einen Baum figurieren, der von der Wurzel bis zur Blüte und Frucht von Einem Lebenssaft durchquollen, durch die eigene Keimtätigkeit von innen heraus gestaltet und gegliedert ist. Auch die Quellkräfte des »corpus naturae« steigen hier hoch als in einem Baum, oder wie Schelling dieses Bild hernach aufgreifen wollte: in einem »Organismus« Natur, der selber, im Menschen, sein Auge aufschlägt. Bei alldem immerhin siegte die *Immanenz*, und zwar als sonderlich, bis hoch hinauf, qualifizierte, verlor also in allem Tropischen den Anschluß an die bunte Nüchternheit der alten linken Aristoteliker und die Konsequenz ihrer Sache nicht. Nun eben bleibt die Form am Stoff nichts Äußerliches, wie das die Scholastiker der Rechten gelehrt hatten, sondern, um nochmals zusammenzufassen: Materie und Form, Werdenkönnen und

Wirkenkönnen zeigen sich in gleicher natura naturans verbunden. Ja, sie implizieren sich in einer Gegenseitigkeit, die die passive und die aktive Potenz schließlich dem Sein nach in Eins zusammenfallen läßt. So ist der Kampf zwischen Idealismus und Materialismus, den die Aristotelische Linke auf ihre Art kämpfte (und der freilich nicht aus Totschlag, sondern aus Erbschaft am Idealismus besteht, wo immer dieser ein fruchtbarer, progressiver war) – dieser Kampf ist bei Bruno deutlich zugunsten der Erklärung des Daseins aus sich selbst ausgefallen. Avicenna wird entschiedener in Averroës, Averroës entschiedener in Bruno, Philosophie besiegt nun wachsend auch jene sublimste Gespensterlehre, die die der reinen Form heißt.

Nicht mehr den Stoff abwerfen, sondern ihn immer tiefer aufschließen, darauf kommt es von hier ab an. Hauptsache bei Bruno bleibt, daß er die Einheit der Form (des Tätigen) und der Materie festhält, daß die Materie an ihr selbst produktiv ist. Es ist das eine große Bestimmung, mit bedeutender Wirkung, mit der von Avicenna eingeleiteten, mit Bruno nicht abgeschlossenen. Noch fehlt bei ihm der Mensch in der natura naturans; es fehlt der gesamte Aspekt der die Natur fortsetzenden Arbeit und Geschichte; es fehlt erst recht – durch die Klassenlage wie durch den geschlossenen Pan im Pantheismus verhindert – der Charakter: unfertige Welt. Aber wie sich in Brunos Lebensfluten, Tatensturm durchaus Dialektik findet, scharf verfolgte Spannung und Einheit der Gegensätze, so hat dies wechselnde Weben eine unerstarrte Materie als Substrat, eine der Entwicklung und Qualifizierung für fähig gedachte. Das alles ergibt Merkpunkte wichtiger, kaum mehr übersehbarer Art; sie sind, obwohl sie zum Teil noch diesseits des fortgeschrittenen Bewußtseins liegen, lauter Pointen gegen enge Mechanistik. Daher gilt neu: *Hegel ist wichtig durch die dialektische Methode (und was damit zusammenhängt), aber Aristoteles und seine Linke sind wichtig wegen ihres Begriffs von Materie.* Nicht nur Hegel, auch der Aristotelische Materie-Begriff und seine radikalisierenden (auf die Wurzel dringenden) Avicenna-Bruno-Verwandlungen sind im dialektisch zu bedenkenden Materialismus lebendig, ein sonderlich beachtbares Ferment. Sie befördern die Entwicklung des *Welt*bilds, ja noch der wahren *Meta-*

Physik von Tätigkeit und Hoffnung, zum Unterschied vom rein oder unrein mechanischen, als dem der Statik und Qualitätslosigkeit. Auch der Geist als höchste Blüte der organischen Materie könnte ihr nicht entspringen und das Dasein verändern, wenn er von ihr nicht bedingt und hervorgerufen, also in ihr nicht disponiert und letzthin einheimisch wäre. Er wird ebenso von eigener Materie umschlossen, weil diese selber das entstehende Bewußtsein als ihr eigenes besitzt und die logisch-dialektischen Prozeßfiguren als ihre eigenen Informationen formiert. Diese Erweiterung, auch schöpferische Rückgewinnung eines Begriffs von Materie hebt nicht die Verschiedenheit ihrer Felder und Schichten auf, ganz im Gegenteil. Es gibt, mit eigenem Startpunkt, durchaus besondere chemische, organische, psychische, ökonomisch-soziale, kulturelle Bewegungsweisen, Organisationsformen des Weltstoffs. Das zu leugnen, wider alles Vorkommen, blieb ja nur den Mechanisten, schließlich Vulgärmaterialisten vorbehalten. Ganz anders aber ist jene schlechte, nämlich schlechthin-dualistische Verschiedenheit beschaffen, welche zwischen Stoff und Geist, Hylē und Pneuma angestellt worden ist. Ein unfruchtbarer Stoff, auf den alles »zurückgeführt« wird, ein abgeschnittener Geist, zu dem alles verhoben und »erhöht« wird, ist die Folge. Statt dessen gilt mehr als je das Problem, das unabgegoltene, der linken Aristoteliker: im materiellen Geschehen und seinem Gestalten, Umgestalten den Topos nicht zu verlieren, worin auch die Farben, die Qualitäten der Dinge nicht untergehen, worin Leben, Bewußtsein, menschlicher Geschichtsgang und seine Werke Platz haben, vor dem und in dem riesigen anorganischen Hintergrund. Das mit dem einen Bogen: Utopie-Materie; ist er doch so wenig paradox, daß das Dynamei on Materie den ganzen konkret-utopischen Inhalt erst impliziert, noch latent hält und fundiert. Avicenna-Averroës selber, unstatisch geworden, auf Verwandlung angewendet, hätten ihrer eductio formarum ex materia nicht nur eine hylozoistische, sondern eine gleichsam noch hylokryphe, also latente Form zuerkannt, eine »unvollendete Entelechie«. Denn alle Gestaltungen sind die versuchten Eduktionen des noch nicht herausgebrachten Materieschatzes selber – ohne fertig mechanischen Klotz, ohne oben schwebenden Beweger.

Das ist oder dazu hilft der spekulative Materialismus der Aristotelischen Linken, der gewiß nicht zu Ende seiende. Trotz all seinem fertigen siebten Tag auch hier, seinem pantheistisch behaupteten Sonntag im Dynamei on selber, als wäre Pan schon gut und alles. Doch kein Weg nach außen und genau in dessen Mehr: die eschatologische Tiefe, geht ohne Bruno und Spinoza, ohne dieses andere, nämlich nicht innerliche Gewissen – gegen Subjektivismus und Mechanistik zugleich.

Abälard 43, 156, 256, 515
Abu Said 487
Albertus Magnus 157, 483, 485, 497, 502, 508, 536
Alexander der Große 141
Alexander von Aphrodisias 491, 494, 498
Alexander von Hales 505
Algazel 155, 488, 512, 533
   Destructio philosophorum 155, 488, 513
Al-Mansur (Kalif) 483
Amalrich von Bena 157, 508
Anaxagoras 30f., 34, 130, 133, 142
Anaximander 24, 29, 34, 80, 197, 413
Anaximenes 24, 31, 133f.
Angelus Silesius 296
Anselm von Canterbury 485
Antisthenes 145
Aristipp 134, 145
Aristoteles 17f., 33, 36f., 39, 43, 54, 59, 60f., 129f., 135, 137, 139ff., 146ff., 149f., 155, 158, 160, 165f., 170, 172, 176, 189, 191, 194f., 221, 223, 225, 235, 241, 253f., 271, 276, 280, 348f., 362, 375, 428f., 436, 443, 445, 449, 451, 473, 475, 481, 484ff., 490–505, 507, 510f., 516ff., 520f., 523, 525, 532–536, 538, 540, 542, 544
   Physik 144, 499
   Metaphysik 451, 525, 532
   Topik 36
   Über die Seele 525
   Über die Dichtkunst 523
Arius 504
Augustin 40f., 50, 139, 371, 465, 468, 504
   De civitate Dei 465
Avenarius 297
Averroës 19, 144f., 153ff., 157f., 161, 163, 170, 178, 195, 375, 449, 452, 479, 481, 484f., 489, 491f., 494–498, 501–515, 519, 521ff., 531–535, 538, 540, 544f.
   Destructio destructionis 491, 501, 531

Avicebron 75, 151ff., 156, 158, 161ff., 170f., 375, 494, 509f., 535ff., 543
   Fons vitae 152, 509, 536f.
Avicenna 17, 19, 43, 144, 153ff., 157, 375, 449, 452, 479ff., 483–515, 517, 519, 521, 523ff., 527, 532, 535, 544f.
   Kitab as-sifa (Buch der Genesung) 480
   Compendium de anima 480
   De Almahad 480, 483
   Aphorismi de anima 480
   Tractatus de definitionibus et quaesitis 480
   Metaphysika 480, 500f.
   Philosophia orientalis 480, 490f., 498, 509
   Danish-Nameh (Buch des Wissens) 489f.

Baader 19, 74, 77, 260ff.
Bach, J. S. 420
Bacon, F. 16, 45, 175, 306f., 472, 518
Bacon, R. 161, 483, 515
Bahnsen 92
Bakunin 392
Balzac 415
Bäumker 537
Bayle 55, 58, 452
Beethoven 312, 380, 405f.
Benjamin 411ff.
   Geschichtsphilosophische Thesen 411
Bergh, van den 535
   Die Epitome der Metaphysik des Averroës 535
Bergson 19, 278–282, 286
   L'évolution créatrice 280f.
Berkeley 59, 181, 186, 271, 297f., 440
Bernhard von Clairvaux 156
Bernstein, E. 15
Bias 410
Bibel 267
   Off. Joh. 477

Binding 100
Boccaccio 487
Bogutdinow 48
Böhme 16, 74 f., 77, 116, 214, 225, 256, 261 f., 307, 361, 399, 428, 437, 444, 450, 455, 472, 518, 543
   Morgenröte (Aurora) 543
Bohr 326 ff., 342 f.
Born 334
Boutroux 286, 310
Boyle 180
Broglie, de 327, 331
Bruno 19, 51, 53, 137, 145, 147, 151 f., 169–172, 178 f., 213 f., 236, 282, 372, 375, 426, 445, 452, 481, 493 f., 502, 507–512, 518 f., 523, 538, 540, 542 ff., 546
   Von der Ursache, dem Prinzip und dem Einen 171, 178, 510, 542
   Der Erwecker 540
Büchner, G. 379, 418
Büchner, L. 15 f., 289, 304 f., 361, 446
Buffon 187, 201

Caesar 380
Calvin 371
Carnap 440
Cassirer 165
   Das Erkenntnisproblem 165
Cézanne 406
Chamberlain, H. St. 413
Chesterton 184 f., 273
   Orthodoxie 184
Chladni 262, 264
Chosru I. 482
Cicero 498
Clarke 426
Cohen 87 f., 91, 105, 301 f., 348
   Ethik des reinen Willens 301
   Logik der reinen Erkenntnis 87
Compton 324
Coulomb 327
Cromwell 402
Cudworth 167
Czolbe 290

Dante 74, 379, 403, 406, 414, 420, 426
   Divina Commedia 403
Darwin 291, 367

David von Dinant 157, 508 f., 511
Demokrit 29 f., 34, 128 f., 133–139, 145 ff., 151, 161, 176, 186, 197, 253 f., 278, 436, 441, 445, 454
Descartes 18 f., 47–50, 52, 60, 94, 160 f., 163, 166–169, 173, 181, 192, 213, 287 f., 302, 396, 429, 442, 444, 451
Diderot 180 ff., 306, 372, 445, 523
   Abrégé du code de la nature 181, 372
Dilthey 49 f., 85, 279, 429
Diogenes von Apollonia 31, 133
Diogenes von Sinope 135
Dirac 336
Dostojewski 108, 394 f.
Drews 285
   Das Ich als Grundproblem der Metaphysik 285
Driesch 286
Du Bois-Reymond 309, 360, 425
Duhem 354
Dühring 289, 298, 304
   Cursus der Philosophie 289
Duns Scotus 42, 161–163, 165, 542 f.
   Tractatus de rerum principio 543
Dürer 403

Eckart (Meister Eckart) 50, 486 f.
Eddington 331, 336, 343, 346 f., 349, 354
   Dehnt sich das Weltall aus? 347
Eichhorn 489
Einstein 321, 323 f., 326, 332, 336 f., 339, 346 f., 362, 426
Eleaten 17, 25 ff., 29
Empedokles 29 f., 33, 146, 541
Engelhardt, W. v. 433
   Was heißt und zu welchem Ende treibt man Naturforschung? 433
Engels 16, 18 ff., 111, 116, 127 ff., 186, 194, 214, 253, 289, 292 f., 298, 304–311, 313 ff., 352, 355 f., 359, 384, 389–393, 424, 429, 435, 447, 453 ff., 460
   Anti-Dühring 111, 304, 309 f., 314, 455
   Dialektik der Natur 127, 253, 314 f., 359 f., 429 f., 435
   Der Ursprung der Familie, des Privateigentums und des Staats 390

Ludwig Feuerbach und der Ausgang der klassischen deutschen Philosophie 305
Zur Kritik der praktischen Ökonomie (Rezension) 304
Brief an J. Bloch 393
Epaminondas 380
Epikur 19, 52, 54, 129, 134 ff., 145 ff., 149, 151, 164, 176, 197, 204, 290, 335, 441, 444 f.
Euklid 49 f., 336, 338, 341 f.
Existentialisten 303

Faraday 318 ff.
Fechner 428
Feuerbach, L. 19, 129, 192 f., 232, 291–296, 300, 305, 410 f., 422, 445, 470
Das Wesen des Christentums 295
Grundsätze der Philosophie der Zukunft 291
Vorlesungen über Religion 295
Darstellung, Entwicklung und Kritik der Leibnizschen Philosophie 192
Fichte 18 f., 67, 70–74, 76, 79, 200, 211–219, 256, 442 ff.
Wissenschaftslehre 218
Fludd 154
Forchhammer 456 f.
Franck, S. 295

Galilei 19, 27, 45 ff., 49, 163, 165 f., 332, 340 f., 347, 353, 373, 425 ff., 429, 435
Gassendi 52, 164
Geißler 321
George 413
Gersonides 154
Geulincx 168, 173, 396
Gneisenau 380
Gnosis 40, 267, 486
Gobineau 413
Goethe 140, 178 f., 182–185, 197, 216, 237, 247, 284, 364, 372, 375, 399, 403, 413 ff., 419, 422, 428, 430, 438, 464 f., 504, 518, 523
Faust 419
Dichtung und Wahrheit 183
Nausikaafragment 237
Wiederholte Spiegelungen 414
Gogol 394

Goldziher 487
Vorlesungen über den Islam 487
Gorgias 25
Grimm 211
Gundolf 413

Habermas 215
Haeckel 15, 446
Hartmann, E. v. 18 f., 77, 85, 92–98, 278, 282, 348
Philosophie des Unbewußten 98, 283, 286
Kategorienlehre 92, 94, 283 f.
Das Problem des Lebens 287
System der Philosophie im Grundriß 283
Hartmann, N. 310
Hebbel 100
Tagebücher 100
Hegel 17 ff., 26, 52, 59, 63, 67–70, 72, 76, 79–83, 85, 92 ff., 98, 100, 107 f., 111, 113, 118 ff., 124, 128 f., 137, 139, 160, 179, 183 f., 200, 212 ff., 221, 226, 229–257, 261, 278, 282 f., 290 f., 300, 304, 356 f., 359–366, 368 f., 397, 399, 403 f., 416, 419, 422, 428 f., 435, 441–445, 449, 452 f., 455, 465, 471 f., 474 f., 493, 511, 520, 522, 534, 544
Jenenser Heft der Naturphilosophie 236
Jenenser Logik, Metaphysik und Naturphilosophie 237
Phänomenologie des Geistes 70, 83, 232, 251, 254, 368, 419
Wissenschaft der Logik 80 f., 235, 251, 534
Enzyklopädie der philosophischen Wissenschaften 80, 108, 118, 231, 234, 238, 240–243, 245 f., 359 f.
Philosophie der Geschichte 235, 249 f.
Geschichte der Philosophie 235, 365 f., 516
Philosophie der Religion 249, 251
Ästhetik 248, 257, 522
Heidegger 413
Heinrich von Gent 156
Heisenberg 327–330, 332–335, 338, 342–345, 348 f.
Physik und Philosophie 338

Heitler 432
  Der Mensch und die naturwissen-
  schaftliche Erkenntnis 432
Helmholtz 320
Helmont 197
Heraklit 17, 25, 26 f., 30, 34, 133 f.,
  256, 444, 455, 524
Hertz 319
Hippokrates 378
Hitler 417, 438
Hobbes 16, 18 f., 46 f., 58, 161, 163,
  166 ff., 175, 292, 307, 428, 440, 445
  De corpore 166, 518
Hoffmann, E. T. A. 180, 222
Holbach 19, 53, 135, 180 ff., 186, 202,
  445
  Système de la nature 181 f., 202
Holbein 403
Hölderlin 395, 413, 415
Holz, H. H. 53
  Leibniz 53
Homer 379, 403
Horaz 146
Horten, M. 491 f., 526, 531, 534
  Die Hauptlehren des Averroës 491
  Die Metaphysik Avicennas 526
  Die Metaphysik des Averroës 534
Humboldt, A. v. 317, 483
  Kosmos 317
Hume 59 f., 181, 297, 440
Huss 418
Husserl 18, 87–91, 355
  Logische Untersuchungen 89
  Ideen zu einer reinen Phänomeno-
  logie 90
Hutten 197
Huygens 318, 323

Ibn Tofail 489 ff., 514
  Der Lebende, Sohn des Wachenden (Der Naturmensch) 489 f.,
  514

Jamblichos 151, 482
Jean Paul 238
Jesus 122, 485, 487, 514
Joachim di Fiore 487, 508
Johannes von Padua 508
Joyce 421, 423
Justinian 482

Kabbala 40, 51, 56, 260, 262, 264,
  267, 426 f., 496
  Das Buch Sohar 264
Kafka 421
Kant 18 f., 36, 46, 60 f., 67, 71, 77,
  83, 87, 93, 105–109, 114, 196–211,
  213, 215–220, 223, 236, 258, 271,
  278, 286, 299, 357, 363, 404, 413,
  419, 442, 458, 463 f., 471
  Allgemeine Naturgeschichte und
  Theorie des Himmels 196, 204
  Versuch, den Begriff der negativen
  Größen in die Weltweisheit ein-
  zuführen 199
  Kritik der reinen Vernunft 62,
  198, 202, 210, 463
  Kritik der praktischen Vernunft
  207, 210
  Kritik der Urteilskraft 63, 202,
  204, 206, 209 f., 213
  Prolegomena zu einer jeden künf-
  tigen Metaphysik 198, 207
  Metaphysische Anfangsgründe der
  Naturwissenschaften 199 ff.
  Die Religion innerhalb der Gren-
  zen der bloßen Vernunft 64
Kautsky 129, 387, 395
Keller, G. 295
  Der grüne Heinrich 295
Kelsen 104
Kepler 160, 165, 353, 427, 429
  Harmonices mundi 427
Kipling, R. 185
Klettenberg, S. 197
Kopernikus 170, 341, 519
Koran 484, 486, 488, 490, 492, 495,
  515
Kratylos 26
Kretschmer 378
Krug 80, 107

Lambert 207
Lamettrie 19, 53, 135, 138, 169, 179
  bis 186, 304, 361, 373, 445
  L'homme machine 53, 169, 179,
  373
Lange, F. A. 136 ff., 193, 299–302
  Geschichte des Materialismus 136,
  194, 299 f.
Laplace 236, 258, 333 ff., 353
Lask 85 f., 114, 208, 215

Logik des Urteils 208
Logik der Philosophie 85
Lassalle 402
Laue 334
Leibniz 19, 53–60, 64, 129, 138 f.,
    178, 187–193, 201, 208 f., 219, 262,
    276, 323, 366, 397, 426, 442, 451 f.,
    463, 465, 475, 512, 530
    Nouveaux essais 60, 397
    Theodizee 188
    Monadologie 188, 190, 195
    Metaphysische Abhandlung 189
Lenard 136
Lenau 418
    Die Albigenser 418
Lenin 15, 86, 110 f., 119, 132, 138,
    252, 298, 308, 315, 348, 352, 372,
    439
    Materialismus und Empiriokriti-
    zismus 308, 348, 352
    Philosophischer Nachlaß 111, 138
Leonardo da Vinci 422
Lessing 129, 419, 487, 521 ff.
    Emilia Galotti 521
Leukipp 30, 135, 197
Lévy-Bruhl 22
Lichtenberg 185, 512
Locke 59 f., 90, 93, 284, 397
Lotze 260, 289, 424
Lukács 85, 113 f., 116, 208, 395, 399,
    458, 462
    Geschichte und Klassenbewußtsein
    113 f., 208, 395, 399, 458
Lukrez 135, 146 f., 151, 169, 176,
    197, 205, 372, 445, 542
    De natura rerum 542
Luther 418

Mach 19, 111, 297 f., 301, 303, 352,
    354, 440
    Analyse der Empfindungen 297
Machiavelli 128
Maimon 67, 69 ff., 79
Maimonides 154, 177, 504, 515
    Führer der Verirrten 515
Malebranche 19, 49, 168 f., 173 ff.
    De la recherche de la vérité 174
Malthus 367
Mann, Th. 403, 438
    Doktor Faustus 403
Marx 16 f., 19, 110–114, 117–120,

127–130, 136, 212, 240, 255 f.,
    292 ff., 300, 302, 304–307, 311 f.,
    341, 352, 356, 362, 366 f., 371 f.,
    376, 383–388, 390–392, 398 f.,
    401 f., 404, 412, 417, 419, 421, 428,
    435, 441, 444 ff., 453, 458 f., 462,
    470, 472, 474, 476, 518 f.
    Ökonomisch-pilosophische Manu-
    skripte 113, 127, 300
    Einleitung in die Kritik der Hegel-
    schen Rechtsphilosophie 294, 307
    Die Heilige Familie 16, 307, 386,
    428, 518
    Thesen über Feuerbach 292 f.
    Die deutsche Ideologie 386, 390
    Das Elend der Philosophie 384
    Kritik der politischen Ökonomie
    112, 362, 399
    Das Kapital 112, 384
    Brief an Ruge 417
Maxwell 319 f.
Mayer, R. 425
Mehring 395
    Lessing-Legende 395
Mendelejew 364
Michelangelo 344
Michelet 238
Mill, J. St. 90
Mohammed 484, 487, 514
Moleschott 16, 129, 138, 289, 291,
    304 f., 360 f., 446
Montaigne 452
More, H. 167
Moses 487, 514
Motekallemin 155, 157, 168, 173,
    507, 513
Mozart 380, 419
Münzer 395, 417, 498
Musil 421

Napoleon 402, 413
Nernst 321
Neukantianer 86, 88, 138, 299, 301
Neuplatoniker 41 f., 484, 486, 488,
    496, 536
Newton 107, 136, 180 f., 190, 196 ff.,
    204, 213, 216, 246 f., 284, 318 f.,
    323, 326, 332, 341, 364, 375, 425 f.,
    428, 430, 464
    Mathematische Prinzipien der Na-
    turphilosophie 136

Randnoten zur Weissagung Danielis 136
Nietzsche 278, 415, 471
Nikolaus von Cusa 56, 256, 444, 455, 460, 519
  De docta ignorantia 56
Nominalisten 19, 41–44, 78, 85, 89 f., 162 f., 440
Novalis 222 f., 262, 428

Occam, siehe Wilhelm von Ockham
Oken 258 ff., 360
  Lehrbuch der Naturphilosophie 258
  Über das Universum 260
Omar (Kalif) 481
Origenes 488

Paracelsus 170, 214, 428, 437
Parmenides 25 ff., 146, 413
Pascal 452
Paulus 260, 268, 485
Philolaos 27 f.
Pietro d'Abano 508
Pindar 413
Planck 322 f., 326 f., 329, 331 f., 339, 345 f., 349, 351, 426
  Physikalische Rundblicke 322
  Die Entstehung und bisherige Entwicklung der Quantentheorie 323
  Positivismus und reale Außenwelt 345
Platon 18, 33, 35 f., 38 f., 59, 66, 128, 135, 139–142, 144, 146, 149 f., 176, 256, 413 f., 427, 441–444, 455, 499
  Politeia 135
  Philebos 35
  Timaios 427
Plotin 19, 38 ff., 93, 135, 139, 142, 149 ff., 313, 442, 509, 535 f., 541
  Enneaden 150, 535
Poincaré 354
Poirét 452
Proklos 256, 444, 455
Proudhon 402
Proust 421
Ptolemäus 343, 519
Puschkin 394
Pyrrhon 440

Pythagoras 27, 33, 89, 133, 136, 165, 373, 427, 435
Pythagoreer 30, 432 f., 541

Rafael 399
Ramuz 410
Reichenbach, H. 333
Rembrandt 399
Renan 513
  Averroès et l'Averroïsme 513 f.
Rickert 84, 114
  Die Grenzen der naturwissenschaftlichen Begriffsbildung 84
Riemann, B. 336
Robinet 186 ff., 201
  De la nature 186
Rosenberg 413
Rosenkranz 240
Rousseau 135, 148, 181, 213, 441, 489
Rudas 356
Russell, B. 348 f.
  Philosophie der Materie 348
Rutherford 325–328

Sabellius 504
Sachsenspiegel 103
Saint Martin 74, 77, 263, 265, 269
Scaliger, J. C. 523
Scheler 91
Schelling 18 f., 29, 65, 67, 70–77, 79, 83, 92, 94, 97 f., 114, 116, 129, 178 f., 200, 212 ff., 216–229, 232, 240, 242 f., 250, 256, 258, 260 ff., 265 f., 280, 428, 441 f., 444, 452, 458, 477, 543
  Ideen zu einer Philosophie der Natur 227
  Erster Entwurf eines Systems der Naturphilosophie 73, 219
  Von der Weltseele 220
  System des transzendentalen Idealismus 222
  Bruno oder über das natürliche und göttliche Prinzip der Dinge 223
  Über die Methode des akademischen Studiums 222, 224
  Philosophie der Kunst 250
  Philosophie und Religion 74, 224, 228

Philosophische Untersuchungen über das Wesen der menschlichen Freiheit 74, 224
Münchener Vorlesungen zur Geschichte der Philosophie 225
Philosophie der Mythologie und Offenbarung 229
Die Weltalter 228, 256
Schlegel, F. 212
Schleiden 359
Schleiermacher 108, 447
Schlick, M. 342
Scholastiker 18 f., 87, 108, 152, 156, 161, 163 ff., 189, 348, 451, 484, 502, 543
Schopenhauer 18 f., 61, 71 f., 77–79, 92, 94 f., 182, 184, 270–278, 280 ff., 287, 408, 452, 522
Die Welt als Wille und Vorstellung 182, 522
Parerga und Paralipomena 276
Schrödinger 327, 329 f., 333 f., 344, 349, 356
Schuppe 297
Schwabenspiegel 103
Schweizerisches Zivilgesetzbuch 102
Scotus Erigena 156, 485
Semper, G. 410
Shakespeare 342, 344, 366, 399
Othello 366
Siebeck 536
Untersuchungen zur Philosophie der Griechen 536
Siger von Brabant 504
Simmel 357
Smith, A. 57, 383
Sokrates 18, 33, 35, 41, 42, 134 f., 138 ff., 145, 176, 191, 442, 445, 492
Sophisten 35, 41, 138, 440
Sophokles 414
Spartakus 417, 419
Spengler 422
Der Untergang des Abendlandes 422
Spinoza 19, 47–53, 64, 67, 78 f., 129 f., 137, 174–179, 187, 192, 204, 213, 233, 240, 372, 420, 441, 452, 456, 463, 507, 511, 515, 546
Ethik 51, 175–178
Theologisch-politischer Traktat 515

Stalin 388, 462
Stammler 105
Steffens 221
Stirner 92
Stoa 19, 38, 40 f., 50, 107, 134, 145 bis 148, 249, 497, 507, 536
Straton 493, 498, 536
Strauß, R. 278
Stumpf, K. 289
Swedenborg 403

Talmud 103, 108
Tertullian 485
Tetens 207
Thales 24, 130, 471
Thomas von Aquin 19, 43 f., 59 f., 154, 157–163, 165, 168, 207, 280, 414, 420, 428 f., 442, 449, 473, 481, 485, 493 f., 497, 502–506, 508
Summa theologiae 503, 506
De unitate intellectus contra Averroistas 504
De ente et essentia 505 f.
Tolstoi 394, 415
Tschirnhausen 49

Velasquez 415
Vergil 147
Vogt 289, 304 f., 360 f.
Voltaire 187, 278

Welling 197
Opus magico-cabbalisticum 197
Wenzl, A. 350
Metaphysik der Physik von heute 350
Weyl, H. 200, 320, 322, 343, 350 f., 353, 355, 357, 426
Philosophie der Mathematik und Naturwissenschaft 200, 320, 426
Raum, Zeit, Materie 351, 355, 357
Wilhelm von Ockham 47, 58, 503
Winckelmann 415
Windelband 84, 133
Wittgenstein 440

Xenophanes 25, 133

Zenon (der Eleate) 27
Ziehen, T. 297
Ziska 418

Adorno, Ästhetische Theorie 2
– Drei Studien zu Hegel 110
– Einleitung in die Musiksoziologie 142
– Kierkegaard 74
– Negative Dialektik 113
– Noten zur Literatur 355
– Philosophie der neuen Musik 239
– Philosophische Terminologie Bd. 1 23
– Philosophische Terminologie Bd. 2 50
– Prismen 178
– Soziologische Schriften I 306
Materialien zur ästhetischen Theorie Th. W. Adornos 122
Alexy, Theorie der juristischen Argumentation 436
Apel, Der Denkweg von Charles S. Peirce 141
– (Hg.), Sprachpragmatik und Philosophie 375
– Transformation der Philosophie, Bd. 1 164
– Transformation der Philosophie, Bd. 2 165
Arnaszus, Spieltheorie und Nutzenbegriff 51
Ashby, Einführung in die Kybernetik 34
Avineri, Hegels Theorie des modernen Staates 146
Bachelard, Die Philosophie des Nein 325
Bachofen, Das Mutterrecht 135
Barth, Wahrheit und Ideologie 68
Batscha/Garber (Hg.), Von der ständischen zur bürgerlichen Gesellschaft 363
Bauriedl, Beziehungsanalyse 474
Baxandall, Die Wirklichkeit der Bilder 442
Becker, Grundlagen der Mathematik 114
Bendix, Freiheit und historisches Schicksal 390
– Könige oder Volk. 2 Bde. 338
Benjamin, Charles Baudelaire 47
– Der Begriff der Kunstkritik 4
– Ursprung des deutschen Trauerspiels 225
Materialien zu Benjamins Thesen ›Über den Begriff der Geschichte‹ (hg. v. Bulthaup) 121
Bernfeld, Sisyphos 37
Bilz, Studien über Angst und Schmerz 44
– Wie frei ist der Mensch? 17
Bloch, Das Prinzip Hoffnung. 3 Bde. 3
– Geist der Utopie 35
– Naturrecht 250
– Philosophie d. Renaissance 252
– Subjekt/Objekt 251
– Tübinger Einleitung 253
– Atheismus im Christentum 254
– Spuren 459
Materialien zu Blochs ›Prinzip Hoffnung‹ 111
Blumenberg, Die Legitimität der Neuzeit. Erweiterte und überarbeitete Neuausgabe. 24/79/174 in Kassette
– Säkularisierung und Selbstbehauptung (1. u. 2. Teil von »Legitimität«) 79
– Der Prozeß der theoretischen Neugierde (3. Teil von »Legitimität«) 24
– Aspekte der Epochenschwelle (4. Teil von »Legitimität«) 174
– Die Genesis der kopernikanischen Welt. 3 Bde. 352
– Schiffbruch mit Zuschauer 289
Böckenförde, Staat, Gesellschaft, Freiheit 163
Böhme, Alternativen der Wissenschaft 334
Böhme/van den Daele/Krohn, Experimentelle Philosophie 205
Böhme/v. Engelhardt (Hg.), Entfremdete Wissenschaft 278
Bonß/Honneth (Hg.), Sozialforschung als Kritik 400
Bourdieu, Entwurf einer Theorie der Praxis 291

– Zur Soziologie der symbolischen Formen 107
Bourdieu u. a., Eine illegitime Kunst 441
Broué/Témime, Revolution und Krieg in Spanien. 2 Bde. 118
Bruder, Psychologie ohne Bewußtsein 415
Bubner, Handlung, Sprache und Vernunft 382
– Geschichtsprozesse und Handlungsnormen 463
Bucharin/Deborin, Kontroversen 64
Bürger, Vermittlung – Rezeption – Funktion 288
– Tradition und Subjektivität 326
– Zur Kritik der idealistischen Ästhetik 419
Canguilhem, Wissenschaftsgeschichte 286
Castel, Die psychiatrische Ordnung 451
Castoriadis, Durchs Labyrinth 435
Cerquiglini/Gumbrecht (Hg.), Der Diskurs der Literatur- und Sprachhistorie 411
Childe, Soziale Evolution 115
Chomsky, Aspekte der Syntax-Theorie 42
– Reflexionen über die Sprache 185
– Regeln und Repräsentationen 351
– Sprache und Geist 19
Cicourel, Methode und Messung in der Soziologie 99
Claessens, Kapitalismus als Kultur 275
Condorcet, Entwurf einer historischen Darstellung der Fortschritte des menschlichen Geistes 175
Coulmas, Über Schrift 378
Cremerius, Psychosomat. Medizin 255
– (Hg.), Rezeption der Psychoanalyse 296
van den Daele, Krohn, Weingart (Hg.), Geplante Forschung 229
Dahme/Rammstedt (Hg.), Georg Simmel und die Moderne 469
Dahmer, Libido und Gesellschaft 345
Danto, Analytische Geschichtsphilosophie 328
Deborin/Bucharin, Kontroversen 64
Deleuze/Guattari, Anti-Ödipus 224
Denninger (Hg.), Freiheitliche demokratische Grundordnung. 2 Bde. 150
Denninger/Lüderssen, Polizei und Strafprozeß 228
Derrida, Die Schrift und die Differenz 177
– Grammatologie 417
Descombes, Das Selbe und das Andere 346
Devereux, Normal und anormal 395
– Angst und Methode in den Verhaltenswissenschaften 461
Dilthey, Der Aufbau der geschichtlichen Welt in den Geisteswissenschaften 354
Douglas, Ritual, Tabu und Körpersymbolik 353
Dreeben, Was wir in der Schule lernen 294
Dreier, Recht–Moral–Ideologie 344
Drews/Brecht, Psychoanalytische Ich-Psychologie 381
Dubiel, Wissenschaftsorganisation 258
Duby, Krieger und Bauern 454
Duby/Lardreau, Geschichte und Geschichtswissenschaft 409
Durkheim, Der Selbstmord 431
– Soziologie und Philosophie 176
– Die Regeln der soziologischen Methode 464
Dux, Die Logik der Weltbilder 370
Eckstaedt/Klüwer (Hg.), Zeit allein heilt keine Wunden 308
Eco, Das offene Kunstwerk 222
Edelstein/Habermas (Hg.), Soziale Interaktion und soziales Verstehen 446

Edelstein/Keller (Hg.), Perspektivität und
 Interpretation 364
Eder, Die Entstehung staatl. organisierter Gesell-
 schaften 332
Ehlich (Hg.), Erzählen im Alltag 323
Einführung in den Strukturalismus (hg. v. Wahl) 10
Eliade, Schamanismus 126
Elias, Die höfische Gesellschaft 423
– Über den Prozeß der Zivilisation, Bd. 1 158
– Über den Prozeß der Zivilisation, Bd. 2 159
Materialien zu Elias' Zivilisationstheorie 2 418
Macht und Zivilisation. Materialien zu Norbert
 Elias' Zivilisationstheorie 233
Enzensberger, Literatur und Interesse 302
Erdheim, Die gesellschaftliche Produktion von
 Unbewußtheit 465
Erikson, Der junge Mann Luther 117
– Dimensionen einer neuen Identität 100
– Gandhis Wahrheit 265
– Identität und Lebenszyklus 16
Erlich, Russischer Formalismus 21
Ethnomethodologie (hg. v. Weingarten/Sach/
 Schenkein) 71
Euchner, Naturrecht und Politik bei John Locke 280
Evans-Prichard, Theorien über primitive Religion
 359
Fetscher, Rousseaus politische Philosophie 143
Fichte, Politische Schriften (hg. v. Batscha/Saage) 201
Flader/Grodzicki/Schröter (Hg.), Psychoanalyse
 als Gespräch 377
Fleck, Entstehung und Entwicklung einer wissen-
 schaftlichen Tatsache 312
– Erfahrung und Tatsache 404
Foucault, Archäologie des Wissens 356
– (Hg.), Der Fall Rivière 128
– Die Ordnung der Dinge 96
– Sexualität und Wahrheit 448
– Überwachen und Strafen 184
– Wahnsinn und Gesellschaft 39
Frank, Das Sagbare und das Unsagbare 317
v. Friedeburg/Habermas (Hg.), Adorno-
 Konferenz 1983 460
Friedensutopien, Kant/Fichte/Schlegel/Görres
 (hg. v. Batscha/Saage) 267
Fulda u.a., Kritische Darstellung der Metaphysik 315
Furth, Intelligenz und Erkennen 160
Galileo Galilei, Sidereus Nuncius 337
Gert, Die moralischen Regeln 405
Gethmann, Logik und Pragmatik 399
Geulen (Hg.), Perspektivenübernahme und soziales
 Handeln 348
Gleichmann/Goudsblom/Korte (Hg.), Materialien
 zu Norbert Elias' Zivilisationstheorie 233
– Macht und Zivilisation. Materialien zu Norbert
 Elias' Zivilisationstheorie 2 418
Giddens, Die Klassenstruktur fortgeschrittener
 Gesellschaften 452
Goffman, Das Individuum im öffentlichen Austausch
 396
– Rahmen-Analyse 329
– Stigma 140
Goldstein/Freud/Solnit, Diesseits des Kindeswohls
 383
Gombrich, Meditationen über ein Steckenpferd
 237
Goudsblom, Soziologie auf der Waagschale 223
Gouldner, Reziprozität und Autonomie 304
Grewendorf (Hg.), Sprechakttheorie und Semantik
 276
Griewank, Der neuzeitliche Revolutionsbegriff 52

Groethuysen, Die Entstehung der bürgerlichen Welt-
 und Lebensanschauung in Frankreich. 2 Bde. 256
Grunberger, Vom Narzißmus zum Objekt 392
Guattari/Deleuze, Anti-Ödipus 224
Habermas, Erkenntnis und Interesse 1
– Moralbewußtsein … 422
– Theorie und Praxis 243
– Zur Rekonstruktion des Historischen Materialis-
 mus 154
Materialien zu Habermas' ›Erkenntnis und Interesse‹
 49
Hare, Freiheit und Vernunft 457
– Die Sprache der Moral 412
Harman, Das Wesen der Moral 324
Hegel, Grundlinien der Philosophie des Rechts 145
– Phänomenologie des Geistes 8
Materialien zu Hegels ›Phänomenologie des
 Geistes‹ 9
Materialien zu Hegels Rechtsphilosophie Bd. 1 88
Materialien zu Hegels Rechtsphilosophie Bd. 2 89
Heinsohn, Privateigentum, Patriarchat,
 Geldwirtschaft 455
Helfer/Kempe, Das geschlagene Kind 247
Heller, u. a., Die Seele und das Leben 80
Henle, Sprache, Denken, Kultur 120
Hobbes, Leviathan 462
Höffe, Ethik und Politik 266
– Sittlich-politische Diskurse 380
Hörisch (Hg.), Ich möchte ein solcher werden wie …
 283
Hörmann, Meinen und Verstehen 230
Hoffmann, Charakter und Neurose 438
Holbach, System der Natur 259
Holenstein, Roman Jakobsons phänomenologischer
 Strukturalismus 116
– Von der Hintergehbarkeit der Sprache 316
Holton, Thematische Analysen der Wissenschaft 293
Hönneth/Jaeggi (Hg.), Arbeit, Handlung, Norma-
 tivität. Theorien des Historischen Materialismus 2
 321
Hymes, Soziolinguistik 299
Jäger (Hg.), Kriminologie im Strafprozeß 309
– Verbrechen unter totalitärer Herrschaft 388
Jaeggi, Theoretische Praxis 149
Jaeggi/Honneth (Hg.), Theorien des Historischen
 Materialismus 1 182
Jacobson, E., Depression 456
– Das Selbst und die Welt der Objekte 242
Jakobson, R., Hölderlin, Klee, Brecht 162
– Poetik 262
– /Pomorska, Poesie und Grammatik 386
Jakobson, R./ Gadamer/Holenstein, Das Erbe
 Hegels II 440
Jamme/Schneider (Hg.), Mythologie der Vernunft
 413
Jokisch (Hg.), Techniksoziologie 379
Kant, Die Metaphysik der Sitten 190
– Kritik der praktischen Vernunft 56
– Kritik der reinen Vernunft. 2 Bde. 55
– Kritik der Urteilskraft 57
– Schriften zur Anthropologie 1 192
– Schriften zur Anthropologie 2 193
– Schriften zur Metaphysik und Logik 1 188
– Schriften zur Metaphysik und Logik 2 189
– Schriften zur Naturphilosophie 191
– Vorkritische Schriften bis 1768 1 186
– Vorkritische Schriften bis 1768 2 187
Kant zu ehren 61
Materialien zu Kants ›Kritik der praktischen Ver-
 nunft‹ 59

Materialien zu Kants ›Kritik der reinen Vernunft‹ 58
Materialien zu Kants ›Kritik der Urteilskraft‹ 60
Materialien zu Kants ›Rechtsphilosophie‹ 171
Kenny, Wittgenstein 69
Kernberg, Borderline-Störungen und pathologischer Narzißmus 429
Keupp/Zaumseil (Hg.), Gesellschaftliche Organisierung psychischen Leidens 246
Kierkegaard, Philosophische Brocken 147
– Über den Begriff der Ironie 127
Koch (Hg.), Seminar: Die juristische Methode im Staatsrecht 198
Körner, Erfahrung und Theorie 197
Kohut, Die Heilung des Selbst 373
– Die Zukunft der Psychoanalyse 125
– Introspektion, Empathie und Psychoanalyse 207
– Narzißmus 157
Kojève, Hegel. Kommentar zur ›Phänomenologie des Geistes‹ 97
Koselleck, Kritik und Krise 36
Koyré, Von der geschlossenen Welt zum unendlichen Universum 320
Kracauer, Der Detektiv-Roman 297
– Geschichte – Vor den letzten Dingen 11
Küppers/Lundgreen/Weingart, Umweltforschung 215
Kuhlmann/Böhler (Hg.), Kommunikation und Reflexion 408
Kuhn, Die Entstehung des Neuen 236
– Die Struktur wissenschaftlicher Revolutionen 25
Lacan, Schriften 1 137
Lange, Geschichte des Materialismus. 2 Bde. 70
Laplanche/Pontalis, Das Vokabular der Psychoanalyse 7
Leach, Kultur und Kommunikation 212
Leclaire, Der psychoanalytische Prozeß 119
Lenk, Zur Sozialphilosophie der Technik 414
Lenneberg, Biologische Grundlagen der Sprache 217
Lenski, Macht und Privileg 183
Lepenies, Das Ende der Naturgeschichte 227
– (Hg.), Geschichte der Soziologie. 4 Bde. 367
Leuninger, Reflexionen über die Universalgrammatik 282
Lévi-Strauss, Das wilde Denken 14
– Mythologica I, Das Rohe und das Gekochte 167
– Mythologica II, Vom Honig zur Asche 168
– Mythologica III, Der Ursprung der Tischsitten 169
– Mythologica IV, Der nackte Mensch. 2 Bde. 170
– Strukturale Anthropologie 1 226
– Traurige Tropen 240
Lindner/Lüdke (Hg.), Materialien zur ästhetischen Theorie Th. W. Adornos. Konstruktion der Moderne 122
Locke, Zwei Abhandlungen 213
Lorenzen, Konstruktive Wissenschaftstheorie 93
– Methodisches Denken 73
Lorenzer, Die Wahrheit der psychoanalytischen Erkenntnis 173
– Sprachspiel und Interaktionsformen 81
– Sprachzerstörung und Rekonstruktion 31
Lüderssen, Kriminalpolitik auf verschlungenen Wegen 347
Lüderssen/Sack (Hg.), Vom Nutzen und Nachteil der Sozialwissenschaften für das Strafrecht. 2 Bde. 329
– s. a. unter Seminar
Lüderssen/Seibert (Hg.), Autor und Täter 261
Lugowski, Die Form der Individualität im Roman 151

Luhmann, Funktion der Religion 407
– Legitimation durch Verfahren 443
– Zweckbegriff der Systemrationalität 12
Luhmann/Pfürtner (Hg.), Theorietechnik und Moral 206
Luhmann/Schorr (Hg.), Zwischen Technologie und Selbstreferenz 391
Lukács, Der junge Hegel. 2 Bde. 33
Macpherson, Nachruf auf die liberale Demokratie 305
– Politische Theorie des Besitzindividualismus 41
Malinowski, Eine wissenschaftliche Theorie der Kultur 104
Mandeville, Die Bienenfabel 300
Mannheim, Strukturen des Denkens 298
Markis, Protophilosophie 318
Marquard, Schwierigkeiten mit der Geschichtsphilosophie 394
Martens (Hg.), Kindliche Kommunikation 272
Marxismus und Ethik (hg. v. Sandkühler/Vega) 75
deMause (Hg.), Hört ihr die Kinder weinen 339
Mead, Geist, Identität und Gesellschaft 28
Mehrtens/Richter (Hg.), Naturwissenschaft, Technik und NS-Ideologie 303
Meier, Die Entstehung des Politischen bei den Griechen 427
Meillassoux, Die wilden Früchte der Frau 447
Meja/Stehr (Hg.), Der Streit um die Wissenssoziologie. 2 Bde. 361
Menne, Psychoanalyse und Unterschicht 301
Menninger, Selbstzerstörung 249
Merleau-Ponty, Die Abenteuer der Dialektik 105
Merton, Auf den Schultern von Riesen 426
Métral, Die Ehe 357
Miliband, Der Staat in der kapitalistischen Gesellschaft 112
Minder, Glaube, Skepsis und Rationalismus 43
Mittelstraß, Die Möglichkeit von Wissenschaft 62
– (Hg.), Methodenprobleme der Wissenschaften vom gesellschaftlichen Handeln 270
– Wissenschaft als Lebensform 376
Mitterauer/Sieder (Hg.), Historische Familienforschung 387
Mommsen, Max Weber 53
Moore, Soziale Ursprünge von Diktatur und Demokratie 54
Morris, Pragmatische Semiotik und Handlungstheorie 179
– Symbolik und Realität 342
Münster, Utopie, Messianismus und Apokalypse im Frühwerk von E. Bloch 372
Needham, Wissenschaftlicher Universalismus 264
Neurath, Wissenschaftliche Weltauffassung, Sozialismus und Logischer Empirismus 281
Nowotny, Kernenergie: Gefahr oder Notwendigkeit 290
O'Connor, Die Finanzkrise des Staates 83
Oelmüller, Unbefriedigte Aufklärung 263
Oppitz, Notwendige Beziehungen 101
Oser, Moralisches Urteil in Gruppen, Soziales Handeln, Verteilungsgerechtigkeit 335
Parin/Morgenthaler/Parin-Matthèy, Fürchte deinen Nächsten 235
Parsons, Gesellschaften 106
Parson/Schütz, Briefwechsel 202
Peirce, Phänomen und Logik der Zeichen 425
Peukert, Wissenschaftstheorie, Handlungstheorie, Fundamentale Theologie 231
Piaget, Das moralische Urteil beim Kinde 27
– Die Bildung des Zeitbegriffs beim Kinde 77

– Einführung in die genetische Erkenntnistheorie 6
Plessner, Die verspätete Nation 66
Polanyi, Ökonomie und Gesellschaft 295
– The Great Transformation 260
Pontalis, Nach Freud 108
Pontalis/Laplanche, Das Vokabular der Psycho-
analyse. 2 Bde. 7
Propp, Morphologie des Märchens 131
Quine, Grundzüge der Logik 65
Rawls, Eine Theorie der Gerechtigkeit 271
Reck, Identität, Rationalität und Verantwortung 369
Redlich/Freedman, Theorie und Praxis der Psychia-
trie. 2 Bde. 148
Reif (Hg.), Räuber, Volk und Obrigkeit 453
Reinalter (Hg.), Freimaurer und Geheimbünde 403
Ribeiro, Der zivilisatorische Prozeß 433
Ricœur, Die Interpretation 76
Ritter, Metaphysik und Politik 199
Rodi/Lessing (Hg.), Materialien zur Philosophie
Wilhelm Diltheys 439
Rosenbaum, Formen der Familie 374
Sandkühler (Hg.), Natur und geschichtlicher Prozeß
397
v. Savigny, Die Philosophie der normalen Sprache
29
Schadewaldt, Anfänge der Philosophie bei den
Griechen 218
– Die Anfänge der Geschichtsschreibung bei den
Griechen 389
Schelling, Philosophie der Offenbarung 181
– Über das Wesen der menschlichen Freiheit 138
Materialien zu Schellings philosophischen Anfängen
139
Schleiermacher, Hermeneutik und Kritik 211
Schlick, Allgemeine Erkenntnislehre 269
Schluchter, Rationalismus der Weltbeherrschung 322
– (Hg.), Verhalten, Handeln und System 310
– (Hg.), Max Webers Studie über das antike Juden-
tum 340
– (Hg.), Max Webers Studie über Konfuzianismus
und Taoismus 402
Schnädelbach, Philosophie in Deutschland,
1831–1933 401
– (Hg.), Rationalität 449
Schnelle (Hg.), Sprache und Gehirn 343
Schöfthaler/Goldschmidt (Hg.), Soziale Struktur
und Vernunft 365
Scholem, Die jüdische Mystik 330
– Von der mystischen Gestalt der Gottheit 209
– Zur Kabbala und ihrer Symbolik 13
Schütz, Das Problem der Relevanz 371
– Der sinnhafte Aufbau der sozialen Welt 92
– Theorie der Lebensformen 350
Schütz/Luckmann, Strukturen der Lebenswelt Bd. I
284
– Strukturen der Lebenswelt Bd. II 428
Schulze (Hg.), Europäische Bauernrevolten in der
frühen Neuzeit 393
Schumann, Handel mit Gerechtigkeit 214
Schwemmer, Philosophie der Praxis 331
Schwppenhäuser (Hg.), Benjamin über Kafka 341
Searle, Ausdruck und Bedeutung 349
– Sprechakte 458
Seebaß, Das Problem von Sprache und Denken 279
Seminar: Abweichendes Verhalten I
(hg. v. Lüderssen/Sack) 84
– Abweichendes Verhalten II
(hg. v. Lüderssen/Sack) 85
– Abweichendes Verhalten III
(hg. v. Lüderssen/Sack) 86

– Abweichendes Verhalten IV
(hg. v. Lüderssen/Sack) 87
– Angewandte Sozialforschung
(hg. v. Badura) 153
– Zur Philosophie Ernst Blochs
(hg. v. B. Schmidt) 268
– Dialektik in der Philosophie Hegels
(hg. v. Horstmann) 234
– Die juristische Methode im Staatsrecht
(hg. v. Koch) 198
– Entstehung der antiken Klassengesellschaft
(hg. v. Kippenberg) 130
– Entstehung von Klassengesellschaften
(hg. v. Eder) 30
– Familie und Familienrecht I
(hg. v. Simitis/Zenz) 102
– Familie und Familienrecht II
(hg. v. Simitis/Zenz) 103
– Familie und Gesellschaftsstruktur
(hg. v. Rosenbaum) 244
– Freies Handeln und Determinismus
(hg. v. Pothast) 257
– Geschichte und Theorie
(hg. v. Baumgartner/Rüsen) 98
– Gesellschaft und Homosexualität
(hg. v. Lautmann) 200
– Hermeneutik und die Wissenschaften
(hg. v. Gadamer/Boehm) 238
– Kommunikation, Interaktion, Identität
(hg. v. Auwärter/Kirsch/Schröter) 156
– Literatur- und Kunstsoziologie
(hg. v. Bürger) 245
– Medizin, Gesellschaft, Geschichte
(hg. v. Deppe/Regus) 67
– Philosophische Hermeneutik
(hg. v. Gadamer/Boehm) 144
– Politische Ökonomie (hg. v. Vogt) 22
– Regelbegriff in der praktischen Semantik
(hg. v. Heringer) 94
– Religion und gesellschaftliche Entwicklung
(hg. v. Seyfarth/Sprondel) 38
– Sprache und Ethik (hg. v. Grewendorf/Meggle) 91
– Theorien der künstlerischen Produktivität
(hg. v. Curtius) 166
Simitis u. a., Kindeswohl 292
Simmel, Schriften zur Soziologie 434
Skirbekk (Hg.), Wahrheitstheorien 210
Solla Price, Little Science – Big Science 48
Sorel, Über die Gewalt 360
Spierling (Hg.), Materialien zu Schopenhauers ›Die
Welt als Wille und Vorstellung‹ 444
Spinner, Pluralismus als Erkenntnismodell 32
Sprachanalyse und Soziologie (hg. v. Wiggershaus)
123
Sprache, Denken, Kultur (hg. v. Henle) 120
Strauss, Anselm, Spiegel und Masken 109
Strauss, Leo, Naturrecht und Geschichte 216
Szondi, Das lyrische Drama des Fin de siècle 90
– Einführung in die literarische Hermeneutik 124
– Poetik und Geschichtsphilosophie I 40
– Poetik und Geschichtsphilosophie II 72
– Schriften 1 219
– Schriften 2 220
– Theorie des bürgerlichen Trauerspiels 15
Taylor, Hegel 416
Témime/Broué, Revolution und Krieg in Spanien.
2 Bde. 118
Theorietechnik und Moral (hg. v. Luhmann/
Pfürtner) 206
Theunissen, Sein und Schein 314

Theunissen/Greve (Hg.), Materialien zur Philosophie
  Kierkegaards 241
Thompson, Über Wachstum und Form 410
Tiedemann, Dialektik im Stillstand 445
Toulmin, Kritik der kollektiven Vernunft 437
– Voraussicht und Verstehen 358
Touraine, Was nützt die Soziologie? 133
Troitzsch/Wohlauf (Hg.), Technik-Geschichte 319
Tugendhat, Selbstbewußtsein und Selbst-
  bestimmung 221
– Vorlesungen zur Einführung in die sprach-
  analytische Philosophie 45
Uexküll, Theoretische Biologie 20
Ullrich, Technik und Herrschaft 277
Umweltforschung – die gesteuerte Wissenschaft
  215
Vranicki, Geschichte des Marxismus, 2 Bde. 406
Wahl/Honig/Gravenhorst, Wissenschaftlichkeit und
  Interessen 398
Wahrheitstheorien (hg. v. Skirbekk) 210
Waldenfels, Der Spielraum des Verhaltens 311
Waldenfels/Broekman/Pažanin (Hg.), Phänomeno-
  logie und Marxismus I 195
– Phänomenologie und Marxismus II 196
– Phänomenologie und Marxismus III 232
– Phänomenologie und Marxismus IV 273

Watt, Der bürgerliche Roman 78
Weimann, Literaturgeschichte und Mythologie
  204
Weingart, Wissensproduktion und soziale Struktur
  155
Weingarten u. a. (Hg.), Ethnomethodologie 71
Weizenbaum, Macht der Computer 274
Weizsäcker, Der Gestaltkreis 18
Wesel, Aufklärungen über Recht 368
– Der Mythos vom Matriarchat 333
– Juristische Weltkunde 467
Whitehead, Prozeß und Realität 424
Williams, Innovationen 430
Winch, Die Idee der Sozialwissenschaft und ihr Ver-
  hältnis zur Philosophie 95
Wittgenstein, Das Blaue Buch. Eine philosophische
  Betrachtung (Das Braune Buch) 313
– Philosophische Bemerkungen 336
– Philosophische Grammatik 5
– Philosophische Untersuchungen 203
Wollheim, Objekte der Kunst 384
Wunderlich, Studien zur Sprechakttheorie 172
Zenz, Kindesmißhandlung und Kindesrechte 362
Zilsel, Die sozialen Ursprünge der neuzeitlichen
  Wissenschaft 152
Zimmer, Philosophie und Religion Indiens 26